Un jour la jument va parler...

roman

Catalogage avant publication de Bibliothèque et Archives nationales du Québec et Bibliothèque et Archives Canada

Claudais, Marcelyne
Un jour la jument va parler--
(Tous continents)
Éd. originale: Boucherville, Québec : Éditions de Mortagne, 1983.
ISBN 978-2-7644-0786-8
I. Titre. II. Collection: Tous continents.
PS8555.L383J69 2010   C843'.54   C2010-941329-6
PS9555.L383J69 2010

| Conseil des Arts du Canada | Canada Council for the Arts | SODEC Québec |

Nous reconnaissons l'aide financière du gouvernement du Canada par l'entremise du Fonds du livre du Canada pour nos activités d'édition.

Gouvernement du Québec – Programme de crédit d'impôt pour l'édition de livres – Gestion SODEC.

Les Éditions Québec Amérique bénéficient du programme de subvention globale du Conseil des Arts du Canada. Elles tiennent également à remercier la SODEC pour son appui financier.

Québec Amérique
329, rue de la Commune Ouest, 3e étage
Montréal (Québec) Canada H2Y 2E1
Téléphone : 514 499-3000, télécopieur : 514 499-3010

Dépôt légal : 4e trimestre 2010
Bibliothèque nationale du Québec
Bibliothèque nationale du Canada

Projet dirigé par Anne-Marie Villeneuve
Révision linguistique : Guy Permingeat
Mise en pages : André Vallée – Atelier typo Jane
Photo en couverture : © Kèro

Imprimé au Canada

Tous Continents

Collection dirigée par
Anne-Marie Villeneuve

De la même auteure

Belle journée pour tomber en amour…, Montréal, Éditions Québec Amérique, 2010.

En apparence le silence…, Montréal, Éditions Libre Expression, 1997.

La Grande Hermine avait deux sœurs, Montréal, Éditions Libre Expression, 1995.

Ne pleurez pas tant Lysandre…, Montréal, Éditions Libre Expression, 1993.

Comme un orage en février…, Boucherville, Éditions de Mortagne, 1990.

Des cerisiers en fleurs c'est si joli !, Boucherville, Éditions de Mortagne, 1987.

J'espère au moins qu'y va faire beau !, Boucherville, Éditions de Mortagne, 1985.

Un jour la jument va parler…, Boucherville, Éditions de Mortagne, 1983.

MARCELYNE CLAUDAIS

Un jour la jument va parler...

roman

QUÉBEC AMÉRIQUE

À Emmanuel et Marie-Nathalie…

Avant-propos

Quand les Éditions Québec Amérique m'ont proposé de publier une nouvelle édition du roman *Un jour la jument va parler...* j'ai accepté à condition de pouvoir le revisiter, non pour récrire l'histoire, mais pour en peaufiner l'écriture et corriger certains détails.

Je tiens à préciser que les personnages de ce roman, toujours brûlant d'actualité, évoluent dans un univers « que les moins de vingt ans ne peuvent pas connaître » puisqu'il nous ramène à une époque, pas si lointaine, où il n'y avait pas d'ordinateurs, pas de téléphones cellulaires, pas de fours à micro-ondes, pas de guichets automatiques. Pour pouvoir divorcer, les couples devaient s'accuser d'adultère, d'alcoolisme ou de cruauté mentale, et le partage équitable des biens n'était encore qu'un mirage.

Les choses ont certes évolué, mais ont-elles vraiment changé ? Je laisse à chaque lecteur le plaisir d'en juger.

Bonne lecture

M.C.

Ce que la chenille appelle : la fin du monde…
l'Être l'appelle : un Papillon !

R. Bach, *Illusions*

Versailles… ou la fuite

Mercredi 2 février 1977

C'est ma fête. J'ai 38 ans. J'entrouvre les yeux lentement, il
fait soleil et le temps semble doux. Gabriel est déjà levé. Je
l'ai entendu tousser et cracher, comme tous les matins ; puis,
comme tous les matins, les choses se sont calmées, et je me
suis lovée dans un demi-sommeil qui m'incite à rester au lit
jusqu'à ce que j'aie trouvé une bonne raison de me lever. Le
réveil indique 6 : 52. À sept heures, il va sonner. Je savoure ces
huit minutes, seconde par seconde… encore cinq… encore
trois… encore une… C'est l'heure ! Alexandre et Mélanie se
bousculent dans l'escalier.

— Vos gueules, les enfants !

J'entends la voix de Gabriel et je frissonne. Je n'ai plus le
choix, je dois les affronter. Je me lève sans joie, enfile mon

plus beau peignoir et fais un détour par la salle de bains pour me coiffer et me brosser les dents : je suis prête ! Je sais qu'ils oublieront que c'est ma fête. Gabriel n'y pense jamais, et les enfants ne s'en souviendront qu'au moment du dîner. Ils reviendront de l'école, piteux, mal à l'aise, et moi je vais souffrir toute la journée.

Élise, chère Élise, tu ne souffriras que si tu le veux.

Or, aujourd'hui, je ne veux pas. Aujourd'hui, je ne souffrirai pas. Je respire profondément et compte jusqu'à dix avant d'entrer dans la cuisine en m'embrassant les mains et en chantant :

« Ma chère Élise, c'est à ton tour, de te laisser parler d'amour ! »

L'effet est foudroyant. Les deux enfants me sautent au cou.

— Bonne fête, maman !
— Bonne fête, maman !

Gabriel s'avance en me tendant les bras. Déjà, de loin, il sent l'alcool.

— Bon anniversaire, *mon chérie* !

Il m'appelle toujours *mon chérie*, même en faisant l'amour, même durant nos disputes.

— Veux-tu des confitures ?
— Oui, merci !

Mélanie tartine mes rôties, Alexandre m'apporte un jus d'orange ; j'ai réussi ! Ils peuvent partir en paix pour l'école, je ne pleurerai pas. J'avais le choix ; on a toujours le choix de s'apitoyer sur son sort ou de poser un geste pour se libérer de son angoisse.

Je me sens tout à coup sereine et presque heureuse malgré la situation tendue qui existe entre Gabriel et moi. Il boit trop, je ne le supporte plus. Déjà, à huit heures, il en est à son deuxième gin. Son verre à la main, il descend se réfugier au sous-sol. Je l'entends aller et venir en bousculant tout sur son passage. J'ouvre la radio. Seule dans la cuisine, je feuillette tranquillement le journal en sirotant un deuxième café.

Je ne vais certainement pas rester cloîtrée dans la maison. Il fait trop beau. Je veux me faire belle aussi pour étrenner mes trente-huit ans ! Je retouche ma coiffure, soigne mon maquillage, enfile ma plus belle jupe et choisis mon chemisier préféré.

L'envie me prend de me payer une petite folie : je vais descendre à pied jusqu'au centre d'achats, puis m'attarder à la librairie pour acheter quelques bons livres. Prendre mon temps, parcourir les allées, bouquiner à mon aise ; c'est ma journée, et je me fête !

Gabriel s'apprête également à sortir. C'est l'heure de son pèlerinage quotidien à la sacro-sainte Société des alcools. Tous les matins, à la même heure, il sort acheter son *40 onces…* Ce n'est pas une habitude, c'est un rite. Si au moins il en profitait pour faire une petite marche de santé !

— *Tabarnak !* Où sont mes bas ?
— Probablement dans ton tiroir.
— *Host… de Cal…* où sont mes gants ?
— Dans tes poches ou sur la table, près de l'entrée !

Il ferme la porte avec fracas. Mon Dieu, combien de temps encore vais-je pouvoir endurer ça ? J'ai à peine le temps de me poser la question que la porte d'entrée claque à nouveau. Gabriel revient.

—Host… de Cal… de Tabar…

Quand les trois jurons se suivent, la situation est grave.

—Qu'est-ce que tu as ?

Impardonnable imprudence, le ciel me tombe aussitôt sur la tête.

—Ah ! tu veux savoir ce que j'ai ? Eh bien, tu vas le savoir ! Le petit *crisse* n'a même pas été foutu de déblayer l'entrée de garage !

J'essaie de rester douce :

—Il l'a fait, mon amour, je t'assure, mais comme il a neigé et venté toute la nuit… et avec la rafale… la poudrerie…
—Alexandre travaille comme un con parce que tu l'élèves comme un con !

Rouge de colère, Gabriel s'énerve et tape du poing.

—Je t'en prie, chéri, calme-toi !

J'ai dit exactement ce qu'il ne fallait pas dire ! Je le savais pourtant, mais je l'ai dit quand même : *Calme-toi…* et la corrida commence.

—*Je* me calmerai si *je* veux !

Mieux vaut m'enlever de là. Je me dirige vers le vestiaire et attrape mon manteau.

—Où est-ce que tu vas ?
—À la librairie, m'acheter des livres.
—Des livres ! Encore des livres ! C'est tout ce que tu sais faire, lire !

Gabriel est furieux. Il crie et commence sérieusement à me faire peur. Chaque fois que je change de place : il me suit. Il est tout rouge. Il a les yeux exorbités. Il s'engueule avec lui-même. Il s'ambitionne. J'ai peur ! Je me retire dans un coin et reste silencieuse, bien décidée à laisser passer la crise sans ajouter un mot. Mais voilà qu'il se rapproche. Je suis coincée, traquée, prise au piège. Il ne me laisse aucune issue. La violence de son regard me transperce.

— Je vais te mettre du plomb dans la tête !

Il lève le bras, ouvre la main… il va me frapper !

La paume de sa main se rabat violemment sur ma tempe et ma tête cogne contre le mur. Tout se déroule au ralenti. C'est flou. Je vois sa figure cramoisie, sa bouche ouverte, et n'ai plus qu'une idée : me sauver. Il faut faire vite. Je me ressaisis et cours vers la porte, en empoignant mon sac à main qui était resté sur le divan. Gabriel me rattrape. Il se plante devant moi, saisit mon poignet d'une main, et tord le collet de mon manteau de l'autre. Ses yeux me fixent avec une telle rage que j'en frissonne de tout mon corps. Il a la figure boursouflée, il respire fort et son haleine exhale une forte odeur d'alcool. Mon Dieu, aidez-moi !

Soudainement mue par une force insoupçonnée, je regarde à mon tour Gabriel dans les yeux, et lui dis calmement :

— Si tu voulais me faire peur, tu as réussi, mais c'est fini, je n'ai plus peur ! Maintenant pousse-toi, et laisse-moi passer !

Surpris, Gabriel lâche prise. Sans perdre une seconde, je file vers la sortie. Je suis sur le point de refermer la porte, quand Gabriel se retourne et donne un violent coup de poing dans le mur qui sépare la cuisine du salon. Ma collection de porcelaine de Delft vole en éclats ; les assiettes et les vases se fracassent sur le plancher. Figée sur le pas de la porte, j'hésite un instant, déjà prête à retourner réparer les dégâts.

Élise, chère Élise, ta vie vaut plus que de la vaisselle !

Maîtrisant mon chagrin, je relève la tête et sors en refermant la porte tout doucement derrière moi. J'ai les jambes molles, mon cœur bat à tout rompre. J'ai peur. Peur que Gabriel parte à mes trousses. Peur que Gabriel me rattrape. Je me sens pourchassée comme une bête. Affolée, traquée, je me sauve à toutes jambes, en regardant constamment derrière moi. Ce n'est pas vrai, je fais du cinéma. On ne voit ça qu'au cinéma. Dans la vraie vie, ce n'est pas comme ça. Dans la vraie vie, on ne se frappe pas. Dans la vraie vie, on ne se sauve pas ! Je m'enfonce dans un cauchemar… je rêve ! C'est ça, j'ai trouvé, je rêve ! Je rêve et je vais me réveiller : *je veux me réveiller !*

Je perds pied et me retrouve à plat ventre dans la neige. C'est froid ! Donc, je ne rêve pas. Je tourne ma propre vie, je sauve ma propre peau, et j'ai peur… vraiment peur ! Comment en suis-je arrivée à fuir le seul homme que j'aime ? Comment puis-je craindre à ce point l'être avec qui j'ai partagé presque vingt ans de ma vie ?

J'arrive à l'arrêt d'autobus complètement épuisée. Je n'ai certes plus envie d'aller bouquiner. Je suis perdue. Je ne sais plus quoi faire, ni où aller. J'entre dans une cabine pour appeler Lorraine, ma sœur cadette, et lui propose simplement que nous lunchions ensemble. Elle accepte avec joie. Nous nous rencontrerons à son bureau.

Le bus me mène à la première station de métro. J'ai froid. Je tremble. J'ai mal à mon amour… mon grand amour ! Assise au fond du banc, je me laisse bercer par le mouvement du wagon. Je regarde fixement mon reflet dans la vitre. Je me sens vieille, tout à coup, épouvantablement vieille, comme si la vie me rattrapait subitement. J'ai le cœur gros, je n'arrive plus à retenir mes larmes.

> *Élise, chère Élise, combien de femmes, avant toi, ont pleuré dans le métro ?*

Les inconnus qui m'entourent m'observent avec indifférence. Aucun d'eux ne peut imaginer le drame qui se joue pour la millième fois dans ma tête, parfois en accéléré, parfois au ralenti, pour dédramatiser la situation, pour mieux comprendre.

Je dois m'avouer que la guenille brûlait chez nous depuis un bon moment, mais j'espérais toujours le *miracle* : un jour, Gabriel finirait par comprendre, un jour Gabriel cesserait de boire, un jour on se retrouverait tous les deux, amoureux et heureux *comme avant…* comme avant quoi ?

Il y avait parfois, de loin en loin, des moments de tendresse, mais ce n'était plus *comme avant…* comme avant la colère, comme avant la bouteille. Maudite bouteille !

Lorraine fait les cent pas sur le trottoir. Elle est un peu pressée, nous irons donc luncher tout de suite.

— La cafétéria, ça te va ?
— Ça ira.

Encore fébrile, je lui raconte sans ménagement ce qui vient de se passer. Lorraine se doutait bien que quelque chose n'allait pas, mais jamais elle n'aurait imaginé que la situation était aussi grave.

Nous commandons deux lasagnes, pour la forme. Je n'ai pas faim. Elle n'a plus faim.

— Je ne veux pas retourner à la maison ce soir.
— Veux-tu venir chez nous ?
— Non, pas chez vous, Gabriel pourrait rappliquer.
— Alors, où ?
— Je ne sais pas, peut-être chez Jacqueline…
— Et les enfants ?
— Oh ! Mon Dieu ! J'oubliais les enfants !

Vite un téléphone ! J'appelle à l'école et demande à la secrétaire de leur faire le message de se rendre directement chez Jacqueline après la classe. Mon amie n'est pas encore au courant de mon histoire, mais je sais qu'elle sera la première à nous ouvrir sa porte.

Quand je la rejoins vers quatre heures, Jacqueline me rassure, mes enfants sont au parc avec les siens. Je lui raconte tout rapidement. Elle ne comprend pas ; elle a vu Gabriel, il y a une heure, à peine.

— Tu n'as rien remarqué ?
— Non, il avait l'air normal, très correct, très sociable, comme d'habitude.
— Et il ne t'a parlé de rien ?
— Il m'a simplement demandé si nous avions passé l'après-midi ensemble ; quand j'ai répondu non, il a souri puis il s'est éloigné.

Me sentant vulnérable, Jacqueline me serre fort dans ses bras, puis elle me prend par la taille et m'entraîne dans la cuisine.

— Allez, viens m'aider, je vous garde à souper.

Le temps d'enfiler un tablier et je me retrouve devant une montagne de pommes de terre à éplucher.

—Vous pouvez même rester à coucher, si tu veux !

—Mais…

—Ne t'inquiète pas, on va camper ! Mélanie partagera le grand lit d'Anne-Marie, et Alexandre dormira sur le divan du salon…

—Et moi ?

—Je te réserve le sofa du sous-sol, bien au chaud, près de la cheminée.

Cette invitation me plaît. Demain matin, la situation nous paraîtra plus claire. Gabriel aura eu le temps de réfléchir aux conséquences de son geste, et nous pourrons peut-être avoir enfin une conversation un peu plus calme.

Tout est silencieux. La bûche qui crépite dans l'âtre inonde la pièce d'une chaude couleur rougeâtre. Je n'arrive pas à dormir. Je pense à Gabriel qui ne sait pas où nous sommes, comme il doit s'inquiéter ! C'est absurde ! Comment en sommes-nous arrivés là ? Que s'est-il passé ? Il aura fallu moins de cinq minutes pour tout casser. C'est impossible, ça ne se peut pas, on ne se sépare pas comme ça.

Je repense à ma vie avec Gabriel, à mon amour pour Gabriel. Demain, je vais l'appeler, lui parler tout doucement, lui expliquer. Nous sommes à l'orée d'une ère nouvelle. J'ai la certitude que nous allons sortir vivants de cette tempête pour nous retrouver plus forts et plus amoureux. Nous nous sommes mariés *pour le meilleur et pour le pire*, nous vivons le pire, mais le meilleur est pour demain. Je connais des couples qui ont survécu à des moments extrêmement difficiles et qui ont finalement repris la route ensemble…

Peu à peu, mes rêves de bonheur prennent toute la place et me grisent. Il fait bon, il fait chaud, je prie un peu : *donnez-moi la sérénité… le courage… la sagesse…* Quel programme !

J'entends des pas dans l'escalier. Jacqueline s'approche de mon lit tout doucement.

—Dors-tu ?
—Non.
—Tant mieux…

Elle allume une bougie plantée sur un gros morceau de gâteau.

—J'avais oublié de te souhaiter un bon anniversaire !
—C'est pourtant vrai, je n'y pensais plus.
—J'ai apporté deux fourchettes, au cas où…

Je repousse la couverture pour lui faire une petite place dans mon lit, comme lorsque nous étions adolescentes et que nous passions la nuit à ricaner. Mon père criait : *Taisez-vous, mes calvettes, je travaille demain matin !* Mais nous étions intarissables. Nous le sommes encore. Appuyées l'une contre l'autre, nous chuchotons, en échangeant des confidences que seule la braise du foyer connaîtra.

∞

Les enfants sont partis pour l'école comme tous les matins, mais ils reviendront chez Jacqueline après la classe. D'ici là, je déciderai si nous devons retourner à la maison.

Cette nuit de repos m'a fait du bien. Je me sens plus forte, et mieux en mesure d'agir, mais d'abord je dois téléphoner à Gabriel pour le rassurer et lui laisser savoir où nous sommes.

—Comme c'est bizarre, il n'y a pas de réponse !

Jacqueline me fait remarquer que c'est l'heure de son pèlerinage. J'attends ! J'essaie encore… toujours rien !

—Jacqueline, j'ai peur ! Et s'il s'était suicidé ?
—Bon, ça suffit les drames !

Jacqueline saute dans sa voiture, va faire un détour devant notre maison, puis revient aussi vite.

—L'auto de Gabriel est là ! Et lui aussi, je l'ai vu par la fenêtre !
—Alors, pourquoi ne répond-il pas ?
—Je ne sais pas, essaie encore.
—Rien… toujours rien !
—J'ai l'impression qu'en gardant le silence, il tente de t'attirer dans ses filets.
—Tu crois ?
—J'en suis sûre.
—Qu'est-ce que je fais ?
—Laisse-le languir encore un peu.

Je tourne en rond comme un renard qui craint le piège. Si seulement quelqu'un pouvait me guider. J'ai trouvé ! Je téléphone à Marc-André, le neveu de Gabriel. Il m'invite à luncher. Je le rejoins dans un bistrot, rue Saint-Denis.

—Merci de prendre le temps de m'écouter.

Mon récit ne l'étonne pas. Il connaît bien son oncle, et pense lui aussi que Gabriel fait exprès de ne pas répondre au

téléphone, sachant très bien que je vais m'inquiéter et probablement rappliquer.

— Pour l'instant, je te conseille de retourner chez Jacqueline. Après souper, je viendrai te chercher, et nous irons
ensemble à *Versailles* voir si le Roi se meurt !

Dix-neuf heures ! Vingt heures ! Marc-André ne donne
toujours pas de nouvelles. Et voilà que je me surprends à
attendre encore. Je me réfugie dans un état second qui me
coupe les jambes et m'enlève toute capacité de fonctionner.
Impossible de lire, impossible de sortir, impossible de dormir :
j'attends ! J'attends l'appel, le signal, la cloche, comme à l'école.

Les enfants s'amusent au sous-sol. Jacqueline joue du piano,
et moi, recroquevillée sur le divan, je répète en boucle la même
scène dans ma tête : Marc-André arrive enfin… nous partons
ensemble à Versailles… De loin, j'aperçois Gabriel… Il vient
vers moi… m'ouvre ses bras… mais, juste au moment où nos
doigts vont se toucher, ma vue s'embrouille et tout recommence.

Chaque fois que le téléphone sonne, je sursaute. Le mari
de Jacqueline répond rapidement puis raccroche aussitôt pour
ne pas monopoliser la ligne. Il ne faut jamais donner à la
personne qui a promis de nous appeler, l'excuse de répondre :
J'ai essayé, mais c'était toujours occupé !

Bientôt vingt-deux heures… et Marc-André n'est pas
encore arrivé. Je ne sais plus quoi penser. J'ai téléphoné à son
bureau, sans succès. Aucune réponse chez lui non plus. Donc,
il doit être en route. Mais, peut-être lui est-il arrivé quelque
chose ? Peut-être a-t-il eu un accident ?

*Élise, chère Élise, combien de fois as-tu appréhendé un
accident ?*

Chaque fois qu'il tardait, j'avais peur que Gabriel ait eu un accident. Je passais des heures à la fenêtre, surveillais les voitures et tournais la tête aussitôt qu'une auto s'approchait. Gabriel avait eu un accident ! Plus le temps passait, plus j'en étais certaine. Je pleurais, je tremblais, je m'affolais. Je me voyais déjà veuve, ou femme d'un paraplégique. Quand Gabriel arrivait, tard, très tard, je lui sautais au cou en l'embrassant, trop heureuse qu'il soit sain et sauf, qu'il me revienne bien vivant. Pauvre conne ! Il me bécotait, me rassurait :

— *Mon pauvre chérie*, tu n'aurais pas dû m'attendre, ce n'est pas raisonnable.

— Tu sens l'alcool !

— Tu sais ce que c'est, j'ai pris un verre avec des clients… un gros contrat…

Bien sûr, je savais, je comprenais, je m'excusais même de l'avoir attendu.

— Tu aurais dû te coucher, tu le sais que ça m'inquiète quand tu m'attends comme ça. Non, mais, regarde-toi, ma biche, tu as les yeux cernés. Promets-moi de ne plus veiller aussi tard !

— Quand même, tu aurais pu m'appeler !

— J'ai essayé, *mais la ligne était occupée*…

— C'est impossible !

— C'est ça, traite-moi de menteur pendant que tu y es !

— Je ne te traite pas de menteur, je te dis simplement que personne n'a téléphoné… à part un vendeur de journaux !

— Et il était quelle heure ?

— Dix-neuf heures, je crois…

— C'est ça ! C'est exactement ça ! Dix-neuf ! Je me souviens, j'ai regardé ma montre !… Non, mais, tu vois comme tu es ?

Pauvre Gabriel, il travaillait comme un forcené et moi je doutais de lui. J'étais la reine des ingrates. Et pour qui croyais-je donc qu'il peinait si fort ? Mais pour nous, bien sûr, sinon ce n'était pas la peine. Il me prenait alors amoureusement dans ses bras et sa voix charmeuse me glissait à l'oreille :

— Crois-tu que c'est drôle de passer mes soirées dans les bars avec tous ces clients ennuyeux ? Je voudrais t'y voir, tiens ! Crois-moi, *mon chérie*, je préférerais mille fois passer mes soirées à la maison avec toi et les enfants.

Et moi je le croyais. Je le plaignais même. J'en rage ! Et voilà que, ce soir, je m'inquiète encore pour cet imbécile de Marc-André, qui ne daigne même pas donner signe de vie. Je suis folle, complètement folle !

— Allez, habille-toi, on s'en va faire un tour !

La voix de Jacqueline me ramène à la réalité. Elle a raison, il faut sortir, aller voir ce qui se passe et en avoir le cœur net ! Mais le cœur net de quoi ?

Nous empruntons le boulevard de Blois, puis le boulevard Tracy, à la vitesse d'un corbillard. Mon cœur s'agite. J'ai les mains moites. Nous approchons, nous y sommes presque.

— Regarde, Jacqueline, l'auto de Marc-André est garée devant la porte !

Le traître ! Il m'a trahie. Il devait m'appeler. Il avait promis ! J'ai mal à mon amour… j'ai mal à l'autre… j'ai mal à la vie… la chienne de vie !

Jacqueline rebrousse chemin et nous rentrons chez elle en silence. Les enfants sont déjà couchés. Je retrouve la chaleur du sous-sol. Je me sens seule, abandonnée, trahie. Tout tourne autour de moi. Je ferme les yeux, je me laisse aller, je vais mourir… *Je veux mourir* !

∞

Comme prévu, Jacqueline et son mari se sont envolés cette nuit pour une semaine de vacances aux Bermudes. Ils sont partis sans faire de bruit, et c'est la sonnerie persistante du téléphone qui m'oblige à sortir du lit. Visiblement mal à l'aise, Marc-André choisit ses mots pour m'expliquer qu'hier soir, déviant de notre programme, il avait décidé de se présenter seul chez son oncle, afin de le préparer à notre rencontre, et que pris au piège, il n'avait réussi à quitter la place qu'aux petites heures du matin.

— Gabriel t'aime, Élise. Il a beaucoup pleuré, mais ce matin il est calme et il attend tes excuses.

— Mes excuses ? Quelles excuses ?

Je bondis et raccroche furieusement. Monsieur attend des excuses ! Non mais, je vais lui en faire, moi, des excuses ! Il peut toujours attendre, je ne rentrerai pas de tout le week-end, tant pis pour lui, je l'emmerde ! Je crie, comme ça, mais dans le fond j'ai la trouille. J'ai peur de revenir à la maison. À peine rentrée, tout recommencerait, les chicanes, les cris… Je n'en peux plus !

Élise, chère Élise, aussi longtemps qu'on crie qu'on n'en peut plus, c'est qu'on en peut encore ; quand on n'en peut vraiment plus, on ne crie plus, on agit !

Ma décision est prise, je ne rentrerai pas.

∞

Depuis qu'ils ont appris par Lorraine la nouvelle de mon départ, mes parents s'inquiètent pour moi et pour les enfants. Juste un coup de fil pour les rassurer : Je vais bien, les enfants aussi, et j'irai les voir tout à l'heure, c'est promis.

Johanne, la plus jeune de mes sœurs, me propose d'héberger Mélanie pour quelques jours, et Alexandre ira se reposer chez Marc-André. Certaine que mes deux enfants seront en sécurité, je peux me permettre d'accepter l'invitation de Lorraine et d'Antoine qui m'offrent leur hospitalité, le temps de me retourner et d'y voir clair.

Je fais un saut dans les magasins et trouve en solde quelques vêtements pour Alexandre qui n'a que son jean, un t-shirt et un chandail à se mettre sur le dos. Comme l'argent passe vite ! Il ne me reste que six dollars en poche.

Nous nous sommes tous donné rendez-vous à l'entrée du métro, d'où chacun empruntera sa route. Mélanie suit sa tante Johanne et son oncle Robert, tandis que Marc-André part avec Alexandre. J'espère au moins qu'ils savent à quel point je les aime, et combien il m'est pénible de me séparer d'eux.

Il fait beau. Le ciel est d'un bleu profond. Je me sens libre, pauvre et traquée. Gabriel ne sait toujours pas où nous sommes. J'ai demandé à Jean, un ami fidèle, de lui téléphoner pour le rassurer, sans lui dévoiler nos cachettes. Pour le moment, j'ai besoin d'être seule pour réfléchir.

∞

Samedi 5 février

Il est six heures. Lorraine et Antoine dorment encore. Allongée sur le divan du salon, j'essaie de prolonger la nuit, quand le voisin d'en haut se met à tousser et à cracher comme Gabriel le faisait chaque matin. Je réagis de tout mon corps. Mes genoux se cognent, mes dents claquent, j'ai froid. Il fait bon dans la pièce, et pourtant je grelotte. J'ai la sensation d'avoir les os gelés. Je tremble. En fait, ça fait des mois que je tremble; depuis que je sais pour Gabriel. Son médecin a été formel : cirrhose et varices à l'œsophage ! Il va bientôt cracher le sang, s'il ne l'a déjà fait, et risque l'hémorragie à chaque instant.

La tête cachée sous mon oreiller, je repense à tout cela en entendant ce voisin tousser. Quand enfin le silence revient, je me calme et je pleure en laissant couler mes larmes. Elles sont chaudes et salées quand je les lèche; ce retour à l'enfance me réconforte.

Dans la pénombre, je pense à Gabriel. Dort-il ? Pleure-t-il ? Je ne veux pas lui téléphoner avant de m'en sentir prête. Je sais trop bien qu'en entendant sa voix, je vais m'attendrir. Comment lui faire comprendre que l'alcool a vraiment pris trop de place dans sa vie, dans notre vie ? Pas un jour, pas une heure sans alcool, c'est insupportable. Je n'ai pas le droit de permettre que le comportement de Gabriel bouleverse à ce point ma vie et celle des enfants. Je me sens humiliée, démolie, constamment déchirée entre Dr Jeckyll et Mr Hyde. Combien de temps devrais-je encore endurer sans réagir ? J'ai pourtant tout tenté : j'ai bu avec lui, et me suis retrouvée malade et désabusée. Comme je n'ai jamais aimé perdre le contrôle de moi-même, j'ai vite éliminé cette option. J'ai compté les bouteilles, je les ai marquées, j'ai même souvent pensé les vider dans l'évier, mais je n'ai jamais osé. J'ai pleuré, j'ai supplié, sans succès. Aujourd'hui, sans regret et sans amertume, je dis simplement : c'est assez ! Ma décision est prise. Je ne retournerai pas à la maison avant d'avoir fait un cheminement important de mon côté, et que Gabriel en ait fait un du sien. Je n'ai plus le droit d'hésiter. Les enfants doivent savoir où je m'en vais. Je ne leur ai jamais rien caché. Ils connaissent la maladie de leur père et comprennent, eux aussi, que ça ne peut plus durer.

Lorraine me rejoint.

— As-tu faim ? Je vais nous faire du vrai gruau, avec de la cassonade.

Elle est douce Lorraine, et tellement généreuse. Je l'entends fredonner, elle est heureuse. Sa cuisine blanc et jaune est inondée de soleil en ce matin d'hiver. Si je peignais le portrait de ma sœur, mon tableau serait lui aussi blanc et jaune, et Lorraine s'y détacherait comme une belle fleur, gaie, vibrante et simple, dansant dans un rayon de soleil. Chez elle tout est délicat, bien décoré, de bon goût.

Antoine vient nous rejoindre. Je le sens désolé, déchiré dans cette histoire. Gabriel et lui sont de bons amis, ils ont même travaillé ensemble, au début, quand Antoine est arrivé d'Égypte. C'est Gabriel qui l'a invité à la maison un soir de Noël, et c'est chez nous, ce soir-là, qu'il a rencontré ma sœur Lorraine…

— Le petit déjeuner est servi !

Ça sent bon et pleurer m'a creusé l'appétit. Le téléphone de Jean nous arrive entre deux cafés. Il a parlé à Gabriel qui lui a paru dans de bonnes dispositions, mais il me conseille d'attendre un peu avant de l'appeler. Il accepte de servir d'intermédiaire entre nous, et me rappellera aussitôt qu'il aura des nouvelles.

Pour me distraire, Lorraine m'entraîne dans les magasins. Les enfants me manquent. Je les sens loin ! J'ai parlé à chacun d'eux, ce matin, au téléphone. Ils sont perturbés, bien sûr, mais je les ai trouvés calmes. Leur confiance me rassure.

Je refuse pour l'instant de faire des plans. Je suis en léthargie. Je regarde les vitrines et déambule dans la rue comme une âme en peine. J'ai hâte de revenir chez Lorraine, mais je ne veux pas la bousculer. Je ne sais d'ailleurs pas très bien pourquoi j'ai envie de rentrer.

Antoine nous a cuisiné un bon repas. Nous soupons tranquillement tous les trois quand, violant le secret de ma cachette, mon amie Barbara s'amène avec un livre et quelques fleurs à la main.

—Excuse-moi d'arriver, comme ça, à l'improviste, mais je tenais absolument à souligner ton anniversaire.

Comment pourrais-je lui en vouloir, quand je la vois là, devant moi, épanouie, enjouée ! Ses yeux magnifiques lui mangent la moitié de la face, et son sourire extraordinaire dévore le reste. Ses cheveux ébouriffés, sa jupe plissée et sa blouse paysanne lui donnent un air de saltimbanque. C'est une bohème, une romanichelle, un cadeau de la nature.

—Mais, qui t'a dit où j'étais ?
—Marc-André m'a téléphoné ce matin.

Comme c'est drôle, j'avais presque oublié que Barbara avait déjà été mariée avec Marc-André. Au bout de deux ans, leur union s'est effritée, mais notre amitié est restée intacte.

— J'ai pensé qu'un livre et quelques fleurs…
— Quelle bonne idée ! J'adore les livres et j'ai toujours apprécié les fleurs.

Lorraine nous a préparé du café à la crème glacée, un vrai délice ! Nous bavardons amicalement, tous les quatre, en écoutant de la musique de jazz. Je ne me suis jamais sentie aussi bien : la présence de Barbara, la tendresse de Lorraine, la gentillesse d'Antoine, et cette sensation de calme, de tranquillité, de liberté…

Pour la première fois depuis mon départ, j'envisage l'idée de vivre seule ; avec les enfants, bien sûr, mais sans Gabriel. Ne plus l'entendre crier, ne plus l'entendre sacrer : la paix ! La sainte paix ! Barbara a été le témoin impuissant de tant de scènes violentes, que sa seule présence me réconforte. Sa complicité me donne du courage.

Élise, chère Élise, le temps serait-il enfin venu de briser les chaînes ?

∞

Dimanche 6 février

Je campe toujours chez Lorraine. Le téléphone de Jean me réveille. Il m'apporte des nouvelles. Gabriel n'a pas bu depuis deux jours. Il souffre. Il a insisté pour me voir, mais Jean a refusé de lui dire où j'étais. Demain, si je me sens bien, je tenterai peut-être une approche, mais pour l'instant je n'aurais pas la force de faire face à ses reproches, encore moins à ses larmes.

Lorraine fait tout ce qu'elle peut pour me rendre la vie plus agréable. Après déjeuner, elle décide de changer ma coiffure : une bonne coupe, une nouvelle mise en plis, et me voilà transformée. Toujours triste, mais plus montrable. Je lave ma blouse et mes dessous pour la quatrième fois en autant de jours. Ma *sœur-fée* me prête un tailleur-pantalon, un bracelet et des boucles d'oreilles… pourvu que la voiture d'Antoine ne se transforme pas en citrouille !

Les parents d'Antoine m'ont invitée à partager leur réunion dominicale. Lorraine leur a raconté que Gabriel était en voyage d'affaires pour quelques jours, et cette raison leur a suffi.

On nous réserve comme toujours un accueil bien chaleureux. La mère d'Antoine nous offre des fruits, du gâteau et du café très, très fort, dans de toutes petites tasses.

Je fais la connaissance de tante Claire, une Égyptienne corpulente et animée, qui lit dans le marc de café. À peine ai-je fini de boire le mien, qu'elle s'empare de ma tasse. Après l'avoir examinée et manipulée avec précaution, elle s'adresse à moi d'une voix forte et en roulant les « r » :

— Mon petit, je vois un départ ! Vous venez de passer *une* porte, c'est la première. Il y en aura deux autres !

Ses yeux noirs me fixent sans cligner et sa voix me darde jusqu'au cœur. Elle pèse chacun de ses mots, en les entrecoupant d'un long silence, pour bien me faire comprendre la portée de ses paroles :

—Vous m'entendez ? Trois portes ! Vous passerez *trois* portes, puis vous serez *très* heureuse !

Sa figure toute ridée s'éclaire d'un sourire radieux quand elle me rend ma tasse, à croire qu'elle a tout oublié. Comment une femme inconnue pourrait-elle deviner que je viens effectivement de quitter Versailles ? *Vous venez de passer UNE porte !* Sa voix profonde résonne encore dans ma tête : *Il y aura DEUX autres portes !* Trois portes… je frissonne.

Durant le trajet du retour, je me recroqueville sur la banquette arrière de la voiture, n'osant dire un mot, encore tout impressionnée par la portée des paroles de cette gentille sorcière.

Il est très tard quand Alexandre téléphone pour me rassurer. Marc-André l'a ramené chez mes parents, il y passera la nuit. Demain, il ira à l'école, comme d'habitude. Après ? Après, je ne sais pas, on verra !

Tandis que nous parlons, une téléphoniste intervient. Prétextant une urgence, Gabriel a exigé qu'on interrompe la conversation. Affolée, je raccroche. Je refuse de lui parler. Maintenant qu'il a découvert ma cachette, il va vouloir venir me chercher. Je ne veux pas. J'ai peur de lui… j'ai peur de moi.

Le téléphone sonne à nouveau. Cette fois, plus aucun doute, c'est lui ! Lorraine répond nerveusement :

—Allô !

Je l'implore par signes de répondre que je ne suis pas là.

—Élise ? Non, elle n'est pas chez nous…

Je prends mes cliques et mes claques et dévale l'escalier. Antoine me suit. J'entends la voix tremblotante de Lorraine :

—N'insiste pas, Gabriel, puisque je te dis qu'Élise n'est pas ici ! C'est vrai, je te le jure !

Elle ne ment plus, je suis partie. Antoine me laisse à la première station de métro.

—Où iras-tu ?
—Chez des amis. Surtout, ne vous inquiétez pas, je vous téléphonerai en arrivant.
—Sois prudente.
—Ne crains rien, merci.

Il me laisse à regret et retourne apaiser Lorraine qui doit être dans tous ses états. Il sera bientôt minuit. Je suis seule dans la station Sauvé, et j'ignore où je vais coucher. J'ose téléphoner chez Jean. C'est Monique, sa femme, qui répond, un peu inquiète vu l'heure tardive ; son mari n'est pas là, mais elle accepte avec joie de m'héberger.

Je suis la seule femme du wagon. Trois hommes sont montés derrière moi. L'un d'eux me dévisage curieusement. Je dois avoir l'air bizarre. Je tremble. J'ai la désagréable sensation d'être poursuivie. Pour me calmer, je me fais du cinéma : je deviens une espionne. Je dissimule des microfilms dans mon sac, et dans quelques instants je franchirai la frontière sous le regard soupçonneux d'un douanier armé jusqu'aux dents. Quand je pense qu'il y a des gens qui passent leur vie à se sauver.

Station Guy, enfin rendue ! Je ne croise personne, ni dans la station, ni dans la rue. Il est tard. Il fait terriblement froid, je suis transie, et je meurs de peur… peur de personne ! Un couple me rejoint dans l'abribus. Les deux amoureux ne me regardent pas. Ils s'embrassent comme Gabriel et moi nous nous embrassions autrefois.

L'autobus arrive enfin. Je choisis le siège isolé près de la porte, pour ne pas être importunée. De temps en temps, le chauffeur m'observe à la dérobée ; jamais je n'oublierai son regard. Le couple descend à l'arrêt suivant. J'ai l'autobus pour moi toute seule.

Terminus ! La porte à peine ouverte, je descends rapidement et traverse la rue en regardant constamment derrière moi. Je cours comme si j'avais le diable à mes trousses. J'ai beau me répéter qu'il n'y a personne, certaines histoires de viol me hantent encore. J'arrive enfin, la porte s'ouvre, Monique est là ! Je me jette dans ses bras, peureuse, haletante, je suis sauvée !

Elle m'entraîne dans sa chambre et referme la porte pour ne pas réveiller les enfants. Elle m'offre une tasse de chocolat.

—J'ai pensé que tu aimerais te réchauffer un peu.
—Quelle bonne pensée ! Mais avant, tu permets que je passe un coup de fil ?
—Bien sûr !

Je rassure Lorraine et Antoine, puis je rejoins Monique, sagement assise sur le bord du lit.

—Ta sœur s'en est bien tirée finalement ?
—Elle a craint durant un moment que Gabriel s'amène chez elle pour vérifier ses dires, mais maintenant tout va bien, le cauchemar est terminé. Gabriel a téléphoné chez mes parents. Il a parlé à mon père qui lui a fait promettre de ne pas venir chercher Alexandre. Gabriel a promis…

Je parle et Monique m'écoute patiemment, jusqu'à ce que je m'arrête, complètement épuisée. Elle m'invite à la suivre dans la chambre d'ami, où je pourrai me reposer en toute sécurité.

J'entends de la musique. Quelle merveilleuse façon de commencer la journée ! Il est neuf heures, la lessive est en branle, et Monique joue de la flûte traversière entre deux brassées. Bientôt le silence se fait et je n'entends plus que le ronron régulier de la machine à laver. Monique s'approche à pas feutrés. J'ouvre la porte.

—As-tu bien dormi ?
—Comme un ange !
—As-tu faim ?
—Un peu.

Elle m'entraîne dans la cuisine où des piles de linge sale jonchent le plancher.

—C'est jour de lessive, comme tu vois !

Monique dresse un plateau et nous allons prendre le petit déjeuner dans la salle à manger. Elle vient s'asseoir en face de moi.

—Allez, goûte-moi ces biscottes !
—Une seule, merci, je n'ai pas très faim.

Elle me regarde avec tendresse.

—Et maintenant, Élise, que comptes-tu faire ?

Le poids de la réalité retombe d'un coup sur mes épaules. Je flottais dans un univers si doux que j'en avais presque oublié Gabriel et les enfants. Ce que je compte faire ? Honnêtement, je ne le sais pas. Je me sens coupable de laisser Gabriel sans nouvelles, et j'ai peur de lui téléphoner. Je le connais trop bien. Je sais qu'il va tenter de m'amadouer par de belles paroles, par de grandes promesses.

Retourner à la maison maintenant équivaudrait à faire comme si rien de tout cela ne s'était passé. J'aurais vécu et fait vivre cette aventure aux enfants, tout à fait inutilement. À la première occasion, Gabriel renierait ses serments, et tout serait à recommencer. Je dois m'accorder un peu de temps et tisser des amarres solides. Je me sens tellement vulnérable. Je lui parlerais, il *pardonnerait*, je pleurerais… et tout rentrerait *dans l'ordre*. Or, je ne veux plus revenir en arrière, quand le mot d'*ordre* était *silence*.

Voir l'homme qu'on aime se détruire jour après jour, se sentir complètement impuissante devant cette situation, et fonctionner quand même, ça se fait, on y arrive. Mais quand la violence s'en mêle, quand la dignité humaine est en jeu, on n'a pas le droit de laisser l'autre nous démolir.

Monique m'écoute. Je parle sans arrêt. Je tourne en rond :

— Je dois d'abord trouver du travail, je dois d'abord trouver un appartement, je dois d'abord trouver de l'argent, je dois d'abord…

Tout s'embrouille. Je ne sais plus où j'en suis. Si seulement il pouvait se passer quelque chose qui me dégage de la nécessité de poser un geste. *Mon Dieu ! faites que ce calice passe sans que j'en boive…* Et si jamais Vous avez besoin d'une petite suggestion, j'ai dans la tête un scénario de premier ordre : Gabriel reçoit un choc si sérieux qu'il arrête de boire sur-le-champ, il joint les Alcooliques Anonymes, revient vers moi repentant, et je retourne à la maison, heureuse de partager avec lui la paix de sa sobriété nouvelle.

Élise, chère Élise, serait-il toujours souhaitable que Dieu se prête à « nos » miracles ?

J'ai tellement peur d'agir, de poser un geste. Ah ! si seulement la situation pouvait se régler d'elle-même ! Si Gabriel mourrait, par exemple, notre histoire finirait bien, et je pourrais porter mon veuvage en bannière. Cette pensée horrible m'épouvante. Moi, Élise, *sainte Élise*, qui vit avec Gabriel le plus beau roman d'amour depuis Roméo et Juliette, je suis prête à supprimer mon héros d'un coup sec, juste pour que mon histoire finisse bien, c'est affreux !

— Tu comprends, Monique, tout ce que je fais, c'est pour son bien !

— Accorde-toi du temps. Les choses finissent toujours par se tasser. Vis un jour à la fois, c'est bien assez, crois-moi !

Je la crois, mais je voudrais tout voir, tout savoir, tout de suite ! Si je trouverai du travail ? Si Gabriel arrêtera de boire ? Si je retournerai à la maison ? Si ? Si ? Si ? Comme je dois être lassante ! Pauvre Monique, elle est d'une telle patience avec moi. J'essaie de me calmer, de changer de sujet de conversation.

— Partez-vous toujours en Europe au mois d'août ?

— Toujours, ce sera notre deuxième voyage de noces.

Monique me répond simplement, comme si elle ne voyait pas les détours que je prends pour la distraire. Je l'aide à ranger la vaisselle.

— J'ai peur que Gabriel se suicide !

Ça y est, me voilà repartie. Je suis décidément incapable de parler d'autre chose.

∽

Alexandre vient me rejoindre chez Lorraine, nous y passerons la nuit. Mélanie loge toujours chez Johanne et Robert. Elle s'ennuie un peu et se demande comment cette histoire va finir. Elle est persuadée que si je rencontrais son père, tout s'arrangerait. Elle ne comprend pas pourquoi j'hésite à retourner à la maison. Quand je lui explique que ce n'est qu'une question de temps ; ça la rassure. Elle me fait confiance. Alexandre aussi est courageux, il tente de me supporter le plus possible. Je peux compter sur leur appui. Je ne leur ai jamais menti et ils savent que je les mettrai au courant de mes décisions le temps venu.

Lorraine installe un matelas d'appoint sur le plancher de la chambre afin que nous puissions dormir tous ensemble. Gabriel n'a pas rappliqué ; quel soulagement !

Brisée de fatigue, je n'arrive pas à fermer l'œil. Je fixe le plafond de la chambre en espérant trouver une réponse… au matin, la solution me paraît claire : je vais louer une chambre, juste une chambre, n'importe où, pour quelques jours. Si j'ai un pied-à-terre quelque part, je serai en meilleure posture pour rencontrer Gabriel puisque je me sentirai retenue à l'extérieur et, de ce fait, moins vulnérable.

Forte de ma décision, Lorraine et moi feuilletons le journal du matin à la rubrique *chambres à louer*, dans l'espoir d'y découvrir un coin de rêve.

—*Chambre meublée, quarante dollars par semaine.*
—C'est bien trop cher !

— Et celle-ci : *Grande chambre double, dans maison privée, chez gens tranquilles…*

— Pour moi toute seule, peut-être, mais avec Alexandre et Mélanie ?

Soudain, j'ai peur de me retrouver seule avec les enfants dans une chambre inconnue, une maison inconnue, chez des gens inconnus.

Antoine téléphone du bureau. En passant au coin des rues Saint-Laurent et Henri-Bourrassa, il a noté qu'on y annonçait des appartements à louer *au mois*. Lorraine s'emballe pour m'encourager.

— La voilà ta solution !

— J'irai voir ça plus tard ; pour l'instant, il faut que j'aille à la banque.

Depuis le jour où, à la suite d'une dispute, Gabriel a vidé notre compte conjoint, il ne me reste plus qu'un maigre compte personnel dans lequel j'ai accumulé le peu d'argent gagné en travaillant quelquefois à temps partiel. Je ne dispose en tout et pour tout que de sept cent vingt dollars !

— Je voudrais retirer cinquante dollars, s'il vous plaît.

Pendant que la caissière compte les billets, je regarde nerveusement autour de moi pour m'assurer que Gabriel n'est pas dans les parages. Je me sens comme on doit se sentir quand on est sur le point de commettre un hold-up : traquée, tendue, sur le qui-vive.

La caissière est souriante et gentille, comme d'habitude. Le gérant me salue, comme d'habitude. L'agent de sécurité me dit : *Bonjour, madame !* comme d'habitude… Ils ne remarquent rien ? Ça ne se voit donc pas que je suis en train d'accoucher de la plus importante décision de toute ma vie ? Je voudrais leur crier : *Regardez-moi, j'ai quitté la maison, mon mari me cherche, je me cache, j'ai peur de lui… et je vais peut-être divorcer !*

Un client m'ouvre la porte en souriant, je lui rends son sourire et je sors. Enfin je respire, je suis libre ! Je marche très lentement en fixant le bout de mes bottes. J'ai la désagréable impression que tout le monde me regarde. Et moi, je ne veux voir personne.

Nous sommes aujourd'hui mardi, le huit février, demain, il y aura exactement une semaine que je me sauve ; une semaine ou un siècle, je ne le sais plus. Je porte les mêmes vêtements depuis ce jour-là. Il faudra pourtant que je me décide… oui mais, d'abord, trouvons la chambre !

Je me rends à l'adresse indiquée par Antoine : *20, Henri-Bourassa ouest.* Une grosse boîte en béton blanc juste au coin de la rue Saint-Laurent. J'hésite encore avant d'entrer, comme si ma vie allait changer en passant le seuil. Je jette un coup d'œil dans le miroir du hall, emprunte un air assuré, et pénètre dans la loge du concierge, un jeune homme d'environ trente ans, à qui je raconte une histoire que j'invente à mesure :

— Mon mari est malade… très malade… on a dû l'opérer d'urgence ! Comme j'habite en banlieue… et que je n'ai pas de voiture… j'aimerais louer un appartement… disons, pour trois semaines… afin de me rapprocher de l'hôpital.

— Quelle grandeur ?
— Pardon ?
— Vous le voulez de quelle grandeur l'appartement ? Un et demi ? Deux et demi ? Trois et demi ? C'est vous qui décidez !

— Le moins cher, c'est combien ?

— Meublé ?

— De préférence, oui.

— Les moins chers, c'est les *batchéleurs* !

— Combien ?

— Cent quatre-vingts par mois, chauffé, éclairé, avec accès à la piscine… seulement l'été comme de raison.

— Je peux voir ?

— Suivez-moi !

Il sort un énorme trousseau de clés de son tiroir et passe devant moi pour me conduire à l'ascenseur. En montant, j'en profite pour mentionner que j'ai deux enfants et qu'ils vivront avec moi durant cette période. Ce monsieur a l'air de s'en foutre complètement. Il me conduit au bout d'un long corridor.

— Je vais d'abord vous faire visiter le 315 puis le 317. Ils sont pareils, sauf que le 315 est mieux décoré !

D'énormes fleurs de vinyle, orange et prune, ornent la porte du réfrigérateur et le couvercle du bol de toilette. J'ai malgré moi un mouvement de recul.

— Est-ce que je peux visiter l'autre ?

— Pas de problème, c'est juste en face !

Nous entrons au 317, c'est propre, très propre même, et l'ameublement me paraît convenable. Évidemment c'est petit, mais pour trois semaines.

— Ça va, je le prends !

Nous redescendons à la loge où ce concierge semble régner en maître sur une montagne de papiers, qu'il repousse allégrement pour se faire de la place.

— Vous le prenez rien que pour trois semaines ?

— Si possible, oui. Vous savez, ce n'est pas une question d'argent, je suis prête à payer le mois en entier, s'il le faut…

Élise, chère Élise, à quoi bon faire semblant d'être riche ?

Absorbé par des calculs extrêmement sérieux, le jeune homme n'écoute pas. Il refait plusieurs fois l'addition, mordille son stylo, puis relève la tête :

— Ça va faire cent vingt pour le loyer, plus quatre-vingt-dix piastres de dépôt pour les meubles !

— Pour les meubles ?

— Les boss demandent toujours ça ; sans ça, y en a qui partent avec… ça va faire deux cent dix piastres !

— Je peux faire un chèque ?

J'éprouve un certain malaise en pensant à mon compte d'épargne qui va fondre à vue d'œil. Puis je signe mon premier bail *à mon nom*. Même si ce n'est que pour trois semaines, ce détail est très important pour moi.

— Moi, je fais ça rien que pour vous, parce que les boss y demandent au moins trois mois d'habitude !

— Je vous en remercie, monsieur !

La perspective de passer trois semaines enfermée dans ce building anonyme me paralyse. Trois semaines, comme cela me paraît long !

Je retourne chez Lorraine, momentanément soulagée. Alexandre y est déjà. Ma décision le surprend plus qu'elle ne l'inquiète. Il me pose des questions auxquelles j'essaie de répondre simplement, sans inventer de détails que j'ignore.

—Et si tout se règle avant trois semaines ?

—Nous quitterons l'appartement, c'est tout.

Antoine et Lorraine acceptent de m'aider en me prêtant l'essentiel pour me dépanner, en attendant que je puisse *aller à la maison chercher quelques affaires* ou que je retourne à la maison *retrouver mes affaires* :

Trois assiettes, trois tasses, trois soucoupes, trois bols à soupe, un grand bol, deux draps, trois couvertures, trois oreillers… quelques conserves, des ustensiles, un ouvre-boîte, du papier de toilette, des serviettes, du savon, un peu de shampoing, de la mousse pour le bain…

—Un radio-réveil pour l'ambiance et une bougie pour le romantisme !

Lorraine ajoute quelques bonbons, des fruits, des napperons tissés, et un oiseau de porcelaine pour nous porter bonheur. Elle remplit finalement une grosse boîte de choses essentielles : du lait, du pain, du beurre, des œufs, et dépose délicatement sur le dessus un gâteau au chocolat tout frais.

—Attendez ! Attendez, il manque encore quelque chose !

Antoine nous prête un appareil de télévision noir et blanc, qui dormait dans le placard.

—Il n'est pas neuf, mais il fonctionne.

—Et pour trois semaines, ce sera parfait !

Nous voilà prêts à nous mettre en route. L'auto d'Antoine est si chargée, que nous y montons tous les quatre avec peine. Mon sourire a pâli. Je me laisse traîner comme un veau qu'on mène à l'abattoir. Dépassée par les événements, je fonctionne comme un automate ; j'avance et voudrais reculer en même temps. Je n'ai plus qu'une envie : retrouver Mélanie que je n'ai pas vue depuis plusieurs jours, et passer une bonne nuit, tous les trois enfin réunis.

Biarritz… nous voici !

J'ai la manie de baptiser de noms pompeux les endroits où j'habite. Puisque notre maison de banlieue s'appelle *Versailles*, il serait tentant d'appeler ce trou de souris *Le Petit Trianon*… mais en constatant que notre balcon donne sur la cour intérieure, et nous offre, en étirant le cou, une vue imprenable sur un tout petit bout de la piscine en béton bleu, vantée sur la réclame à l'entrée du building, j'entrouvre la porte-fenêtre, et baptise officiellement notre planque du doux nom de *Biarritz*, en lançant rapidement un verre d'eau sur le balcon. Je me sens maintenant un peu chez moi.

En ramenant Mélanie, Johanne et Robert ont eu la gentillesse d'apporter leur aspirateur. Nous nous mettons tous en frais de faire le ménage. Robert balaie le tapis, Mélanie m'aide à faire le lit, Lorraine nettoie la salle de bain, Johanne astique la cuisinière et le réfrigérateur, tandis qu'Antoine et Alexandre

tentent d'ajuster la télévision. Nous nous marchons tous lit-
téralement sur les pieds.

Cet appartement est vraiment minuscule. En fait, nous ne
jouissons que d'une grande pièce avec une alcôve pour le lit,
et une toute petite salle de bains. Le coin cuisine est séparé du
coin salon par un comptoir en forme de langue et deux tabourets de fer forgé rembourrés de cuirette noir et rouge. Sur le
comptoir, une grosse boule de plastique rouge, juchée en équilibre sur trois pattes de plastique noir, diffuse une lueur rougeâtre.
Pour un peu, on se croirait dans une boîte de nuit. Il ne manque
qu'un maître de cérémonie pour crier *Show Time !*

Au fond de la pièce, la porte-fenêtre s'ouvre sur un balcon
mitoyen. Cette promiscuité avec un voisin me déplaît. Je suis
peureuse. Pour leur part, les enfants regrettent que ce soit
l'hiver, ils ne pourront malheureusement pas se prévaloir de
notre *droit à l'usage de la piscine* durant les trois prochaines
semaines. Enfin, nous avons un toit bien à nous sur la tête, et
pour l'instant c'est tout ce qui importe.

Nos invités partis, nous nous retrouvons seuls tous les
trois. Je fais du thé et nous mangeons un morceau du gâteau
que Lorraine nous a offert, en nous racontant mutuellement
les événements des derniers jours. Je n'ai jamais senti mes
enfants aussi proches de moi. Je pourrais presque dire que nous
sommes heureux. Alexandre retire les coussins du divan. Il
dormira sur le tapis, tandis que Mélanie partagera le lit avec
moi. Ce n'est pas l'idéal, bien sûr, mais au moins nous ne
dérangerons personne.

Demain, à la première heure, j'irai téléphoner à Gabriel.
Je me sens plus forte, plus sûre de moi, et mieux armée pour
résister à ses charmes.

Les enfants ont dû quitter l'appartement très tôt pour se rendre à Laval; ce n'est pas la peine de les changer d'école pour trois semaines. Ils dîneront à la cafétéria et marcheront le plus souvent possible jusqu'au terminus d'autobus pour éviter de payer double tarif. Il faudra vraiment que chacun y mette du sien pour éviter les dépenses inutiles.

Pour la première fois, depuis une semaine, je suis seule. Je tourne en rond. Vivre dans une grande maison de banlieue pendant huit ans, et se retrouver brusquement dans une seule pièce, ça fait toute une différence. Une pièce, ça se range en quelques minutes, et je n'ai pas de lavage à faire puisque nous ne possédons que le linge que nous avons sur le dos. J'ai la journée pour moi toute seule. Je ne me sens pas en état d'aller chercher du travail et je n'ai pas envie de sortir. Pourtant, tout à l'heure, il faudra bien que je sorte pour aller téléphoner à Gabriel. Biarritz n'a pas le téléphone… et pour trois semaines…

Je me sens à l'abri, au chaud, en sécurité. Personne ne sait où je suis, à part mes sœurs, même ma mère préfère ignorer le lieu de ma cachette craignant de se trahir si jamais Gabriel l'appelait.

Je fais bouillir des œufs et m'installe près de la porte-fenêtre pour manger. Il tombe une petite neige mouillante. Lorraine m'a prêté un bon livre que je vais dévorer en toute tranquillité. Plus tard, un peu plus tard, je penserai à Gabriel.

Élise, chère Élise, tu recules l'échéance…

Honnêtement, j'ai peur, j'appréhende sa réaction, et je suis sur le point de me convaincre d'attendre encore un jour quand on sonne à la porte. Qui ça peut-il être ?

—Ouvre, maman, c'est moi !

Alexandre revient de l'école précipitamment, il a l'air affolé.

—Que se passe-t-il ?

—Papa a kidnappé Mélanie. Il est venu nous chercher à l'école et nous a fait monter dans sa voiture pour nous amener à la maison. Il a accepté de me laisser partir quand je lui ai dit que nous n'avions pas de téléphone et qu'il fallait que je vienne t'avertir, mais il a gardé Mélanie en otage. Il veut que tu l'appelles.

Kidnapping! Otage! Je dois d'abord rassurer Alexandre.

—Ton père avait-il bu ?
—Je ne crois pas !
—Était-il en colère ?
—Non, il était normal.
—Et Mélanie ?
—Mélanie pleurait, elle avait peur.
—Et tu l'as laissée seule ?
—Je n'avais pas le choix, c'est papa qui…
—Tu as raison, excuse-moi, je…
—Qu'est-ce que tu vas faire ?
—Je ne sais pas, laisse-moi réfléchir.
—Et ma sœur ?
—Ne t'inquiète pas pour ta sœur, ton père aime trop Mélanie pour lui faire du mal.

J'essaie de m'en convaincre, de rester calme. Je décide d'appeler mon ami Jean. Il me rassure. Il téléphonera lui-même à Gabriel pour voir ce qui se passe. Pour l'instant, il me conseille de descendre chez lui avec Alexandre. Il viendra nous y rejoindre, et de là, nous déciderons ce qu'il faut faire.

Prévenue de notre visite, Monique nous attendait déjà. Je lui tombe dans les bras en pleurant des tonnes de larmes. La peur me paralyse, me donne des crampes, je pense à Mélanie, je suis inquiète.

Jean arrive presque aussitôt. Il a parlé à Gabriel, qui insiste pour que je l'appelle.

—Et Mélanie ?
—Je lui ai parlé. Tout allait bien. Elle était en train de faire la lessive.
—Merci, mon Dieu, je suis soulagée !
—Mais ne tarde pas à appeler Gabriel, si tu ne veux pas l'indisposer.

Je compose le numéro en hésitant ; je sens mon pouls résonner dans mes tempes. Un coup… deux coups… trois coups… Gabriel fait exprès pour me laisser languir.

—Allô, j'écoute !

Sa voix me coupe le souffle. Je suis trop émue, je n'arrive pas à sortir un mot. Si je parle, je vais pleurer, et je ne veux pas. J'aime cet homme de toutes mes forces et je suis malheureuse. Gabriel s'adresse à moi tout doucement, sans me faire de reproches ; il demande que j'aille à la maison chercher les vêtements que Mélanie a préparés. Je refuse. Je crains de m'attendrir. Si je rentre à la maison, je n'en ressortirai pas. Je lui propose d'envoyer Antoine chercher Mélanie. Il est d'accord, à condition que j'accepte de le rencontrer. J'accepte et lui donne rendez-vous demain, à midi, à la sortie sud du métro Henri-Bourassa.

Je raccroche et m'écrase dans un fauteuil, je suis vidée.

Antoine accepte de bonne grâce cette mission délicate. Il ira chercher Mélanie tandis que Lorraine me rejoindra à Biarritz. Je retourne à l'appartement, certaine de n'avoir pu remercier suffisamment Monique et Jean pour tout le mal qu'ils se sont donné.

Lorraine m'attend déjà au coin de la rue. Nous sommes aussi fébriles l'une que l'autre. Nous apercevons bientôt l'auto d'Antoine. Je ne tiens plus en place. Mélanie se précipite dans mes bras. Elle sourit. Je suis soulagée.

Antoine monte les bagages. Gabriel nous a envoyé deux poches de linge : des robes longues que je ne porte plus depuis des années, des sacs du soir… n'importe quoi ! Tant pis, je ferai le tri plus tard. Pour l'instant, le contact est rétabli, c'est l'essentiel. Mélanie me tend une enveloppe :

— Tiens, papa t'envoie une lettre !

Du coup, plus rien ne compte. Lorraine et Antoine comprennent et se retirent. J'attends maintenant que les enfants soient couchés pour savourer à loisir cette enveloppe que je n'ai pas encore osé décacheter. Quand ils dorment enfin, j'ouvre la radio en mettant le son très bas et ne laisse que la lumière rouge allumée : éclairage tamisé, musique en sourdine, je peux me délecter.

Je reste sur ma faim. Je suis déçue. Moi, qui m'attendais à une déclaration d'amour, à une lettre brûlante de repentir et de tendresse, j'en prends pour mon rhume. J'aurais dû m'en douter. Gabriel blague et s'excuse de m'écrire sur mon plus beau papier à lettres, puis il me reproche d'avoir devancé son geste, en partant juste au moment où il avait lui-même décidé de le faire ; tant pis pour moi ! Il ajoute quelques petits cœurs, et signe : *avec amour/humour* G.

Je décide de lui répondre. Ma mise en scène est cocasse. Juchée sur un des tabourets en fer forgé, je me prépare à écrire la lettre de ma vie. Ambiance *sexy*, chanson romantique, tout me porte à la tendresse et à l'apitoiement. Je me sens une grande âme d'écrivaine. Je suis à la fois, Colette et George Sand. Ma plume se fait tendre, ma plume se fait douce : *Mon bel amour… Mon tendre amour…* Je pleure. Quelques larmes tombent sur la feuille et viennent brouiller l'encre. Oh ! larmes mille fois bénies, il va savoir que j'ai pleuré. Si seulement il pouvait comprendre, si seulement…

Élise, chère Élise, tu charries…

J'éteins la lumière et me glisse doucement sous les draps. Je regarde les enfants dormir. *Mon Dieu, faites que tout s'arrange… vite !*

∞

Les enfants partis, je peux enfin me consacrer entièrement à moi. Rien ne doit risquer de perturber ma rencontre avec Gabriel. Je dois être belle. La plus belle de toutes. J'ai soigné ma coiffure et mon maquillage, je me suis déjà parfumée trois fois, et j'ai encore une heure à perdre. Le temps ne passe pas. Je suis nerveuse, je bois café par-dessus café.

Il fait un temps superbe et je vais vers Gabriel comme une étudiante à son premier rendez-vous d'amour. J'ai le cœur battant, les mains moites. Je n'ai pas vu mon amoureux depuis neuf jours. Neuf jours ! Jamais nous n'avons été séparés aussi longtemps.

Je l'attends sur le trottoir, à la sortie du métro. Et s'il allait ne pas venir ? Ma crainte est de courte durée. Il est là ! Il klaxonne et m'invite à monter dans sa voiture.

— Je t'invite à luncher. Je te propose un de ces repas, je ne te dis que ça…

Gabriel se conduit avec moi comme avec une maîtresse qu'on rencontre à la sauvette. Il me prend la main, l'embrasse. Je reconnais bien là le tombeur de ces dames. Il rit, gesticule, blague, il a le geste galant et le sourire facile. Toujours le panache ! Je constate avec joie qu'il n'a pas bu, du moins pas ce matin…

Durant le trajet, nous évitons de parler du sujet qui nous préoccupe tous les deux. Nous arrivons au restaurant *Les Goélands*. Gabriel gare sa voiture et m'aide à descendre. Tout est dans le grand style. C'est la première fois que je viens à ce restaurant. Gabriel, au contraire, semble très bien connaître l'endroit.

Mon chevalier servant interpelle familièrement les garçons, salue l'hôtesse, taquine la fille du vestiaire ; bref, il nage comme un poisson dans l'eau. Je me sens ridiculement légitime.

Élise, chère Élise, tu ne vas pas te mettre à ressasser de vieilles histoires ?

Ce n'est pas le moment d'attiser ma jalousie. Je regarde Gabriel comme si je le voyais pour la première fois. Son parfum me grise. Nous suivons le garçon qui nous installe dans une espèce de petite cellule entourée de barreaux ; le genre *intime* de la maison. Je dirais plutôt le genre *prison*.

La rencontre s'annonce difficile. Gabriel me tient la main, il pleure. Je lui tends ma lettre. Il la lit, puis se cache la figure dans ses mains. Il sanglote. Moi, je ne pleure pas. Je n'ai pas envie de pleurer. Rien. Pas une larme.

—Je t'aime comme un fou. Je n'ai jamais aimé que toi. Les autres, ça ne comptait pas, c'était des histoires…

—La question n'est plus là. Il y a eu d'autres femmes, je le sais. Ça m'a fait mal, tu le sais. Mais aujourd'hui, c'est différent, l'alcool a pris toute la place, et l'heure est à la violence. Et ça, Gabriel, je ne le supporte pas !

Aussi longtemps que Gabriel rentrait tard, ou pire ne rentrait pas, c'était difficile à vivre, mais ça ne blessait personne. Depuis qu'il a laissé son dernier emploi pour ne travailler qu'à la pige ou à la maison, les choses n'ont fait qu'empirer.

—Je suis fatiguée, j'ai besoin de prendre du recul, tu comprends ?

Non, il ne comprend pas. Je sens qu'il ne comprend pas, mais il n'insiste pas. Nous y reviendrons plus tard, quand les choses se seront tassées. Je lui parle de notre appartement, des enfants, de notre nouvelle vie à Biarritz.

—Nous aimerions tellement, tous les trois, vivre avec toi une vie sans colères et sans crises.

—Laisse-moi un peu de temps…

Ces derniers mots me redonnent de l'espoir. Bien sûr que je vais lui laisser du temps ! Tout le temps qu'il faudra pour qu'il se reprenne en main. De toute façon, mon loyer est payé jusqu'à la fin du mois, ça nous donne encore plus de deux semaines.

Nous quittons le restaurant en nous tenant par la main. J'arrête chez le serrurier et fais tailler des clés pour les enfants. Gabriel m'accompagne, il a l'air heureux. Il me fait un peu la cour et j'avoue que ce petit jeu me plaît.

— Je peux t'inviter à Biarritz ?
— Bien sûr.

Nous nous embrassons dans l'ascenseur. Je suis certaine qu'il m'aime encore et que bientôt tout va s'arranger. Dieu merci, je n'ai signé qu'un bail de trois semaines, nous pourrons retourner à la maison sans problèmes.

Troisième étage, long corridor, première porte à gauche : c'est Biarritz ! Les enfants sont surpris de nous voir arriver ensemble. Ils ne savent pas trop quelle attitude adopter, mais paraissent rassurés en nous voyant sourire. Je fais du thé. Nous bavardons tous les quatre, comme nous ne l'avions pas fait depuis fort longtemps. Comme c'est agréable !

— Maman, j'aimerais ça faire un gâteau !

Évidemment, nous n'avons pas de moules et le malaxeur est resté à Versailles. Gabriel consent à m'y conduire et à me laisser prendre quelques articles de cuisine. Inutile que je vide la place puisque j'y reviendrai bientôt.

En entrant, je me sens un peu embarrassée. Je remarque que mes plantes ont besoin d'eau, mais pour le reste tout peut aller. J'évite volontairement de descendre au sous-sol. Je fouille dans les armoires pour prendre quelques affaires mais je suis mal à l'aise. Le temps passe. Gabriel se fait tendre. Je ne veux pas me laisser prendre au piège.

Visiblement déçu, Gabriel me ramène à Biarritz. Il me laisse à la porte. Nous nous embrassons longuement puis je monte chez moi en fredonnant. Je croise le concierge.

—Votre mari va mieux ?
—Beaucoup mieux, merci !

Je suis heureuse, j'ai des ailes. Je me prépare un sandwich au fromage et le mange en virevoltant dans la pièce. Je chante, je danse, je ris. Tout va s'arranger. Gabriel va arrêter de boire, je le sais, je le sens. Comme nous allons être heureux !

Les enfants sont sortis. J'ai hâte qu'ils reviennent. Je sirote un café en regardant la télévision sans vraiment voir l'émission qu'on y présente. Je ne pense qu'à Gabriel et je nous rêve une vie nouvelle. Il faut absolument que j'appelle Lorraine ! Je descends téléphoner. Je ne me sens plus obligée de gratter mes sous, maintenant qu'il y a de l'espoir dans l'air, ça me paraît moins nécessaire.

Lorraine n'est pas chez elle, tant pis. J'aperçois les enfants. Ils reviennent de chez leur nouvel ami, François. Ils courent vers moi. Alexandre s'inquiète.

—Puis, comment ça s'est passé ?

Je leur raconte ma rencontre avec leur père ; ils veulent connaître tous les détails. Nous montons chez nous. Je nous fais du chocolat chaud que nous buvons assis par terre, en placotant. Jamais conversation n'a été plus animée, plus joyeuse. Mélanie est heureuse, elle pose sa tête sur mes genoux :

—Maman, crois-tu que la jument va parler ?
—Bien sûr, ma chouette, qu'elle va parler !

La jument qui parle, c'est l'impossible, l'inespéré, le miracle tant de fois demandé. Tout va s'arranger, ce n'est plus qu'une question de temps.

Mon Dieu ! si la jument parle, faites donc qu'elle dise ce que je veux qu'elle dise !

∞

Il est neuf heures, j'ai rangé l'appartement, j'ai pris mon bain et n'ai plus rien à faire avant le retour des enfants. Je regarde par la fenêtre ; il tombe une petite neige mouillante qui m'enlève toute envie de mettre le nez dehors. Dans quelques jours, je retournerai à Versailles, et reprendrai mon rôle de reine, d'épouse, et de mère à temps plein.

Aujourd'hui, j'ai le goût d'être bonne pour Élise, de me traiter aux petits soins, de modifier ma coiffure, en deux mots : d'être différente. On sonne.

—Qui est là ?
— C'est moi, ouvre !

C'est *lui* ! C'est Gabriel ! Je suis folle de joie.

—Quel bon vent t'amène ?
—Je passais par là ! Puisque *Madame* n'a pas le téléphone, il faut bien venir voir *Madame* ! Je pensais t'inviter à souper à la maison, ce soir…

Il est cassant, hautain et sent le gin à plein nez.

Élise, chère Élise, tu ne vas pas embarquer dans son manège ?

—Et si toi, tu soupais ici ? Ça te plairait de souper chez moi ?

—Chez toi ? Chez toi ? Tu ne vas tout de même pas appeler *chez toi* ce trou minable ?

Il devient arrogant.

—Mon *pauvre chérie*, combien de temps encore vas-tu t'amuser à jouer les grandes filles ?

Il jette un regard circulaire dans la pièce et sourit d'un air méprisant. J'essaie de rester calme mais la moutarde me monte au nez. Il s'avance vers moi, reprend ses gants qu'il avait déposés sur le comptoir, et m'en donne un petit coup sec sur la joue en passant.

—Enfin, si ça t'amuse de te donner de la misère… *Ciao !*

Il sort en haussant les épaules. Je claque la porte. Gabriel n'aura été à Biarritz que cinq minutes, pas plus, juste le temps de me perturber. J'ai le cœur au bord des larmes. Surtout, ne pas rester seule, ne pas m'écrouler. J'enfile mon manteau et descends téléphoner à tante Madeleine, qui ne sait rien encore de ce qui m'arrive. Je lui raconte tout, rapidement, pêle-mêle, en bousculant les mots.

—Il faut que je parle à quelqu'un, sinon je vais craquer !

Elle m'invite à souper avec elle. J'accepte. Je remonte à l'appartement, laisse un mot aux enfants et m'assure qu'ils ont de quoi manger. Je peux partir tranquille, ils savent se débrouiller.

Tante Madeleine a déjà préparé du café.

—Passons dans la cuisine, nous serons mieux pour parler.

S'il est une personne capable de m'écouter et de me comprendre, c'est bien tante Madeleine qui n'est pas du tout ma tante, mais une amie de la famille. Elle est venue chez mes parents, la première fois, le jour de ma naissance. Jeune infirmière, elle assistait le docteur Masson qui venait accoucher ma mère. À cette époque, les enfants naissaient à la maison et, l'atmosphère s'y prêtant, une grande amitié s'est installée entre ma mère et garde Madeleine Simon, que j'ai toujours appelée ma tante. Mon récit la bouleverse.

— Quel dommage ! Vous formiez un si joli couple, et Gabriel est un homme tellement intelligent !

— C'est vrai qu'il est intelligent, mais il a un problème, ma tante, un bien gros problème : Il boit !

— Je sais. D'ailleurs, tu te rappelles combien j'ai essayé de lui parler dans ce sens-là !

C'est vrai, tante Madeleine a été la première à déceler chez Gabriel une certaine façon de boire qui lui a mis la puce à l'oreille. Elle a tenté à plusieurs reprises d'intervenir, mais en vain. Finalement, craignant de briser notre belle amitié, elle n'a plus insisté. Avant le décès d'oncle Paul, tante Madeleine et son mari étaient devenus des habitués de Versailles, ils nous rendaient visite régulièrement tous les mois, et chaque fois nos rencontres se prolongeaient jusqu'au lever du jour.

— Gabriel faisait tellement rire ton oncle avec les anecdotes de son enfance !

— Devant un tel auditoire, je le soupçonne d'avoir inventé certains détails de toutes pièces, juste pour vous amuser !

Il y avait tant de choses à raconter, tant de détails à donner, qu'il est près de minuit quand je me retrouve au métro. J'ai la frousse en voyant tous ces hommes rôder autour de la station Mont-Royal. Ils me dévisagent. Ils ont bu. Je frissonne.

Le préposé aux tickets me tape un clin d'œil complice.

—Je vous dis qu'il y a des hommes chanceux !

Je passe le tourniquet sans répondre. *Des hommes chanceux !* S'il savait. Je prends brusquement conscience de ma solitude. Jamais je ne me suis sentie aussi délaissée, aussi abandonnée. Non, monsieur le vendeur de tickets, aucun homme ne m'attend. Ce soir, je ne ferai pas l'amour, ni demain, ni jamais ! J'ai trente-huit ans, je suis vieille, je suis seule… et j'ai la trouille.

En sortant de l'ascenseur, j'entends du bruit venant de l'appartement, des rires joyeux ; et moi qui paniquais à l'idée de me retrouver seule.

Ils sont plusieurs, assis par terre, qui s'amusent à se raconter des histoires. Je me joins à eux. Ils proposent bientôt une sorte de virée : Alexandre ira coucher chez François, tandis que Dodo, la copine de Mélanie, dormira sur les coussins, à la place d'Alexandre. Le branle-bas s'organise, je les laisse faire. Ils sont heureux.

☙

Samedi 12 février

Biarritz est le lieu de rassemblement pour la réunion de ce soir. Les garçons s'affairent. Ils sortent, reviennent, repartent, tandis que les filles se coiffent et se font belles. C'est samedi ! Notre premier samedi à Biarritz. Ils sont une dizaine de jeunes dans la pièce, qui se préparent à partir mais qui ne partent pas.

Ils n'en finissent plus de s'organiser. Ce soir, François sera conférencier et Mélanie le remerciera. Chacun d'eux a un ou deux parents alcooliques. Leurs réunions sont basées exactement sur le même principe que les AA et l'anonymat est de rigueur. Je ne connais que les prénoms et parfois l'initiale du nom de famille des amis de mes enfants. Inutile de questionner sur la condition familiale, ou sur le travail du père ou de la mère, ils respectent trop les conventions du groupe pour se permettre d'être indiscrets.

Enroulée dans ma robe de chambre, bien calée au milieu du lit, j'essaye de faire fi de leurs bavardages. J'ai monopolisé les trois oreillers et je lis. Je lis ! J'ai le temps de lire, quel bonheur !

— Maman, est-ce que je peux faire des sandwiches pour tout le monde ?

Je suis surprise de constater à quel point les jeunes semblent s'accommoder de la situation.

— Oui, tu peux, Mélanie, mais vas-y mollo sur le beurre, je n'en ai plus beaucoup.

Et voilà ma fille en train de nourrir une armée. Je n'ose pas lui dire que la nourriture coûte cher et que mon compte de banque diminue à vue d'œil. À quoi bon d'ailleurs, puisque d'ici quelques jours nous rentrerons chez nous.

Encore quelques jours de réclusion et je suis certaine que Gabriel et moi reprendrons la vie commune. La scène d'hier n'était qu'une réaction normale. Il faut que Gabriel chemine, et Dieu sait combien certains cheminements sont difficiles à faire. Je refuse de perdre espoir.

— Veux-tu un sandwich, maman ?

Je me joins à la troupe pour souper. Ça tombe bien, je n'avais pas envie de manger toute seule. C'est bon !

—Qui veut du lait ?
—Mélanie, s'il te plaît, fait du thé, c'est moins cher !
—D'accord, qui veut du thé ?

Toutes les mains se lèvent, comme à l'école. *Mon Dieu, donnez-nous aujourd'hui notre thé quotidien… Amen !*

Enfin, ils sont partis, la place est libre ! Je suis seule. J'ose à peine me l'avouer, mais j'espère la visite de Gabriel. Un Gabriel qui aurait réfléchi et qui voudrait tenter un rapprochement. Malgré moi, je l'attends déjà : ma pensée l'attend, mon cœur l'attend, mon corps l'attend…

Élise, chère Élise…

Je sais, je sais, je ne devrais pas, mais comme je n'ai rien d'autre à faire. J'ai pris mon bain, je me suis inondée de Givenchy, j'ai bouclé mes cheveux et revêtu une robe beaucoup trop *habillée* pour passer la soirée toute seule. J'ai l'air d'une *guidoune* qui attend son *chum* dans un motel *cheap*.

J'ai allumé ma lampe sexy et refait le lit deux fois pour être bien certaine qu'il n'y a plus aucun pli sur les draps. Je regarde autour de moi, le coup d'œil est bon, tout est en place.

Assise sur le bout du divan, je joue au scrabble toute seule, en regardant un film stupide à la télévision. Les images vacillent mais je n'ai pas le goût de me relever pour ajuster l'appareil. On sonne. C'est lui ! J'ai l'intuition que c'est lui… Un dernier coup d'œil dans le miroir : je suis parfaite ! J'entends des pas dans le corridor, je regarde par le judas, mon flair ne m'avait pas trompée, mon amour approche… mon amour est là !

—Salut !

—Salut !… je ne te dérange pas ?

—Penses-tu… entre !

J'éteins la télévision puis ouvre la radio pour donner de l'ambiance. Gabriel vient s'asseoir près de moi. Il est tendre, gentil. Il s'est fait beau. Il a trimé sa moustache et porte une chemise blanche avec un foulard marine, ça lui va bien. Son parfum embaume toute la pièce. Avant de partir, je ne pouvais plus supporter cette odeur, mais ce soir c'est différent, je me laisse griser.

Gabriel pose son bras sur mes épaules, il m'embrasse sur le front, sur la joue, dans le cou… Je devrais l'arrêter, mais j'ai le goût de le laisser faire. Après tout, c'est toujours mon mari ! Après tout, j'ai 38 ans ! Après tout, je ne suis plus une enfant ! Après tout… Après tout… Après tout… Après tout, le désir l'emporte et nous voilà dans le lit. Les draps sont rouges, la chambre est rouge, nos corps sont rouges. Sardou chante à la radio : *Je vais t'aimer comme on ne t'a jamais aimée…* quelle promesse !

Soudain, Gabriel se lève précipitamment et se rhabille à toute vitesse.

—Tu pars ?

—Oui, ma cocotte, je pars. J'ai renoncé aux rendez-vous à la sauvette, il y a trois ans, ce n'est pas pour remettre ça, aujourd'hui, avec ma propre femme. Si jamais *Madame* veut se faire baiser, *Madame* viendra à la maison !

Il part et moi je reste là, étendue sur le lit comme une maîtresse abandonnée. Je ne suis ni heureuse, ni malheureuse, je suis neutre. J'enfile ma robe de chambre et ouvre la porte toute grande pour faire aérer la pièce et chasser l'odeur tenace de son parfum.

Toute chose ayant repris sa place, je me détends dans un bon bain chaud en essayant de faire le vide à la fois dans ma tête et dans mon cœur. Je suis encore perdue dans mes pensées quand Mélanie revient.

— Brrr ! il fait bien froid ici !
— J'ai fait aérer un peu.
— J'ai envie d'un chocolat chaud, en veux-tu ?
— Oh oui ! merci.

Je sors du bain et rejoins Mélanie dans la cuisine. Un tête-à-tête mère-fille comme je les apprécie de plus en plus.

— Alexandre n'est pas revenu avec toi ?
— Il est resté avec ses amis, il va rentrer plus tard. Il ne pouvait pas téléphoner, tu comprends.

Évidemment que je comprends : maudit téléphone ! C'est vraiment embêtant de devoir sortir chaque fois qu'on veut rejoindre quelqu'un. Enfin, ça achève. Je pense finalement que la réaction de Gabriel, tout à l'heure, démontre à quel point il est en ébullition. Il est très important de ne pas brusquer les choses. Il faut laisser mûrir le fruit… ça s'en vient.

Mélanie et moi dormons depuis un bon moment quand le bruit de la clé dans la serrure me réveille. Alexandre entre sur la pointe des pieds, accompagné d'un copain à qui il fait signe de ne pas faire de bruit. Comme la porte s'ouvre directement sur le lit ; il est impossible d'entrer en passant inaperçu. Je lève la tête.

—Salut P'tite mère ! Je te présente Michel. Il habite à Drummondville, il est en visite à Montréal.

Le gringalet me tend la main en passant par-dessus notre Mélanie-au-bois-dormant. Il fait noir dans la pièce et je ne vois qu'une barbe et des cheveux longs. Alexandre chuchote :

—Ne fais pas de bruit, tu vas réveiller ma sœur.

Je tente une timide intervention :

—Alexandre, sais-tu au moins où il va coucher ?
—Pas d'problème, il a son sac de couchage.
—Oui, mais où ?
—Pas d'problème, je vais me tasser…

Pas d'problème, deux solutions ! Notre invité de la dernière heure s'installe familièrement sur le plancher, tout près de mon lit, la tête *côté salon*, et les pieds *côté cuisine*. Tous les problèmes étant réglés, je m'endors en demandant la sérénité d'accepter les choses que je ne peux changer !

∞

—Je te fais combien de toasts ?
—Au moins quatre !

Je m'éveille en sursaut. Les garçons sont déjà debout. Ils déjeunent. J'avais oublié que nous avions un invité.

—Bonjour, madame !

À ma grande surprise, le copain ramené cette nuit est un solide gaillard d'environ vingt-deux ans. Je l'avais imaginé beaucoup plus jeune, quinze ou seize ans, comme Alexandre.

—On ne t'a pas réveillée maman ?

—Non, non, ça va.

J'ai les cheveux en broussailles, la bouche pâteuse, et je me retrouve face à un défi que je qualifierais d'*olympique* ; la difficulté réside à sortir du lit en passant par-dessus Mélanie, à enjamber le sac de couchage, puis à entrer dans la salle de bains sans risquer de me casser la gueule. Ouf ! Par ici la bonne douche ! Le temps de me brosser les dents, de me coiffer, et de sortir de là déguisée en *vraie mère*.

Le désordre est indescriptible. Le sac de couchage de notre *Survenant*, largement étalé sur le plancher, voisine les coussins d'Alexandre, tandis que son sac à dos prend tout l'espace disponible entre le réfrigérateur et le bout de comptoir sur lequel les miettes de rôties et les confitures font la fête. Il y a des bas, des pantalons et des chandails sur tous les meubles. On a tendance à l'oublier, mais l'appartement n'est qu'une grande pièce avec alcôve ; pour trois c'est petit, mais pour quatre, c'est un placard.

Mélanie se réveille à son tour, surprise de trouver le grand Michel chez nous. Après une bonne bataille d'oreillers et de coussins avec notre invité, elle s'empiffre d'une énorme tartine de beurre d'arachides avec un grand verre de lait. Aussitôt le petit déjeuner terminé, je mets tout le monde à contribution avec l'autorité d'une cheftaine. Le temps de le dire, le salon est rangé, le lit refait et la cuisine astiquée ; nous n'avons toujours qu'une seule pièce, mais, vue comme ça, elle paraît plus grande. Mes trois mousquetaires quittent la place pour aller se réfugier chez François.

Étendue sur le lit, les bras allongés, les yeux fermés, je repense à la soirée d'hier avec une certaine amertume ; finalement, je n'ai pas fait ce que je voulaïs faire, pas dit ce que je voulais dire; je n'ai pas su trouver les mots. J'ai essayé de rester calme en évitant de faire des reproches, mais tant de sujets sont devenus tabous que nos rencontres se transforment vite en un chassé-croisé épuisant. Et pourtant, nous nous aimons. Je suis sûre que nous nous aimons…

On sonne à la porte.

—Qui est là?
—C'est moi!

J'ai un choc en entendant la voix de Gabriel.

—Tu veux monter?
—Non, écoute, j'allais voir un film, et si ça te chante, je t'emmène…
—J'arrive!

Nous allons dans un cinéma spécialisé voir un documentaire sur le Brésil. Gabriel est amoureux fou du Brésil. Les prises de vue sont excellentes et le langage cinématographique passe un message que des milliers de mots ne pourraient traduire. Nous reparlons du film en sortant, comme nous avions l'habitude de le faire autrefois. Nous faisons quelques pas dans le parc et Gabriel m'invite à manger.

L'éclairage du restaurant est violent, les banquettes sont dures, ce n'est certainement pas le décor rêvé pour les conversations intimes mais qu'importe, c'est maintenant ou jamais.

—Écoute-moi, Gabriel, cette comédie risque de virer au Guignol. Je n'ai pas quitté la maison juste pour le plaisir d'aller vivre dans des conditions difficiles. Il faut que la situation change, sinon nous devrons couper les ponts.

Je parle calmement, fermement, sans aucune colère. Je mets cartes sur table ; il n'est pas question que je fasse marche arrière si Gabriel ne cesse pas de boire. Par contre, nous ne pouvons pas continuer à sortir ensemble en faisant comme si de rien n'était. Je ne suis pas un pantin qu'on manipule à volonté…

— Je te demanderai donc, dans ces conditions, de ne plus revenir… Tu pourras voir les enfants aussi souvent qu'il te plaira, mais pour ma part c'est terminé. Je n'ai plus envie de me torturer avec de faux espoirs. J'ai posé un geste important et je dois en assumer toutes les conséquences.

Gabriel regarde fixement droit devant lui, sans dire un mot. Je parle à un fantôme. Je décroche.

— Tu veux bien me ramener chez moi ?
— Comme tu voudras.

Nous revenons à Biarritz en silence. Gabriel me laisse à la porte. Je descends sans me retourner, sans rien regretter car, pour une fois, j'ai dit ce que je voulais dire. Nous ne nous reverrons plus et c'est mieux ainsi, puisque ces rencontres devenaient trop pénibles. En entrant je me laisse choir sur le lit comme une poupée de chiffon. Je pense à Gabriel qui ne reviendra plus, et je fais à l'instant mon premier pas vers le détachement.

∽

Lundi 14 février

La Saint-Valentin, la fête des amoureux ! Confortablement assise dans mon fauteuil, je termine la lecture du livre que Lorraine m'a prêté, et meuble ainsi ma solitude en ce lundi sombre et pluvieux. On sonne. Une Jacqueline bronzée et reposée me fait la surprise d'une visite impromptue. Elle est accompagnée de Pauline, une amie rencontrée il y a quelques semaines à un meeting *Al-Anon*. Cette bouffée d'amitié arrive comme un rayon de soleil dans mon quotidien. Biarritz est en fête !

Je joue à la *madame-qui-reçoit*, dans mon grand salon avec vue imprenable sur la mer. Visiblement amusées Pauline et Jacqueline font ensemble *le tour de la propriétaire* : côté chambre, côté cuisine, côté salon. Vue panoramique dans toutes les pièces en restant sur place ! Pour la mer, je les invite toutes les deux à sortir sur le balcon et à s'étirer le cou pour admirer le bout de la piscine.

— Heureusement, cette situation n'est que temporaire !

Je garde toujours espoir que, d'ici la fin du mois, Gabriel aura pris la décision qu'il doit prendre.

Je fais du thé, comme toute bonne hôtesse doit savoir le faire, et nous grignotons les biscuits que Jacqueline a eu l'amabilité d'apporter. Tout se passe comme dans le Grand Monde. Pauline nous parle de sa nouvelle voiture, Jacqueline de son voyage aux Bermudes… et moi de Gabriel. Parlant du loup, le voilà tout à coup qui s'amène avec une boîte de chocolats.

— Je m'excuse de te déranger, *mon chérie*, mais je ne pouvais pas prévoir que tu recevais tes *petites copines*.
— Tu peux entrer.

Nous agrandissons le cercle, et voilà qu'en faisant la connaissance de Pauline, Gabriel engage la conversation sur un ton que je ne lui connaissais pas. Lui, habituellement hautain et réservé, se livre ouvertement devant une inconnue, lui avoue son problème d'alcool, et raconte son enfance en ajoutant certains détails précis qu'à ma connaissance, il n'a jamais confiés à personne. Jacqueline n'en croit pas ses oreilles. Gabriel parlant de sa mère, Gabriel parlant du quartier de sa jeunesse, il y a de quoi vous couper le souffle. Nous sommes sous le charme devant cet homme qui, toute sa vie, a fait la cour aux femmes en leur racontant des histoires et qui, spontanément, sans flirt, sans avances, et sans la moindre raison apparente, s'affranchit complètement devant une étrangère.

Pauline écoute, sourit et trouve le mot qu'il faut pour encourager les confidences. C'est dans cette atmosphère quasi euphorique que les enfants ont la surprise de se retrouver en rentrant de l'école. Accompagnés de deux copains, ils ont tôt fait de piller le réfrigérateur à la recherche d'un bout de fromage ou d'un morceau de saucisson. À la grande joie de tous, Gabriel offre de leur payer une pizza, tandis que nous irons terminer la journée en beauté à la rôtisserie la plus proche.

Gabriel et moi partons devant et nous réservons une grande table, près du mur, juste en dessous d'un énorme tableau de bois sculpté.

— Un café, s'il vous plaît !

À mon grand étonnement, Gabriel commande un café. Il me regarde tendrement en serrant mes mains dans les siennes. Il tremble :

— J'ai pris mon dernier verre hier soir; j'ai versé du gin dans deux verres, un pour toi et un pour moi, et je les ai vidés lentement dans l'évier, à notre santé ! Je ne bois plus, tu as gagné !

Tout s'embrouille dans ma tête. Gabriel parle et je ne l'entends plus, je ne le vois plus. J'ai tellement rêvé de l'entendre dire *Je ne bois plus*, que je n'arrive pas à y croire. Il y a pourtant une faille dans son histoire ; comment lui expliquer que ce n'est pas pour que je gagne, qu'il doit arrêter de boire, mais pour lui, uniquement pour lui ?

—Vas-tu revenir à Versailles ?

—Laisse-moi au moins un autre vingt-quatre heures pour y penser.

Je connais trop bien les conséquences de la maladie pour me laisser séduire par ses intentions, si bonnes soient-elles. Retourner à Versailles, sur-le-champ, uniquement parce qu'il a pris la résolution de ne plus boire, ce serait trop simple. J'ai des réserves. Je pense sérieusement qu'il vaudrait mieux nous donner un peu de temps, le temps de me faire à cette idée, et le temps de laisser Gabriel s'affermir dans sa sobriété.

Nos amies nous rejoignent. Gabriel se lève.

—Tu pars déjà ?

—Oui, j'ai à faire, excusez-moi !

Il m'embrasse en me glissant langoureusement à l'oreille :

—J'aurais aimé passer la soirée en tête à tête avec mon amoureuse, mais dans les circonstances… Rejoins-moi à Versailles plus tard.

—Non, pas ce soir, je n'irai pas.

—Je t'attendrai quand même.

Je regarde l'homme que j'aime s'éloigner et ne ressens nulle envie de partir avec lui. Inutile de précipiter les choses en écourtant ce repas avec mes amies ; Gabriel a décidé d'arrêter de boire, tant mieux, mais je ne tomberai pas tête première dans son jeu. Mieux vaut attendre. Annoncer ses intentions, c'est bien, persévérer c'est mieux. Ce soir, je dormirai à Biarritz.

∞

Vendredi 18 février

Je suis inquiète. Déjà vendredi, et je n'ai eu aucune nouvelle de Gabriel depuis lundi. J'ai téléphoné plusieurs fois, mais sans succès. Je sais qu'il projetait de se rendre à Québec pour quelques jours, mais j'espérais une visite à son retour…

Je l'attends. Depuis ce matin, je ne suis sortie que le temps d'aller chez le dépanneur chercher du lait, sans cesser de surveiller les voitures. Je trouve la journée longue. Je déteste les vendredis ! Les gens sont particulièrement actifs ce jour-là, et ça me rend triste. L'ennui me paralyse. Recroquevillée dans mon coin, je reste là, sans bouger, j'attends. Chez moi, c'est un état, je suis une *attendante*.

Je descends faire la lessive au sous-sol. Quelle heure est-il ? Huit heures quarante. Les aiguilles de la montre sont ensemble : Gabriel viendra ! Je mets une première brassée de linge dans la machine à laver tout en me cassant le cou pour regarder par la fenêtre en même temps. Un pigeon rôde près de la maison ; s'il se pose sur le balcon du troisième étage, Gabriel viendra ! Si… si… si…

Élise, chère Élise, ça dure depuis des heures.

Je me vois condamnée à une longue soirée de solitude. Je n'ai pas le courage de rester dans mon trou comme une taupe en attendant que les enfants reviennent de leur danse à l'école. Il faut absolument que je fasse quelque chose. Sortir ? Et si j'allais rater la visite de Gabriel ? Partir et apprendre par la suite qu'il est venu à Biarritz pendant mon absence, ce serait trop bête.

Je n'y tiens plus. J'enfile mon manteau et retourne téléphoner à Versailles. La cabine est occupée par un gros barbu qui n'en finit plus de placoter. Qu'est-ce qu'il peut bien avoir à raconter celui-là ? On n'a pas idée de monopoliser un téléphone à ce point. Je piétine, je tape du pied, j'ai froid ! D'où je suis, je peux voir la porte d'entrée de mon building, tout en surveillant les autos qui sillonnent la rue en tous sens. C'est l'heure de pointe et le boulevard Henri-Bourassa ressemble à une ruche : virages à gauche, virages à droite, ma tête virevolte comme une girouette. Enfin, la ligne se libère, ce n'est pas trop tôt !

Pourvu que Gabriel soit là ! S'il n'a pas répondu après quatre coups, je raccroche.

— Allô, j'écoute !
— Bonjour, c'est moi… tu es seul ?
— Évidemment.
— Je peux venir te voir ?
— Bien sûr !
— On se retrouve à l'arrêt ?
— Comme d'habitude.

Pour économiser des sous, je marche jusqu'au terminus de Laval. Je presse le pas, j'ai hâte de revoir Gabriel. Puis je prends l'autobus en direction de notre lieu de rendez-vous habituel. Mon cœur bat à tout rompre. Les portes s'ouvrent : Gabriel est là ! Je descends et cours vers lui. Il court vers moi. Tout se déroule au ralenti comme dans les réclames de shampoing. Je lui saute au cou. Il me serre dans ses bras, fort, si fort que j'étouffe. Nous nous embrassons, nous nous regardons, puis nous nous embrassons encore, et encore, et encore…

Nous reprenons gaiement le chemin de Versailles… mais, à peine avons-nous roulé durant quelques secondes : arrêt total. La voiture refuse d'avancer. Nous voilà coincés au beau milieu de la rue. Faisant contre mauvaise fortune bon cœur, nous attendons patiemment la remorqueuse en nous bécotant tendrement. Le temps passe. Quand nous arrivons enfin au garage, c'est pour apprendre que le *transformateur* est fini. Inutile d'espérer le remplacer ce soir. Il est près de onze heures, je n'ai plus le temps de me rendre à Versailles, les enfants vont rentrer et ne sauront pas où je suis. Notre soirée d'amoureux est foutue. Gabriel me prend par la taille.

— Et si je t'invitais à souper, demain soir ?
— Pourquoi pas ?
— Je passerai te prendre vers dix-huit heures.

Le temps d'une étreinte et me voilà dans un taxi. Gabriel disparaît de ma vue. Je me blottis dans le coin de la banquette. Je suis heureuse !

∞

Samedi 19 février

À Biarritz, c'est la corrida, olé ! J'ai fait un saut à l'épicerie : tout coûte cher ! Mon compte en banque fond à vue d'œil. Dieu sait combien de temps je pourrai tenir le coup. J'aimerais pouvoir en discuter ouvertement avec Gabriel. Il faut absolument que nous arrivions à nous entendre. La fin du mois approche, la situation s'éternise ; je ne voudrais pas me retrouver dans l'obligation de renouveler mon bail juste pour quelques jours.

Gabriel arrive à dix-huit heures pile. Il m'attend à la porte et m'amène au chic *New España*, rue Saint-Laurent. Décidément, c'est ma journée castagnettes et tango : re-olé ! Le repas est délicieux mais froid, comme Gabriel qui ne parle pas, ne sourit pas. Je goûte à peine à ma paella, tant je me sens fébrile. Inutile d'aborder le sujet qui me chicote. Le silence est de rigueur.

En sortant, Gabriel m'invite à monter *chez lui*, à Versailles. J'hésite, puis finalement j'accepte, en espérant que, le feu de bois aidant, la communication deviendra plus facile.

Il fait bon à Versailles ! Le feu prend bien dans la cheminée, la bûche d'érable embaume tout le salon. Je m'installe à ma place habituelle, presque dans l'âtre. Gabriel fait du café. Il n'a pas bu d'alcool de la soirée, ça me rassure. Il vient s'asseoir près de moi et caresse mes cheveux. La conversation, d'abord anodine, tourne vite au vinaigre :

— Tu n'as jamais été foutue de…
— Tu étais toujours absent…

Les *jamais* et les *toujours* s'entrecroisent. Je ne dois surtout pas parler *des femmes*, il ne faut pas, je me retiens, mais, soudain, crac, ça y est !

— Rosine ! Tiens, parlons-en de Rosine ! Et de Muriel ! Et de Gisèle ! Penses-tu que je ne le savais pas ?

Trop tard, c'est parti, c'est lancé, et pourtant, je ne voulais pas. Les reproches s'accumulent. La dispute est de taille. J'ai peur. Je veux rentrer chez moi !

Élise, chère Élise, quitte ce bateau en flammes !

Je n'ai pas assez d'argent pour prendre un taxi, et à cette heure il n'y a plus d'autobus. Je me retrouve donc à la merci de Gabriel, qui me ramène à Biarritz à une vitesse folle. Il est furieux. J'ai appris à mes dépens à redouter ses colères. Je ne remettrai jamais plus les pieds à Versailles, c'est juré !

Je me retrouve sous les couvertures, encore tremblante d'effroi. Les enfants dorment déjà. Tout est calme. La peur s'en va, le sommeil vient.

∞

Tous les copains se sont amenés sans avertir : impossible de prévenir, nous n'avons pas le téléphone. Ils sont huit, assis autour de la table à café comme autour d'un feu de camp, à manger des guimauves en se racontant des histoires. Je ne sais plus où me mettre. Je dois sortir. Je fourre les draps, les couvertures et les serviettes sales dans un sac, et descends la rue à pied pour aller laver tout ça chez mes parents, qui refusent de me voir dépenser autant d'argent dans les machines à laver du building.

Dans la mesure du possible, j'évite de mêler mes parents à mon histoire, car je sais qu'il leur est extrêmement difficile d'accepter ma séparation, même si celle-ci n'est que temporaire. J'ai voulu durant trop longtemps les épargner en leur cachant le problème d'alcool de Gabriel. J'ai eu tort ; ça les rend mauvais juges. Car, comme me le répète si souvent ma mère : *Ton père et moi, on ne l'a jamais vu chaud !* Elle a raison. En apparence, Gabriel n'était jamais ivre : il ne bafouillait pas, ne titubait pas... il *portait bien la boisson*, comme on dit.

Je marche lentement, mes deux sacs de lessive au bout des bras. Je respire profondément. Ma solitude et la responsabilité des enfants commencent à me peser. Pourvu que j'aie la force de tenir le coup ! Il y a du printemps dans l'air, bien que nous ne soyons qu'en février. Bientôt le mois de mars, bientôt un deuxième loyer à payer. Je m'empresse de chasser cette idée. Si seulement je pouvais avoir enfin une vraie conversation avec Gabriel. Nous mettre à nu. Nous re-marier ! J'ai des fantasmes de retrouvailles. Si Gabriel continue d'être sobre, tous les espoirs nous sont permis, ce n'est qu'une question de patience et de temps…

Le coup de sonnette spécial annonce ma visite. Mon père a l'air content de me voir : non, non, je ne dérange pas ! Toute la famille est réunie pour la visite rituelle du dimanche. Après un arrêt dans la salle de lavage, je les rejoins dans la cuisine. Assis autour de la grande table, ils parlent tour à tour de l'été, des vacances, chacun apportant ses projets et ses rêves de soleil. Je m'ennuie déjà. Je voudrais être seule et entourée à la fois. Je déteste les dimanches.

Sitôt ma lessive terminée, je remplis mes sacs et reprends le chemin de Biarritz.

— Tu ne soupes pas avec nous ?
— Non, je vous remercie, les enfants m'attendent !

Huit enfants m'attendent ! Comment nourrir huit adolescents affamés avec un pain et une seule boîte de jambon ? Je suis devenue experte dans l'art de trancher mince.

Un sandwich chacun, précédé d'un bol ou d'une tasse de bouillon. Puisque je n'ai que trois bols, trois tasses et trois cuillères, certains devront forcément attendre leur tour. Au dessert, une délicieuse pastille de menthe accompagnée d'une tasse de thé. Tous pour un et un pour tous ! Encore une fois, la rotation est de rigueur. Je m'en suis sortie avec les honneurs de la guerre.

Ils partent tous pour la soirée, me laissant seule avec moi-même. Je pourrai profiter de l'appartement à ma guise. Mon programme : prendre d'abord un bon bain chaud, dans une salle de bains romantiquement éclairée à la bougie, puis me coucher très, très tôt, et lire jusqu'à l'épuisement.

On frappe à la porte. Pourvu que ce ne soit pas Gabriel ! Je regarde par le judas, c'est Antoine. J'ouvre.

— Gabriel vient de téléphoner chez tes parents, il demande que tu le rappelles immédiatement, c'est urgent !

Je prends mon manteau et descends téléphoner. Qu'est-ce que Gabriel peut bien me vouloir encore ? Il répond au premier coup, il pleure.

— Mon *chérie*, viens vite !
— Es-tu malade ?
— Je n'en peux plus ! Viens ! Viens vite !

Le temps de remonter à l'appartement, de prendre mon sac, d'écrire un mot aux enfants et me voilà dans un taxi, en route pour Versailles.

Élise, chère Élise, tu avais juré…

Gabriel m'attendait près de la porte. Il se jette dans mes bras en sanglotant.

— Je t'aime !… Je t'aime !… Je t'aime !…

Ses larmes mouillent mes cheveux, mon cou, mes joues. Je lui trouve l'air bizarre ; pourtant, il n'a pas bu. Brusquement, il se jette sur le divan en se tordant de douleur. Il tremble de tous ses membres. Il geint. Ses yeux virent à l'envers. Une écume blanche coule de sa bouche et son front est couvert de sueur. Soudain, il se met à frapper sa tête contre ses genoux, brutalement, dans un mouvement sec et saccadé.

Complètement impuissante, j'assiste à cette scène, figée sur place, sans savoir quel geste poser ; incapable de réagir, incapable de penser. Tout va trop vite. Appeler la police, l'hôpital, un médecin ? Avant même que j'aie eu le temps de me décider, Gabriel a repris ses sens. Toute cette crise n'a duré que quelques minutes qui m'ont paru des heures.

— Veux-tu que j'appelle un médecin ?
— Non, c'est inutile, ça va mieux.

Gabriel se lève, calme, lucide, à croire que j'ai rêvé et qu'il ne s'est absolument rien passé. Je l'aide à enfiler sa robe de chambre, le dernier cadeau que je lui ai offert avant mon départ. J'allume un feu et nous nous allongeons l'un près de l'autre sur le tapis, près du foyer, heureux comme au temps de la bohème, quand, un an avant notre mariage, nous partagions un petit appartement du quartier Rosemont avec cinq copains. J'étais la seule fille de la bande, à l'heure où les communes n'étaient pas encore à la mode.

Nous évoquons tous ces souvenirs avec une certaine nostalgie. Le feu aidant, nous nous sentons plus proches. Je lui parle de la vie, des enfants, et, pour la première fois depuis des mois, nous faisons des projets. Sa décision est prise, il se fera désintoxiquer. Je l'aiderai à s'en sortir, puis je reviendrai à Versailles avec les enfants. Comme nous allons être heureux !

Jamais je n'ai ressenti autant de bonheur à faire l'amour avec Gabriel. Quel amant extraordinaire ! Quand je pense que...

Élise, chère Élise, crois-tu vraiment que ce soit le moment de ressusciter ses maîtresses ?

Tous les deux enlacés, nous restons là, sans dire un mot, émerveillés par ce silence.

—Quelle heure est-il ?
—Vingt-trois heures trente !
—Je dois partir !
—Déjà ?
—Les enfants vont s'inquiéter.

Gabriel insiste pour me ramener à Biarritz, mais je refuse, il doit se reposer.

—Alors, tu prendras un taxi !

Il me tend un peu d'argent. C'est la première fois depuis mon départ; c'est bon signe. Le taxi arrive. Je m'arrache à ses bras. La séparation est pénible.

—20, Henri-Bourassa ouest...

Debout derrière la fenêtre, Gabriel m'envoie la main. Drôle de hasard, Aznavour chante *La Bohème* à la radio : *Je vous parle d'un temps que les moins de vingt ans ne peuvent pas connaître...* L'image de Gabriel s'éloigne peu à peu : *C'est là qu'on s'est connus, moi qui criais famine et toi qui posais nue...* Gabriel disparaît de ma vue et ma vie se déroule désormais comme dans un film. Je me revois, à vingt ans, servant timidement de modèle à Gabriel, rejetant du même coup mon soutien-gorge et mes préjugés par-dessus bord : *Épuisés mais ravis, fallait-il que l'on s'aime et qu'on aime la vie…* Le chauffeur me regarde par le rétroviseur. Il ne saura jamais rien de cette passagère inconnue qui vient de quitter son mari/amant, pour retrouver leurs enfants, dans son appartement de transit. Je fredonne tout bas : *La Bohème, la Bohème…* Le taxi traverse le pont Papineau et s'engage sur le boulevard Henri-Bourassa, direction ouest. Je vis la dernière scène d'un beau roman qui finit bien : *On était jeunes, on était fous…* Je paie la course : voilà, monsieur, merci beaucoup ! *La Bohème… La Bohème… ça ne veut plus rien dire du tout !*

∞

Je n'ai pas fermé l'œil de la nuit ; l'inquiétude me ronge. Gabriel doit se rendre à Ottawa ce matin avec sa voiture, et je crains que la crise d'hier ne le reprenne. Je sors pour acheter du lait, et j'en profite pour appeler à Versailles : pas de réponse. Pourvu que…

Élise, chère Élise, à quoi bon t'inquiéter davantage ?

J'utilise le retour de la monnaie pour téléphoner à Jacqueline. Elle viendra à Biarritz tout à l'heure. L'idée de la voir me réconforte. En rentrant, je croise le concierge ; autant l'aviser tout de suite que je quitterai l'appartement dans quelques jours.

— Comme ça, votre mari va mieux ?
— Beaucoup mieux, merci !

En montant dans l'ascenseur, je crains que mes ailes ne se coincent dans la porte… je vole ! Quand Jacqueline arrive, je lui raconte tout en détail.

— Si je m'écoutais, je profiterais de l'absence de Gabriel pour retourner à la maison et lui faire une surprise.

— Ne crois-tu pas qu'une surprise, tu lui en as déjà fait une en partant ?

Elle a raison. Je suis folle. Mieux vaut attendre son retour et faire les choses convenablement. Demain, à la première heure, j'irai téléphoner à Versailles.

∽

La nuit m'a paru longue. Je prends le temps de me faire belle avant de sortir. Quoi qu'il arrive, je suis prête. Gabriel répond dès le premier coup.

— Allô, j'écoute !
— Bonjour…
— Ah ! c'est toi, *mon chérie*, tu me surprends en pleine popote !
— Toi ?
— Un rôti de veau… tu aimes ?
— Bien sûr.
— Alors, amène-toi, je t'invite.

L'autobus de Montréal, l'autobus de Laval, puis vingt minutes de marche. Je rêve d'être un oiseau ! La porte n'est pas verrouillée. Gabriel s'affaire dans la cuisine. Il lâche tout pour venir vers moi : sa démarche est nonchalante. Quand il m'embrasse, il sent l'alcool. Tout s'écroule.

Je joue celle qui n'a rien remarqué. Je reste calme, naturelle, mais j'ai le cœur brisé. J'essaie de faire diversion.

— L'anniversaire de Mélanie est dans cinq jours…

—Justement, je pensais lui organiser une fête surprise, qu'en dis-tu ?

—Où ça ?

—Ici !

—À Versailles ?

—Évidemment. Tu ne prétends quand même pas recevoir ses amis dans ta piaule ?

Élise, chère Élise, je t'en supplie, tais-toi !

Mélanie rêve d'une fête surprise depuis des années. La seule fois où je lui en avais organisé une, nous avons eu *la tempête du siècle*, et la fête avait été remise aux calendes grecques. Les bras croisés, Gabriel attend ma réponse. J'hésite. Disons que pour le moment, je n'ai pas particulièrement le cœur à la réjouissance. Gabriel s'emballe, il parle de cadeaux, de surprises, d'amis, mais je ne l'écoute plus ; à vrai dire, ça ne m'intéresse pas. Mon esprit est ailleurs, obnubilé par le verre de gin qu'il tient à la main et qu'il vient de *rafraîchir* pour la deuxième fois.

Appuyée sur le coin de la table, je regarde le Grand Chef préparer notre dîner sans lui proposer mon aide. Je me sens étrangère dans ma propre maison. Je lui demande même la permission de me servir un jus de tomates. Qui croirait que j'ai vécu durant huit ans dans cette maison ? Je suis comme en visite. Je ne m'y retrouve plus. À force de vivre dans un musée imaginaire, nous avons accumulé des meubles, des livres, des bibelots, qui sont devenus avec le temps une projection de nous-mêmes et qui nous ont liés au point de nous étouffer. J'ai soudainement la désagréable impression d'être envahie par des fantômes omniprésents, encombrants, témoins gênants de nos moindres gestes. *Objets inanimés, avez-vous donc une âme ?*

Élise, chère Élise, ne laisse pas ces souvenirs te prendre
au piège.

J'ai soif de choses vivantes, de fleurs, de plantes, de revues qui traînent parce que qu'on les a posées là, par hasard, sans souci d'esthétique. Partir ! Recommencer ! Non, pas recommencer, on ne recommence jamais, mais continuer et m'engager sur des chemins nouveaux.

Je fais le tour de chaque pièce. Je retrouve ma trace, mon odeur, mon cahier d'écriture… je lis : *Comme un oiseau blessé je recourbe mon aile, cachant en moi le fruit de ma stérilité. J'attends le renouveau de la saison nouvelle qui naîtra du printemps que je porte en moi-même…* Pourrai-je, un jour, relire toutes ces pensées sans souffrir ? Je referme mon livre aux trésors et l'emporte.

— Le dîner de Madame est servi !

Gabriel a mis le couvert des grands jours, sans rien oublier. Il joue à merveille le monsieur qui reçoit une dame à dîner.

— Excuse le désordre ! J'ai reçu des amis et n'ai pas encore eu le temps de ranger la vaisselle…

À l'entendre, il reçoit énormément, et tous ses nouveaux amis admirent sa façon *extraordinaire* de faire la cuisine :

— La semaine dernière, j'ai préparé un repas aux fruits de mer pour vingt convives, en un tournemain !

Vingt convives ? Vraiment ? Où prend-il l'argent ? Il me raconte n'importe quoi et paraît avoir complètement oublié la soirée de dimanche, alors que moi, j'en tremble encore.

Il ouvre une bouteille de vin et sert le potage.

—J'ai mis deux heures à préparer ce potage… goûte-moi ça !

—C'est délicieux !

—Tu n'as jamais très bien réussi tes potages !

—Mais si, quand même…

Quand nous recevions des invités, Gabriel s'amusait à répéter qu'il m'avait appris à faire la cuisine.

—Rappelle-toi, *mon chérie*, quand nous nous sommes mariés, tu n'étais pas foutue de faire cuire un œuf !

Élise, chère Élise, mieux vaut en rire que d'en pleurer.

Le vin me tourne un peu la tête. Je refuse d'en boire un deuxième verre. Tant pis, quelqu'un d'autre se sacrifiera ! Tout en mangeant, Gabriel me donne un cours sur sa façon *extraordinaire* de ranger la maison :

—Ce n'est, en somme, qu'une question d'organisation ; toi, tu n'as jamais su, c'est tout !

À mesure que le dîner avance, l'alcool prend le dessus. Habituée à la métamorphose du Dr Jeckill en Mr Hyde, je me méfie du moindre changement dans l'intonation de sa voix.

Je voudrais m'en aller mais je suis prise au piège. Que diable suis-je venue faire ici ? Sitôt le repas terminé, je devrai trouver un prétexte pour m'en aller. Subtilement, la conversation s'engage sur un terrain glissant. Gabriel prétend avoir consulté un avocat qui lui a dit que :

1- Attendu que je suis partie de mon propre chef, j'ai perdu tous mes droits sur tout ce qu'il y a dans la maison.

2- Attendu qu'il est prêt à assumer la garde des enfants et tout disposé à les faire vivre, à condition qu'ils demeurent sous son toit, je n'ai aucun recours pour lui demander une pension alimentaire.

Je connais suffisamment la loi pour me rendre compte qu'il invente ses arguments de toutes pièces. La moutarde me monte au nez, mais je refuse d'embarquer dans son jeu. Il parle fort et vite. Il me cite des noms de gens supposément célèbres, que je ne connais pas, qui auraient eu gain de cause dans des cas similaires.

— Raymond n'attend qu'un coup de téléphone de ma part pour intervenir.

— Raymond ?

— Raymond D'Astous, tu connais ?

Là, je n'y tiens plus, j'éclate de rire. C'est loufoque ! Comment peut-il imaginer que je vais croire une histoire pareille ? Raymond D'Astous, cette sommité du Criminel, s'occuper d'un petit divorce à deux sous, alors que le demandeur ne travaille qu'à la pige et n'a pas les moyens de payer la moindre note d'honoraires.

— Voyons donc, tu n'imagines tout de même pas que je vais te croire ? Maître D'Astous ne plaide qu'au criminel…

— Il le fait pour moi, par amitié, et puis, de la façon dont tu es partie, en enlevant les deux enfants, ça relève du criminel !

Faut tout entendre ! Gabriel a toujours charrié dans les ligues majeures, mais cette fois-ci, vraiment… Je retiens mon envie de rire pour éviter de mettre le feu aux poudres.

— Dans ce cas, tu diras à ton ami, maître D'Astous, que mon avocat communiquera avec lui sous peu. Pour ce qui est des meubles…

— Les meubles sont ici, et restent ici ! Tu n'as plus aucun droit, m'entends-tu ? Aucun droit !

L'heure est venue de fuir avant l'orage. Voyant que je vais partir, Gabriel m'arrête en plaçant son bras dans l'embrasure de la porte. Je reste imperturbable. De guerre lasse, il s'éloigne et va s'asseoir sur le divan :

— Alors, pour l'anniversaire de Mélanie, qu'est-ce que je fais ?
— Nous en reparlerons !

Je sors sans ajouter un mot. En descendant la rue, je revis malgré moi, certaines scènes récentes. Je marche lentement, je ne pleure pas mais j'ai le cœur au bord des larmes.

Je m'arrête à la banque. Il ne reste que trois cent quarante dollars dans mon compte ; j'en avais sept cent vingt au départ. Nous sommes rendus au premier mars, le loyer est dû aujourd'hui, et si je reste là encore un mois, je serai complètement fauchée. À la guerre comme à la guerre ! Je louerai donc l'appartement pour un autre mois, et après, je verrai. Gabriel vient de faire un pas en arrière, ce n'est quand même pas la fin du monde. Il s'agit peut-être d'une question de semaines, de jours, qui sait ? Il me reste assez d'argent pour tenir encore quelque temps…

Je rentre à Biarritz complètement abattue. Je me lance à plat ventre sur le lit et pleure toutes les larmes de mon corps. J'étais sortie, tout heureuse à la pensée de retrouver l'homme que j'aime, rêvant déjà de me jeter dans ses bras en lui annonçant mon retour, et voilà que je me suis butée à ma plus féroce ennemie : la bouteille ! Tout est à recommencer.

Quand j'ai raconté à mon ami Jean la scène de dimanche, il m'a appris que Gabriel avait alors fait une crise de sevrage et que si jamais l'incident se reproduisait, je devrais lui donner immédiatement un verre d'alcool et le conduire sans faute à l'hôpital. Si j'avais su !

Mélanie revient de l'école :

— As-tu vu papa ?
— Oui !
— On retourne à la maison ?
— Non, pas tout de suite.

Je prends le temps de lui expliquer qu'il vaut mieux attendre encore un peu, et retourner à la maison dans des conditions favorables, que de précipiter les choses et devoir repartir plus tard. Elle comprend. Elle sait que j'ai envie, moi aussi, de retourner à la maison et de retrouver une vie familiale, mais pas à n'importe quel prix, pas à n'importe quelle condition.

Alexandre arrive à son tour :

— T'as vu papa ?
— Oui !
— On retourne à la maison ce soir ?
— Non, pas encore.
— Tant mieux, je vais pouvoir inviter François !

Mélanie s'empresse de mettre son frère au courant des derniers développements. Et je constate avec surprise qu'elle emploie exactement les mêmes mots que moi pour lui parler. Alexandre ne semble pas du tout déçu à l'idée de rester à Biarritz encore un mois.

Je descends payer mon loyer, bien décidée à ne donner aucune explication. Le concierge me fait un drôle de petit sourire. Je fais le chèque : cent quatre-vingts dollars ; ça me crève le cœur.

— Comme ça, votre mari reste encore à l'hôpital ?
— C'est ça, il reste à l'hôpital.
— C'est long son affaire !
— Très long, oui…
— Heureusement que vous sortez pas mal, sans ça vous pourriez vous ennuyer.

Je préfère ne pas alimenter ses commérages.

Jacqueline m'attend dehors. Nous allons ensemble à un meeting *Al-Anon*, le premier depuis mon départ de la maison. En entrant dans la salle, un slogan épinglé sur le mur me rappelle ma première visite à une assemblée de ce genre, quand, vivement encouragée par Monique et Jean, j'étais venue chercher de l'aide auprès de ces gens que je méprisais un peu au départ. Gabriel m'avait fait, ce jour-là, une de ses célèbres crises, puis il s'était sauvé en claquant la porte. Prise de panique, j'ai enfin crié : *Au secours !* En cherchant le numéro dans le bottin, ma main tremblait. On m'a indiqué une adresse : j'y suis allée. Après un long moment d'hésitation, j'ai osé pousser la porte de la grande salle où se tenait la réunion. Une femme élégante, souriante, s'est alors avancée vers moi, en me tendant la main.

— Bonjour ! Je m'appelle Pauline !
— Et moi Élise…

Je rencontrais Pauline et découvrais du même coup une oasis de tendresse et de compréhension. La poignée de main de cette femme me disait : *Tu n'es pas seule, tu ne seras plus jamais seule !* Quel réconfort !

Au début, ma pensée s'envolait souvent vers Gabriel. Où était-il ? Que faisait-il ? Peut-être soupait-il dans un restaurant chic, en excellente compagnie ? Qui donc était cette femme à qui il avait parlé, la veille ? J'imaginais Gabriel avec une autre femme : belle, très belle, plus belle que moi ! Jeune, très jeune, plus jeune que moi !

Élise, chère Élise, on imagine toujours l'autre plus belle et plus jeune que soi.

Soudain, mon regard s'était posé sur ce slogan écrit en lettres bleues sur un grand carton jaune : *EST-CE SI IMPORTANT ?*

Sans savoir exactement ce qui venait de se passer, je m'étais sentie tout à coup beaucoup plus calme. Je ne souffrais plus. Quelques mots bien choisis avaient suffi pour me ramener sur terre : *L'important d'abord…* et l'important, ce soir-là, c'était Élise, seulement Élise.

J'étais revenue à Versailles complètement régénérée. Gabriel était déjà rentré. Il m'attendait. Et je me souviens encore de son regard quand il s'était approché de moi pour m'embrasser. Je n'avais pas pu résister. Nous avions fait l'amour passionnément, cette nuit-là, puis nous avions parlé jusqu'à ce que le jour commence à poindre derrière les arbres.

Ce soir, soutenue par l'expérience de certaines amies, qui en ont vu d'autres, je comprends mieux les réactions de Gabriel. Je dois éviter de brusquer les choses, et laisser le fruit mûrir patiemment ; ça s'en vient.

Mercredi 2 mars

Je téléphone à Gabriel afin d'organiser l'anniversaire de notre fille. J'ai beaucoup hésité avant de l'appeler, mais ai-je le droit de priver Mélanie de cette fête, à cause d'un différend entre son père et moi ?

Gabriel répond rapidement. Il est charmant, sa voix est joyeuse. Il a déjà élaboré des tas de projets pour amuser les jeunes. Une compagne de classe se chargera d'inviter une vingtaine de copains de Mélanie, y compris son grand ami Luc, confiné dans un fauteuil roulant depuis bientôt dix ans.

— Je suis certaine que Mélanie va être contente.
— Je l'espère. En tout cas, j'ai fait mon possible ! Mais tu comprendras, *mon chérie*, que la maison aurait sérieusement besoin d'un peu de ménage… et que moi…
— Je peux venir t'aider, si tu veux !

Conne ! Andouille ! Épaisse ! Niaiseuse ! Évidemment qu'il veut, il n'attendait que ça !

Élise, chère Élise, quand donc cesseras-tu de te rabaisser pour lui plaire ?

Aussitôt qu'il est gentil, je tombe tête première dans le panneau, au point de me retrouver à quatre pattes, en train de tout astiquer à sa place.

Je raccroche et remonte à l'appartement, furieuse contre moi-même. J'ose à peine m'avouer la concession que je viens de faire à Gabriel. Je regrette déjà ma proposition. Ai-je été assez innocente ! Quel motif a bien pu me pousser à lui proposer mes services de femme de ménage ?

Au fond, je voulais sauver la face. Quelques amis de Mélanie ignorent encore que son père et moi sommes séparés, et j'ai eu peur de passer pour une mauvaise ménagère. Je ne peux pas supporter l'idée de recevoir tous ces jeunes à Versailles, sans avoir fourré mon joli nez partout. Et comme nous recréerons, pour un soir, un semblant d'harmonie familiale : papa, maman, frérot et sœurette, tout devra être impeccablement parfait. J'ai promis à Gabriel que j'irais : j'irai !

⌒⌒

Vendredi 4 mars

Gabriel est au rendez-vous, à l'entrée principale du centre commercial. Il m'embrasse d'abord chaleureusement ; puis, me tenant par la main, il m'invite à choisir avec lui le cadeau pour Mélanie. Nous achetons une robe à la mode et une bague de pacotille, comme elle les aime. Gabriel paie la robe et moi la bague. Je pense au peu de sous qu'il me reste. Je me sens pauvre. Gabriel n'a pas l'air de s'en soucier le moins du monde ; au contraire, il semble trouver tout à fait naturel que je ne lui demande rien.

Il joue le monsieur au-dessus de ses affaires, mais on ne m'y prend pas aussi facilement. Je connais trop bien le prix du gin et l'état de ses finances. Naviguant d'une boutique à l'autre, il essaie des bottes de cuir noir d'un prix fou, en se donnant l'air important de celui qui songe sérieusement à les acheter. Finalement, il s'offre une paire de chaussettes, une cravate de soie, et des slips très *mini*, très *sexy*, comme on en voit sur les tableaux publicitaires du métro.

— Je t'invite à dîner au restaurant !

Nous choisissons une banquette, loin de la vitrine du snack-bar. La serveuse dépose deux verres d'eau et deux menus bigarrés sur la table, puis s'éloigne sans dire un mot. Gabriel mélange tout et me sert le dessert avant le potage :

— Un ami, que tu ne connais pas, tient absolument à me présenter sa sœur. Je leur ai donné rendez-vous pour souper ce soir dans un restaurant du Vieux-Montréal…

J'écarquille les yeux et secoue la tête pour me convaincre que j'ai mal compris ; mais Gabriel en rajoute :

— Je regrette infiniment, *mon chérie*, mais, dans les circonstances, je ne pourrai évidemment pas t'aider à faire le ménage !
— Le ménage ?
— Je n'ai pas à te dire quoi faire, je suis certain que tu te débrouilleras comme une grande ! Pour le reste, ne t'inquiète pas, tout est sous contrôle : j'ai donné la commande d'épicerie, tu n'auras qu'à la ranger dans les armoires…

Je reste bouche bée. Il continue.

— Oh oui ! j'oubliais, je reviendrai probablement assez tôt pour te ramener chez toi ; sinon, tu n'auras qu'à prendre un taxi, je te rembourserai !

Je suis sur le point d'éclater. D'accord, c'est moi qui suis partie ! D'accord, il est libre ! D'accord, il peut sortir avec qui lui plaît ! Mais là, ça suffit ! Je ne jouerai pas le Chandelier. Je ne torcherai pas la cabane à Monsieur ! Monsieur se torchera tout seul ! Je rage à l'idée d'aller nettoyer les toilettes, pendant que ce Casanova de pacotille jouera le joli cœur auprès d'une inconnue assez naïve pour le croire. Je refuse de l'écouter plus longtemps, je ramasse mes affaires et je pars.

Je cours me réfugier chez Jacqueline. Je pleure tant que je n'ai pas la force de lui raconter la scène que je viens de vivre. Nous nous assoyons côte à côte sur le divan, sans nous dire un seul mot ; moi, me mouchant, et elle, attendant patiemment que je sois prête à vider mon sac.

— Et maintenant, que comptes-tu faire ?

— J'irai souper à Versailles demain soir, comme convenu, pour ne pas punir Mélanie. Ce n'est pas sa faute si son père se conduit comme un imbécile, mais je ne lèverai pas le petit doigt pour aider Gabriel ! Si tu savais comme je le déteste !

Après m'avoir écoutée, consolée, puis sermonnée, Jacqueline me ramène à Biarritz. Les enfants ne sont pas encore rentrés de l'école. Je m'allonge sur le lit et pleure jusqu'à épuisement. Je dors profondément quand Mélanie revient vers seize heures.

Après le souper, les copains s'amènent à Biarritz, et c'est le grand départ pour la danse du vendredi soir. Je ne veux pas me retrouver seule. J'ai besoin de parler, de rencontrer des gens, de demander conseil. Je sors téléphoner à Pauline.

— Attends, j'ai peut-être une adresse… chez les AA… boulevard Crémazie… le meeting est à vingt heures !

J'ai le temps de m'y rendre. Je marche rapidement, je chercher l'entrée : deuxième porte après la cour… On m'accueille avec chaleur. Une jeune femme prénommée Micheline me conduit à la salle de conférences. Elle me présente Fernand. Je me sens aussitôt entourée et comprise.

La conférencière s'avance. Je suis déçue. J'aurais préféré entendre le message d'un homme pour comparer son cheminement avec celui de Gabriel.

—Je m'appelle Yvonne et je suis alcoolique !

Tous les humains se ressemblent. La confession de cette femme me touche profondément et me redonne confiance.

À la pause, Fernand m'invite à boire un café. Il me parle mais je ne l'écoute pas. Impossible de retenir mes larmes. Fernand me tend une serviette de papier.

—Tiens, essuie tes larmes !
—Excuse-moi, je dois avoir l'air complètement ridicule.
—Rassure-toi, on en a tous déjà vu d'autres.

Cet homme est gentil. Il a l'air doux. Sa simplicité me plaît. Il me prend sous sa protection et me tient compagnie pour le reste de la soirée. En quittant la salle, je réalise que je ne pensais presque plus à Gabriel.

—Et si je t'invitais à aller prendre ce café que tu as failli boire tout à l'heure ?

J'accepte. Je connais cet homme depuis à peine une heure, mais je me sens en confiance. Après tout, ce n'est que pour un café. Et puis, je suis une grande fille, et puis, je sais me défendre, et puis… et puis… Toutes les recommandations que je fais régulièrement à Mélanie me reviennent en tête. J'observe Fernand du coin de l'œil. Il me sourit. Je présume qu'il est honnête, et je suis sûre qu'il est sobre.

Nous découvrons, à deux pas de là, un petit restaurant qui nous convient. La serveuse nous désigne une table bistrot, près de l'entrée. À peine assis, Fernand se relève.

—Excuse-moi, Élise, je dois appeler ma femme.

Le téléphone est juste derrière nous. Un peu méfiante, je m'attends à l'excuse classique *du café qu'on va boire avec un bon copain* ou *du vieil ami qu'on doit reconduire chez lui…* Mais non, à ma grande surprise, il dit la vérité :

— Je suis au restaurant avec Élise, une jeune femme que j'ai rencontrée au meeting. Elle avait besoin de parler et je l'ai invitée à prendre un café. Je la reconduirai chez elle ensuite… Non, non, je ne rentrerai pas tard… mais oui, bien sûr, tu peux m'attendre… Moi aussi, je t'aime.

J'avoue que cette franchise me déconcerte, moi, qui suis habituée aux : *Je ne sais pas à quelle heure je vais rentrer !* et aux : *Surtout, ne m'attends pas, mon chérie, couche-toi !*

Nous commandons deux cafés. Fernand me parle de lui, de sa vie avec celle qu'il appelle un peu cyniquement « *Madame Ex* », pour parodier *Bazin*, de son divorce, de son plongeon dans l'alcool, de sa détresse, des AA, puis de sa rencontre et de son mariage avec Ginette.

— Nous sommes très heureux, très amoureux !

Je l'écoute et ne peux m'empêcher de m'identifier à Madame Ex. Mon cœur se serre à l'idée que je pourrais un jour perdre *mon* Gabriel. S'il fallait que nous en arrivions à divorcer ! S'il fallait qu'il rencontre une autre femme ! S'il fallait qu'il arrête de boire *pour elle* ! Ce ne serait pas juste. J'ai trop souffert pour que ce soit une autre femme qui en profite.

Élise, chère Élise, chacun ne vit que ce qu'il est prêt à vivre.

Aznavour chante *La Bohème* à la radio. Décidément, cette chanson me poursuit. L'heure est aux confidences. Fernand s'amuse beaucoup du récit que je lui fais de notre vie à Biarritz. Au bout d'une heure, il jette un coup d'œil à sa montre.

—Il faut que j'y aille ! Je te ramène chez toi ?
—Je ne voudrais pas….
—C'est sur ma route !

Chemin faisant, Fernand me parle de Proust, dont il a lu *À la recherche du temps perdu* trois fois. Je n'ose lui avouer que mes connaissances *proustiennes* sont plutôt limitées. Heureusement, Biarritz n'étant pas loin, il ne me résume que le début du premier tome.

—J'habite juste ici, sur le coin.
—Dis-moi, Élise, qu'est-ce que tu fais dimanche ?
—Je ne sais pas.
—Si tu peux, viens donc souper à la maison. Je suis certain que Ginette serait heureuse de faire ta connaissance.
—C'est très gentil, mais…
—Écoute, donne-moi ton numéro, je lui en parle et je te rappelle.
—C'est que… je n'ai pas le téléphone.
—Dans ce cas, prends le mien, et appelle-nous dimanche midi.

J'ai passé une merveilleuse soirée et je me suis fait un nouvel ami formidable. Je remonte à l'appartement en passant par l'escalier de service. Certains soirs, quand la porte de l'ascenseur se referme, ma solitude me rattrape et j'étouffe.

Les enfants sont déjà couchés. Je me glisse sous les couvertures, je pose ma tête sur l'oreiller et je ferme les yeux, en espérant que mon silence intérieur parviendra à calmer mon angoisse. Soudain je me mets à trembler de tout mon corps.

La pensée de *Madame Ex* me hante. Je voudrais crier, hurler :
j'ai peur !

Mon Dieu, faites que ça ne m'arrive pas ! Faites que je ne
divorce pas ! Faites que Gabriel ne se remarie pas ! Amen…

∞

Samedi 5 mars

C'est l'anniversaire de Mélanie. Honnêtement, je n'envisage
pas cette soirée avec enthousiasme. Prétextant une visite
chez un copain, Alexandre est allé aider son père *à ma place.*
Mélanie se traîne comme une âme en peine. Elle ignore tout
de ce qui l'attend, et la perspective d'un petit souper en famille,
à Versailles, la rend nerveuse.

— Si seulement je pouvais inviter Josée, la soirée serait
moins plate !
— C'est une bonne idée, téléphone-lui.
— Et papa ?
— Oh ! pour ton père, tu sais, une personne de plus ou de
moins…

Ravie d'éviter le vase clos, elle sort téléphoner à sa copine
qui comprendra certainement le manège.

Quand je pense à Gabriel, aux prises avec tous les préparatifs de la fête, je dois avouer que ça me réjouit un peu. Il
m'a si souvent laissée seule avec une réception sur les bras.
Dans le fond, j'essaie de me donner bonne conscience en
résistant à la tentation d'aller fouiller dans les armoires et de
vérifier derrière les portes, au cas où il y aurait de la poussière.
L'idée de ne pas être indispensable me chicote. Je souhaiterais

que ce soit assez propre pour ne pas avoir honte, et juste assez sale, pour me donner raison.

Élise, chère Élise, tu as brisé tes chaînes et tu marches encore en traînant ton boulet.

Mélanie revient en affichant un sourire radieux.

—Josée accepte de venir souper avec nous.
—C'est merveilleux !
—Et elle va se rendre directement chez papa.
—Comme tu vois, tout s'arrange.

Malgré cette bonne nouvelle, Mélanie se languit. Elle trouve la journée longue et promène ses quatorze ans tout neufs aux quatre coins de notre minuscule appartement.

—Papa vient nous chercher à quelle heure ?
—Dix-neuf heures !
—C'est tard ! Si au moins on avait le téléphone, mes amies pourraient m'appeler ! Pourquoi tu n'installes pas le téléphone ?
—Premièrement : parce que je n'ai pas d'argent. Et, deuxièmement : parce qu'on ne fait pas installer le téléphone juste pour un mois !
—Un mois ! Un mois ! Tu dis toujours ça, mais, comme c'est là, moi je pense qu'on ne retournera jamais à Versailles !
—Faut pas dire ça, ma belle, on ne sait jamais ce qui peut arriver.
—Je sais, je sais, « *la jument peut parler* » ! Mais elle est mieux de parler vite, ta *maudite jument* ! Parce que moi, là, je commence à être pas mal tannée !

Elle a raison, la situation s'éternise. Je veux faire un geste, mais lequel ? Je me pose encore la question quand on sonne à la porte. Mélanie s'empresse de répondre.

—C'est papa !

—Déjà ?

N'y tenant plus, Mélanie part devant retrouver Gabriel qui nous attend dans l'auto.

Élise, chère Élise, la plupart des gens arrivent à être heureux, la plupart du temps, dans la mesure où ils décident de l'être… donne-toi une chance.

J'accroche un sourire à mes lèvres, bien décidée à ne pas gâcher l'anniversaire de ma fille. Dans la voiture, Gabriel blague avec Mélanie. Il est charmant, décontracté, visiblement content.

—Je vous ai préparé des petites surprises !

Nous arrivons enfin près de la maison. Alexandre et Josée nous accueillent sur le balcon. Nous passons la porte sans pouvoir soupçonner qu'une vingtaine de personnes sont cachées quelque part. J'ai le trac. J'ai toujours le trac dans ces moments-là. Mélanie enlève son manteau puis s'éloigne en entraînant Josée vers sa chambre. Quand elle pousse la porte, ils sortent tous en criant : *Surprise !*

Au même moment, Mélanie aperçoit le fauteuil roulant de son ami Luc.

—Oh non ! ce n'est pas vrai ! Ce n'est pas lui !

Enivrée d'amitié, comblée de cadeaux, Mélanie nage dans le bonheur.

Pendant ce temps, Gabriel s'affaire dans la cuisine. Il prépare des plats, sert des rafraîchissements, tandis que moi, je joue la comédie : *je suis la mère dans la séance.* Alexandre a minutieusement sélectionné les disques et, le feu de bois aidant, je me laisse griser par l'ambiance et enivrer par la musique. Je décide de me mêler aux autres, de faire la fête. Les garçons sont gentils, ils invitent *la vieille dame* à danser. La plupart d'entre eux me vouvoient, ça me fait tout drôle.

Je chante, je blague, je m'amuse avec eux; ou du moins j'en ai l'air. Surtout, ne pas aller dans la cuisine. Surtout ne pas me retrouver seule avec Gabriel. À mesure que l'heure avance, notre hôte devient plus irascible. Visiblement impatient, il me rejoint, m'attrape par le bras, et me parle en serrant les dents :

— J'espère que ça achève !
— Il est encore tôt, nous ne pouvons quand même pas les mettre à la porte.
— Je me lève tôt, demain, moi !
— Mais, demain, c'est dimanche !
— Je le sais, mais je pars à six heures…
— À six heures ?
— On s'en va faire du ski de fond…
— Qui ça, *on* ?
— Ann-Lyz et moi !
— Ann-Lyz, c'est ton souper d'hier soir ?
— Tu as deviné, bravo !

Je m'éloigne de Gabriel avant de gâcher la sauce. Je n'ai plus du tout le cœur à la fête. Quelques invités sont partis et ceux qui restent bavardent tranquillement assis en demi-cercle devant le foyer. Gabriel ronge son frein dans son coin.

Subitement, c'est la crise. Pas du côté de Gabriel, mais du côté d'Alexandre. Agacé par je ne sais quoi, il s'en prend à sa sœur, pendant que leurs copains essaient vainement de les séparer. Ça pète le feu. Personne ne saurait dire lequel des deux a commencé. Mélanie crie et pleure de rage, tandis qu'Alexandre réagit violemment, en sacrant et en frappant à coups de poing sur le cadre de la porte d'entrée.

Se sentant coincé, pris en souricière, Alexandre enfile son manteau et se sauve précipitamment. Gabriel, furieux, part à ses trousses et le ramène par le collet en le tirant si fort que ses deux pieds ne touchent plus terre. Humilié, Alexandre ne décolère pas. Il essaie de s'en prendre à son père, mais son ami François réussit finalement à le calmer. Il lui propose de sortir prendre l'air, Alexandre accepte. Je les vois partir tous les deux avec tristesse et soulagement.

Cette querelle a eu l'effet d'une douche froide sur tout le monde. L'atmosphère de la maison devient insupportable. Les invités se sauvent rapidement et je m'empresse d'en faire autant avant que la soirée dégénère. Je décide d'aller attendre notre taxi dehors. Encore sous le choc, Mélanie se colle contre moi. Soudain, Gabriel sort sur le perron et me tend un gros sac de provisions. Je sursaute en l'entendant refermer la porte avec fracas. Mélanie est curieuse :

— Qu'est-ce qu'il y a dans le sac, maman ?

Je fouille un peu et découvre que Gabriel y a fourré, pêle-mêle, les restes de la fête : gâteau, croustilles, etc. ainsi que tous les aliments périmés qui pourrissaient dans le réfrigérateur depuis mon départ. Je rage ! Je réprime une envie folle de sonner et de lui lancer son sac d'ordures par la tête.

Élise, chère Élise, n'as-tu pas ton quota de crises pour aujourd'hui ?

Mélanie a sangloté longtemps avant de s'endormir. Étendue près d'elle, je pleure en silence. Que s'est-il passé ? La crise d'Alexandre a été aussi effrayante qu'inattendue. Je refoule des cris de haine et des hurlements de colère. Je voudrais rejeter Gabriel de tout mon être : c'est fini ! Fini ! Fini !

∽

Alexandre est rentré aux petites heures du matin. Il a fait la paix avec sa sœur, puis ils sont partis ensemble chez François. Ils y passeront le reste de la journée. Moi, je suis encore troublée. La soirée d'hier m'a bouleversée, j'ai du mal à m'en remettre. Il faut que je sorte. En fouillant dans mon sac à main, je retrouve le numéro de Fernand. Et si j'osais l'appeler ? C'est Ginette qui répond :

—Ah ! Bonjour Élise ! Fernand m'a beaucoup parlé de toi. Acceptes-tu notre invitation ?
—Si ça ne vous dérange pas.
—Pas du tout, au contraire !

Sa voix claire et chantante me séduit. Je suis la bienvenue. J'ai vraiment hâte de connaître cette perle rare, dont Fernand parle avec tendresse. Mes nouveaux amis habitent un appartement fort accueillant : partout des livres, ce qui n'est pas pour me déplaire, et des plantes dans tous les coins. Il fait doux chez eux. Le souper est excellent, servi sans prétention, pas de petits plats dans les grands, mais une simple cuisine maison, fleurant bon la marjolaine et le thym.

Ginette est une fille saine, pas compliquée, pas du tout le genre *poupée* par laquelle une Madame Ex s'attend d'être détrônée. Cette pensée m'attriste, je voudrais tellement croire que Gabriel ne pourra jamais me remplacer. Ça me secoue de les voir heureux comme ça, tous les deux. C'est comme si, tout à coup, le sang de Madame Ex se mettait à couler dans mes veines.

Fernand parle de son problème d'alcool avec une telle sincérité, une telle honnêteté, que j'ai du mal à croire que cet homme a déjà joué à porter des masques et à se cacher sous des faux-fuyants. Ah si seulement Gabriel pouvait l'entendre ! Assise près de lui, Ginette sourit, acquiesce, rétorque, bref, anime la conversation. Cette femme a de la couleur, de l'arôme, du bouquet, comme un bon vin.

Nous parlons théâtre, musique, littérature ; surtout littérature. Fernand m'avait déjà beaucoup parlé de Proust, il y revient, et le défend avec un tel enthousiasme qu'il me donne envie de le lire. Quelle soirée agréable !

— N'oublie pas de nous rappeler !
— Non, non, c'est juré !

Ginette me serre affectueusement dans ses bras ; nous sommes devenues amies. Fernand m'embrasse fraternellement, et c'est exactement le sentiment que j'éprouve : je le perçois comme un grand frère. Grisée d'amitié et d'espoir, je les quitte à regret.

∞

La nuit porte conseil. Ce matin, ma décision est prise : je vais m'adresser au bureau du bien-être social ! Je ne peux pas, pour l'instant, retourner à la maison, et je n'ai pas le droit de laisser mes enfants souffrir de cette situation. D'ici quelques jours, je n'aurai plus un sou en banque. Heureusement, il fait beau…

—Pardon, monsieur, je cherche le bureau du bien-être social…

—Prenez un numéro !

—Mais…

—Prenez un numéro puis assoyez-vous, ils vont vous appeler !

Assise au fond d'une grande salle bondée de monde, mon numéro onze entre les mains, j'attends. Une vieille femme tient le numéro quatre-vingt-sept. Le *préposé aux numéros* prend une voix de théâtre et crie :

—Le numéro soixante et trois !

Une jeune femme toute maigre, toute frêle, se lève et se dirige vers le bureau. Le *préposé aux numéros* l'interpelle.

—Hé, vous, là, madame, redonnez-moi votre *tickette* !

Elle lui tend son billet, qu'il replace minutieusement sous la pile. Puis, s'adressant à la foule ou se parlant à lui-même :

—Je vous dis que si je ne les guettais pas, ils en voleraient des numéros. Il y en a qui les emporteraient chez eux, puis qui essayeraient de s'en servir un autre jour. Heureusement que je suis là !

Heureusement qu'il est là ! Je regarde autour de moi. Qu'est-ce qui peut bien réunir tous ces gens à cet endroit ? Je ne me sens pas à ma place. Ma cape de renard détonne et mon éducation bourgeoise en prend un coup. Moi, Élise Desmarais, fille de Maurice Desmarais, éduquée chez les sœurs des Saints-Noms de Jésus et de Marie ; moi, la *fraîchepette* du quartier, je me retrouve assise dans cette salle, mon numéro onze entre les mains, attendant que le préposé aux numéros daigne m'appeler. Un jeune homme se lève et va vers la droite.

—Hé! là! toi! Où est-ce que tu vas?

—Je m'en vais pisser, *câlice*!

—C'est quoi, ton numéro?

—C'est pas de tes *crisses* d'affaires!

—Hé! fais pas ton frais, *tit-casse*, OK!

Notre *préposé aux numéros* s'adresse à nouveau à la foule, ou à lui-même :

—Je vous dis qu'on en voit des pouilleux! Ça ne travaille pas, puis ça rit de tous ceux qui ont une job!

La salle se vide tranquillement. Mon tour arriverait-il enfin?

—Numéro… onze!

Bingo! Une porte vitrée… un long corridor… et, tout au fond, un monsieur au sourire figé, m'invite à passer dans son bureau.

—Votre nom?

—Élise Desmarais

—Nom de votre mari?

—Gabriel Lépine…

—Votre numéro d'assurance sociale?

—Voici ma carte.

—Votre adresse?

—20, Henri-Bourassa ouest.

—Des enfants?

—Deux.

Il n'a pas levé le nez une seule fois de sa feuille. Il se redresse et me regarde sévèrement par-dessus ses lunettes :

— Qu'est-ce que vous voulez ?
— Je venais voir si vous pouviez m'aider ?

Je lui raconte mon histoire de A à Z : mon départ, ma situation actuelle, le problème de Gabriel…

— Lui avez-vous déjà demandé d'arrêter de boire ?
— Évidemment !

Quelle question ! Je ne connais pas une seule femme d'alcoolique qui n'ait demandé à son mari, au moins mille fois d'arrêter de boire ; ce qui est parfaitement inutile d'ailleurs, puisque, pour y arriver, il devra aller chercher de l'aide, décider lui-même.

— Et alors ?
— Mon mari ne veut rien entendre.
— Dans ce cas-là, on va devoir le faire arrêter ! Êtes-vous prête à le faire arrêter ?
— Je ne vois pas du tout ce que ça pourrait donner. Comment un homme, qui boit et qui ne travaille pas, pourrait-il arriver à prendre davantage ses responsabilités envers les siens, si vous le faites arrêter ?
— Vous êtes toutes pareilles, vous autres, les femmes ; aussitôt qu'on parle de prison… De toute façon, il va falloir faire une enquête !
— Faites-la !
— On ne peut pas aider tout le monde de même, vous savez, sans ça, on n'en finirait pas.

Le *préposé aux enquêtes préliminaires* ferme mon dossier et dépose délicatement son stylo sur un présentoir de bois, juste à côté du portrait de sa femme.

— Un inspecteur va passer chez vous.

— Quand ?

— On n'avertit pas.

— Pourquoi ?

— Ne posez pas de questions : c'est comme ça !

— Ah bon !

Le monsieur au sourire figé se lève, je me lève aussi en lui tendant la main. Je vois poindre dans son regard une lueur de doute : un *préposé aux enquêtes préliminaires* a-t-il le droit de serrer la main d'une *bénéficiaire en probation* ? Après un long moment d'hésitation, il me tend une main timide et froide que je serre chaleureusement.

En partant, je tape un clin d'œil complice au *préposé aux numéros*, qui mange la moitié d'un sandwich aux œufs devant tout le monde, le reste de son lunch, sac de chips et cornichons compris, maladroitement dissimulé dans le coin de son tiroir. Il avale sa dernière bouchée, se cure les dents du bout de sa langue, et s'apprête à appeler le numéro suivant...

Dehors, le soleil brille et je me sens libre. J'estime avoir fait ce qu'il fallait faire : poser un geste. Il ne me reste plus qu'à informer Gabriel, qui s'empressera certainement de réagir. Au fond, je n'espère que ça, le faire réagir. *Mon Dieu, faites que la petite bourgeoise que je suis, n'ait pas à vivre cette situation humiliante... mais faites que ça produise quand même l'effet que je souhaite.*

∽

J'ai attendu toute la semaine que l'inspecteur du bien-être social daigne me rendre visite : *On n'avertit pas !* À l'exemple du Christ dans l'Évangile, il viendra comme un voleur.

On sonne, enfin ! Un dernier coup d'œil autour de la pièce : tout est parfaitement en ordre. J'ai allumé ma lampe rouge pour tenter de l'impressionner.

C'est lui qui m'impressionne : taille imposante, cheveux grisonnants ; il me serre la main en m'écrasant les doigts. Je l'invite à entrer. Il hésite un instant puis s'assoit du bout des fesses sur le coin du divan. Il a l'air un peu bourru, mais il est quand même gentil. Il me pose mille questions sur Gabriel, sur les enfants, sur les raisons qui ont motivé mon départ. Il écoute chacune de mes réponses, en murmurant « *je vois* » et en hochant la tête.

Contrairement à la première entrevue, je ne me sens pas sur la sellette. Il ne me parle ni de faire arrêter Gabriel, ni de placer les enfants : il prend des notes. Je fais la conversation :

— Pour travailler, je vais travailler, c'est sûr. Seulement, retourner sur le marché du travail, à trente-huit ans, après des années… mais d'ici peu, je serai certainement en mesure de voler de mes propres ailes.

Il a l'air de me croire, j'en suis heureuse. Je ne voudrais surtout pas donner l'image d'une femme qui trouve naturel de vivre aux crochets de la société. Mon éducation bourgeoise refait surface :

— Vous savez, je n'ai pas l'intention de vivre de l'aide sociale pour le reste de ma vie ; c'est temporaire.

Les enfants arrivent sur ces entrefaites. L'inspecteur les questionne un peu, pas beaucoup. Pour eux, tout semble normal. Ils ne sont pas conscients de mes préjugés.

Sérieux, voire même impassible, l'inspecteur referme solennellement son attaché-case, emportant avec lui mes espoirs et mes complexes. À ma grande surprise, il me tend la main en souriant.

— Je ferai mon rapport et vous recevrez des nouvelles sous peu. Au revoir, madame… au revoir, les enfants !
— Au revoir monsieur, merci beaucoup.

Ouf ! mon supplice est fini ! J'enlève mes chaussures et me jette en riant sur le divan. L'examen terminé, est-ce que j'ai passé la rampe ? Est-ce que j'obtiendrai l'aide demandée ? *Mon Dieu, faites que ça marche !*

La vie reprend son rythme. Les jours s'écoulent lentement, presque monotones. Étendue sur le lit, je passe la majeure partie de mes journées à *faire le vide*, en fixant le plafond. Sa texture granuleuse me rappelle celui du salon de Versailles, et j'en arrive à ne plus savoir où je suis. Je me sens délaissée, démunie. Les quelques démarches que j'ai faites pour trouver du travail se sont avérées vaines, et je me terre dans mon trou en attendant que quelqu'un me découvre.

Je ne mange presque pas, donc je maigris et retrouve peu à peu ma taille de jeune fille. Je fais une demi-heure d'exercice tous les jours, pour garder la forme ; le grand écart n'est pas pour demain, mais j'y gagne en souplesse et en énergie. Entre-temps, je lis ! Je dévore tous les bouquins que Lorraine et Jacqueline veulent bien me prêter. Je termine un roman à l'instant et, juste pour m'amuser, j'ai tenté de reproduire au crayon le portrait de l'auteur présenté sur la page couverture ;

c'est très ressemblant. Je suis assez fière de moi, pour un premier essai…

Depuis que je vis à Biarritz, j'ai le goût d'explorer des sentiers nouveaux, de m'aventurer dans des voies inconnues. J'en arriverais même à chérir ma solitude, si le spectre de Gabriel ne venait me hanter constamment. Pauvre Gabriel ! Je n'ai reçu aucune nouvelle de lui depuis l'anniversaire de Mélanie, il y a déjà deux semaines…

Parlant du loup… Gabriel arrive à l'improviste, et lance deux enveloppes brunes sur le comptoir.

— Tiens, tes chèques d'allocation familiale !
— C'est gentil de te soucier de mes besoins d'argent.
— Tu devrais faire ton changement d'adresse !
— Si je ne l'ai pas encore fait, c'est que je n'avais encore aucune raison de le faire. Je ne voyais pas la nécessité de tout chambarder pour recommencer en sens inverse, d'ici peu.
— Tu veux donc revenir à la maison ?
— Je n'ai pas dit ça.

Il a bu. Ses yeux pochés et sa figure rougie le trahissent. Comme je voudrais pouvoir l'aider. Je le sens subitement mal à l'aise, pressé de repartir. Moi, je voudrais qu'il parte parce qu'il me dérange, et le retenir parce que je me suis ennuyée de lui. Juste au moment où je commençais à accepter son absence, il vient perturber ma solitude.

Élise, chère Élise, t'ennuies-tu vraiment de lui, ou du souvenir que tu as de lui ?

Je ne le reconnais plus. L'étranger que j'ai devant moi, ressemble si peu au Gabriel d'avant l'arrogance, d'avant la violence. Redeviendra-t-il, un jour, l'homme que j'ai tant aimé ?

—Veux-tu du thé ? C'est tout ce que j'ai !

—Ça ira !

Gabriel se promène dans la pièce en regardant partout. Soudain, apercevant mon dessin, il se met à rire :

—Alors, on tend dans le dessin, maintenant, *ma chère* ?

—Disons qu'on tend, mais qu'on ne prétend point, *mon cher* !

Spontanément, nous venons de retrouver notre façon pompeuse de blaguer avec tous ces *mon cher* et ces *ma chère* dignes de Versailles. Gabriel prend le portrait dans ses mains :

—Non, mais, sans blague, c'est bon, tu sais; c'est vraiment bon !

—Merci, le thé est prêt !

En s'approchant, il s'empare du roman que j'avais laissé traîner sur le divan.

—C'est bien ?

—Excellent ! L'auteur et moi avons vécu des expériences tellement similaires; je te jure, j'aurais pu l'écrire !

—*Mon pauvre chérie*, encore une fois, on aura fait avant toi ce que tu aurais pu faire !

Celle-là, je ne la prends pas ! Je suis tellement furieuse que je vais éclater. Je lui montre la porte :

—Va-t'en, Gabriel, sors de chez moi !

—Tu ne vas quand même pas appeler *chez toi*, ce trou minable ?

—J'ai dit : dehors !

Il se dirige à pas lents vers la sortie, et quitte la pièce la tête haute. Je claque la porte dans son dos, puis m'écrase sur le lit, épuisée, effondrée. Je pleure, je rage, je suis complètement découragée. Et moi qui pensais que ces deux semaines d'absence auraient pu s'avérer positives. Encore une fois, j'ai perdu le contrôle de mes émotions et me suis laissée emporter. J'aurais dû le laisser partir... Je n'aurais pas dû lui offrir du thé... J'aurais dû... je n'aurais pas dû... À quoi bon tous ces reproches ? Je m'interroge encore quand Alexandre arrive, tout excité :

— Maman, maman, je viens de croiser papa dans l'entrée ! Il est revenu ?

— J'avais reçu du courrier.

— Est-ce qu'il t'a parlé de son souper ?

— Quel souper ?

— Écoute, il a reçu dix personnes à souper, samedi passé, puis il leur a servi du homard, du crabe, des scampi ! Je lui ai dit qu'il aurait pu m'inviter ! Il m'a dit qu'il y avait pensé, mais comme il ne pouvait pas m'appeler... La prochaine fois, il va m'inviter, c'est promis ! Dis donc, quand est-ce que tu vas faire installer le téléphone ?

— On ne fait pas installer le téléphone, comme ça, pour quelques semaines ! Et puis, je n'ai plus beaucoup d'argent...

— Tu viens de recevoir deux chèques !

Mélanie rapplique à son tour. Elle est tellement excitée qu'elle a du mal à respirer.

— J'ai rencontré papa. Je te dis qu'il avait l'air bien ! On dirait qu'il ne boit plus. Je lui ai demandé quand est-ce qu'on se reverrait. Il m'a dit qu'il ne le savait pas. Il partait pour Québec, ou pour Ottawa, je ne m'en souviens pas, mais qu'il reviendrait bientôt. Je lui ai dit que j'aimerais ça partir en voyage avec lui, puis il m'a dit qu'il m'amènerait une bonne fois… J'ai hâte !

Elle s'arrête un instant, reprend son souffle, puis me demande simplement.

— As-tu de l'argent, maman ? Je voudrais aller téléphoner à Josée !

Je suis brisée. Gabriel joue à impressionner les enfants en leur jetant de la poudre aux yeux : des soupers aux fruits de mer et des voyages… Sans le vouloir, Mélanie tourne le fer dans la plaie :

— J'ai demandé à papa s'il aimerait ça que l'on retourne à la maison ? Il m'a dit : *Bien sûr, n'importe quand, la porte est ouverte !* Dis, maman, pourquoi on n'y retourne pas ?

— Parce qu'on ne rebrousse pas chemin comme ça ! La situation était devenue insupportable ; vous vous en souvenez ? Or, depuis notre départ, rien n'a changé. Et il ne saurait être question que je retourne vivre à Versailles, à moins que votre père ait sérieusement décidé d'arrêter de boire.

— Aussi bien dire qu'on n'y retournera jamais !

— Faut pas dire ça, Alexandre. De toute façon, vous êtes libres, tous les deux, de retourner vivre avec votre père, si c'est ce que vous désirez. Je ne vous retiendrai pas, et ne vous en voudrai pas.

— Et toi, maman ? Veux-tu dire que tu ne viendrais pas ?

— Pas pour le moment, Mélanie. Plus tard, peut-être, je ne sais pas, mais il faudrait que la situation change.

— Dans ce cas-là, moi, je ne pars pas.

Elle se colle contre moi et me prend par le cou. Alexandre s'approche maladroitement :

—Moi aussi, maman, je reste avec toi !

Je suis heureuse et malheureuse. J'ai envie de les embrasser, et j'ai le goût de pleurer. Cette visite de Gabriel m'a beaucoup secouée. C'est toujours pareil : je m'ennuie de lui, j'ai envie de le voir, et dès qu'il arrive, je deviens crispée, tendue, prête à bondir. Je réalise pour la première fois l'écart qui sépare le Gabriel dont je m'ennuie, du Gabriel que je revois. Loin de moi, je pense à lui comme aux beaux jours, avec ses grands yeux gris, son doux sourire et sa voix tendre. Dieu que les souvenirs sont tenaces ! Chaque rencontre anticipée me permet d'espérer que le Gabriel de mes rêves sera au rendez-vous.

—Je peux préparer le souper ?
—Si tu veux.

Mélanie nous prépare un repas de quêteux : des crêpes arrosées de sirop d'érable. Je n'ai pas souvenance d'en avoir mangé depuis l'ère du Carême…

∞

C'est samedi soir, il est bientôt vingt heures, et je suis triste. Enroulée dans ma robe de chambre, avec des bigoudis sur la tête, je joue au scrabble toute seule, pour ne pas penser, pour ne pas pleurer.

Ginette et Fernand me font la surprise d'une visite impromptue, juste pour prendre de mes nouvelles.

—Tiens, je t'ai apporté quelques livres.
Fernand me tend trois bouquins. Ce geste généreux me touche profondément.

—Assoyez-vous et accordez-moi deux minutes ; je me coiffe et je reviens !

Je file dans la salle de bains. Par la porte entrouverte, j'aperçois mes deux amis assis côte à côte sur le divan, et j'entre en symbiose avec Madame Ex, en voyant Fernand passer son bras autour de l'épaule de sa Ginette. J'imagine Gabriel en train d'enlacer amoureusement une autre femme, et cette pensée me bouleverse…

Élise, chère Élise, à quoi bon caresser ces idées sombres ?

Je reviens vers eux, coiffée et vêtue décemment. Nous bavardons comme de vieux amis. La présence de Ginette me fait du bien. Je n'ai pas le droit de lui faire porter l'odieux d'une situation que je ne connais pas, uniquement parce que je la compare à la mienne.

En me quittant, Fernand et Ginette laissent derrière eux une grande fille de trente-huit ans, comblée par l'amitié, et déchirée par la solitude. Je reprends ma partie de scrabble là où je l'avais laissée, en attendant que le sommeil vienne me surprendre.

∞

Lundi 28 mars

Enfin lundi ! Le lundi, je recommence à vivre, à espérer. Il fait soleil ! Et si ce n'était de la petite crise qu'Alexandre nous a faite ce matin, j'aurais le cœur en fête. J'arrive de la banque ; j'ai retiré les trente-cinq dollars qui restaient. Toute ma fortune dort maintenant dans le fond de ma poche.

Dans le courrier je trouve une lettre du bien-être social, que je ne me décide pas à décacheter. S'il fallait que ma demande soit refusée ! S'il fallait qu'elle soit acceptée ? Je ne sais pas ce que je crains le plus. Je décachette l'enveloppe en tremblant : acceptée ! Ma demande est acceptée ! Je pleure. Est-ce de joie ou de panique ? Élise Desmarais et ses enfants vivront désormais *sur le BS* !

Impossible de reculer. Mais comment annoncer cette nouvelle à Gabriel ? Je n'ai pas le courage de lui téléphoner, encore moins de le rencontrer, le plus simple serait de lui écrire. Pourvu que cette nouvelle produise l'effet que je souhaite. Je m'accroche à cette idée de toutes mes forces : Gabriel va comprendre, il va cesser de boire et revenir vers nous dans de meilleures dispositions. Autrement, ce ne serait pas juste. Pourquoi faudrait-il que moi, la femme parfaite, j'en sois réduite à subir cette humiliation, si Gabriel s'en fout ?

Mon chéri,

La situation étant ce qu'elle est, tu comprendras certaine-ment que… etc., etc., etc.

Je pèse chacun de mes mots, et lui explique en détail la raison de ma démarche, en évitant toutefois que ma lettre trahisse mes émotions. Je termine en l'avisant de la visite probable d'un inspecteur du bien-être social dans les prochains jours, en souhaitant que la crainte de cette visite imminente l'amènera à réfléchir.

Élise, chère Élise, tu fais du chantage !

Ma lettre est déjà dans la boîte quand je réalise que je pose un geste, en espérant ne pas devoir en subir les conséquences.

Mes intentions ne sont pas honnêtes, ma démarche est biaisée. Je constate avec effroi que l'orgueil a guidé ma main.

J'ai quitté la maison en espérant culpabiliser Gabriel et je me retrouve coincée, prise à mon propre piège, sans le sou. Est-ce si mal de chercher de l'aide ? Pourquoi me sentir humiliée à ce point ? Je n'ai qu'à prendre ce qui se présente en essayant de m'en sortir le plus vite possible. Oh ! pour ça, oui, le plus vite possible !

Et les enfants ? Pauvres enfants, comment vont-ils le prendre ? J'ai à peine le temps de me poser la question, qu'Alexandre est déjà là. J'évite les détours inutiles :

— J'ai reçu des nouvelles du…
— Du *BS* ? Et alors ?
— C'est accepté.
— Tant mieux !

Mélanie arrive à son tour. Alexandre prend les devants :

— Maman a reçu une lettre du *BS* !
— Puis ?
— Sa demande est acceptée !
— Super ! Super ! Super !

Je suis effondrée. Je hurle mon écœurement :

— Désormais, nous allons vivre aux crochets de la société, et c'est tout l'effet que ça vous fait ?
— Voyons donc, maman, y a rien là !

Et dire que pour moi, tout est là, justement. Je leur prête mes réticences de bourgeoise en oubliant qu'ils n'ont pas les mêmes préjugés que moi. Je ne pense qu'à leur faire partager mon ressentiment, en leur imposant mon point de vue pour me justifier. Je voudrais tant qu'ils comprennent l'odieux de cette histoire, et qu'ils en éprouvent du même coup un dégoût profond pour leur père, cet ingrat qui les laisse tomber. J'avoue que leur attitude me donne une grande leçon d'humilité : prendre les choses pour ce qu'elles sont, sans les charger de toutes nos réserves. Accepter l'aide qu'on nous offre, simplement, sans orgueil.

— Vas-tu faire poser le téléphone ?

La question de Mélanie me surprend. Je n'y avais jamais songé. Mais d'abord, il faut réfléchir. Faire poser le téléphone, c'est accepter de vivre dans cet appartement pour un certain temps, c'est rendre officielle et quasi permanente une situation officieuse et temporaire, j'hésite encore, j'ai peur ! Ce geste ne risque-t-il pas de mettre en péril toute tentative de rapprochement, de signifier la rupture complète des négociations ?

— Dis oui, maman !
— Mais si jamais votre père…
— Ça fait deux mois que tu nous dis ça.
— Oui, mais…
— Si on s'en va, tu l'annuleras !
— Maman, s'il te plaît, dis oui !

Mélanie se jette à mes genoux en riant :

— Dis oui, maman, je t'en supplie !

Alexandre fait de même, et tous les deux se mettent à tourner autour de moi, en marchant sur leurs genoux et en riant naïvement, comme deux enfants qu'ils sont encore.

— C'est d'accord !

Ils se lèvent, m'embrassent, sautent de joie ; c'est l'euphorie totale. Je connais très peu de parents de ma génération ayant vécu une scène semblable parce qu'ils acceptaient de faire poser le téléphone.

∽

Jeudi 31 mars

J'ai guetté le facteur tous les jours de la semaine ; j'espérais une lettre de Gabriel : rien ! Un premier chèque du bien-être social : rien ! Je me sens fébrile, toujours prête à pleurer. J'ai fait quelques démarches pour trouver du travail sans trop savoir où aller. Je cherche au hasard, à tâtons, n'importe où…

Aujourd'hui, pourtant, j'ai la certitude que ça va marcher. Je fais de l'autosuggestion : si l'ascenseur arrête au deuxième étage, il y aura une lettre ; s'il passe tout droit, il n'y en aura pas. L'ascenseur arrête au deuxième ; c'est de bon augure. Mon cœur bat vite. Trop vite. Je prends mon pouls, je compte les secondes : vingt, trente, quarante… Rez-de-chaussée ! Je cours vers la boîte aux lettres. Il y a quelque chose. Je m'énerve. Ma clé tourne mal dans la serrure. J'ouvre : des timbres de Pâques ! Je suis déçue. Demain déjà le mois d'avril, le loyer à rencontrer, et je reçois des timbres de Pâques ! Deux mois ! Je suis partie depuis deux mois et je tourne en rond, la situation est toujours la même, aucun progrès. Des copains ont appris aux enfants qu'une petite auto rouge était restée garée devant la maison durant toute la fin de semaine. Y aurait-il une nouvelle châtelaine à Versailles ? Je crains le pire. Mon intuition me dit qu'une autre femme m'a remplacée dans la vie de Gabriel : Ann-Lyz, peut-être ?

Élise, chère Élise, l'important d'abord !

L'important pour l'instant, c'est de renouer avec la vie… et la vie, pour l'instant, consiste à faire installer le téléphone ; après ça, nous verrons.

On me demande des références : je n'en ai pas, le nom de mon employeur : je n'en ai pas, celui de mon ancien propriétaire : je n'en ai pas ; et pour ce qui est du nouveau, je ne suis à Biarritz que depuis deux mois ; alors, comme référence ! Je demande donc que mon compte soit envoyé chez mon père, qui a des références, un propriétaire, et une adresse stable.

— Nous vous inscrirons sous quel nom ?
— Élise Desmarais-Lépine.
— Lequel des deux ?

La voix de la téléphoniste m'agace ; le ton est sec et cassant. Elle s'impatiente :

— Alors, lequel des deux noms inscrirons-nous ?

J'hésite. Je n'ai jamais porté mon nom de jeune fille depuis mon mariage ; le faire maintenant signifierait presque un début de séparation… Je plonge.

— Élise Desmarais !
— Je vous conseille de ne mettre que votre initiale…
— Pour quoi faire ?
— À cause des téléphones obscènes.

Elle me répond froidement, comme si les téléphones obscènes allaient de soit. Mon féminisme en prend un coup : je bous. Encore une fois, on me demande de me cacher, de me camoufler *parce que je suis une femme* ! En inscrivant E. Desmarais dans l'annuaire, j'accepte d'être confondue avec Eugène, Édouard ou Éloi ; et pourquoi pas Élise, Églantine ou Émilie ? Parce que les méchants messieurs sont à l'affût d'une oreille compatissante pour déverser leurs obscénités. Allez-y, messieurs les obsédés, fouillez parmi les initiales, il y a des milliers de femmes qui se cachent parce qu'on leur a conseillé de le faire. C'est tellement plus facile de nous cacher que de nous protéger. Le jour où toutes les femmes oseront inscrire leur prénom dans le bottin, il y aura place pour une féminité qu'on étale à part entière : nom pour nom. Et les méchants obsédés n'auront plus que l'embarras du choix. Je refuse la cachette, je refuse l'anonymat ; s'il y a des risques, alors tant pis !

— Le téléphone sera installé lundi !

Les enfants jubilent en apprenant la nouvelle. Pour ma part, je suis inquiète ; j'ai eu beau ramasser tous mes sous, il ne me reste, en tout et pour tout, que trois dollars. Je les remets à Mélanie qui part chercher de quoi souper et de quoi faire les lunchs demain matin. Elle me rapporte la monnaie : sept sous ; sept pauvres petits sous qu'elle dépose délicatement sur le comptoir. Mon compte en banque est vide, mon sac est vide, et toutes nos poches sont vides. Notre fortune : sept sous !

— Maman, il ne nous reste que sept sous ?

— Ça ne nous a jamais coûté plus cher que ça pour dormir. Et pour ce soir, nous avons de quoi manger. Demain est un autre jour. Tout va s'arranger, tu verras ! Surtout, ne t'inquiète pas.

— Maman, est-ce que c'est ça, la pauvreté ?

Je la serre très, très fort dans mes bras :

— Non, ma bichette, ce que nous vivons, c'est la bohème ! La pauvreté, c'est quand on est convaincu que l'on ne s'en sortira jamais.

Je fais trois tasses de thé avec le seul sachet qui reste, puis nous mangeons, des sandwiches, assis par terre, en regardant un film à la télévision. Les images sont toutes croches mais tout est calme et nous sommes heureux quand même.

∾

Vendredi 1ᵉʳ avril

Comme mon grand-père disait souvent : *Avant le temps, ce n'est pas le temps, puis après le temps, ce n'est plus le temps !* Le chèque du *bien-être* est arrivé *juste à temps !* Trois cent soixante dollars pour un mois, ce n'est pas une fortune, mais, en comptant les sous… Cette somme représente exactement la moitié du montant que j'avais en banque au moment du départ de Versailles, et nous avons tenu le coup durant deux mois ; donc, en étirant un peu, nous pourrons joindre les deux bouts !

Je sors dans la rue, il fait doux, je me sens bien. Contrairement à ce que j'aurais pensé, ce chèque du bien-être social me libère, en me permettant une certaine autonomie vis-à-vis de Gabriel. Mon humeur d'aujourd'hui m'incite à prendre *le bon du bon* sans me faire de bile. Je téléphone d'abord à Jacqueline, pour lui apprendre la nouvelle, puis je marche jusqu'à la banque la plus proche où j'ouvre un nouveau compte, pour un nouveau départ. En revenant, j'arrête chez mon ami l'épicier pour acheter un peu de viande, quelques légumes, et des conserves… Je reviens à Biarritz le cœur content. Le concierge est dans sa loge, aussi bien en profiter pour lui payer le loyer du mois d'avril.

Je ne sens plus le besoin de lui jouer la comédie de la dame qui a un mari à l'hôpital, et je fais mon chèque sans rien lui dire, en ayant l'air tout à fait naturel. Après tout, je n'ai pas de comptes à lui rendre… si, pourtant.

— Il est possible que je parte avant la fin du mois ; ça dépend de mon mari, vous comprenez ?

Le concierge se mord les lèvres pour ne pas rire, et moi, je me mords la langue. Je quitte la loge, furieuse contre moi-même. Je croise Alexandre près de l'ascenseur :

— Salut, maman ! J'ai trouvé du travail !
— Du travail ? Où ça ?
— À la fruiterie du coin. Je vais travailler tous les soirs, après l'école, et le samedi de huit à seize. Je commence lundi !
— C'est formidable !
— As-tu reçu ton chèque ?
— Oui, ce matin, trois cent soixante dollars.
— On est riches !
— C'est pour un mois !
— Ça ne fait rien, c'est beau pareil ! *Tabarnouche* que ça va bien !

Il me confie ses livres et part chez François en précurseur de la Bonne Nouvelle. Quand mon fils est heureux, il n'y a pas de problème. Il nous croit riches et se voit déjà en charge d'un énorme comptoir de fruits avec un salaire de président de compagnie. Qu'il savoure son bonheur, même si le montant des pourboires possibles risque d'être bien en deçà de ses espérances ; il en fera l'expérience lui-même. Un travail de livreur à la fruiterie, ce n'est pas éternel, à quoi bon gâcher sa joie ?

Je rentre à l'appartement, Mélanie arrive tout essoufflée :

—Je suis montée par l'escalier, ça va plus vite ! Je viens de parler à Alexandre, il m'a tout raconté. Je te dis que ça va bien nos affaires !

La voyant si joyeuse, je me mets à pleurer. Elle s'approche :

—Pourquoi tu pleures ?
—C'est de joie, ma bichette, c'est de joie !

Ce soir, nous aurons de la viande pour souper ! Qu'importe mon amour-propre blessé, puisque ceux que j'aime sont en sécurité.

Sitôt le repas terminé, Alexandre et Mélanie partent danser à l'école. Je ne me sens pas le courage de passer la soirée toute seule. Je ramasse deux poches de linge sale et décide d'aller faire le lavage chez mes parents. Je descends la rue lentement. Il pleuvote. Je voudrais ne pas penser à Gabriel mais tout m'y porte. Il y a plein de gens dans la rue, c'est la cohue du vendredi soir, les autobus sont bondés, et les autos font la queue. Partout des couples, partout des gens heureux. Chacun semble avoir sa chacune et moi je suis seule, effroyablement seule.

Élise, chère Élise, attention, la lumière est rouge !

En tournant à droite, un camion me frôle de près… de trop près. J'ai eu de la chance. Je suis nerveuse. Il m'arrive fréquemment de ne pas avoir le réflexe qu'il faut, d'avoir la tête dans les nuages.

La pluie mouille ma figure, c'est bon ! Le ciel est brouillé, c'est beau ! L'instant présent est bon et beau ! Je croise un homme, il me sourit ; je presse le pas. Il faut que j'apprenne à contrôler ma peur, que j'arrive à sortir seule le soir, sans paniquer à chaque rencontre.

Je longe la rue : la maison de mes parents, le jardin, le perron… la porte s'ouvre presque par enchantement. Mon père guettait par la fenêtre comme quand j'étais jeune. Je mets ma lessive en branle et rejoins maman dans la cuisine.

— Assieds-toi, je viens de faire du café ! Veux-tu un bon morceau de gâteau ?
— Oui, s'il te plaît, merci.

Mon père arpente le long corridor reliant le salon à la cuisine. Il tend l'oreille mais n'intervient pas. Mes parents ignorent encore tout de mes démarches récentes ; je leur donne un choc. Ma mère réagit :

— Tu n'as tout de même pas l'intention de rester là ?
— Pour le moment, oui, après, je ne sais pas…
— Et Gabriel ?
— Aucune nouvelle.
— Es-tu certaine qu'il boit tant que ça ?
— Maman !
— Comme je le disais à ton père : moi, personnellement, je ne l'ai jamais vu chaud ! Pas vrai, Maurice ?

Passant près de la cuisine, mon père, acquiesce d'un signe de la tête, comme il le fait chaque fois que ma mère lui pose une question.

Ils ne comprennent pas, tout va trop vite. J'ai tenté de leur cacher la vérité durant trop longtemps ; j'ai eu tort. Maintenant que tout s'écroule, ils sont dépassés par les événements, et je n'ai pas envie de discuter, d'expliquer, ou de justifier quoi que ce soit pour le moment. Ma lessive terminée, je les remercie tous les deux de leur hospitalité, et repars sous la pluie avec mes deux sacs de linge propre, le cœur plus gros qu'en arrivant.

Les enfants sont déjà rentrés. La pièce est pleine de joyeux copains ; il y en a cinq assis par terre, trois sur le divan, deux sur les petits bancs et un à la toilette. Le lit a complètement disparu sous l'amoncellement de manteaux. Je reste bouche bée. Alexandre jubile :

— Salut maman, on fête ma première job !

Je souris, je ris, je voudrais les embrasser. Et moi qui craignais de me retrouver seule ! Comment pourrais-je être seule, puisqu'ils sont tous là ?

— Maman, peux-tu me prêter un peu d'argent pour acheter de la liqueur et des chips ? Je vais te le remettre !

Alexandre hypothèque déjà sa première paye. Je lui donne quelques dollars. Pauvres enfants, ils n'ont pas été gâtés ces derniers temps ! De les voir comme ça, entourés d'amis, entassés les uns sur les autres, ça me fait tout drôle. Ils se racontent des histoires en riant, et je me saoule de leurs rires.

Pour ne pas les déranger, j'apporte l'appareil de radio, du papier à lettres et une bougie dans la salle de bains maintenant libérée. De mon refuge, j'entends leurs éclats de voix, leurs rires ; je me sens seule et pas seule à la fois.

Assise sur le bord de la baignoire, mon papier à lettres sur les genoux, j'écris à Gabriel en écoutant le troisième concerto de Mozart. J'ai éteint la lumière et allumé la bougie dont la flamme vacillante projette sur le mur des ombres chinoises impressionnantes.

« *Mon bel Amour,*

Je t'aime à fleur de bouche, à fleur de peau et à fleur d'âme… »

Je m'étends sur plusieurs pages, lui criant mon Amour dans des mots brûlants et tendres, me livrant tout entière, sans réserve et sans haine, et signe : *« toujours ta Douce »*, comme au temps des amours.

Cette lettre passionnée me brûle les doigts. Je ne l'enverrai pas, mais la garderai précieusement pour l'offrir à Gabriel le jour des retrouvailles.

—Maman, ouvre la porte, je veux te parler !

Mélanie me force à quitter ma tanière.

—Que se passe-t-il ?
—J'ai quelque chose à te demander… Oh ! et puis non, laisse faire, je sais que tu ne voudras pas.
—Demande toujours.
—Jasmine et Dodo aimeraient ça coucher ici !
—Toutes les deux ? Où vas-tu les mettre ?
—Eh bien ! c'est ça, justement : si Alexandre allait coucher chez François, tu pourrais coucher sur les coussins et nous pourrions dormir dans le lit…
—Toutes les trois ?
—Oui, oui, toutes les trois ! Veux-tu ? Allez, maman, dis oui !
—Bof ! après tout, pourquoi pas ?
—Merci ! On va sortir pour appeler leurs mères…

Elles partent toutes les trois en courant, suivies d'Alexandre et de François qui, sans en avoir l'air, avaient déjà préparé leur campement.

J'aligne les coussins sur le plancher tandis que mes trois saltimbanques s'entassent dans le lit, collées comme des sardines.

Elles se poussent, ricanent, tirent la couverture, puis se calment finalement, vaincues par le sommeil.

Ce soir, j'ai l'âme à la tendresse. Je ne veux penser qu'à Gabriel, qu'à mon Amour pour Gabriel, le cœur grisé par mes espoirs de retrouvailles. Et je m'endors, en rêvant déjà.

Ma nuit sur le plancher a été dure ; j'ai le dos en compote. Je plains Alexandre. Allongée au milieu du lit, j'en profite pour me reposer un peu, tandis que les jeunes, à nouveau réunis, regardent un film à la télévision.

Je trouve les samedis presque aussi difficiles à passer que les vendredis, et tout autant que les dimanches. En fait, je trouve tous les jours difficiles à passer. Je suis sortie faire quelques courses tout à l'heure, et puis plus rien. Les week-ends sont vraiment pénibles : les amis n'existent plus. Quand les enfants partiront, tout à l'heure, je me retrouverai encore une fois, à jouer au scrabble avec un partenaire imaginaire.

Depuis ce matin, je suis impatiente, un peu maussade. Je broie du noir et ne sais plus ce que je veux. Avec tout ce monde dans la place, je me sens envahie et je manque d'oxygène. J'oscille entre le besoin d'être seule et la peur de la solitude.

Dodo, Jasmine, Mélanie, François, Alexandre et moi : six à table ! Au menu, des fèves au lard et de la gelée aux cerises ; ça bourre et ça ne coûte pas cher.

—Est-ce que je peux nous servir des verres de lait ?

—Prenez du thé ! Avec deux sachets, je peux en faire six tasses…

—On n'en a que trois !

—Trois quoi ?

—Des tasses !

La blague d'Alexandre ne me fait pas rire. J'empoigne la bouilloire avec nervosité et verse de l'eau sur les deux sachets et transvide le thé dans les trois tasses et les trois verres.

— Tenez, choisissez : tasse ou verre ? Allez, buvez, vous n'en mourrez pas !

Je ne me reconnais pas. Je commence à ressentir des appétits physiques qui influencent sans doute mon caractère. Je suis comme une chatte en chaleurs : j'ai le goût de faire l'amour !

À peine les jeunes ont-ils franchi la porte que déjà la solitude me pèse. Je n'ai pas envie de lire, pas envie de regarder la télévision, pas envie de faire des mots croisés, je n'ai envie de rien : *j'ai les bleus* ! Je viens de prendre mon deuxième bain de la journée, et je n'ai plus rien à faire.

J'ouvre la radio ; la musique me rend encore plus nostalgique. En regardant par la porte-fenêtre, j'aperçois la piscine qui semble sortir de terre après une longue hibernation. Et, tout autour, des portes, des dizaines de portes semblables à la mienne. Qui se cache derrière ces portes ? Des hommes ? Des femmes ? Suis-je la seule à m'ennuyer, la seule à pleurer, la seule à hurler ?

Je me jette sur le lit et pleure comme je n'ai encore jamais pleuré. Je mords mon oreiller de toutes mes forces. J'ai l'horrible sensation de m'engloutir dans un immense trou noir, de me noyer... Au secours ! Je vais mourir ! Je meurs ! Un puissant ressort semble vouloir me projeter au-dehors de moi.

Haletante et complètement épuisée, je suis sur le point de m'endormir quand les enfants reviennent en claquant la porte. Ils se sont disputés et rentrent au bercail en continuant leur guerre. J'invite Mélanie à se coucher près de moi, et à se

taire. Si Alexandre n'a plus de réplique, il va finir par s'arrêter…
mais Alexandre ne s'arrête pas !

— Ne faites pas semblant de dormir, vous ne dormez pas !
Vous ne dormez pas et vous allez m'écouter !
— Alexandre, ça suffit, essaie de dormir.
— Non, je ne dormirai pas !
— Alors, laisse-nous dormir !
— Non, je ne me tairai pas… et vous ne dormirez pas !

Exaspérée, Mélanie lui lance un oreiller.

— Ferme ta gueule !

Alexandre réplique en lançant une orange qui me passe à
deux pouces du nez… et va s'écraser sur le mur. C'est la pagaille !
J'incite Mélanie à se taire pour ne pas envenimer la situation,
mais elle crie de plus belle. Je sers d'arbitre entre ma fille survoltée et mon fils hors de lui. La crise prend des proportions
alarmantes. Mes enfants me font peur. Ils sont plus forts que
moi ! Je me sens complètement impuissante ; je n'arrive plus
à calmer ces deux furies. La douceur, les supplications, l'autorité, la force, rien n'y fait. Le voisin frappe à grands coups dans
le mur, en criant des injures. Je suis découragée !

Alexandre délire, il dit n'importe quoi. Mélanie a fini par
s'endormir, même si son frère continue de parler tout seul,
à haute voix. Moi, je ne dors pas, mais je ne dis rien, bien
décidée à laisser passer la crise sans encourager l'escalade. Ça
me fait mal d'entendre les cris et les reproches de mon fils qui,
à ce moment précis, me rappelle tellement son père.

Quand le sommeil le gagne enfin, j'essaie de rassembler mes
pensées. Je suis bouleversée. Tout se bouscule dans ma tête :
la fuite, la violence, la haine… Il est près de sept heures, le
jour se lève, et je n'ai pas fermé l'œil de la nuit.

∞

En se levant, Alexandre nous a fait des excuses. Il ne comprend pas ce qui lui a pris. Il a perdu complètement le contrôle de ses émotions. Quant à Mélanie, elle avoue qu'elle voyait rouge et ne savait plus ce qu'elle disait. Il faut croire que la marmite bouillait trop fort. Inutile d'en faire un drame, mais il faudra trouver moyen de prévenir ce genre de crise.

Les enfants partent chacun de leur côté : Alexandre chez François et Mélanie chez Josée. Ils ne reviendront pas avant ce soir. Je descends téléphoner à Lorraine. Elle m'invite à passer la journée avec elle. Antoine est allé voir sa mère, nous souperons ensemble à son retour

Toujours prête à embellir la vie, ma sœur me propose de jouer à la coiffeuse l'une pour l'autre : coloration, shampoing, mise en plis, de quoi agrémenter notre dimanche. J'arrête à la pharmacie. J'ai envie d'essayer une nouvelle nuance ; mes cheveux sont ternes, comme ma vie d'ailleurs.

Tandis qu'elle me coiffe, je raconte à Lorraine ma soirée et ma nuit d'hier. J'en suis encore toute chamboulée. Elle me suggère de rencontrer son patron, qui s'occupe activement de plusieurs jeunes. Nous convenons qu'à la prochaine alerte je lui ferai signe.

Quand je reviens à Biarritz, les enfants dorment déjà du sommeil du juste. Tout est calme. Je profite de ce moment béni pour écrire à Gabriel une autre de ces lettres que je ne lui envoie pas, mais qui me permettent d'épancher mon trop plein de tendresse, et compensent pour mes séances d'apitoiement, d'impuissance et de colère. Je suis toujours habitée par une folle envie de faire l'amour. Et pour moi, l'amour, c'est Gabriel; je n'ai jamais aimé personne d'autre que Gabriel.

« Mon Amour,

Ce soir, je m'ennuie de toi, de ton corps, de tes caresses. Je me rappelle certains soirs, où tu m'avais particulièrement bien fait l'amour, je me sentais alors si belle de toi, que j'en aurais crié de joie. Souviens-toi de ces matins, propices à la tendresse, on s'aimait depuis l'aube, jusqu'au soleil levant. Ô combien, ces jours-là, je goûtais tes caresses ! Se pourrait-il qu'il n'y ait plus pour nous d'autres matins ? Je ne veux rien brusquer. Vois-tu, j'espère encore, parce que je crois en notre amour… Bien tendrement, ta Douce. »

Je laisse mes larmes glisser tout doucement sur mes joues, elles sont brûlantes; je suis fiévreuse. Combien de temps ce mauvais rêve va-t-il durer ? Je crie que je n'en peux plus, et pourtant je suis là; donc, j'en peux encore !

∞

Lundi 4 avril

J'ai le téléphone ! Je n'en reviens pas, c'est merveilleux, je renoue avec la vie ! Ils sont venus l'installer ce matin, et depuis ce temps, je regarde l'appareil… et je le trouve beau ! Quand je pense qu'il y a des gens qui ne se donnent jamais la peine de regarder leur téléphone, et de le trouver beau ! Je l'ai déjà épousseté trois fois; il brille ! Évidemment, l'effet serait encore plus frappant si tout était propre autour de lui : je frotte, j'astique, je change les meubles de place, je ferais n'importe quoi pour mettre cette merveille en valeur.

Pour la première fois de ma vie, j'ai un téléphone *à mon nom*. Je suis folle de joie et j'ai déjà communiqué mon numéro à tous mes amis. Je ne me rendais pas compte à quel point sa présence me manquait. Alexandre arrive en courant :

—Ça y est ! On l'a ! On a le téléphone !

Sans perdre une seconde, il compose le numéro de François. Mélanie entre à son tour :

—Maman, est-ce qu'on a le téléphone ?
—Comme tu vois !
—Fais ça vite, Alexandre, il faut que j'appelle Dodo !
—Maman, dis-lui de ne pas me déranger, je parle avec François !
—Maman, dis-lui de faire ça vite !

Je vois de belles batailles en perspective. Alexandre sort en courant, Mélanie prend sa place : Dodo n'est pas à la maison.

—As-tu appelé papa ?
—Non, pas encore.

Je n'ai pas osé téléphoner à Gabriel, j'ai peur de sa réaction... ou de la mienne.

—Je vais l'appeler, moi !

Pendant que Mélanie compose le numéro, j'essaie de rester indifférente. Mes jambes ne me portent plus tellement je tremble.

—Allô ! papa !... Comment ça, *qui parle* ?... C'est Mélanie !... Je t'appelle pour te dire qu'on a le téléphone !... Maman ?... Tu veux lui parler ?... Oui, oui, elle est là, attends !

Elle se tourne vers moi et me tend l'appareil.

—Papa veut te parler !

Je n'ai plus le choix.

—Allô ?
—Ah ! Enfin ! Bonjour, *mon chérie* !

Mes mains sont si moites que j'ai du mal à tenir le récepteur. Gabriel est gentil, drôle, désinvolte. Nous parlons de la pluie et du beau temps. Pas un mot sur le fameux bien-être social. Je n'ose pas lui demander si un inspecteur est allé chez lui, de peur de rompre le charme.

—Tu m'excuseras, *mon chérie*, mais je dois te quitter; mon amie m'attend, nous allons au théâtre !
—Bonne soirée.
—Rappelle-moi !
—Oui, oui, c'est ça, on se rappelle.

Et me voilà, encore une fois, complètement chavirée. Gabriel a réussi, en une seule phrase, à perturber complètement mon équilibre émotif. *Il va au théâtre avec son amie…* C'est bien ce qu'il m'a dit: *Mon amie m'attend, nous allons au théâtre !* Il s'agit sans doute de cette fameuse Ann-Lyz ! Comme je la hais ! Comme je hais Gabriel ! Comme je me hais !

Élise, chère Élise, sur qui pleures-tu ?

∞

À peine levé, Alexandre nous a fait une crise épouvantable. Il a poussé Mélanie violemment contre le mur et m'a lancé son oreiller par la tête. Il criait si fort que le voisin d'en face a traversé le corridor pour venir frapper dans notre porte. Impossible de calmer Alexandre, et Mélanie envenimait la situation en lui répondant des injures. Dans ces moments-là, il est évidemment plus prudent de se taire, afin d'éviter de donner prise à l'adversaire, mais cette tactique est bien difficile à comprendre à quatorze ans. Mélanie s'est finalement sauvée par l'escalier de secours, tandis que je retenais Alexandre suffisamment longtemps pour qu'elle ait le temps de prendre son autobus.

Alexandre était claqué, hier, en rentrant de sa première journée de travail. Il avait transporté des sacs de pommes de terre durant trois heures ; pauvre lui, il n'a pas l'habitude. J'essaie de trouver une excuse au comportement de mon fils, quand je me rappelle la proposition de Lorraine. Je lui donne un coup de fil et son patron accepte de me rencontrer immédiatement.

Quel homme affable. Ce géant, à la carrure impressionnante se révèle d'une douceur et d'une bonté peu communes. Je lui parle d'abord des crises d'Alexandre, avant de le mettre au courant de notre situation à Biarritz. Il m'écoute attentivement, calmement :

— Ma chère Élise, il va vous falloir agir et prendre des procédures afin de forcer votre mari à s'impliquer. Il est responsable de ses enfants. Un jeune homme de l'âge d'Alexandre ne supporte pas les demi-mesures. Vous êtes assise entre deux chaises : ou bien vous faites une coupure nette, ou bien vous retournez chez vous. Quand la porte est ouverte, il faut entrer ou sortir !

Il a raison. Je sais bien qu'il a raison, mais je suis pétrifiée par la peur. Je parle longuement de cette conversation avec

Lorraine; elle me conseille de me renseigner sur mes droits. J'appelle immédiatement l'Aide juridique. On me désigne un avocat du nom de Boileau… et moi, qui me sépare pour alcoolisme !

∞

Mercredi 6 avril

Un rendez-vous a été fixé à quatorze heures. Jacqueline m'accompagne. Maître Boileau nous invite à passer dans son bureau. J'ai le trac. Je me sens toute petite.

—Séparation ou divorce ?
—Séparation… pour commencer.

Et c'est reparti !

—Votre nom ?
—Élise Desmarais.
—Nom du mari ?
—Gabriel Lépine.
—Numéro d'assurance sociale…
—Voici ma carte.
—Votre adresse ?
—20, Henri Bourassa ouest.

Les questions défilent en litanie. Les réponses se répètent en boucle comme sur une cassette ; on n'en sort pas. Maître Boileau m'écoute et prend des notes.

—Y a-t-il une autre femme ?
—Oui !
—Quel est le motif de la séparation ?
—Alcoolisme !

—Vous avez des preuves ?

—Bien sûr !

—Et des témoins ?

—Aussi !

Il penche la tête, se concentre, souligne ses notes, répond à un appel urgent, toussote, se mouche, puis revient à ma cause.

—Nous disons donc : alcoolisme et adultère.

—Alcoolisme, seulement !

—Vous m'avez dit, tout à l'heure, qu'il y avait une autre femme.

—C'est vrai, mais je ne suis pas partie pour ça.

—Pour adultère, c'est plus facile…

—Je m'en fous !

—Réfléchissez encore un peu, madame…

—Mais…

—Et revenez me voir, quand vous serez prête !

Il a raison, je ne suis pas prête. Je suis encore amoureuse de Gabriel, et sans cet alcool qui détruit toute possibilité de communication entre nous, rien de tout cela ne serait arrivé.

J'hésite à prendre des mesures définitives. J'aime Gabriel et, malgré tout, j'espère encore. Je veux nous laisser une dernière chance de rebâtir un couple fort, mûri par l'épreuve, et solidifié par une expérience partagée. Quoi de plus beau que deux amoureux qui se retrouvent ? Nous sommes encore jeunes, nos plus belles années sont devant nous ; si seulement je pouvais arriver à gagner du temps !

Élise, chère Élise, tu vis dans les nuages !

∞

Jeudi 7 avril

Il m'arrive ce matin une surprise imprévisible : un chèque du bien-être social que je n'attendais pas du tout ! Le chèque déjà reçu correspondait au mois courant, tandis que celui-ci est un mois d'arrérages pour combler l'attente encourue par les délais bureaucratiques.

J'ose à peine le croire : trois cent soixante dollars nous arrivent, comme marée en carême ! Grâce à ce cadeau extraordinaire, les enfants étrenneront à Pâques, comme tous les ans, et Gabriel pourra constater que je me débrouille fort bien sans lui.

Au retour de l'école, nous partons tous les trois, prêts à dévaliser les braderies. Alexandre part à la recherche des meilleures aubaines et s'achète un pantalon noir, une chemise, un chandail, des chaussures, etc. Tout ça, pour un prix dérisoire.

Mélanie choisit un jean, une blouse blanche, deux camisoles, un grand gilet, des espadrilles, des bas, sous-vêtements… et un grand foulard amusant.

— Penses-tu que tu vas avoir assez d'argent ?
— Ne t'inquiète pas pour ça, ma chouette !

Après tous ces mois de sacrifices, pourquoi ne pas les gâter un peu ?

— Et ce n'est pas tout, je vous invite au restaurant !

Les yeux de Mélanie brillent de convoitise :

— Je veux des croquettes avec des frites !
— Moi, une poutine avec des côtes levées !

Chacun choisit le plat qu'il aime. C'est si bon du poulet, quand on est heureux !

⚭

Vendredi saint ! Alexandre travaille à la fruiterie et Mélanie est partie chez Dodo. Pour ne pas me laisser gagner par la mélancolie, je me concentre sur le livre que Lorraine m'a prêté. Le téléphone de Gabriel vient troubler ma quiétude :

— Bonjour *mon chérie*, je te dérange ?
— Non.
— Tu dormais ?
— Je lisais. Qu'est-ce que je peux faire pour toi ?
— Je voulais simplement t'inviter à te joindre à nous pour le brunch de dimanche.

Cette invitation me prend au dépourvu. J'hésite. Je devine à sa voix que Gabriel n'a pas bu. Et si c'était un de rapprochement ? Il n'est absolument pas question que j'aille à Versailles, mais, au restaurant ? J'accepte.

Jamais je n'aurais cru qu'il puisse être aussi difficile de dénicher un restaurant convenable le midi de Pâques. C'est du moins ce que Gabriel affirme, quand il me rappelle après plusieurs tentatives infructueuses.

— Et si toi, tu venais manger à Biarritz ?

Le silence de Gabriel m'inquiète. Et s'il allait refuser ? *Mon Dieu, faites qu'il accepte !* Je me vois déjà en train de préparer joyeusement le brunch de Pâques traditionnel.

— Je suis d'accord !

Il accepte ! Gabriel accepte ! Je n'ose y croire. Je suis folle de joie. Je retrouve une vigueur oubliée ; j'ai des ailes ! Vite, il faut faire le ménage, décorer, préparer la fête ! Je nettoie le tapis, à genoux, avec un petite brosse, je descends les rideaux, je lave les vitres : c'est Pâques ! Et, pour Pâques, tout doit être beau. Je suis heureuse à en crier. Quelle grande joie, Gabriel va venir fêter Pâques avec nous ! Alléluia !

∞

La perspective de ce dîner de Pâques me rend fébrile. Il y a une foule de choses à faire et pas une minute à perdre. Je traverse à l'épicerie pour acheter le jambon traditionnel. Renouant avec une vieille coutume, mon ami le boucher a décoré tous ses jambons avec des fleurs en papier de soie multicolores, pareilles à celles qu'on attachait aux roues des bicyclettes lorsque j'étais enfant. Je m'émerveille, et le commis m'offre gentiment une bonne douzaine de fleurs, juste pour me faire plaisir. Mon regard doit certainement refléter mon état d'âme : tout le monde me regarde, tout le monde me parle, tout le monde me sourit.

J'arrête ensuite à la fruiterie où travaille Alexandre. Il me salue au passage, puis il enfourche une bicyclette, et part effectuer ses livraisons. J'achète un ananas, des cerises pour le décorer, et des fruits, toutes sortes de fruits ! Il faut des bonbons, du chocolat, un gâteau, un énorme bouquet de jonquilles… et des bougies !

Élise, chère Élise, tu assumeras donc, finalement, tous les frais de ce repas ?

Ce chèque inattendu me permet mille petites folies douces. Je reviens à Biarritz chargée comme un mulet. Je fais cuire le jambon et prépare des petits plats qui embaument la pièce. On sonne.

—Tenez, madame Élise, c'est pour vous !
—Pour moi ? Merci beaucoup !

Le jeune livreur de l'épicerie me remet un sac énorme rempli de fleurs de papier, et une carte : *Avec les compliments de votre ami le boucher* ! Je suis heureuse. Je sème des fleurs partout : sur le comptoir, sur les meubles ; j'en pique jusque dans les rideaux. Biarritz se fait belle en l'honneur de Gabriel.

Mélanie pousse un cri de joie en ouvrant la porte :

—Oh ! maman, c'est super beau !

Elle me prend par les mains et nous dansons en tournant autour de la pièce. C'est ainsi qu'Alexandre nous surprend, emportées par nos élans artistiques.

—Tiens, maman, c'est pour toi !
—Que c'est gentil !

Il a touché sa première paye et m'offre une magnifique plante verte que j'installe fièrement à la place d'honneur. Il fait bon chez nous ! Biarritz a le cœur en fête. Demain, pour la première fois depuis des mois, nous allons nous retrouver seuls, tous les quatre, en famille. Ah ! si la jument pouvait parler !

Dimanche 10 avril

Pâques ! Enfin Pâques ! Nous attendons l'arrivée de Gabriel d'une minute à l'autre ; tout est fin prêt ! J'ai changé les draps, rangé les coussins et parfumé la pièce. Le buffet est dressé sur le comptoir et j'ai piqué des fleurs même dans les plats. On ne peut rêver Pâques plus fleuries. Alexandre s'impatiente.

—Quelle heure est-il, maman?
—Onze heures et demie!

Gabriel m'avait dit qu'il viendrait vers onze heures, mais comme il n'est jamais là, où il devrait être, au moment où il devrait y être… La sonnerie du téléphone m'angoisse: *Mon Dieu faites que ce ne soit pas lui!* C'est lui! *Mon Dieu faites qu'il vienne!* Il viendra, mais plus tard, dans une heure…

—Le temps de prendre une douche, de me raser…
—Viens-tu de te lever?
—Bien sûr que non, mais je n'ai pas dormi chez moi, tu comprends?

Je suis désappointée. Pourtant, depuis le temps que je le connais, je devrais être habituée; mais non, je l'attends à l'heure convenue, et me désespère s'il n'arrive pas. Encore le téléphone! Maudit téléphone! *Mon Dieu, pourvu que Gabriel n'ait pas changé d'idée!* Je réponds en tremblant: c'est Pauline!

—Élise, je t'invite à luncher avec les enfants, si tu veux!
—Je te remercie, mais il y a du nouveau: Gabriel s'en vient!
—Chez vous?
—Oui, si tu savais à quel point je suis heureuse!

Ai-je besoin d'insister? Moi, qui lui casse les oreilles à cœur de jour avec mes peurs pour Gabriel, mes espoirs pour Gabriel, et mon amour pour Gabriel. N'est-elle pas la seule personne qui ait réussi à lui enlever son masque?

J'essaie de retenir Pauline au téléphone le plus longtemps possible, pour empêcher Gabriel de se décommander. Je ne raccrocherai qu'à son arrivée. Je me sens fragile et j'ai peur du vide. Assise près de moi, Mélanie joue aux cartes, tandis qu'Alexandre lit dans son coin. On sonne : trois coups ! C'est lui ! Les enfants se précipitent pour aller répondre, pendant que je me compose une attitude. Sans rien brusquer, je poursuis ma conversation avec Pauline, jusqu'à ce que Gabriel entre dans la pièce. Je lui fais bonjour de la main, puis, prenant ma voix la plus douce, je m'adresse à Pauline qui se fait ma complice.

— Alors, oui, c'est ça, à ce soir !

Je raccroche. Gabriel me regarde d'un air intrigué. Il s'approche pour m'embrasser, je lui tends ma joue. Je le remercie des fleurs qu'il m'offre et les dépose dans un verre, sans souffler mot de mon téléphone.

Il a apporté deux énormes œufs de Pâques au bout desquels, il a percé un trou, et glissé dans chacun un billet de vingt dollars. Alexandre et Mélanie sont contents ; un œuf et vingt dollars : une fortune ! Gabriel leur offre aussi des gadgets portant l'emblème d'une célèbre compagnie d'aviation ; y aurait-il une nouvelle hôtesse de l'air dans les parages ?

Élise, chère Élise, ce n'est vraiment pas le moment !

Pour ne pas rater son effet, Gabriel porte sur l'épaule, en plus de tout ce qu'il a dans les bras, un énorme sac de voyage qu'il aurait très bien pu laisser dans sa voiture. Il s'en débarrasse en le jetant négligemment sur le lit. Il affiche l'air détendu d'un monsieur au-dessus de ses affaires :

— Je suis revenu des Cantons de l'Est, spécialement pour dîner avec vous
— C'est trop gentil !

Nous avons convenu d'éviter les sujets épineux ; mais, y en a-t-il d'autres ? Je sers des canapés ; tout est bon, tout est réussi ! Nous nous amusons, ou plutôt, nous faisons semblant de nous amuser, *comme avant*… Même Alexandre et Mélanie ne sont pas naturels ; ils jouent les enfants contents.

Aussitôt le dessert terminé, Gabriel se lève et reprend ses affaires :

— Vous allez m'excuser, on m'attend !

Il embrasse les enfants puis me donne un petit bec sur le front :

— Inutile de m'appeler, je ne serai pas de retour avant mercredi. Ciao !

Il sort, va vers l'ascenseur, puis revient sur ses pas. Il frappe. J'ouvre :

— Dis-moi, *mon chérie*, soupes-tu chez tes parents ce soir ?
— Pourquoi me demandes-tu ça ?
— Je croyais t'avoir entendue dire : *À ce soir !* à ta mère, tout à l'heure ?
— Ce n'était pas ma mère !
— Eh bien ! si tu les vois, embrasse-les pour moi, veux-tu ?
— Je n'y manquerai pas.
— Maintenant, je me sauve. Ciao !
— C'est ça, *tchiaow* !

Il hésite un instant puis repart, le sac en bandoulière, les cheveux en bataille. Va-t-il vraiment quelque part ? Je n'en sais rien et ça m'est égal. Je n'ai pas ressenti, en le voyant, le grand bonheur que j'espérais. Je referme doucement la porte, puis, m'appuyant sur le chambranle, je pousse un grand soupir pour expulser à jamais Gabriel de ma vie.

— Venez, les enfants, j'ai besoin d'un coup de main pour ranger l'appartement avant d'aller souper chez grand-maman.

∞

Jeudi 14 avril

Je n'ai pratiquement rien foutu de la semaine. J'ai laissé la vie me reprendre tranquillement. J'ai fait le plein par le vide. Allongée sur le lit, comme je le fais si souvent, je regarde le plafond et me perds dans mes rêves. Je connais tous les détails, toutes les bulles du plâtre, et navigue, par plafonds interposés, entre Biarritz et Versailles. La sonnerie du téléphone me sort de ma léthargie :

— Bonjour, *mon chérie*, c'est moi ! Es-tu libre pour luncher ?
— Oui.
— Parfait, je t'enlève !

Juste le temps pour moi de *réparer des ans…* et le voilà. À l'heure, pour une fois ! Il n'a pas bu et paraît très calme. Peut-être a-t-il enfin pris de nouvelles résolutions ? Quoi qu'il en soit, je suis contente de le voir. Rendus au restaurant, nous parlons simplement, presque tendrement. Gabriel flirte un peu, et je le laisse faire ; son baratin commençait à me manquer. Je décide de le reconquérir. Ma tentative de séduction marche assez bien, merci ! Quand il m'invite à la maison, j'accepte. En me répétant qu'il est toujours mon mari.

Je ne suis pas retournée à Versailles depuis l'anniversaire de Mélanie. Il fait un temps superbe et le soleil d'avril inonde le salon, répétant à l'infini la délicate silhouette de mes beaux rideaux de dentelle.

Gabriel va de la chambre à la cuisine et s'affaire à ranger ce qui traîne :

— J'ai reçu des amis, hier soir, excuse le désordre…

Je le laisse à sa besogne et me promène dans la maison, sans découvrir la moindre trace de visite, à part un plat de croustilles et des bonbons.

Gabriel me rejoint. Il choisit un disque et m'invite à danser. Il me serre dans ses bras et m'embrasse amoureusement ; ça me fait tout drôle. Et si je devenais la maîtresse de mon mari ? La situation peut paraître cocasse, mais je suis sincère avec moi-même : Gabriel est toujours l'homme que j'aime. Mes désirs d'amour me reprennent. Gabriel est un bon amant, la musique langoureuse… nous passons dans la chambre.

— Madame est servie !

Faire l'amour nous a creusé l'appétit. Gabriel nous prépare un petit gueuleton : du pain, du pâté, du fromage… et une bouteille de Beaujolais. Le vin aidant, ce goûter impromptu et charmant risque de tourner au vinaigre ; la situation se corse. Évitons de briser l'envoûtement.

— Tu veux bien me ramener à Biarritz ?
— Certainement ! Juste le temps de nourrir l'oiseau et d'arroser les plantes… Je pars pour le week-end !

Tandis qu'il s'affaire, je retourne dans la chambre pour chercher mes chaussures. Le sac de voyage de Gabriel traîne près de la porte. Piquée par la curiosité, je l'entrouvre : il est vide ! Je le referme soigneusement.

Élise, chère Élise, tu n'as pas honte ?

Gabriel a enfin terminé sa besogne. Il joue maintenant au monsieur qui part pour quelques jours, et tente de m'impressionner en mettant ses bâtons de golf dans la voiture. Puis, feignant d'avoir oublié quelque chose, il retourne sur ses pas et revient aussi vite, en tenant son fameux sac de voyage à bout de bras. Il s'avance vers moi, tout souriant :

— Heureusement, je l'avais préparé ce matin !

Quel menteur ! Il me raconte des histoires. Il va me ramener à Biarritz, puis revenir bien sagement à la maison, convaincu que je le crois parti pour le week-end avec une autre ; je gagne des points.

Il gare sa voiture à ma porte et m'embrasse langoureusement avant de me laisser descendre.

— Au revoir, *mon chérie* !
— Au revoir… et bon voyage !

∽

C'est vendredi, les enfants sont à l'école, et j'en profite pour flâner au lit en prenant toute la place. Je pense très fort à Gabriel ; si fort, qu'en entendant sonner le téléphone, j'ai l'intuition que c'est lui.

— Bonjour, mon amour ! Je te réveille ?
— À peine, quelle heure est-il ?
— Dix heures !

— Mais toi, qu'est-ce que tu fais, tu n'es pas en voyage ?

— Je suis revenu ce matin ; j'avais envie de te voir. Es-tu libre ce soir ?

— En principe, oui, pourquoi ?

— J'ai à te parler !

— De quoi ?

— De nous.

— De nous ?

— Écoute, Élise, je ne sais plus où j'en suis. J'ai besoin de toi.

C'est la première fois que Gabriel tente une pareille démarche. Je veux bien l'aider, à condition qu'il s'implique davantage.

— Je t'ai dit que je partais pour le week-end…

— Avec une autre ?

— Oui !

— Et alors ?

— Je n'ai plus envie de partir. J'ai envie d'être avec toi, de faire l'amour avec toi…

— Et l'autre ?

— Je lui expliquerai, elle comprendra ; je n'ai aucun secret pour elle.

Piquée au vif, je deviens sarcastique, voire cassante :

— Puisque c'est comme ça, où est le problème ? Tu l'appelles et tu lui dis simplement : *Écoute, baby, hier j'ai revu ma femme, on a baisé, et j'aurais le goût de remettre ça !* Je suis certaine qu'elle va comprendre.

— Tu es cruelle !

— Je ne suis pas cruelle, je suis réaliste Il n'y a pas de demi-mesures : ou tu lui dis la vérité, ou tu ne la lui dis pas !

—Je pourrais remettre mon départ à demain…

—Et venir, en dilettante, me faire l'amour en attendant ? Il n'en est pas question.

—Tu ne veux pas ?

—Non. Je ne pourrais pas faire l'amour avec toi en pensant que demain tu repars avec elle : ou c'est elle, ou c'est moi !

Moi, qui ai horreur des ultimatums, voilà que je place Gabriel devant le choix classique de la troisième scène du deuxième acte.

—Mais tu ne comprends pas, *mon chérie*, je suis coincé entre deux feux : j'ai envie d'être avec toi… et j'ai promis d'être avec elle.

—Alors, vas-y !

—Écoute, je la rencontre et je lui parle.

—Tu lui dis tout ?

—Je lui dis tout, et je reviens le plus vite possible. Je serai de retour dimanche… demain, peut-être. Qu'est-ce que tu en penses ?

—Je n'en pense rien du tout ; c'est ton affaire. Tu es libre de faire ce que tu veux de ta fin de semaine. Pour ma part, je ne te demande qu'une chose : laisse-moi faire ce que je veux de la mienne. Que tu reviennes demain ou dimanche, je ne veux pas le savoir. Je n'ai pas l'intention de passer mon temps à attendre un coup de fil qui ne viendra peut-être pas. Je veux bien respecter ta vie privée, mais respecte aussi la mienne. Lundi, si tu n'as pas changé d'avis, tu me rappelleras et nous verrons.

—Alors, pour ce soir, c'est non ?

—C'est non.

—Dans ce cas, je pars, et je te rappelle à mon retour.

—Pas avant lundi.

— Promis… je t'aime !

Il raccroche. Tout se bouscule dans ma tête. *Je t'aime ! Je t'aime ! Je t'aime ! Je t'aime !* Combien de fois m'a-t-il dit ces mots ? Je me promène de long en large en me répétant : *Je t'aime ! Je t'aime !* J'aurais envie de le caresser, de m'appuyer sur son épaule, de le toucher, de l'embrasser… J'ai hâte à lundi !

∞

Samedi 16 avril

Pour me distraire, j'accompagne Jacqueline et Pauline à la réunion annuelle des groupes familiaux *Al-Anon*. À la pause-café, je raconte à mes deux amies mes péripéties des derniers jours ; Jacqueline me regarde en riant :

— Pauvre Élise, tu seras donc toujours amoureuse folle de cet homme ? C'est désespérant !

Dans la salle voisine, se déroule une session intensive d'un groupe de *renouement conjugal*. Et me voilà repartie ! Je rêve de rapprochement, de cheminement, de retrouvailles : *Élise et Gabriel ! Gabriel et Élise !* C'est écrit dans le ciel, c'est vrai, c'est éternel !

Mon désir de dépassement est si grand que je me fous complètement qu'en ce moment il soit avec une autre ; je ne ressens aucune jalousie, aucune amertume, je suis juste bien.

Quand Gabriel téléphonera, lundi, je lui parlerai tendrement. La tendresse que je ressens pour cet homme, je ne l'ai jamais ressentie pour personne d'autre ; elle est unique. Gabriel est mon mari, non pas *après tout*, ni *malgré tout*, mais *par-dessus tout*! Je l'ai librement choisi pour ami, pour amant, pour mari, et lui ai toujours donné la meilleure part.

Il y aura, bien sûr, une période de sevrage extrêmement pénible, suivie d'une convalescence longue et difficile, puis, enfin, le retour à la vie! Et moi, je serai là pour l'aimer et le seconder amoureusement, fidèlement.

Élise, chère Élise, tu débarques de ton vingt-quatre heures, ma vieille!

∞

Jean et Monique m'ont invitée à partager ce beau dimanche, en espérant que nous pourrons manger sur le balcon. Leur jardin n'est encore qu'un espoir en ce tout début de printemps, mais de jeunes pousses fraîchement plantées et de timides tulipes jaunes montrent déjà le bout du nez. Ici, le temps n'existe plus. Ici, c'est ailleurs; ici, c'est nulle part.

Nous bavardons tranquillement en profitant du soleil, quand le téléphone de Mélanie vient interrompre notre quiétude. Elle pleure et crie si fort que j'arrive à peine à comprendre:

— Alexandre a fait une crise! Il a voulu me donner un coup de pied, je me suis penchée, et son pied a défoncé le mur du salon!

Je suis effondrée. Les sautes d'humeur d'Alexandre sont vraiment imprévisibles. Pourtant, ce matin, tout allait bien; ils étaient calmes. Ils s'apprêtaient à partir chez leurs amis.

— Écoute-moi bien, Mélanie, laisse la ligne ouverte, pour que j'entende ce qui se passe, et sauve-toi ! Prends l'autobus et viens me rejoindre. Tu connais le chemin ?

— Oui !

— Pars vite !

J'entends le bruit de ses pas jusqu'à la porte, elle l'ouvre, elle la referme… Elle est partie. Alexandre sacre en lançant des objets dans la pièce. Il s'approche du téléphone, s'empare du récepteur, et raccroche violemment.

Que se passe-t-il ? Pourquoi ces crises subites chez un garçon si doux ? Presque trop doux. Comme c'est pénible d'élever deux adolescents dans un endroit aussi restreint ; sans commodités, sans argent, sans espace.

— Heureusement, le comportement de Gabriel, ces derniers jours, me redonne un peu d'espoir.

Jean et Monique ne partagent pas mon enthousiasme ; ils se méfient. Et je suis sur le point de m'enflammer pour plaider ma cause, quand Mélanie arrive, encore toute bouleversée. Elle nous fait un récit détaillé de leur dispute ; son exposé me rend craintive. Désormais, je devrai éviter de les laisser seuls, tous les deux. Il m'apparaît évident qu'Alexandre a besoin d'aide ; mais où trouver la personne qualifiée ? Je m'avoue dépassée par les événements.

Après le souper, Jean et Monique nous ramènent à Biarritz afin de constater les dégâts. La pièce est déserte. Alexandre a laissé un mot sur le comptoir : *Je suis parti chez Michel, à Drummondville, je vais coucher là.* Ce billet me rassure, au moins, je ne craindrai pas une entrée inopinée de mon cher fils durant la nuit. Il a réussi un coup de maître : son pied s'est enfoncé complètement dans le mur, en y laissant un trou béant. À voir le plâtre répandu sur le lit et sur le tapis, on pourrait croire qu'il a démoli tout le plafond.

Mélanie s'endort après le départ de nos amis. Je nettoie un peu la place en tentant de clarifier la situation. Cette promiscuité devient malsaine : impossible de se retirer dans sa chambre en cas de crise, impossible d'avoir la paix. Seule avec mon fils, ou seule avec ma fille, je n'éprouve aucun problème ; c'est quand ils sont ensemble que les choses se gâtent.

Chaque fois que c'est possible, je m'arrange pour laisser Alexandre seul à Biarritz, les soirs où Mélanie couche chez une copine, afin de lui permettre un peu d'intimité. Il peut alors peindre, recevoir des amis, ou téléphoner à sa guise, sans déranger personne. Ces soirs-là, je change de camp et dors sur le plancher, en lui laissant le lit. Mais je ne sais pas comment désamorcer les crises.

Je m'installe sur le comptoir pour écrire ma lettre quotidienne. Ces rendez-vous secrets avec Gabriel me permettent de faire le point sur les événements de la journée. Depuis le début du mois d'avril, je n'ai manqué aucune rencontre, et réservé précieusement toutes ces lettres, avec l'intention de les lui offrir, la semaine prochaine, pour son anniversaire. Je compte beaucoup sur ces écrits pour entamer le dialogue. Il faut absolument que Gabriel comprenne ce qui se passe présentement à Biarritz ; qu'il sache ce que nous vivons, et comment nous le vivons. La situation actuelle doit cesser. Nous nous enlisons peu à peu dans une situation absurde. J'aime Gabriel, Gabriel m'aime, et nous restons là, tous les deux, figés comme des soldats de plomb, attendant patiemment que l'autre capitule.

Quand il apprendra ce que nous vivons avec Alexandre, il ne pourra plus se défiler. Il doit comprendre que ses enfants ont besoin de lui, et que nous n'avons plus de temps à perdre. Avec le mois de mai qui approche, j'envisage mal la perspective de passer l'été à Biarritz…

∽

Alexandre vient de téléphoner. Il ne reviendra pas de Drummondville avant demain. L'école ? Apparemment, il s'en fout. Quoi qu'il en soit, ces quelques jours passés loin de nous devraient lui faire le plus grand bien. Je n'ai pas réparé ses dégâts. Je tiens à ce qu'il le fasse lui-même, ou alors j'attendrai quelque temps pour le faire, quand je serai bien certaine qu'il a réalisé la portée de son geste.

Gabriel aura encore une fois réussi à me tenir en haleine. J'ai attendu toute la journée le fameux coup de fil qu'il m'avait promis vendredi. Mélanie vient d'arriver de l'école. Elle regarde la télévision tandis que je nous fais des sandwiches au jambon pour souper. Le téléphone sonne. Elle répond.

— Maman, c'est pour toi !
— Qui est-ce ?
— Papa !

Je respire un bon coup avant de prendre le récepteur.

— Allô ?
— Bonjour, *mon chérie*, écoute ça !

J'ai du mal à entendre, la musique joue trop fort. Il a collé le récepteur tellement près des haut-parleurs qu'il m'est impossible de deviner ce qu'il veut me faire écouter.

—Gabriel ? Gabriel, es-tu là ?

Il ne répond pas. Il me laisse en plan avec sa maudite musique dans les oreilles. Mélanie s'approche, intriguée de me voir tenir le récepteur sans rien dire.

—Qu'est-ce qui se passe, maman ?
—Ton père me fait écouter un disque, mais je ne sais pas à quoi ça rime.
—Laisse-moi l'entendre…

Elle écoute attentivement puis me donne son verdict.

—C'est *All by myself*… d'Eric Carmen !
—Je ne le connais pas.

J'appuie le récepteur au creux de mon épaule, et continue de beurrer mon pain, en espérant qu'un jour ou l'autre Gabriel daignera revenir au bout du fil. Quand la musique cesse enfin, Gabriel reprend la ligne et murmure langoureusement :

—I love you so much !

Puis, il raccroche sans ajouter un mot. C'est à n'y rien comprendre. J'imagine qu'il va rappeler d'un instant à l'autre, pour s'expliquer. Cette attitude m'intrigue, mais j'essaie pour l'instant de ne pas trop y penser.

Je termine la préparation du repas, et rejoins Mélanie pour manger. La conversation s'engage rapidement sur Alexandre et son comportement des dernières semaines. J'en profite pour faire le point avec elle, et lui expliquer que son frère vit présentement cette situation sous un tout autre angle que le nôtre; d'une part, il voudrait prendre l'offensive et contrôler notre triangle, et, d'autre part, il se sent impuissant, à la merci de deux femmes qui, elles aussi, perdent quelquefois le contrôle de leurs émotions. Frustré dans son orgueil de petit mâle, il doit redéfinir sa conception du couple, et accepter que ce soit sa mère qui mène la barque.

— Tu sais, maman, je l'aime Alexandre !
— Je le sais bien. Et je crois que tu pourrais mieux le comprendre et l'aider, ne serait-ce qu'en évitant de le provoquer… Veux-tu du chocolat ?
— S'il te plaît !

Elle s'installe dans le lit avec sa tasse de chocolat chaud et son livre, tandis que je me ronge les sangs à côté du téléphone, attendant depuis plus d'une heure que Gabriel daigne me rappeler. Je n'y tiens plus, tant pis, je l'appelle : un coup… dix coups… vingt coups… Il n'est pas là.

Je voudrais lire mais je ne parviens pas à fixer mon attention sur le texte. De temps en temps, je reprends le téléphone et compose à nouveau le numéro de Gabriel… mais sans succès.

Élise, chère Élise, encore une fois, il aura réussi à monopoliser toute ta journée, toute ta soirée, et probablement toute ta nuit.

∽

Vendredi 22 avril

Après plusieurs journées d'absence, Alexandre est finalement rentré ce matin, assez tôt pour retourner à l'école. Avant de lui remettre un mot pour justifier ses frasques auprès du Directeur, j'en ai profité pour lui faire part de mes décisions concernant le maintien de la paix dans notre vie quotidienne. Pour le moment, j'ai tout lieu de croire qu'Alexandre tiendra compte des nouvelles règles que j'ai établies. Ce soir, il est parti tout joyeux assister à une danse à l'école, accompagné de sa sœur, et tous les deux semblaient vouloir collaborer pour que la soirée soit agréable.

Gabriel ne m'a pas redonné signe de vie. Je tourne en rond depuis cinq jours. J'en ai assez ! Je ne passerai pas une heure de plus à attendre que Monsieur daigne appeler Madame ! Incapable de choisir, vous hésitez sans doute encore entre la blonde et la brune ; au fait, est-elle brune ? S'il n'en tient qu'à moi, cher monsieur le Don Juan, vous n'hésiterez pas longtemps ; ma patience a des limites, et je n'éprouve aucune envie de jouer à qui perd gagne. Veuillez donc, s'il vous plaît, me classer désormais dans la catégorie *hors concours* ; c'est terminé, j'ai passé l'âge.

Un coup de fil de Pauline me sort de ma coquille. Son invitation tombe à point. Il y a longtemps que je ne me suis pas offert le plaisir d'assister à un meeting ouvert chez les AA. On y rencontre toujours des figures sympathiques.

Dès notre arrivée, Pauline me présente Philippe, un grand blond aux tempes grisonnantes, qui se donne des allures à la Frank Sinatra. Il a des yeux superbes, d'un bleu à la fois profond et clair.

— Vous avez des yeux d'aviateur !

Ma remarque le fait rire, d'un rire malin qui accentue les rides autour de ses yeux, les rendant encore plus pétillants, plus moqueurs.

— Vous avez visé juste, je suis aviateur, ou du moins je l'ai été jusqu'à ce qu'un accident stupide me force à renoncer à mes ailes !

— Vous avez été blessé ?

— Oui, très sérieusement, mon avion a abattu dix arbres !

— Et vous n'avez jamais piloté depuis ?

— Jamais ! Autrefois, j'étais pilote de guerre.

— Laquelle ?

— *La Dernière* ! La Vraie ! Je ne sais pas si vous vous souvenez, en mil neuf cent quarante et un…

— J'avais deux ans !

— Ouais, évidemment ! Ma chère Élise, une guerre nous sépare : vous êtes née avec elle, et moi je l'ai faite !

Et ce disant, il ponctue sa réplique d'un geste militaire digne d'une comédie de Broadway, puis il m'entraîne vers l'avant de la salle pour écouter le conférencier. En quelques mots, cet homme m'a séduite par sa simplicité et son sens de l'humour remarquables.

Aussitôt le meeting terminé, nous reprenons notre bavardage. J'apprécie grandement qu'il n'essaie pas de flirter avec moi. Il me parle d'égal à égale ; *d'homme à homme* comme il dit en riant. Si je me reporte à la guerre, cet homme doit bien avoir une vingtaine d'années de plus que moi, mais il ne les paraît pas. Il a le teint frais de ceux qui prennent le temps de vivre.

— J'espère que j'aurai bientôt le plaisir de vous revoir… de te revoir, Élise !

— Je l'espère aussi.

Nous échangeons nos numéros de téléphone avant de nous quitter sur une bonne poignée de main, comme si nous nous connaissions depuis toujours. Bénies soient ces journées qui nous apportent une amitié nouvelle.

∞

Lundi 25 avril

Quand Gabriel daigne finalement téléphoner, après une longue semaine de silence, je feins d'être très occupée.

— Allô ?
— Allô, c'est moi !
— Je n'ai pas le temps de te parler, je suis pressée.
— Moi aussi ! Je voulais simplement t'avertir que tes chèques d'allocation familiale sont arrivés.

J'ai absolument besoin de cet argent avant la fin du mois; je ne peux donc pas me permettre de jouer l'indépendante.

— Élise, je te parle !
— Oui, oui, je t'écoute !
— Alors, décide-toi, pour tes chèques, qu'est-ce que je fais ?
— Je ne sais pas, attends…

Ma tête est tiraillée entre des sentiments confus : d'une part, j'ai envie de voir Gabriel, et de l'autre, je crains, en le voyant, de me raccrocher à l'espoir de le reprendre.

— Écoute, je pourrais passer chez toi, vers seize heures…
— En allant chez elle ?
— Puisque tu le sais.

Pourquoi, diable, ai-je dit ça ? Je m'en veux d'avoir posé la question, et lui en veux de m'avoir répondu. Encore une fois, je me serai fait mal pour rien. Je compte jusqu'à trois, et me ravise.

— Je ne serai pas là !
— Ah non ?

— Par contre, tes enfants seront là; tu n'auras qu'à sonner. Ça te donnera l'occasion de les voir !

— Tu sais, ça commence royalement à m'emmerder, cette histoire de chèques; qu'est-ce que tu attends pour effectuer ton changement d'adresse ?

— J'attends d'avoir une adresse fixe.

— Dans ce cas, dépêche-toi, je ne jouerai pas les facteurs longtemps.

— Qu'est-ce que tu veux dire ?

— Que tes folies ont assez duré. Écoute-moi bien, Élise, si dans trois jours tu n'as pas pris de procédures, c'est moi qui en prendrai, c'est clair ?

Je raccroche sans répliquer. J'ai la gorge nouée. Le téléphone sonne à nouveau.

— Allô ?

— Bonjour Comtesse !

— Philippe ! Comme je suis contente !

J'accueille mon nouvel ami avec une gigantesque scène de larmes. Quand les écluses sont ouvertes, il n'y a plus rien pour m'arrêter.

— Excuse-moi, Philippe, je…

— Veux-tu venir manger avec moi ?

— Ça me ferait du bien, mais…

— Ne fais pas de chichi, allez, je t'invite !

— Où ça ?

— Midi tapant, Place Ville-Marie, à l'entrée du restaurant de l'hôtel.

— D'accord, à midi, je serai là !

— À tout de suite !

Je cours partout, essayant de tout faire à la fois : m'habiller, me maquiller, me coiffer, faire le lit, ranger la vaisselle ; si jamais Gabriel s'avisait d'entrer ! Surtout ne pas oublier de laisser un mot aux enfants ! Cet appel de Philippe m'a redonné le goût de vivre.

Onze heures trente : je monte dans le métro. Onze heures cinquante-cinq : dernier arrêt, station Bonaventure ! Je me faufile dans la foule, Philippe doit déjà m'attendre. J'arrive au restaurant, il est là, près de la porte. Je suis vraiment contente de le revoir !

Il s'assoit devant moi, face à la fenêtre. Il a toute la couleur du ciel dans les yeux ; j'avais presque oublié qu'ils étaient si bleus. Philippe me regarde en souriant, comme il a un beau sourire ! Il pose sa main sur la mienne, et me voilà tout intimidée à l'idée qu'on nous regarde. Pourtant, il n'y a rien de moins clandestin que notre rendez-vous.

— Et si nous parlions de ton Gabriel ?

Je lui raconte tout, y compris l'ultimatum.

— Remarque que je n'ai jamais été impressionnée par les ultimatums de mon mari, je sais trop bien qu'il n'en fera rien !
— Peut-être, mais toi, tu dois faire quelque chose.
— Qu'est-ce que tu veux que je fasse ? Gabriel refuse d'arrêter de boire.
— Ça, ce n'est pas ton problème, c'est le sien !
— Oui, mais…
— Oui, mais, tu as peur !
— C'est vrai.
— Alors, attends !
— Que j'attende quoi ?

— De ne plus avoir peur. La peur n'existe pas dans l'Univers, elle n'est qu'en toi !

Quel repas agréable ! Philippe s'avère d'excellente compagnie. Notre amitié prend forme.

— Philippe, dis-moi, quand je serai très vieille, seras-tu encore mon ami ?
— C'est que je serai très, très vieux, moi aussi ! N'oublie pas qu'une guerre nous sépare.
— Je ne l'oublie pas. Mais, quand j'aurai quatre-vingt-six ans…
— J'en aurai cent quatre !
— La différence ne paraîtra presque plus !
— Tu es complètement folle !
— Je le sais, et j'aime ça ! Donc, quand j'aurai quatre-vingt-six ans, et que tu en auras cent quatre, j'aurai une grande maison, un grand salon avec une balançoire de jardin…
— Dans le salon ?
— Pourquoi pas ? Je la ferai peinturer rose…
— Pourquoi rose ?
— J'ai toujours rêvé d'une balançoire rose, dans mon salon !
— C'est original !
— Et puis j'aurai tout plein d'amis, et un piano ; un vieux piano, bien sûr, puisque j'aurai de vieux amis.
— Et moi ?
— Toi, tu viendras souvent chez moi, et, pendant que je me balancerai, tu joueras du piano !
— Parlant de piano, connais-tu l'histoire du gars de cent quatre ans qui avait rencontré un magicien ?

J'adore cet homme, il me fait rire. Après plusieurs histoires, nous quittons le restaurant bras dessus, bras dessous. En longeant les vitrines de la rue Sainte-Catherine, Philippe décide de me faire visiter ma ville :

— Regarde, tu vois cet édifice, au bout de la rue, là-bas ? Eh bien ! crois-le ou non, il a été conçu par un alcoolique, qui a copié deux fois le plan du premier plancher ; si bien qu'au deuxième étage, il y a une porte absolument inutile, qui ouvrirait dans le vide si on s'avisait de la percer.

— Tu me fais marcher !
— Moi, je te fais marcher ? Et cette gargouille…
— Quelle gargouille ?
— Là-haut, tu vois, juste en dessous de la corniche ? Eh bien, ma chère Comtesse, si j'en crois mes sources, cette gargouille-là serait l'œuvre d'un célèbre ivrogne qui, un soir de cuite, aurait sculpté la tête de sa belle-mère avec une face de diable !

J'éclate de rire. Philippe passe son bras sur mon l'épaule. Nous continuons notre promenade comme deux touristes un peu fous, en oubliant le jour et l'heure. Je suis une femme, Philippe est un homme, et nous formons un couple, pareil aux milliers de couples que je croise tous les jours dans la rue.

Nous passons devant une église au moment même où la cloche sonne la demie de l'heure. Philippe consulte sa montre.

— Quatorze heures trente, déjà ! Merde ! J'ai rendez-vous chez mon dentiste !
— Allez, vas-y, je ne te retiens pas.
— Veux-tu m'attendre quelque part ?
— Non, merci, je préfère rentrer chez moi.
— Je te téléphonerai plus tard. Sois bonne !

Il m'a dit : *sois bonne* sur un ton qui ne me choque pas, venant de lui. Il s'engage dans la rue, hèle un taxi, puis se retourne pour me faire un dernier *bonjour* de la main.

Comme on émerge d'un rêve trop doux, je reprends subitement conscience de ma solitude. Les paroles de Philippe me reviennent à l'esprit : *La peur n'existe pas dans l'Univers !* Quand la peur s'estompe, le geste à faire s'impose de lui-même. Je peux, si je le veux, me libérer des entraves qui m'empêchent de profiter d'une vie saine et heureuse, et retrouver ma capacité d'émerveillement devant un lever de soleil, un arbre qui bourgeonne, un oiseau qui s'envole…

Depuis notre arrivée à Biarritz, deux pigeons viennent tous les jours roucouler sur le balcon. En entrant dans l'appartement, leur chant plaintif et monotone attire mon attention. Je m'approche sans faire de bruit et m'assois près de la porte pour admirer mes visiteurs. Ma présence ne semble pas du tout les importuner. L'arrivée prématurée de Gabriel vient perturber cet instant de grâce.

— Salut !
— Salut !
— Ça va ?
— Ça va !
— Je ne t'attendais si tôt.
— J'ai pris une chance.
— Les enfants sont encore à l'école…
— Et alors ?
— Tu ne pourras pas les voir.
— Tant pis !
— Ah bon, je croyais…
— Voilà tes chèques !
— Merci.

Je le laisse partir sans même lui dire au revoir. Inutile de prolonger davantage une rencontre déplaisante. L'attitude de Gabriel m'a donné froid dans le dos. Il ne m'a pas reparlé de ses fameuses démarches, ni de l'ultimatum qu'il doit déjà avoir oublié. De toute façon, je me sens prête à affronter Goliath : j'ai ma fronde !

∞

Vendredi 29 avril

Gabriel célèbre à son tour son trente-huitième anniversaire de naissance, et malgré la déception ressentie lors de sa dernière visite, j'hésite à passer cet événement sous silence. Solidaire de plusieurs grands artistes, Gabriel a toujours prédit qu'il mourrait à trente-sept ans ; maintenant il est trop tard, il est condamné à vivre.

Je l'appelle vers midi. Joyeux, de bonne humeur, il me propose une balade en voiture et un petit souper en tête-à-tête dans un restaurant de mon choix. Comment pourrais-je refuser pareille invitation ? Surtout que j'ai ma petite idée…

Élise, chère Élise, encore une fois, tu organises ta mise en scène à ta façon, et, encore une fois, tu seras déçue si tout ne tourne pas comme tu le souhaites.

Je me fais belle avec la minutie d'une maîtresse en manque d'amour. Je suis on ne peut plus prête ! Au premier coup de sonnette, je descends rapidement par l'escalier de service pour éviter de croiser le concierge, et rejoins Gabriel dans sa voiture.

— Bon anniversaire, mon amour !

—Merci, *mon chérie* ! Tu sens bon…

Son étreinte amoureuse m'étourdit. Nous nous embrassons à en perdre le souffle, en nous moquant éperdument des témoins possibles.

—Où allons-nous ?
—Si j'osais, Madame, je vous inviterais à Versailles !
—Alors, osez, Monsieur !

Gabriel caresse tout doucement mon genou.

—Tu as de belles jambes, tu sais.
—C'est toujours agréable à entendre.

Il sourit. Il y a longtemps que je ne l'avais vu sourire. Nous entrons à Versailles main dans la main. Tout est impeccablement propre ; Gabriel a fait le grand ménage. M'attendait-il ? M'espérait-il ? Je remarque un gros sac de sucettes à l'orange et une photo de chat sur la tablette de la cuisine. Gabriel s'empresse de me rassurer :

—C'est Caruso, le chat de qui tu sais ! J'ai reçu des amis hier soir, et j'avais acheté des bonbons pour leurs enfants.

Je n'ai aucune envie de savoir qui c'était. Surtout ne pas me laisser envahir par la jalousie. Je jette un coup d'œil rapide tout autour : aucune trace de femme. Si *elle* vient ici, *elle* est discrète et prend bien garde de ne rien laisser traîner. J'entre dans la chambre, entrouvre mes tiroirs : rien n'a été touché.

Je m'attarde dans la bibliothèque où tout me paraît comme avant mon départ. Même le livre que je lisais est resté ouvert à la même page sur ma table de travail : suis-je partie depuis plus d'une heure ?

Je rejoins Gabriel au salon. Il a allumé quelques bougies et choisi un disque de Serge Lama. Je profite de ce moment romantique pour lui offrir mes lettres, mes trente-trois lettres d'amour, écrites fidèlement, soir après soir.

— C'est mon cadeau d'anniversaire !

Gabriel prend les lettres enrubannées et les dépose sur la table à café.

— Je les lirai plus tard, quand je serai seul.

Assis par terre, près de mon fauteuil, Gabriel tient ma main dans la sienne. Lama chante : *Mais d'aventure, en aventure, de train en train, de port en port, jamais encore, je te le jure, je n'ai pu oublier ton corps…* Gabriel devient rêveur.

— À quoi penses-tu ?
— À Michou ! C'est le disque que je lui ai offert, quand nous avons rompu.
— Mais, tu m'avais dit qu'il n'y avait jamais rien eu entre Michou et toi ? Rappelle-toi, tu me l'avais même juré !
— Voyons, *mon chérie*, ne soit pas naïve.

Je reçois le choc en pleine poitrine. Un certain chatouillement prend naissance au bas de mon dos, monte le long de mon corps et se prolonge violemment jusqu'à mon bras. Je lui lance mon paquet de lettres par la tête ! Je suis enragée ! Je vois rouge !

— Tu m'écœures ! Tu m'écœures ! Tu m'écœures !

Bien sûr que je me doutais qu'il y avait eu Michou ; certaines âmes charitables me l'avaient assez répété, mais je ne voulais pas le savoir. Je refusais d'accepter l'évidence et préférais jouer à l'autruche ; celle qui ne sait pas, celle qui ne croit pas.

Gabriel se penche pour ramasser les lettres, en me regardant avec un petit sourire sarcastique au coin des lèvres :

— Grande idiote, je savais bien que tu étais jalouse !
— Rends-moi mes lettres !
— Jamais de la vie, tu me les as données, je les garde !
— Tu ne les liras pas !
— Qu'est-ce que tu en sais ?

Je capitule. Une fois ma colère calmée, je me sens soulagée. Gabriel gardera mes lettres. Les choses ne se sont peut-être pas passées exactement comme je l'aurais souhaité, mais qu'importe ?

— Et si nous allions souper ?
— Laisse-moi au moins le temps de me refaire une beauté.

J'ai les yeux rougis, gonflés, et mon mascara a coulé sur mes joues durant ma crise de rage. J'ai du mal à reconnaître la figure barbouillée que me renvoie la glace. Je regrette d'avoir fait cette scène, mais il était temps que l'abcès crève. Michou hantait ma vie depuis tellement d'années.

Gabriel range le champ de bataille tandis que je me *répare*. Il est déjà vingt heures, et nous n'avons toujours pas soupé. Les enfants téléphonent pour souhaiter un bon anniversaire à leur père. Alexandre m'annonce qu'il couchera chez François et que Mélanie dormira chez Dodo.

Nous partons à la recherche d'un restaurant banal où, avec cette tête, je ne risque pas d'être remarquée. La première rôtisserie venue fera très bien l'affaire. Nous mangeons peu et parlons beaucoup. Je me décide à mettre le fameux bien-être social sur la table. Après avoir épuisé le sujet, Gabriel accepte enfin de faire un bout de chemin. Nous pourrions d'abord nous réconcilier et, peut-être, si tout va bien, envisager des retrouvailles. Cette idée me transporte de joie. Nous revenons à Versailles le cœur léger et la tête pleine de projets.

⌯

Il est sept heures. Il fait très beau ! Je me réveille en sursaut, un peu étonnée de me retrouver dans les bras de Gabriel qui m'abandonne presque aussitôt pour se diriger vers la salle de bains. Dehors, les oiseaux chantent ; c'est déjà le printemps ! Soudain, j'entends Gabriel qui tousse et crache à fendre l'âme. Mes vieilles douleurs se réveillent et je me mets à trembler, comme autrefois.

Élise, chère Élise, que fais-tu là ?

Je me lève d'un bond et cours me réfugier dans la cuisine pour ne plus l'entendre. Je fais du café. Gabriel n'en prend pas. Je le soupçonne d'avoir bu pour calmer sa souffrance.

Nous reprenons notre entretien d'hier, mais le cœur n'y est pas. J'ai perdu mon enthousiasme ; je n'y crois plus. Nous abordons, à quelques reprises, des sujets épineux, en évitant d'un commun accord de nous y laisser prendre. Ce piétinement sur des charbons ardents m'épuise. Ce matin, Versailles me pèse. Je rêve de me retrouver seule à Biarritz.

Gabriel ramasse la vaisselle du petit déjeuner.

— As-tu l'intention de passer la journée ici ?
— Non, pas question, il faut que je rentre.
— Dans ce cas, si tu permets, je vais organiser mon week-end.

Il se dirige vers le téléphone. Il appelle quelqu'un dont je ne comprends pas le nom. Il lui parle en anglais. Je ne veux pas entendre ce qu'ils se disent, ni même savoir ce qu'ils feront. Je me dirige vers la chambre et m'habille rapidement, sans même prendre le temps de refaire mon maquillage. Gabriel termine son appel. J'ai hâte de partir !

— Je te ramène à Biarritz ?
— Oui, oui, quand tu voudras.
— Alors, allons-y tout de suite !
— Veux-tu toujours garder mes lettres ?
— Absolument, je vais les lire, je t'assure.

Je n'y crois pas et je m'en fous. Je n'ai plus qu'une idée en tête : monter chez moi, prendre un bon bain, et m'installer confortablement dans mon lit avec un livre et un café. Ne plus penser à Gabriel, ne plus rêver à Gabriel, me vider de Gabriel.

∞

Mercredi 4 mai

Le matin, à Biarritz, c'est la foire ! Chacun s'affaire de son côté, mais le côté des uns frôle de si près le côté des autres, qu'il se produit des étincelles. Quand Alexandre fait des siennes, les oreillers volent bas, les toasts aussi.

À la guerre, comme à la guerre ! Le premier calmé part en claquant la porte, pendant que je retiens l'autre furie suffisamment longtemps pour laisser au premier le temps de sauter dans l'autobus, et de prendre les devants. Bien que je sois devenue une mère-arbitre de première classe, je ne peux encore arriver à prévoir les batailles : ou bien nous avons droit à la grande scène de la vingt-troisième heure et à un petit démon qui se lève frais et dispos le lendemain matin ; ou bien, c'est le

contraire : notre ange se couche de bonne humeur et se réveille de mauvais poil.

Après le départ pour l'école, je dois compter au moins une
heure pour me remettre de mes émotions. Ce matin, je prends
mon temps ; je suis encore en robe de chambre, j'ai les cheveux
en bataille, et je m'apprête à siroter mon deuxième café, quand
Gabriel arrive à l'improviste. Que peut-il bien me vouloir à
cette heure ? Il aurait pu téléphoner, il ne m'a pas donné de
nouvelles depuis cinq jours. Je regarde par le judas et vois venir
un Gabriel tout souriant, tenant un livre à la main. J'ouvre.
Il me tend le livre :

— Tiens, c'est pour toi, pour la fête des Mères !
— La fête des Mères ? Mais ce n'est pas aujourd'hui !
— Je sais, mais je pars ce soir pour cinq jours, chez qui tu
sais ; comme dimanche nous irons chez sa mère, j'ai pensé venir
t'apporter ton cadeau aujourd'hui.

Les bras m'en tombent ! Si je comprends bien : Monsieur
vient mercredi, porter un cadeau *à sa femme*, pour *la fête des
Mères* de dimanche, parce que dimanche, il devra se rendre
chez la mère de sa blonde ! Ce n'est pas beau ça ? Ce n'est pas
émouvant ? J'en reste muette, aucun manuel de bienséance ne
m'ayant jamais appris quelle attitude adopter dans ces cas-là.
Le plus drôle, c'est qu'en dix-sept ans de mariage, Gabriel ne
m'a jamais offert de cadeau à la fête des Mères. Je prends le
livre : *La nostalgie n'est plus ce qu'elle était*. Quel titre évocateur !
Heureusement qu'il n'a pas eu l'audace d'écrire une dédicace !

Je le remercie de ce bouquin, que je lirai certainement avec
plaisir, et l'invite à prendre un café. J'en prendrai volontiers
une troisième, ne serait-ce que pour faire passer la pilule. Gabriel
prend ma main dans la sienne :

—J'ai une autre nouvelle pour toi.

—Encore ?

—J'ai décidé d'aller me faire désintoxiquer !

—Vraiment ?

—Oui, oui, c'est vrai ! J'ai déjà fait plusieurs démarches…

—Et alors ?

—Pour une fois que je décide de me faire soigner, il n'y a personne qui veut m'aider !

—Personne ?

—Ils ne me prennent pas au sérieux.

—Ça m'étonne.

—Écoute, Élise, tu ne me croiras jamais : ils me répondent tous que l'alcoolique doit téléphoner lui-même !

Il a raison, je ne le crois pas.

—As-tu pensé à notre ami Jean ?

—Je ne veux pas mêler Jean à ça ! Il va vouloir m'entraîner chez les AA.

—Pourquoi pas ?

—Parce que c'est une maudite gang de cons !

—Les as-tu déjà approchés ?

—Évidemment ! C'est vrai, je t'assure ! Mais ils ont carrément refusé de m'aider parce qu'ils pensaient que je faisais une blague.

Je connais trop bien le grand dévouement de ces gens-là, pour croire ce que Gabriel raconte. Je sais qu'il ne m'avoue pas exactement ce qui s'est passé. S'il a vraiment téléphoné, ce dont je doute, il a dû leur dire quelque chose du genre : *Allez, vendez-la-moi, votre salade ! Je suis prêt à l'acheter !* Or, comme les AA n'ont aucune salade à vendre, ils ont dû lui conseiller de passer les voir, le jour où il serait vraiment décidé.

— Je n'ai pas bu depuis ta dernière visite à Versailles.

— Tant mieux pour toi.

— Je n'ai pas bu, mais si personne ne m'aide, je vais recommencer !

Encore du chantage. Pauvre Gabriel ! Il a terriblement maigri ces derniers temps, tellement changé ! Qu'est devenu le jeune homme élégant, au regard clair, que j'ai épousé ? Je n'arrive plus à le reconnaître.

— Présente-toi à un meeting, je suis certaine qu'ils vont t'aider.

— Crisse-moi la paix avec tes maudits AA ! C'est rien que de la *bull shit* !

— Dans ce cas, je n'ai plus rien à dire.

J'ai pris la ferme résolution de ne vivre désormais que ma propre vie, sans essayer de contrôler celle de Gabriel.

Il termine son café, se lève, et sort sans se retourner.

∞

Dimanche 8 mai

Aujourd'hui, c'est vraiment la fête des Mères ! Gabriel ne m'a donné aucune nouvelle depuis sa dernière visite. J'imagine qu'il est parti chez la maman de *qui je sais*. J'ai décidé de ne plus penser à lui ; j'espère seulement qu'il a tenu le coup.

Mélanie a passé la nuit chez son amie Josée qu'elle n'avait pas revue depuis le jour mémorable de son anniversaire. J'ai changé de camp avec Alexandre, afin de lui permettre de passer une bonne nuit. Il dort encore, recroquevillé comme un nounours ébouriffé. Dieu qu'il est sage quand il dort ! Je cherche de toutes mes forces un moyen de lui venir en aide.

Étendue sur les coussins, je regarde le jour se lever lentement sur le béton du mur d'en face : Biarritz se réveille, Biarritz s'anime. Je rêvasse encore quand Mélanie arrive avec un gros bouquet de pissenlits dans une main et un petit sac de papier dans l'autre. Elle me tend les fleurs et le sac :

— C'est pour toi ! J'ai trouvé des croissants, à trois pour un dollar, j'en ai acheté six. Bonne fête, maman !

Elle se jette dans mes bras et se met à sangloter dans mon cou.

— Qu'est-ce qu'il y a, ma bichette ?
— Maman, tu ne sais pas quoi ? Il y a une autre femme qui vit chez nous !
— Ton père sort quelquefois avec une autre femme, mais…
— Voyons, maman, tu ne comprends pas : *elle couche chez nous !* Toutes mes amies l'ont vue !
— C'est vrai, maman, moi aussi je l'ai vue !

Venant de l'alcôve, la voix d'Alexandre me fait sursauter. En deux bonds, il sort du lit et nous rejoint.

— Quand je suis allé chez papa, l'autre jour, il était dehors, dans le jardin, avec *elle*. Il la tenait dans ses bras. J'ai viré de bord, puis je suis parti chez mon ami !

Je suis bouleversée, je cherche mes mots. Quoi leur dire ? Comment leur faire comprendre ce que je ne suis même pas certaine de bien comprendre moi-même ? Je décide de leur dire la vérité.

Je place le bouquet de pissenlits bien en évidence sur le bout du comptoir, je réchauffe les croissants, et, tout en déjeunant, je leur parle calmement de ma vie avec leur père, de mon attitude envers les femmes qu'il a eues dans sa vie, et plus particulièrement envers cette dernière qui, semble-t-il, n'a pas encore réussi à prendre toute ma place, puisque Gabriel revient toujours.

— J'essaie présentement de ramener votre père vers nous, mais, pour réussir, il ne faut surtout pas que je sois jalouse. Je crois que j'ai encore une chance et je m'accroche à cette idée plus fortement qu'à toutes les pensées négatives qui viendraient me hanter.

Mélanie me regarde avec ses beaux grands yeux mouillés de larmes :

— Ça ne te fait rien que papa aime une autre femme ?

— L'aime-t-il ? Je n'en sais trop rien. De toute façon, pour le moment, j'essaie de ne pas compliquer les choses. On ne peut être blessé que si l'on accepte de l'être ; or, moi, je refuse ; je ne donne ni à Gabriel, ni à cette femme, la permission de m'atteindre.

— Tu n'aimes plus papa ?

— Quelle question ! Tu sais très bien que je l'aime encore ; mais je l'ai quitté parce que je ne pouvais plus vivre avec lui. Je dois maintenant le laisser libre, en attendant que la situation change.

Je leur ai dit ce que je pouvais leur dire, et ils ont compris ce qu'ils pouvaient comprendre ; rien de plus. Alexandre ajoute quelques blagues pour détendre l'atmosphère, et le déjeuner se termine gaiement.

—N'oubliez pas que nous allons souper chez grand-maman…

Ces paroles provoquent chez Alexandre une réaction imprévue. Sans aucune raison apparente, il se lève brusquement, attrape son manteau, et sort en claquant la porte.

—Où va-t-il ?
—Je n'en ai pas la moindre idée !
—Il ne t'a même pas souhaité bonne fête !
—Ce n'est pas grave. Pour le moment, ton frère semble éprouver de la difficulté à vivre certaines émotions. Accordons-lui un peu de temps.

Mélanie m'accompagne chez mes parents. En nous accueillant, mon père s'étonne de l'absence d'Alexandre.

—Ne t'inquiète pas, il viendra plus tard.

Je n'ose pas leur avouer qu'au fond de moi, je souhaite de toutes mes forces que mon fils ne vienne pas. Alexandre est parti vêtu d'un vieux pantalon tout usé, d'une vieille chemise, le tout agrémenté d'une chevelure tellement longue qu'elle lui donne l'air d'une vadrouille.

Élise, chère Élise, n'y aurait-il pas en toi un vieux reste d'orgueil ?

On sonne. Pourvu que ce ne soit pas lui ! J'entends la voix de ma mère :

—Mais oui, mais oui, c'est Alexandre !

Je voudrais me voir ailleurs. Si seulement je pouvais me cacher sous la table, comme lorsque j'étais petite.

—Regarde-moi donc ça, s'il est beau !

Qu'ouie-je ? Qu'entends-je ? Pincez-moi, quelqu'un, je rêve ! Ma mère ne parle certainement pas du même garçon. Elle revient à la cuisine, suivie d'Alexandre; je reste sans voix. J'ai devant moi un jeune homme très élégant; il a son pantalon propre, sa chemise blanche, un foulard, et, comble de joie, il est impeccablement coiffé.

—Qui t'a fait cette coupe de cheveux ?
—La sœur de François, elle est coiffeuse : je suis ton cadeau ! Bonne fête maman !

Cette fois, je le sais, je pleure de joie !

Le mois de mai me semble encore plus difficile à passer que tous les autres. Il fait beau, trop beau pour être seule. Partout des couples se forment, et moi je n'ai personne. Par bonheur, j'ai des amis merveilleux qui m'invitent tour à tour, tantôt à souper, tantôt à sortir, et qui me téléphonent régulièrement afin que le vide de ma vie me paraisse moins lourd. Fidèle à sa nouvelle habitude, Philippe vient tout juste de m'appeler; nous avons jasé durant plus d'une heure. Ses rendez-vous quotidiens m'apportent un bien-être extraordinaire.

Ce soir, je suis seule, vraiment seule, et comme je le fais souvent quand j'ai le vague à l'âme, je me retrouve sur le toit et passe de longues heures à rêvasser, appuyée sur le garde-fou de l'immense balcon gris, qui me rappelle *la galerie des sœurs* du temps où j'allais à l'école.

Inlassablement, je fixe l'horizon. Là-bas, derrière les arbres: c'est Versailles ! J'imagine Gabriel travaillant dans le jardin, pénétrant dans la maison, s'attardant dans le boudoir… Rien que d'y penser, j'ai des frissons. En fermant les yeux, je sens sa présence derrière moi; il me prend dans ses bras, me soulève, et m'emporte…

J'entends le bruit d'un klaxon et me penche sur la rampe, pour mieux voir. Juste en bas, il y a la rue, les autos, le vide… Une idée me traverse l'esprit, rapide et vive comme l'éclair : et si je basculais ?

Élise, chère Élise, qu'est-ce qui t'arrive ?

Je deviens folle ! J'ai peur de moi ! Je m'écrase dans un coin et me recroqueville comme une enfant qu'on vient de battre. Je pleure en poussant des petits hurlements sourds qui me viennent des entrailles. *Mon Dieu, se pourrait-il que la situation soit sans issue ? Se pourrait-il qu'il n'y ait plus pour moi aucun espoir de bonheur ?*

∞

Lundi 23 mai

Les enfants sont en congé. Mélanie pique-nique au parc avec des copines, tandis qu'Alexandre aide le concierge à nettoyer la piscine. Il fait beau comme en juillet. Biarritz s'anime. La cour intérieure fourmille, chacun ayant descendu sa chaise ou son coussin, pour se faire bronzer sur le mouchoir de poche gazonné accessible à tous les locataires. Les transistors se font la guerre…

Je viens de passer un long moment au téléphone avec Philippe. Il m'appelle régulièrement, une ou deux fois par jour, pour prendre de mes nouvelles. Il est charmant, ses plaisanteries me font rire et apportent du soleil dans mon quotidien.

Philippe et Fernand, deux présences masculines positives dans ma vie actuelle. Ils me donnent un son de cloche différent, qu'aucune de mes amies n'est en mesure de m'apporter. Ils sont l'envers de ma médaille.

Pimpante et souriante, Barbara s'amène les bras chargés d'un colis très lourd et extrêmement froid : vingt kilos de poulet congelé, dépecé et prêt à cuire…

—Où diable as-tu déniché ça ?
—J'ai un ami boucher. C'est un cadeau !
—Merci ! Les enfants vont se régaler. Tu dînes avec moi ?
—Bien sûr !
—Une omelette et une salade, ça te va ?
—C'est parfait !

En voyant Barbara si épanouie, si belle, je ne peux m'empêcher de songer au temps qu'il nous a fallu pour devenir amies. Au début de son idylle avec Marc-André, elle me voyait comme une ennemie, une rivale dans le cœur de son amoureux, qui ne ratait jamais une occasion d'établir des comparaisons entre nous deux. Se méfiant de mon amitié pour mon neveu, elle me fuyait comme la peste, et ce n'est qu'après plusieurs rencontres que j'ai réussi à l'apprivoiser.

Et quand, après seulement deux ans de mariage, elle a pris la décision de quitter Marc-André, je l'ai aidée de mon mieux à remonter la pente, en l'invitant, le plus souvent possible, à partager notre quotidien. Hélas ! partager notre quotidien, c'était aussi partager les colères de Gabriel, et Barbara ne pouvait qu'assister, impuissante, à ses crises.

Elle se détachait de Marc-André avec peine. Et comme j'étais l'amie des deux, je refusais de jouer dans le dos de l'un ou de l'autre : Marc-André savait que je voyais souvent Barbara, tandis que Barbara savait que Marc-André me téléphonait fréquemment. Les ayant tous les deux assurés de ma discrétion et de mon impartialité, ils acceptaient les règles du jeu en évitant de me placer dans une situation compromettante.

Au moment de leur séparation légale, Barbara m'a proposé d'être son témoin. J'ai accepté mais, à la condition que Marc-André soit au courant de mes intentions. D'accord avec ma prise de position, il a tout simplement décidé de ne pas se rendre à la Cour le jour du procès, de sorte que, mon témoignage aidant, tout s'est passé très rapidement et sans problème; en moins de dix minutes, ils étaient séparés. Depuis, Marc-André a *refait sa vie* avec une autre femme, et Barbara a découvert le mode de vie qui lui convient.

— Élise, si tu savais, je suis tellement heureuse !
— Je n'en doute pas, qu'est-ce qui t'arrive ?
— J'ai décidé d'aller m'installer, à la campagne, avec mon amoureux.
— C'est sérieux ?
— Plus que sérieux, nous avons rendez-vous avec l'agent tout à l'heure.
— C'est une excellente nouvelle !
— J'aurais préféré attendre que tout soit réglé pour venir te l'apprendre, mais, amitié oblige, je ne voulais pas me retrouver avec vingt kilos de poulet décongelé dans ma voiture.
— Je te remercie encore, pour le poulet et pour la nouvelle !
— De toute façon, dès que nos affaires seront réglées, j'apporte le vin et on fête ça !
— Ne te gêne surtout pas pour revenir !
— Compte sur moi, et merci pour le lunch !

À peine Barbara a-t-elle passé la porte que Jacqueline la franchit à son tour. On dirait un complot.

—Quel bon vent t'amène ?

—Une envie folle d'aller me promener au parc Lafontaine ! Ça te chante ?

—Et comment ! Je n'y suis pas allée depuis des années !

La sollicitude de mes amis me touche. Et moi, grande profiteuse devant l'Éternel, je me gave d'amitié, de tendresse et de chaleur humaine.

Nous garons l'auto près du parc et marchons tranquillement dans l'allée ombragée qui contourne l'étang. Nous croisons des amoureux enlacés, des vieux, des *mômans* entourées d'enfants ; c'est jour de congé, où sont donc tous les hommes ?

Nous parlons, ou plutôt, je lui parle de Gabriel, de mon amour pour Gabriel, de mes espoirs, de mes déceptions, de mes peines. Jacqueline m'écoute comme si je lui racontais tout ça pour la première fois.

—Aujourd'hui, je sais que Gabriel est avec cette femme, mais je refuse d'en tenir compte, tu comprends ?

—Non, pas vraiment, mais c'est ton choix.

—Qu'est-ce que tu veux dire ?

—Moi, je lui couperais la queue et les oreilles et je le ferais griller sur la broche comme un lapin !

—Tu es cruelle !

—Élise, réalises-tu ce qu'il te fait vivre ?

Cette situation devient de plus en plus difficile à supporter. Je voudrais trouver toutes les solutions, résoudre tous les problèmes à la fois. Mes idées deviennent confuses, je m'embrouille. Jacqueline insiste :

—Si seulement tu pouvais arriver à lâcher prise…

—Oui, mais…

— Et à t'occuper d'abord de toi !

— Tu as raison, je sais, oui, mais…

— Tu t'acharnes, en sachant parfaitement que tu n'y arriveras pas !

— Oui, mais, si je ne m'acharne pas, une autre s'en chargera.

— Et alors ?

— Oui, mais…

— *L'important d'abord* ! ne l'oublie jamais, Élise.

— Oui, mais…

À chacune des interventions de Jacqueline, je réplique par : *Oui, mais…*, imposant immédiatement une restriction mentale à toutes ses questions : *Oui, mais… s'il fallait que Gabriel arrête de boire sans moi ?* Peur de ne pas être indispensable ! *Oui, mais… s'il fallait qu'après avoir arrêté de boire, Gabriel ne me revienne pas ?* Peur de le perdre ! *Oui, mais… s'il fallait que je demande le divorce et que Gabriel arrête de boire pour une autre ?* Peur d'être évincée ! Peur d'être remplacée ! Jacqueline freine mes élans :

— *Oui, mais…* tu n'en es pas là !

— Tu as raison, j'oublie souvent l'instant présent : ici, aujourd'hui, maintenant, il fait beau ! Et je suis bien !

Pourquoi est-ce tellement difficile de savourer le temps qui passe ? Prédire l'avenir, imaginer ce qui pourrait arriver si… si… si… et si un jour la jument parlait ?

Allongée sur le gazon, j'apprécie la chaleur du soleil sur mon visage. Les yeux mi-clos, je regarde le ciel à travers les branches chargées de jeunes feuilles encore fraîches. Je repense à mon enfance à la campagne, à mon grand-père qui disait :

Élise, chère Élise, regarde un peu comme le Bon Dieu est Bon !

∞

Vendredi 3 juin

J'ai payé mon cinquième loyer avec le chèque du BS arrivé ce matin. Toute la semaine, j'ai couru à la recherche d'un emploi, signé des tonnes de papiers, rempli tous les questionnaires et répondu à toutes les exigences demandées. Je me suis même inscrite dans deux agences de placement, à titre de secrétaire à la pige ; moi, qui déteste le travail de bureau ! Il ne me reste qu'à attendre qu'on daigne solliciter mes services.

Les enfants arrivent de l'école tout excités. Ils sont pressés. Alexandre prend les devants :

—Maman, habille-toi vite, on t'amène danser !
—Où ça ?
—Il y a un anniversaire chez les AA, ce soir !
—Et alors ?
—Mélanie et moi, on y va, et on t'amène !
—Dis oui, maman !
—C'est où, votre truc ?
—À Longueuil !
—Rien que ça ?
—Ce n'est pas si loin, maman !
—Allez, viens donc !
—Oh ! et puis, pourquoi pas ?

Je suis aussitôt emportée dans un tourbillon affolant : préparer le souper, me coiffer, me maquiller, m'habiller…

—Mais, qu'est-ce que je vais mettre ?

Mélanie tranche la question :

— Mets ton pantalon noir avec ta blouse rose ; tu es *crotte* là-dedans !

Être crotte ou *ne pas être crotte* ? Telle est la question. Pas le temps de réfléchir davantage : pantalon noir et blouse rose. On se change en vitesse, on mange en vitesse, on part en vitesse !

Une heure et demie de métro et d'autobus ! Dans quelle galère me suis-je embarquée ? Et tout ça pour aller danser ! J'assiste pour la première fois à ce genre de soirée anniversaire chez les AA : les gens sont sobres, le buffet est abondant et la musique entraînante.

Je suis chaleureusement accueillie par toute la bande des jeunes habitués de Biarritz. Mais ma gloire est de courte durée. Aussitôt que la porte s'ouvre, ils se dirigent en grappe vers le nouvel arrivant, comme si une vague de fond les emportait. La plupart des gens se connaissent et bavardent entre eux. Moi qui ne connais personne, je me retrouve seule au milieu de la salle, entourée de chaises vides.

Je remarque toutefois dans un groupe, un grand roux avec une petite barbe bien taillée. Cet homme n'est pas particulièrement beau, mais il a du charme ; son genre me plaît. On nous invite à prendre place ; je le perds de vue.

— La chaise est libre ?

Je lève les yeux : c'est lui ! Il désigne le siège que j'avais réservé pour Mélanie qui a préféré aller rejoindre ses amis.

— Vous pouvez vous asseoir.

Nous échangeons un regard furtif, puis un sourire. Il se penche vers moi et me tend la main en chuchotant :

—Je m'appelle Adrien.

—Et moi Élise.

Je remarque qu'il a de belles mains longues et fines, et des yeux pers légèrement bridés. Il doit avoir environ quarante-cinq ans. Le conférencier s'avance vers le podium. Tout le monde se tait. Mon voisin approche sa chaise de la mienne. Je sens son regard posé sur moi et je rougis comme une collégienne. Intimidée, je m'interroge : Est-ce que je lui plais ? Est-ce que je peux encore plaire ?

Élise, chère Élise, tu as bien fait de t'habiller « crotte » !

Aussitôt le message terminé, les enfants me rejoignent, et je perds Adrien dans la foule. Mine de rien, je cherche autour d'un œil distrait, et l'aperçois près du buffet. Il me fait signe de le rejoindre.

—Je vous attendais !

Il m'avait déjà réservé une assiette. Ravis de voir leur mère *casée*, Alexandre et Mélanie s'éloignent avec ceux de leur âge. Je fais le tour de la table avec Adrien. En prenant de la salade, j'apprends qu'il est veuf… aux sandwiches au jambon, que ça fait quatre ans… aux œufs farcis, il me parle de son travail… et, au dessert, je sais tout de lui.

Adrien m'invite à danser. Rock ou disco ? Je ne saurais dire, mais ça bouge. Mon partenaire danse bien : rock-disco-rock-disco-rock. J'ai l'impression de rajeunir de dix ans.

Only you ! Enfin un *slow* ! Adrien me prend dans ses bras. J'avais oublié cette sensation grisante d'un corps d'homme contre le mien. Joue contre joue, corps contre corps, les yeux fermés, nous dansons langoureusement emportés par la chanson des *Platters… Only you and you alone can thrill me like you do…* Et dire qu'on appelle cela *les plaisirs démodés* !

— Maman ! Maman ! J'ai pris de l'argent dans ton sac !

En me tapant sur l'épaule, Mélanie a rompu le charme. Adrien me regarde, stupéfait, puis nous éclatons de rire ; n'étions-nous donc pas seuls au monde ? Surprise de me voir danser pour la première fois avec un inconnu, ma fille a trouvé ce prétexte pour rappeler sa mère à l'ordre. Elle peut maintenant aller s'acheter un *Coke* en paix. Adrien et moi reprenons notre danse, en surveillant tous nos gestes, comme deux adolescents épiés par leurs parents. La soirée file à une vitesse folle.

— Adrien, quelle heure est-il ?
— Onze heures et demie !
— Déjà ? Il faut que je me sauve avant que le métro ferme !
— Reste encore, je te ramènerai chez toi.
— J'habite Ahuntsic !
— Et alors ?
— C'est loin !
— Je le sais.
— Mes deux enfants sont avec moi !
— Je le sais.
— Mon appartement n'a qu'une seule pièce !
— Ça aussi, je le sais, tu me l'as dit.
— Alors, c'est d'accord !

De cette façon, Adrien n'aura pas de mauvaise surprise. Je ne voulais pas que subsiste la moindre équivoque, puisqu'il est définitivement hors de question que j'invite cet homme à Biarritz, avec l'intention de partager des moments intimes. Non pas que l'idée me déplairait, mais l'exiguïté des lieux et les circonstances actuelles ne me permettent pas d'envisager une telle aventure.

Vers une heure du matin, tous les quatre entassés dans la petite auto d'Adrien, nous faisons le chemin du retour en riant et en blaguant comme des fous. Mon nouvel ami est patient, sobre, et roule prudemment. Comment pourrais-je ralentir le temps ?

—Si le désordre ne te fait pas peur, je t'invite à prendre un café !

—Rassure-toi ; va pour le café !

Pendant que l'eau bout, je m'empresse de ranger un peu. Adrien bavarde avec Alexandre :

—J'ai été professeur d'escrime pendant dix ans !

Il n'en fallait pas plus pour emballer mon fils qui se penche derrière le divan pour sortir son épée, son plastron, son masque ; la pièce est instantanément transformée en arène. Adrien enlève son veston. Les jeux sont faits : feinte... parade... riposte... touché !

Indifférente aux aventures de cape et d'épée, Mélanie s'est enfermée dans la salle de bains. L'eau coule dans la baignoire. Nous buvons notre café sans elle, et Adrien se retire sans pouvoir la saluer.

Cette visite d'Adrien me laisse un peu rêveuse. Mélanie quitte son refuge et vient me rejoindre, les yeux rougis, le regard triste :

—Il t'aime, cet homme-là, maman.

—Comment peux-tu dire ça, c'est la première fois que je le vois !

—Je le sais, il t'aime… puis, toi aussi, tu l'aimes!

Elle se jette sur le lit en sanglotant. Je m'approche mais elle me repousse et se retourne vers le mur.

—Mélanie, ma bichette, écoute-moi.

—Je ne veux pas t'écouter! Si tu commences à sortir avec lui, nous autres on va rester seuls: papa de son bord, puis toi du tien; ça va nous faire une belle famille!

Assise sur le bord du lit, j'attends que l'orage passe. Je caresse tendrement ses cheveux. Elle sèche ses larmes.

—Mélanie, comme toujours, laisse-moi te parler franche- ment: cet homme-là me plaît beaucoup, c'est vrai, tu as raison; quant à savoir si je lui plais…

—Ne fais pas l'hypocrite, tu le sais!

—N'exagérons rien, j'ai rencontré Adrien…

—Tu parles d'un nom!

—Je disais donc que j'ai rencontré Adrien, ce soir, par hasard. Il a été très gentil avec moi, je te l'accorde, mais sans plus.

—Sans plus?

—Nous avons dansé, c'est tout.

—Pas mal collés!

—Pas plus collés que toi et tes copains. Je n'ai absolument rien à me reprocher. J'ai passé une soirée très agréable, et si jamais Adrien m'appelait pour m'inviter à sortir avec lui, je me ferais un plaisir d'accepter. C'est un homme charmant.

Alexandre intervient:

—Maman a raison, moi, je l'ai trouvé super!

—Toi tu dis ça parce qu'il fait de l'escrime!

Je serre Mélanie dans mes bras.

— Ne t'inquiète pas, ma chérie, si jamais j'ai des décisions plus importantes à prendre, sois assurée que je vous en parlerai d'abord. Mais, pour l'instant, comme je n'ai nullement l'intention de refaire ma vie dans les prochaines semaines, je me considère comme assez grande pour planifier mes sorties. À présent, il serait sage d'aller dormir.

Appuyée contre mon dos, Mélanie s'endort, épuisée d'avoir trop dansé et trop pleuré. Je n'arrive pas à fermer l'œil. Comme il est difficile de s'envoler avec deux adolescents sur les ailes. Comment leur expliquer ? Comment faire comprendre à une jeune fille de quatorze ans que sa mère a besoin de se sentir femme ? Le sourire d'Adrien m'a séduite, mais ça ne peut pas être le coup de foudre ; pas à mon âge !

Élise, chère Élise, crois-tu vraiment ce que tu avances ?

J'ai terriblement chaud, malgré la porte toute grande ouverte. J'envie presque Alexandre de dormir sur le plancher.

Je bouge sans arrêt, mes fantasmes m'assaillent. C'est une de ces nuits de juin où on ne pense qu'à faire l'amour… Faire l'amour ! J'en ai des frissons. Décidément cette soirée m'a rendue dingue ! Mon cœur s'affole, il bat trop vite, et j'ai le front couvert de sueur. Si seulement je pouvais aller me rafraîchir dans un bain en ne dérangeant personne. Je me glisse hors du lit et m'enferme dans la salle de bains. Je fais couler le jet lentement et m'allonge dans cette eau presque froide, en espérant me changer les idées. Un bon massage avec la serviette, et je me sens mieux.

J'ai hâte au matin. Je sais qu'Adrien doit partir très tôt et pour toute la journée. J'aimerais tant qu'il me téléphone en se levant. Osera-t-il ? Peut-être craindra-t-il de réveiller les enfants ?

Six heures ! Le jour commence à poindre et je n'ai pas encore dormi. Mes fantasmes reprennent du service. Si je m'écoutais, je monterais sur le toit pour admirer le lever du soleil, mais je n'ose pas de peur d'inquiéter les enfants. J'ai faim. Je me lève sur la pointe des pieds, ouvre doucement le réfrigérateur…

— Qu'est-ce que tu fais, maman ?
— Euh… j'ai un petit creux…
— Moi aussi !

Merci Alexandre de venir veiller cette heure avec moi.

∞

Samedi 4 juin

Jacqueline vient nous chercher vers dix heures. Nous reconduisons nos adolescents à la Ronde. Ils y passeront l'après-midi, puis reviendront coucher chez elle : la journée nous appartient ! Allongées près de la piscine, jus de fruits, chips et revues de mode à portée de main, nous rôtissons en paix.

En entendant le récit de ma soirée, Jacqueline éclate de rire.

— Ce n'est pas possible, je ne te reconnais plus !

Mes yeux lancent des éclairs, je pète le feu. Je n'omets aucun détail, y compris la crise de larmes de Mélanie, et ma nuit tumultueuse, dont je commence d'ailleurs à ressentir les effets. Je bâille sans arrêt. Jacqueline me suggère de dormir un peu, le temps pour elle d'aller faire quelques courses. J'accepte volontiers et m'installe au soleil, en prenant soin d'éviter l'ombre. Je me vois déjà bronzée comme une star d'Hollywood. Le sommeil de la nuit revendiquant ses droits, je m'endors aussitôt.

Le bruit familier de la clôture glissant sur ses gonds me réveille brusquement. L'absence de Jacqueline s'étant involontairement prolongée, je suis restée étendue, à la même place, en plein soleil, durant près de deux heures : je suis brûlée ! J'ai du mal à bouger. Jacqueline me badigeonne de crème médicamenteuse pour calmer la douleur, puis je me retourne sur le ventre afin de faire rôtir un peu mon dos pour ne pas avoir l'air d'un demi-Thermidor…

Seize heures ! Je ne tiens plus en place et ne pense qu'à retourner à Biarritz. Adrien m'a dit qu'il reviendrait probablement chez lui vers cinq heures ; je ne veux pas rater son appel… Soudain, je réalise que je ne sais rien de lui, malgré tout ce qu'il m'a raconté. Je connais son prénom, pas son nom, et ne sais ni son adresse, ni son numéro de téléphone ; où avais-je donc la tête ?

Je me plonge dans un bain tiède pour apaiser mon coup de soleil. Je lave mes cheveux, les coiffe soigneusement, épile mes sourcils, mes aisselles, mes jambes… Ouch ! Manucure, pédicure, poudre, parfum, bijoux, je n'ai rien oublié ! J'ai même concocté une espèce de mixture avec du fond de teint et de la crème pour bébé, afin d'adoucir ma peau et masquer le dégradé inesthétique de mon bronzage. Je suis prête à toutes les éventualités !

Je meurs de faim, mais je n'ose pas manger, au cas où Adrien m'inviterait au restaurant. Je suis fatiguée, mais j'évite de m'étendre sur le lit, pour ne pas me décoiffer. Et je ne veux pas enfiler ma robe, de crainte de la froisser. Je tourne en rond, comme une tigresse en jupon; j'attends que le téléphone sonne ! Je me déteste, je déteste Adrien, je lui en veux de me faire attendre. Rêveuse comme une adolescente, j'espère bêtement qu'un beau gars daigne m'appeler.

Élise, chère Élise, tu te morfonds pour un homme qu'hier soir, à cette heure, tu ne connaissais même pas…

Je me lance en pleurant sur le lit. Pauvre petite moi qui aurais tellement besoin d'être aimée. Je voudrais faire l'amour toute la nuit et m'endormir, au matin, tendrement blottie contre le corps tout chaud d'un homme. Le téléphone ! Je me précipite pour répondre :

— Bonsoir Comtesse !
— Philippe ! Mon bon Philippe ! Mon merveilleux Philippe !
— J'avais envie d'aller faire une promenade avec toi, tu veux bien ?
— Oh oui ! avec plaisir !

Je pulvérise de l'eau froide sur ma figure pour réparer les ravages causés par les larmes. J'enfile une longue jupe douce, un chandail léger et je suis prête. Philippe a vraiment eu une merveilleuse idée !

Le sentier longeant la rivière des Prairies invite au romantisme. Philippe me tient la main; nous nous promenons en goûtant pleinement la saveur de cette superbe nuit d'été. Tout en marchant, je lui fais part de mon aventure fantasmatique avec Adrien. Sans se moquer, Philippe rit de bon cœur.

— Pauvre lui, il ne saura jamais quelle nuit d'amour il a raté !

Nous passons devant une crèmerie.

— Que diriez-vous, Comtesse, d'un cornet de crème glacée pour chasser vos idées folles ?

— J'avoue qu'une petite distraction genre *crèm'à'glace* me paraît bien tentante !

Philippe achète deux énormes glaces au chocolat, et nous nous assoyons sur un banc près de la rivière. Le temps passe agréablement. Nous nous racontons mille choses merveilleusement ordinaires, puis nous reprenons, main dans la main, le chemin de Biarritz. Philippe me laisse à ma porte.

— Bonne nuit, Comtesse, sois bonne !
— Ai-je le choix ?

J'entends mon téléphone sonner du bout du corridor, mais, le temps d'arriver, de sortir ma clé, d'ouvrir la porte, mon interlocuteur a raccroché. Était-ce Adrien ? Je ne le saurai jamais, mais ça n'a, tout à coup, plus du tout d'importance.

∞

Vendredi 10 juin

Adrien n'a pas donné de nouvelles de toute la semaine. Je ne me faisais pas trop d'illusions, mais j'espérais quand même : peut-être a-t-il été trop occupé ? Peut-être a-t-il perdu mon numéro ?

Je me rappelle qu'Adrien m'a demandé, à plusieurs reprises, si j'avais l'intention d'assister à l'anniversaire de son groupe, ce soir, à Longueuil. Comme je ne lui ai répondu ni oui ni non, je me réserve encore le droit de décider. Qu'ai-je à perdre, sinon des illusions ? Mieux vaut en avoir le cœur net. J'emprunte quelques dollars à Jacqueline, et descends au meeting en autobus, toute seule, comme une grande. Je n'ai pas osé avouer aux enfants la vraie raison de ma démarche. Profitant de leur absence pour la soirée, je leur ai simplement laissé une note sur le bout du comptoir : *suis partie à un meeting, ne rentrerai pas tard.* Heureusement qu'ils ne sont pas avec moi, je me sens déjà suffisamment ridicule. J'ai le trac. Je suis folle, complètement folle. Je me comporte comme une petite fille qui s'en va rejoindre un petit gars, puis que sa mère ne le sait pas.

Si j'aurais su, j'aurais pas venu ! Je regrette déjà l'audace de mon embardée. Surtout, ne pas rater mon entrée, avoir l'air parfaitement naturel : *Bonsoir, je suis là, par hasard !* À deux heures d'autobus de chez moi, faut le faire ! Je pousse la porte doucement mais fermement. Là-bas, entouré d'amis, Adrien s'entretient avec une jeune femme. Une rivale ? Je n'avais pas pensé à ça ! Il m'aperçoit et vient vers moi.

— Bonsoir, Élise, je *vous* présente Diane…

Le vouvoiement me surprend d'abord, puis me fait rire. Rien ne va plus. J'ai du mal à retrouver, en cet Adrien-là, mon cavalier de la semaine dernière. Le contact ne s'établit pas ; peut-être est-ce mieux ainsi ? Au même instant, dans un coin retiré de la salle, j'aperçois Raymond, un membre AA que je connais peu, mais suffisamment quand même, pour l'aborder et lui demander de ses nouvelles ; voilà ma chance.

— Si vous voulez bien m'excuser, Adrien, je dois rejoindre un ami !

Raymond est seul, ça tombe bien ! Il paraît content de me voir et m'invite à m'asseoir près de lui, ce qui rend mon histoire d'autant plus vraisemblable. Nous restons ensemble à la pause, et quittons tout naturellement la salle en même temps, à la fin du meeting. Adrien et Diane nous escortent jusqu'à la porte. Une dernière poignée de main, un dernier sourire, et le mot *fin* de ma belle aventure. Raymond profite un peu de la situation, dont il ignore évidemment tous les dessous.

—Je te raccompagne ?
—Laisse-moi au métro, tu seras gentil !
—Je peux te ramener chez toi, si tu veux.

Encore ! Il y a décidément sur cette terre une quantité incroyable de mâles intéressés à me ramener au bercail. L'idée de ne pas me retaper tout le chemin du retour en autobus, n'est certes pas pour me déplaire. Mettons d'abord les choses au point :

—J'habite Ahuntsic !
—Et alors ?
—C'est loin !
—J'ai tout mon temps.
—Je vis avec mes deux enfants !
—Je le sais, tu me l'as dit..
—Dans une seule pièce…
—Allez, monte !

Le trajet se fait en douceur. Raymond n'est pas du tout mon genre d'homme, mais je lui trouve un certain charme. Nous approchons de Biarritz. Il est absolument hors de question que ce *nouveau copain* monte chez nous. Je ne veux pas que Mélanie confonde sa mère avec la Cantinière du Régiment.

—Me voilà rendue !
—Je peux monter ?
—Pas question, les enfants sont couchés !
—Ils se couchent tôt ?

—Très tôt !

—Et si nous allions quelque part ?

—Non, merci, c'est gentil, mais je suis fatiguée.

—Alors, tant pis, ce sera pour une autre fois !

—C'est ça, pour une autre fois, peut-être.

—Bonsoir, belle Élise !

—Bonsoir et merci encore.

—Tu ne m'embrasses pas ?

—Mais si, bien sûr !

Je lui donne le plus retentissant bec sur la joue jamais reçu de toute sa vie, et descends de la voiture avant qu'il n'ait le temps de s'en remettre. Oubliant mes fantasmes, je vais passer une très bonne nuit.

∞

Dimanche 19 juin

Je ne peux plus ignorer que la belle Ann-Lyz passe désormais tous ses week-ends à Versailles : Alexandre l'a vue, les voisins l'ont vue, tout le monde l'a vue. J'ai du mal à supporter l'idée que cette intrigante vive dans ma maison, qu'elle dorme dans mon lit ! Quand je pense que j'ai quitté Versailles pour laisser à Gabriel la chance de réfléchir, et que je me retrouve dans cette situation absurde, je ne l'accepte pas, c'est injuste !

C'est aujourd'hui la fête des Pères. Les jeunes ont organisé un meeting spécial auquel les parents sont invités. Gabriel a promis qu'il viendrait, mais les promesses de Gabriel étant ce qu'elles sont, j'ai tendance à me méfier.

Comme les enfants comptent énormément sur la présence de leur père, j'ai tenté à plusieurs reprises de modérer leurs attentes, afin de leur éviter une trop grande déception, mais ils s'accrochent à cet espoir.

—Tu sais bien maman que papa ne nous fera pas ça !
—C'est vrai, maman, il nous l'a promis !
—Et promis, c'est promis !

Que pourrais-je ajouter ? Je démissionne. Je préfère ne plus m'en mêler. Je m'installe dans mon lit pour lire. Le téléphone sonne. Alexandre répond.

—Salut, papa ! Viens-tu au meeting ?... Quoi ?... Oh non... écoute, papa, tu nous l'avais promis !... Maman ?... Oui, elle est là !... Un instant !

Il me tend le récepteur :

—Papa veut te parler !

Je m'extirpe de mon cocon en ronchonnant. Je n'ai pas du tout envie de parler à Gabriel.

—Allô !
—Mais qu'est-ce que c'est que cette histoire de meeting ?
—Tu le sais bien, Alexandre lui-même t'en a parlé. Il s'agit d'un meeting spécial que les jeunes ont organisé pour la fête des Pères ; tu avais promis que tu irais.
—Mais il n'en est absolument pas question ! J'ai des principes, *moi* ! Je fête la fête des Pères à la maison paternelle, *moi* !

Il s'emporte et parle avec ce faux accent français qui me tape sur les nerfs. Il a des trémolos dans la voix. Il joue le père noble, le père digne, il s'enflamme :

— Je suis *chez moi* ! Et je fête la fête des Pères *chez moi* ! J'ai des principes ; si *tes* enfants n'en ont pas, c'est que *tu* n'as jamais été foutue de leur en donner, *des principes* !

La moutarde me monte au nez. Je poigne les nerfs :

— Tes *principes*, dans le cul, mon bonhomme ! Quand on a autant de principes que tu le prétends, on ne baise pas sa blonde dans le lit de sa femme ! Tu as transformé Versailles en bordel. Tu te vautres avec *elle* dans mon lit, dans mes draps !
— *Mon chérie*, tu es vulgaire !
— Oh oui ! je suis vulgaire mais jamais autant que toi ! Je suis vulgaire, et ça me procure une satisfaction que tu ne peux pas imaginer. Tu me dégoûtes, tu m'écœures, je te hais !

Je raccroche, furieuse et terrassée. Je me laisse choir sur le divan en sanglotant.

— Des principes ! Il me fait rire avec ses principes ! Monsieur se soucie de nous comme de sa première chemise, mais il a des principes !

La vapeur me sort par les oreilles. Je vocifère, je hurle ma colère :

— Le salaud ! Il va me payer ça ! Je le hais ! Je le hais ! Je le hais !

Je n'arrive pas à comprendre ma réaction. Je viens de faire à Gabriel une scène avilissante. Je me suis abaissée à lui crier des ordures, et devant les enfants, par-dessus le marché ! Je n'ai pas pu supporter qu'il les déçoive. J'ai voulu les venger en l'insultant. Qu'est-ce qui m'a pris ? J'ai honte de moi, et en même temps je me sens soulagée : Gabriel sait maintenant que je sais.

Alexandre s'approche et me regarde fixement :

— Maman, veux-tu bien me dire ce que tu attends ?

℃

Lundi 20 juin

J'ai téléphoné à Maître Boileau qui m'a donné rendez-vous, à son bureau, mercredi prochain. Deux jours, il ne me reste que deux jours, pour décider si je choisirai une séparation ou un divorce. Soudain, l'étau se resserre, les événements se précipitent. Qui d'autre que mon amie Pauline pourrait m'aider à y voir clair ? Je l'appelle.

— J'hésite à demander le divorce, tu comprends.

— Élise, ne prends pas de demi-mesures, si tu demandes une séparation, tout sera à recommencer au moment du divorce !

— Oui, mais… imagine que Gabriel arrête de boire, une fois le divorce prononcé ?

— Vous n'aurez qu'à vous re-marier !

C'est pourtant vrai, comment n'y ai-je jamais pensé ? Vu sous cet angle, la démarche me paraît moins terrible. Je dirais même que dans les circonstances, le divorce devient presque la solution rêvée pour favoriser nos retrouvailles. Ça change tout ! Je demande le divorce, Gabriel arrête de boire, s'amende, puis revient vers moi, transformé, amoureux comme aux premiers jours. Je rêve déjà de remariage : Pom ! Pom ! Pom ! Pom !

Je fouille dans mes papiers, ramasse les documents nécessaires et repasse dans ma tête tous les arguments possibles. Surtout, ne pas céder sur la raison du divorce : je suis partie pour *alcoolisme* et je demande le divorce pour *alcoolisme*. Inutile de mêler les cartes.

∽

Mardi 21 juin

— Bonjour, je suis la secrétaire de Maître Boileau, Je viens confirmer votre rendez-vous, demain, à quatorze heures.
— Merci, madame j'y serai.

Je reçois cet appel comme un coup de masse sur la tête. J'ai peur ! Hier, j'étais bien décidée à aller jusqu'au bout; mais, ce matin, j'hésite. J'ai les mains moites et des gouttes de sueur glissent le long de mes poignets. Je m'allonge sur le lit pour méditer un peu :

Mon Dieu, faites que… faites que…

Je lâche prise et m'abandonne à un sommeil réparateur. La sonnerie du téléphone me fait sursauter.

— Allô ?
— Bonjour madame, je suis la mère de François, mon fils est-il chez vous ?
— Non, je ne l'ai pas vu.
— Je vous remercie, au revoir, madame.
— Non, s'il vous plaît, ne raccrochez pas !
— Qu'est-ce que je peux faire pour toi ?

Ce tutoiement soudain me rassure, je me sens en confiance. Je parle ouvertement et me livre complètement à cette inconnue à la voix douce.

— Élise, pourquoi n'irais-tu pas voir le Père Benoît ?

—Oh moi ! tu sais, les curés !

—C'est un homme formidable, tu verras ! Appelle-le, et dis-lui que c'est de ma part ; il te recevra, j'en suis sûre.

Je n'ai rien à perdre. Au mieux, ça me fera du bien de parler à cœur ouvert avec quelqu'un qui peut comprendre.

—Je voudrais parler au Père Benoît, s'il vous plaît !

—Le Père Benoît ? Je crois qu'il vient tout juste de partir… un instant, je vais vérifier.

Les secondes qui s'écoulent me paraissent éternelles. Une autre voix me répond.

—Je voudrais parler au Père Benoît, s'il vous plaît !

—C'est moi !

La surprise me coupe le souffle, je n'arrive plus à trouver mes mots. Je me reprends, et lui explique brièvement la raison de mon appel.

—Je ne vois vraiment pas quand je pourrais vous rencontrer, madame. Vous m'attrapez au vol. J'étais parti, et je suis revenu à ma chambre parce que j'avais oublié mes clés.

—Bon, tant pis, excusez-moi de vous avoir dérangé, et merci de m'avoir écoutée.

—Non, attendez ! Venez ce soir, à dix-neuf heures, à mon bureau, je m'arrangerai.

—Comptez sur moi, j'y serai !

Je quitte Biarritz vers dix-huit heures pour ne pas être en retard. Le Père Benoît m'a demandé de lui téléphoner dès mon arrivée au terminus d'autobus ; il viendra m'y rencontrer pour me conduire à son couvent.

Je descends à l'endroit prévu. La place est déserte. Il fait froid pour la saison. Je frissonne sous mon châle. En avance de quelques minutes, le chauffeur lit son journal en attendant de reprendre sa route. Il ouvre la porte de l'autobus :

— Venez donc vous réchauffer un petit peu en attendant !

J'accepte et m'assois sur le premier banc, près de la porte. En moins de deux minutes, cet homme affable me raconte toute sa vie : il a trente-neuf ans, bientôt quarante, et il est toujours célibataire, bien qu'il ait déjà vécu durant plus de trois ans avec une veuve, mère de trois enfants… Je l'écoute plutôt distraitement, sans attacher vraiment d'importance à ses propos, soudain, une petite auto bleue ralentit puis s'arrête juste derrière nous :

— Voilà votre mari, si je ne me trompe pas !

Je lui souris et descends de l'autobus sans le contredire. À ma grande surprise j'aperçois au volant de cette voiture, un homme encore assez jeune, superbement beau, et particulièrement élégant. Il baisse la vitre :

— Vous êtes Élise ?
— Oui.
— Je suis le Père Benoît… montez !

N'ayant pas frayé avec les curés depuis de nombreuses années, je m'attendais à rencontrer un vieux monsieur en soutane, sentant la poussière et l'encens. L'air franc de ce curé-là me plaît. Le temps d'un sourire, d'une poignée de main, et nous voilà en route. Le paysage est magnifique. Les jardins entourant le couvent sont somptueux, et bordés d'arbres immenses ; quel calme, quelle paix !

Le Père Benoît m'invite d'abord à faire le tour du propriétaire : le réfectoire, l'immense salon avec vue imprenable sur la rivière, puis, enfin, la chapelle, toute blanche, propice à la prière et au recueillement.

— Maintenant, passons dans mon bureau.

Nous entrons dans une pièce minuscule mais remplie de souvenirs :

— Je peux vous offrir un café ?
— S'il vous plaît !

J'ai l'impression de connaître cet homme depuis toujours. Il m'inspire la confiance, je me livre sans réserve. Il connaît visiblement bien les problèmes des alcooliques, et possède une rare expérience de la vie et des gens. Je me confie librement à *une grande oreille attentive*, qui comprend parfaitement ce que je veux dire quand j'emploie les mots : *déchirement*, *colère* et *ressentiment*. Nous parlons tour à tour de la vie, du mariage, de l'amour, de ce que je vis, de ce que j'ai vécu.

À mesure que la soirée avance, mes idées s'éclaircissent ; le Père Benoît partage entièrement le point de vue de Pauline : demander directement le divorce.

— Avec les alcooliques, on ne prend pas de demi-mesures !

À notre insu, la soirée s'éternise. Il est déjà plus de minuit quand le Père Benoît consulte sa montre.

— Il n'y a plus d'autobus à cette heure ; venez, Élise, je vais vous ramener chez vous.

Nous sortons de son bureau en marchant sur la pointe des pieds, et en chuchotant pour ne pas déranger les pensionnaires du couvent. Quand nous poussons tout doucement l'énorme grille de l'entrée, les charnières résonnent comme un glas dans la nuit. Nous retenons un fou rire.

Le petit sentier menant à la voiture longe la rivière. Le ciel est constellé d'étoiles, et le rayon de la lune passant à travers le feuillage touffu des arbres produit, telle une ombre chinoise, une immense dentelle de lumière blanchâtre sur le gazon. Je m'arrête un instant, en invitant le Père Benoît à faire de même. Plongeant dans mes souvenirs, je lui répète en riant ce que me disait mon grand-père :

Élise, chère Élise, n'oublie jamais que le Bon Dieu est Bon !

∞

Mercredi 22 juin

Toujours fidèle, Jacqueline m'accompagne au bureau de Maître Boileau. Après une attente interminable, il nous reçoit enfin ! Nous entamons les procédures. Premièrement : prendre une saisie sur les meubles afin d'éviter une vente précipitée, et deuxièmement : déposer une requête en divorce, en bonne et due forme. Maître Boileau me regarde par-dessus ses lunettes :

—Nous disons donc, pour alcoolisme et adultère ?
—Alcoolisme seulement !
—Comme vous voulez, mais il faudra des preuves…
—J'en ai !

Je tiens mon bout férocement, sachant que la loi est ainsi faite qu'il est plus facile de prouver l'adultère d'un homme que son alcoolisme ; même si les retombées sont flagrantes, les avocats et les juges refusent parfois obstinément de les voir.

Quelle est la différence entre le *buveur social*, si bien vu dans notre société, et l'*épouvantable alcoolique* ? Où se trouve la limite ? Puisqu'on retrouve dans la Magistrature, le même pourcentage d'alcooliques que chez le monde ordinaire; la part des choses n'est pas facile à faire. Le cocu, c'est toujours un autre, mais l'alcoolique, ça pourrait être soi; on n'est jamais sûr... ça fait peur !

Maître Boileau note consciencieusement tous les détails que je lui apporte. Saisit-il mieux mon point de vue ? J'en doute. Il griffonne des tas de papiers que je prends soin de relire attentivement avant d'y apposer ma signature.

La saisie sera prise dans les quarante-huit heures. Les huissiers se rendront à la maison dès que la cause sera enregistrée à la Cour.

—Ce qui devrait se faire assez rapidement !

Suivront alors les préliminaires : avis de divorce, garde des enfants, pension alimentaire, etc., etc. Je ne me fais pas trop d'illusions à ce sujet ; mon avocat demande soixante-quinze dollars par semaine, mais étant donné la situation financière de Gabriel, mes chances sont minces d'obtenir quoi que ce soit.

Une dernière signature, les jeux sont faits, advienne que pourra ! Je sors de là plus sereine. Je viens d'enlever un manteau de plomb de sur mes épaules. Je me sens déjà divorcée, libre, différente, prête à prendre un nouveau départ.

Aussitôt revenue à Biarritz, je téléphone à Gabriel pour lui faire part de ma démarche. Il est surpris :

—Un divorce ? Si vite ? Tu aurais pu attendre encore un peu !

—Pour quoi faire ? Je pense, au contraire, qu'il est grand temps qu'il se passe quelque chose !

—Tu aurais dû te contenter d'une séparation !

—Pour recommencer plus tard ? Non merci.

—Si ça t'amuse de jouer les divorcées…

—À ce que je vois, cette conversation ne nous mènera nulle part. Ma décision est prise, les papiers sont signés, et je n'ai pas l'intention de revenir là-dessus. Oh oui ! je voulais t'avertir : j'ai dû prendre une saisie sur les meubles !

—Tabarnak ! Mais, *mon chérie*, tu n'as qu'à venir les chercher, tes *crisse de meubles* ! Je ne les retiens pas !

—Tu sais très bien que, je n'ai ni l'argent pour le faire, ni la place pour les mettre…

—Fourre-toi-les où je pense !

Il crâne. Je le sens de plus en plus nerveux. Soudain, il se met à pleurer…

Élise, chère Élise, tu ne vas pas le laisser te reprendre à son jeu ?

—Écoute, Gabriel, ça ne sert à rien de pleurer…

—Fuck you !

Il raccroche violemment. Je reste là, figée, paralysée. Cette conversation pénible m'a bouleversée. Pourvu que j'aie la force de tenir jusqu'au bout !

∞

Vive les vacances, au diable la rentrée ! Les enfants ont tout l'été devant eux ; quelle perspective ! Ils n'ont qu'une envie, se précipiter dans la piscine et s'en donner à cœur joie. On sonne, c'est Gabriel ! Impossible de l'éviter, l'appartement est si petit que je ne peux me cacher nulle part, pas même sous le lit. Il entre triomphalement dans la pièce, les bras chargés de sacs à ordures qu'il lance majestueusement sur le lit :

— J'ai fait le ménage et te rapporte les guenilles qui t'appartiennent !

Je retiens avec peine une envie folle de lui lancer les sacs par la tête. Jamais je n'ai ressenti une telle sensation de mépris.

Gabriel avance de quelques pas, dépose les deux chèques d'allocation familiale sur le bout du comptoir et retourne vers la porte :

— Je reviendrai un autre jour, pour ta *quincaillerie* !

Ma quincaillerie, ce sont des breloques qui traînent pêle-mêle au fond d'un tiroir. Les quelques bijoux de valeur que je possédais se sont envolés, un à un, égarés ou perdus comme par enchantement.

Élise, chère Élise, n'aurais-tu pas été un peu naïve ?

Je claque la porte dans le dos de Gabriel. Je suis furieuse et ne partage pas du tout l'enthousiasme de Mélanie, qui s'empresse d'ouvrir les sacs en espérant y trouver quelque trésor. Elle déchante vite, en constatant que Gabriel ne nous a rapporté que de vieilles nippes tout juste bonnes à être mises à la poubelle. .

À part quelques t-shirts délavés, rien ne vaut la peine d'être conservé. Encore une fois, Gabriel aura réussi à décevoir tout le monde.

— Maman, penses-tu que tu pourrais réparer cette robe-là ?
— Nous verrons ça une autre fois, veux-tu ?

Jacqueline vient me chercher pour faire des courses. Je suis survoltée. Je parle nerveusement, sans arrêt; j'essaie de tout lui raconter à la fois.

— Le mieux serait de te distraire; je t'invite au cinéma !

L'idée de me retrouver dans le noir et de faire le vide en regardant des images, m'apparaît tout à coup comme une thérapie miracle. Je téléphone aux enfants pour les avertir de mon retard. Alexandre répond, tout excité :

— Maman, j'ai rappelé Papa !
— Pourquoi ?
— Il avait oublié ma collection de monnaie !

La collection de monnaie ! La fameuse collection de monnaie ! Il ne nous manquait plus que ça : une grosse valise encombrante contenant tout un bazar de pièces étrangères auxquelles Alexandre tient énormément.

— Mais, où diable allons-nous la mettre ? L'appartement est déjà tellement encombré que nous avons du mal à bouger…
— On va lui faire une place, ne t'inquiète donc pas !
— Je ne suis pas inquiète, je suis envahie !
— Oh oui, j'oubliais, papa va te rapporter tes bijoux en même temps. J'espère au moins que ça te fait plaisir ?
— À un point que tu ne peux même pas imaginer.
— Et toi, maman, pourquoi appelles-tu ?
— Pour vous dire que Jacqueline m'invite au cinéma, mais que je serai de retour pour souper.
— Pas de problème, on va s'arranger. Salut !
— Salut !

Je regarde le film sans le voir, tant je suis aveuglée par mes larmes. Je ne saurais dire si je pleure de rage ou d'impuissance.

Je constate que je n'aime pas que les enfants communiquent directement avec leur père ; je voudrais qu'ils restent à l'écart, comme si le problème ne les concernait pas, comme si j'étais la seule personne capable de tout arranger. Je leur demande de se fier entièrement à moi, et ne leur reconnais pas le droit d'agir par eux-mêmes, de peur qu'ils ne mêlent mes cartes.

Élise, chère Élise, tu es jalouse et tu deviens envahissante !

J'essaie de manipuler tout le monde, c'est affreux ! Je rejette sur mes enfants mes désirs de vengeance, et les trouve inconscients s'ils ne réagissent pas exactement comme je le souhaite. Chaque fois qu'ils parlent de rendre visite à leur père, ou de lui téléphoner, j'essaie de les en empêcher, en prétextant que ce n'est pas le moment. Dans le fond, je crains qu'ils aillent à Versailles, et qu'ils rencontrent l'*autre*. Ils doivent *la* détester, puisque je *la* déteste ; ils doivent mépriser leur père, puisque je le méprise ! *Mépriser*, le mot me fait terriblement mal. Ça ne me ressemble vraiment pas de mépriser qui que ce soit. Je sais bien que ce n'est pas vrai, que je ne méprise pas Gabriel : je l'aime ! Je souffre parce que je l'aime.

Comme il est difficile de faire la part des choses ! L'amour et la haine se côtoient, se succèdent, s'entremêlent et s'entrecroisent tour à tour. J'aime ! Je hais ! Je ne sais plus où j'en suis.

En sortant du cinéma, je convaincs Jacqueline de venir visiter des appartements avec moi. Nous allons au hasard, à l'aveuglette ; rien ne me convient. Les loyers sont terriblement chers. Il doit pourtant bien y avoir, quelque part, le quatre pièces qu'il me faut ?

Je reviens à Biarritz fourbue et triste. Je suis accueillie par un groupe de jeunes naïades se trémoussant en costume de bain autour d'une Mélanie radieuse :

— On fête les vacances ! Le concierge nous a permis d'inviter nos amis !

L'appartement est pavoisé de serviettes mouillées, il en traîne jusque sur le balcon.

— Tiens, je t'ai apporté mon séchoir à cheveux…

La jeune inconnue qui enjambe la porte-fenêtre semble venir de nulle part. Elle reste figée en m'apercevant. Mélanie se charge des présentations :

— C'est Martine, notre nouvelle voisine ! Elle nous prête son séchoir à cheveux !

Tandis que ma fille s'affaire à coiffer ses copines, je fais la connaissance de celle qui partagera désormais notre balcon conjoint. Martine a vingt ans, arrive de la Gaspésie pour travailler à Montréal, et pense demeurer dans cet appartement meublé jusqu'à ce qu'elle ait gagné l'argent nécessaire pour emménager dans ses propres affaires.

Alexandre arrive, suivi de deux autres Apollons.

— Je te dis que c'est le fun, la piscine, maman !
— Tant mieux !
— Et toi, ton cinéma ?
— Nous avons vu un très bon film, puis nous avons visité quelques appartements en revenant.
— Maman, on ne va pas déménager maintenant que la piscine est ouverte ?
— Il faudra bien le faire un jour.

— Peut-être, mais pas tout de suite ! Moi je dis qu'on devrait rester ici pour l'été ; pas vrai Mélanie ?

— Oh oui ! Dis oui, maman ! Dis oui !

— S'il te plaît, maman ! S'il te plaît !

Et la séance de supplications recommence. Tous les jeunes se mettent à genoux et tournent autour de moi en riant :

— Dis oui, on t'en supplie, maman !

— De toute façon, nous restons là jusqu'à nouvel ordre.

— Allons-y, les amis, tous en chœur : merci maman !

Qui aurait cru que cette nouvelle serait aussi bien accueillie ? C'est peut-être la meilleure solution pour le moment ; le temps d'entreprendre les procédures judiciaires, et de savoir un peu mieux où je m'en vais.

L'appartement est toujours aussi petit, mais la piscine ajoute soudainement un élément nouveau, une ouverture sur le monde. Les enfants adorent se baigner et, si le concierge leur permet d'inviter quelques amis les jours de semaine, ils passeront un bel été. À quoi bon les inquiéter inutilement en leur projetant mes craintes.

∞

Vendredi 24 juin

C'est la Saint-Jean-Baptiste ! Appuyée sur le bord du balcon, je regarde les enfants s'ébattre dans la piscine en repensant au téléphone de Philippe, tout à l'heure.

— Sois bonne pour Élise !

Une façon bien gentille de me reprocher ma façon trop souvent négative de prendre les choses. Il a raison, on dirait que j'éprouve un malin plaisir à m'apitoyer sur mon sort. Je ressasse les mêmes histoires, et les raconte mille fois, en pesant sur la plaie pour éviter qu'elle se referme. Je joue et rejoue sans arrêt la même cassette : Oui, mais… oui, mais… oui, mais…

Ce matin, Philippe m'a secouée un peu plus fort que d'habitude :

— Tu attends ton bonheur de Gabriel, et uniquement de Gabriel ; c'est absurde, tu le sais, mais tu te complais dans ta douleur, tu savoures ta misère, tu la laisses grandir et tu te délectes de la souffrance que ça t'apporte. Comtesse, tu oublies que ton bonheur ne dépend que de toi, jamais des autres !

Il a raison. Je le sais trop bien. J'adore les séances d'apitoiement et je pleure sur mon sort : pauvre petite Élise, comme elle me fait pitié ! Heureusement que j'ai de bons amis qui savent trouver les mots pour me remettre en piste, et me placer face à moi-même. Je leur dois le meilleur de mes réflexions. L'amitié de Philippe est gratuite : il m'encourage dans les moments difficiles, me parle de la beauté de la vie, et me fait découvrir le bon côté des choses.

— Salut ! Y a quelqu'un ?

Jacqueline pousse timidement la porte, restée entrouverte à cause du va-et-vient des enfants.

— Entre, voyons !
— Je ne te dérange pas ?
— Pas du tout. Quel bon vent t'amène ?
— La Saint-Jean ! Je venais vous inviter tous les trois à fêter avec nous.

—Où ça ?

—Au Centre de la Nature, mes enfants y sont déjà. Ils nous réservent une place.

—Mais le pique-nique ?

—Ne t'inquiète pas, Élise, j'ai tout prévu. Il y a de quoi nourrir une armée !

Les amis quittent la place et nous partons, un drapeau fleurdelisé à la main, célébrer notre fête nationale au Centre de la Nature, à Laval. J'ai le trac. Le chemin menant au parc passe devant la maison, *notre maison* ! J'ai peur de ma réaction s'il fallait que Gabriel soit dehors avec *elle*. Je ne veux pas *la* voir, je vais fermer les yeux.

Élise, chère Élise, n'es-tu pas assez grande pour regarder la vérité en face ?

Nous approchons. J'aperçois déjà la fameuse auto rouge garée devant la porte. Mon Dieu, pourquoi cette *maudite auto rouge* me fait-elle aussi mal ? Nous y sommes presque… plus que quelques mètres… Jacqueline accélère brusquement, et nous voilà passés !

Jacqueline me regarde en souriant :

—Ça va ?

—Ça va ! Pourquoi as-tu accéléré ?

—Pour éviter de tourner le fer dans la plaie.

De milliers de personnes se sont entassées pour faire la fête dans le parc, transformant ainsi le Centre de la Nature en mer humaine. Je n'arrive pas à m'intéresser au spectacle ; ma pensée s'accroche à Gabriel qui, à quelques rues d'ici, passe la journée avec l'*autre*. Je suis jalouse. J'ai mal à crier. Je souffre à retardement. Je voudrais retourner sur mes pas, et leur arracher les yeux. C'est trop dur pour mes forces, je ne peux plus le prendre : je veux mourir !

— Jacqueline, je peux te confier les enfants pour la nuit ?
— Bien sûr, je vais les ramener coucher chez moi.
— Merci. Je vais retourner à Biarritz.
— Tout de suite ?
— Oui, j'ai besoin de me retrouver seule.
— Ça ne va pas ?
— Il y a trop de monde ici, j'étouffe !
— Attends-moi, je vais aller te reconduire.
— Et les enfants ?
— Ne t'inquiète pas, mon mari s'en occupe.

Au lieu de rentrer à l'appartement, je monte sur le toit. Ici, personne ne peut me voir, personne ne peut m'entendre : c'est ma cachette, mon trou, ma planque. Seule avec ma peine, je pleure toutes les larmes de mon corps, hurle de toutes mes forces, frémis de tous mes membres. Les sanglots me sortent des tripes, mes os craquent et se brisent dans ma tête. J'ai mal à l'âme, je n'en peux plus, je m'écroule… doucement, mollement, je me laisse glisser comme un chiffon. Je divague, tout s'embrouille, je m'enfonce dans un brouillard profond… C'est donc si simple de mourir ?

Quand je reviens à moi, il fait nuit noire et les lueurs du feu d'artifice de minuit colorent le ciel, telle une aurore boréale. Recroquevillée dans mon coin, je reste blottie par terre, sans bouger, contemplant le spectacle. Je suis vidée. Je sors de mon rêve la figure mouillée de larmes.

∞

Le long week-end de la Saint-Jean me paraît interminable. Il fait un temps superbe, mais la cour intérieure de Biarritz est déserte, à croire que tous les locataires se sont enfuis. Les enfants ont donc reçu la permission d'inviter quelques amis à se baigner.

—Maman, viens avec nous, viens te faire bronzer!

Équipée de crème solaire, de lunettes fumées, de revues de mode, et d'un tas de bonnes choses à grignoter, Martine s'apprête à livrer son corps aux rayons caressant du soleil. Elle joint sa voix à celle des enfants.

—Allez, Élise, cesse de te faire prier!
—D'accord, d'accord, attendez-moi!

J'enfile le vieux maillot que Jacqueline m'a prêté, et descends les retrouver. Martine m'invite à partager l'immense couverture de ratine qui nous protégera des irrégularités du terrain.

Étendues côte à côte, les yeux fermés, nous rôtissons tout doucement, sans échanger un mot. La chaleur, le silence, la paix! Je rêve : je suis sur une plage des Antilles, et les enfants se baignent dans la mer… ce n'est pas le luxe, mais ça lui ressemble.

—Élise, peux-tu huiler mon dos?

Martine me tend la bouteille et je badigeonne généreusement son dos, ses bras, ses épaules…

—En veux-tu?
—Pourquoi pas!

Elle me frotte à son tour, et nous rions de nous voir tellement *graisseuses*. Je m'entends merveilleusement bien avec cette nouvelle voisine, qui passe maintenant la majeure partie de son temps avec Mélanie. Elles sont devenues insépara-bles; elles vont ensemble au cinéma, se promènent dans les magasins, ou regardent la télévision, étendues sur une peau de chèvre dans le salon de Martine.

Martine va rejoindre Alexandre et Mélanie dans la piscine. Je me retourne sur le ventre pour bien *griller tout le tour*, comme un poulet dodu qui rôtit sur la broche. La solitude aidant, je me perds dans mes pensées. Je suis plus calme, la crise d'hier m'a fait du bien. Pourquoi ai-je tant pleuré ? Qu'est-ce qui m'a poussée à réagir ainsi ? Je voudrais comprendre exactement ce qui s'est passé, non pas pour essayer de me justifier, mais pour tenter d'y voir clair, et de réfléchir sérieusement, sans me leurrer. En quittant la maison, je me suis placée, malgré moi, dans une situation équivoque. Je veux que, désormais, mes décisions soient en accord avec mes convictions profondes. Je dois d'abord réapprendre à prier : accepter avec sérénité ce que je ne peux changer, changer avec courage les choses que je peux, et acquérir la sagesse de connaître la différence : que dois-je accepter avec sérénité, que dois-je changer avec courage ? Ne vivre que vingt-quatre heures à la fois, ou, comme Philippe me le répète souvent : *Quand vingt-quatre heures à la fois, c'est trop, ne vivre que trois heures et quart à la fois… une heure à la fois… une minute à la fois… une seconde à la fois… vivre ici et maintenant !* Tout est là ! On ne peut traverser une période de vie difficile qu'en restant dans le présent. Pour l'instant, le sommeil me gagne, je ne résiste pas, je dors déjà.

∞

Lundi 27 juin

Alexandre a seize ans ! Je suis partie avec un jeune garçon et me retrouve avec un jeune homme qui me dépasse maintenant de plusieurs centimètres ; ça me fait tout drôle. Avec l'aide de Martine, Mélanie a fabriqué un superbe gâteau pour souligner l'anniversaire de son frère : le résultat est magnifique.

Je devine à sa nervosité qu'Alexandre espère un téléphone de son père. Pourvu qu'il ne soit pas déçu. Gabriel a le don d'oublier ces choses-là.

— Penses-tu que papa va t'appeler ?

— Je ne sais pas, et je m'en sacre !

Mélanie n'ajoute rien, pour ne pas envenimer l'atmosphère. La journée se passe sans trop de heurts, chacun y mettant du sien pour éviter la catastrophe.

Il est six heures et les enfants s'apprêtent à partir pour leur réunion du lundi soir. Gabriel n'a toujours pas appelé son fils. Alexandre est déçu. J'essaie de le distraire :

— Pourquoi n'inviterais-tu pas quelques amis à partager ton gâteau, après votre rencontre ?

J'avais dit *quelques amis* ! Ils reviennent deux heures plus tard : ils sont vingt ! Avec Martine et moi, ça fait vingt-deux ! Vingt-deux personnes, dans une seule pièce, avec un seul gâteau, trois assiettes et trois verres. Je me sens comme les apôtres avec leurs cinq pains et leurs deux poissons...

Cinq pains et deux poissons, ce n'est pas assez, paraît-il, aussi longtemps qu'on n'a pas commencé à les partager ; après, il en reste encore, et encore, et encore... La sérénité, le courage, la sagesse... Chacun mangera un tout petit morceau de gâteau, dans une serviette de table fournie par Martine, puis ils boiront chacun leur tour : on verse le jus, on boit le jus, on rince le verre... on verse, on boit, on rince... on verse, on boit, on rince... et ainsi de suite, jusqu'à plus soif !

Alexandre a l'air inquiet.

— Personne ne m'a appelé ?
— Non, mon chéri, personne.

Ma réponse le déçoit, mais je ne dois pas laisser la mélancolie gâcher la fête. Il fait une chaleur étouffante dans cette pièce où nous sommes entassés comme des sardines. J'ai une idée !

— Et si nous montions sur le toit ?

Nous empruntons l'escalier de secours à la file indienne, sans faire de bruit. Il fait beau ! Le ciel étoilé illumine la fête. Je partage avec ces jeunes, mon faux Paris, mes faux Champs-Élysées, mon rêve !

Assis en cercle sur le plancher de lattes qui isole la toiture, comme des boy-scouts autour d'un feu de camp, nous improvisons une soirée du tonnerre. François mène le bal : debout au milieu du cercle, il organise les jeux de groupe et dirige les chansons à répondre qui, soit dit en passant, ne sont plus celles de mon enfance. Martine et moi faisons vraiment partie de la troupe. Ici, perdus entre ciel et terre, nous campons au centre de nulle part. Personne ne sait où nous sommes, personne ne peut nous entendre ; où trouver meilleur endroit pour s'amuser ?

La soirée terminée, chaque campeur reprend ses affaires et retourne chez lui. Mélanie se couche sans tarder, tandis qu'Alexandre contemple les cadeaux que ses amis lui ont offerts, en pensant à son père qui ne l'appellera plus à cette heure.

— Il va peut-être t'appeler demain ?
— Ce n'est pas demain, ma fête, c'est aujourd'hui !

Il installe ses coussins sur le plancher et s'étend sur le ventre, la tête profondément enfoncée dans son oreiller. Il ne veut surtout pas qu'on le voie pleurer…

⌘

Alexandre ne pardonne pas à son père d'avoir oublié son anniversaire.

— Je vais l'appeler, moi, puis je vais lui dire ce que je pense !

Avant même que j'aie le temps de lui faire part de mes réticences, il compose le numéro de Gabriel :

— Salut papa !… Tu n'as rien oublié ?… Hier ?… C'était ma fête !

Ça y est, Gabriel est furieux ! Je l'entends crier au bout du fil. Alexandre me tend l'appareil :

— Il veut te parler !

Je dois me résigner à affronter l'orage.

— Allô ?
— Espèce d'idiote, tu aurais pu me prévenir !
— De quoi ?
— De l'anniversaire d'Alexandre !
— Tu as oublié la date de naissance de tes enfants ?

J'avoue que j'éprouve un malin plaisir à le culpabiliser.

— Tu sais parfaitement que je n'ai aucune mémoire pour ce genre de choses !
— Ce *genre de choses*, comme tu dis, il faudra que tu apprennes à t'en souvenir. Je ne serai pas ton pense-bête. Tu

n'as que deux enfants, que je sache, et, par conséquent, que deux dates à retenir ; note-les quelque part, n'importe où, mais ne compte plus sur moi pour te les rappeler !

Gabriel me raccroche la ligne au nez. J'en veux un peu à Alexandre de m'avoir placée dans cette situation délicate ; je n'avais nulle envie d'être confrontée à son père à son sujet. Il est toujours difficile de composer avec ce genre d'événements, et je ne connais pas un seul couple qui ne soit ébranlé dans de telles circonstances. Les enfants apprennent d'ailleurs très rapidement à se servir de leur droit d'appartenance *aux deux* pour manipuler, même inconsciemment, et tirer leur épingle du jeu.

Je me suis laissée prendre au piège, mais c'est la dernière fois ! Désormais, je n'embarquerai plus dans les discussions qui ne me concernent pas, et refuserai catégoriquement de me défendre à la place des enfants.

Élise, chère Élise, tu dis ça, mais…

∞

Les crises d'Alexandre s'accentuent. J'espérais que la venue des vacances nous apporterait une accalmie, mais non ; ce n'était donc pas une question de surmenage ou de fatigue puisqu'il se repose et que la corrida continue. Je vois maintenant venir les crises : un je ne sais quoi dans son regard change subitement, sa bouche se resserre, et il devient sourd à toute intervention. Ses scènes deviennent de plus en plus violentes et j'ai dû, tout à l'heure, téléphoner à mon ami Jean pour lui demander d'intervenir. Ayant perdu tous mes moyens de défense, je me retrouvais impuissante devant mon fils, désormais plus grand et plus fort que moi.

Mélanie et moi avons parfois peur de lui. Il se sert de sa force pour nous intimider. Je crains d'ailleurs de le laisser seul avec sa sœur. À deux, nous pouvons toujours nous défendre, mais seule, Mélanie serait complètement à la merci de son frère.

Ces derniers temps, Alexandre a pris la malheureuse habitude de nous empêcher de dormir en parlant sans arrêt. Il profère des menaces, tente de nous faire perdre notre sang-froid, et nous harcèle jusqu'à épuisement. Étendues toutes les deux dans le noir, Mélanie et moi vivons une situation énervante, à laquelle, nous essayons de ne pas donner prise. Mais après des heures de jérémiades, il y en a toujours une de nous qui, à bout de nerfs, finit par dire : *C'est assez, je veux dormir!* ce qui a pour effet de mettre le feu aux poudres. Alexandre se lève alors, furieux, s'approche du lit, nous bouscule, nous pousse et, pour peu que j'aie le malheur de répliquer, la scène dégénère en bataille générale. Et dire que je suis partie pour nous éloigner de la violence ! J'ai parfois le goût de renvoyer mon fils chez son père, mais quand je lui en parle, il pleure, dit qu'il regrette, et le beau temps revient pour quelques jours.

La crise d'aujourd'hui a dépassé les bornes : Alexandre m'a frappée. Il a crié, sacré, hurlé puis, complètement épuisé, il s'est endormi sur le divan, les poings encore serrés de rage. Devant l'énormité de cette scène, j'ai moi-même perdu le contrôle de mes émotions, et pour le punir, je lui ai retiré la permission d'aller passer le week-end chez un de ses amis. Je regrette maintenant mon geste. Je déteste les punitions, particulièrement quand elles n'ont aucun rapport avec l'acte commis. Alexandre se réveille, il est calme.

— Bonjour, mon grand !
— Salut, maman, excuse-moi pour tout à l'heure.
— Tu dis ça, et chaque fois tu recommences.
— Je ne sais pas ce qui m'a pris, j'ai vu rouge !
— Ça t'arrive trop souvent.
— Ce n'est pas ma faute, c'est Mélanie qui…
— Quelle que soit la raison, ça ne peut plus continuer. Aimerais-tu aller chez ton père ?
— Es-tu folle ?
— Tu es libre, tu sais.
— Je sais, mais ça ne me tente pas. De toute façon, il n'y a plus rien qui me tente… J'en peux plus, *ostie* !

Il donne un coup de poing sur le comptoir puis se met à pleurer…

— C'est ma faute, si tu en es là !
— De ta faute ? Mais qu'est-ce que tu racontes ?
— Si tu n'avais pas été enceinte de moi, tu n'aurais jamais marié papa !

Je reçois ce cri comme une gifle. Se pourrait-il qu'Alexandre croie vraiment ce qu'il vient de dire ?

— Voyons, chéri, où vas-tu chercher des idées pareilles ? C'est insensé ! J'ai épousé ton père parce que je l'aimais ! Et uniquement parce que je l'aimais !
— Tu étais quand même enceinte de moi !
— C'est vrai, je ne le nie pas ; mais, le fait d'être enceinte nous a fait devancer d'un mois la date de notre mariage qui aurait eu lieu, de toute façon, un mois plus tard. Rassure-toi, tu as été conçu par amour, avec le seul homme que j'aimais et

que j'aime encore. J'aime Gabriel, je t'aime, et j'aime ta sœur : je vous aime tous les trois ! Est-ce assez clair ?

Je m'approche d'Alexandre et le serre dans mes bras, comme lorsqu'il était petit.

— Je t'ai eu par amour, mon grand !
— Moi aussi, je t'aime, maman.

Je caresse ses cheveux, nous pleurons ensemble, et nous faisons la paix.

— Écoute, j'ai longuement réfléchi et je retire ce que je t'ai dit. J'ai agi sous l'impulsion du moment, en t'imposant une punition n'ayant rien à voir avec la faute commise. Tu pourras donc aller à Saint-Sauveur, comme prévu.
— Merci !
— Allez, va préparer ton sac à dos !

Le priver de ce week-end signifiait le priver de se détendre, de bien manger, et de dormir dans un vrai lit. Je compte beaucoup sur cet éloignement pour lui permettre de reprendre son souffle. Je profiterai de ces quelques jours pour faire le point avec Mélanie, et l'inviter à coopérer.

Alexandre sort un pantalon, choisit un chandail :

— J'aimerais ça que tu me coupes les cheveux !

Voilà le genre de proposition qu'une mère ne peut décemment refuser. Je m'apprête donc à jouer au barbier, quand je reçois un appel de Gabriel : il est furieux ! Si je comprends bien ce qu'il me raconte : les huissiers, après s'être présentés plusieurs fois sans succès à Versailles, ont obtenu un bref de la Cour, et sont entrés dans la maison avec l'aide d'un serrurier, durant l'absence de Gabriel, afin de dresser la liste complète des objets qui nous appartiennent.

— C'est toi qui leur avais donné la clé ?

— Moi ? Mais comment aurais-je pu, puisque j'ignorais tout de cette démarche ?

— Ne fais pas l'innocente, *tabarnak* !

Gabriel crie tellement fort que je dois tenir le récepteur à six pouces de mon oreille. Inutile d'essayer de me justifier, il est convaincu de ma complicité avec les huissiers. Au lieu de m'emporter et de crier à mon tour, je raccroche sans lui laisser la chance de terminer sa phrase.

Gabriel rappelle aussitôt, et recommence à gueuler de plus belle ; je raccroche une seconde fois. À la troisième tentative, je décroche et raccroche immédiatement, sans dire un mot. Je laisse ensuite la ligne ouverte, en espérant qu'il a compris.

Je termine la coupe de cheveux d'Alexandre, qui s'en va, sac au dos, heureux et bien coiffé.

Je m'apprête à me verser un café quand subitement mes mains se crispent. Mes jambes ne me portent plus. Je me laisse choir sur le lit. J'ai froid. Je claque des dents. Je n'arrive plus à contrôler mes tremblements. Je réagis dans mon corps à toute la violence de cette journée : *Mon Dieu, aidez-moi, je vais craquer !*

∞

Dimanche 10 juillet

Il fait un temps de rêve et je suis seule. Alexandre est toujours à Saint-Sauveur, et Mélanie passe la journée à Laval, chez son amie Josée.

Confortablement installée dans mon lit, j'ai monopolisé tous les oreillers et me prélasse, jambes étendues, orteils au repos, entourée d'une pile de livres et de mots croisés. Mon grand projet de la journée : flâner, lire, me reposer. Hier, j'ai renoué contact avec tous mes amis : j'ai téléphoné à tante Madeleine, soupé chez Fernand et Ginette, puis fait un saut chez Monique et Jean, pour leur souhaiter un bon voyage à la veille de leur départ pour l'Europe ; ils partent, ce matin, fêter leur vingt-cinquième anniversaire de mariage dans les *vieux pays* ! Quand Philippe m'a téléphoné tout à l'heure, j'ai complété ma provision d'amitié et de tendresse pour la journée. Je n'ai plus qu'à me griser de cette cuvée d'amour…

La sonnerie du téléphone m'inquiète autant qu'elle me dérange.

— Élise, c'est Pauline, prépare-toi, je t'enlève !

— Tu m'enlèves ?

— Mon frère Roger nous invite à passer l'après-midi sur son yacht, ça te chante ?

— Bien sûr !

— Jacqueline vient aussi. Nous serons trois femmes et un homme ; un harem, quoi !

— Fantastique !

— Rencontre-nous rue Laurier près de Garnier…

— En face du cinéma ?

— C'est ça ! Tu connais ?

— C'est le quartier de mon enfance.

— Alors, à tout de suite !

Une journée magnifique sur le Saint-Laurent, ça ne se refuse pas. Je marche jusqu'au métro. Il fait beau et je me sens belle : j'ai maigri, et l'image que me renvoient les vitrines me plaît assez. Je porte une longue jupe de ratine orange, que j'adorais mais qui ne m'allait plus, et une blouse blanche qui met en valeur mon teint bronzé.

En montant la rue de Lanaudière, je constate qu'on a coupé presque tous les arbres, sans les remplacer. On a fait de cette rue, autrefois ombragée, une rue plate, déserte, et nue. Il n'y a personne sur les balcons, personne sur les trottoirs ; mon quartier, si vivant autrefois, a perdu tout son charme. Je reconnais les nervures de l'asphalte et me revois petite fille. Il me prend soudain l'envie de *courir-sans-piler-sur-les-craques-pour-ne-pas-laver-la-vaisselle-du-diable* ! Je jette un coup d'œil à la ronde, pour m'assurer qu'aucun curieux ne me regarde : prête, pas prête, j'y vais ! Je retrousse un peu ma jupe et me mets à courir, en faisant de grandes enjambées *pour éviter de piler sur les nervures*. Je pense aux gens qui pourraient me voir, et je ris en imaginant leur tête : *Quoi, ne serait-ce pas la petite Élise Desmarais, la fraîche-pète de la paroisse, qui s'amuse comme une petit fille sur le trottoir de son enfance ?*

En relevant la tête, j'aperçois Pauline debout devant moi, les deux poings sur les hanches, surprise de me voir sautiller comme une gamine.

— Veux-tu bien me dire ce que tu fais ?
— Euh… rien…
— Dépêche-toi, Roger nous attend dans l'auto… Tu connais Roger ?
— Non.

Pauline fait rapidement les présentations et nous partons. Pour nous rendre à la Marina de La Ronde, nous devons traverser l'île Sainte-Hélène ; il y a du monde partout ! Pas un coin de gazon libre. La pelouse est entièrement couverte de corps étendus ; on dirait un champ de bataille… après la bataille !

Une grande séance de *grillage de bedaines* à ciel ouvert. Le *Sainte-Hélène BBQ* vous offre au menu aujourd'hui : de gros messieurs ventrus, des petits maigres pas de fesses, des cuisses de nymphettes, et de belles poitrines rebondies débordant de maillots rétrécis. Il y en a pour tous les goûts. Chacun y trouvant, au dessert, sa petite ration de soleil : Le *Choix du Chef* pour tous !

Je découvre, pour la première fois, la superbe Marina de La Ronde. Le yacht de Roger n'attend que nous ; c'est une vraie maison flottante, tout y a été pensé, mesuré, calculé, encastré, sans un seul pouce d'espace perdu.

Flottant dans un maillot emprunté, les cheveux au vent, je me fais bronzer, allongée sur la banquette arrière du bateau. Un vent léger caresse ma peau. Le ronron du moteur, qui m'agaçait au départ, finit par me bercer. Je ne pense qu'à être bien, et je suis bien ! Aujourd'hui, ici, et maintenant : je suis heureuse.

Roger a apporté du vin, du pain, et du fromage. Nous grignotons, en chantant des chansons grivoises. L'après-midi se passe bellement. Après un long périple, notre hôte fait demi-tour et nous ramène tranquillement à bon port. À peine débarqués, Roger s'envole vers une nouvelle conquête. Jacqueline s'en va préparer le souper de sa marmaille, et mon amie Pauline m'invite au restaurant.

Je reviens à Biarritz fatiguée, joyeuse, et bronzée. Mélanie vient d'arriver. Je lui raconte ma journée sur le yacht.

— Je suis pas mal fière de toi, maman !
— Fière de moi ? Pourquoi ?
— Parce que tu t'es payé un peu de bon temps !

Le poids du quotidien retombe d'un coup sur mes épaules. Je me sens coupable de ne pas avoir pensé à Gabriel de toute la journée; c'est la première fois que ça m'arrive. Ma douleur oubliée reprend sa place, comme une boule de plomb dans ma poitrine. Comment ai-je pu être aussi heureuse, alors que je suis si malheureuse?

∞

Lundi 11 juillet

Surprise! Je reçois un appel de l'agence de placement. On m'offre du travail: trois semaines, à temps plein, comme réceptionniste pour une compagnie de disques renommée. Le grand luxe quoi! Moi qui avais presque oublié cette demande d'emploi.

Que vais-je mettre? Depuis que je les partage avec Mélanie, mes vêtements s'usent à vue d'œil. Je n'ai plus de chaussures; les semelles de la seule paire convenable que je possède commencent à être percées, et le moindre caillou me fait grimacer.

Ce travail tombe à point. J'arrive à l'heure convenue, et je commence tout de suite, après seulement quelques conseils d'usage. En principe, c'est simple: répondre au téléphone et acheminer adéquatement les appels, ce qui ne demande aucune formation spéciale. Peut-être, mais je ne connais aucun des cinquante employés de la boîte, et le standard ne dérougit pas.

— Je voudrais voir monsieur Gendron!
— Un instant, s'il vous plaît!
— Un colis pour monsieur Labelle!
— Donnez-le-moi!
— Signez là!

—Voilà !

Je ne sais plus où donner de la tête.

—Excusez-moi de vous avoir fait attendre. La ligne de madame Fleury est présentement occupée… ne quittez pas…

—Je suis monsieur Roy, j'ai rendez-vous avec monsieur Debray !

—D'accord, assoyez-vous… Allô ? madame Fleury va vous parler… Allô ? Non, madame Petit n'est pas là ! Je peux lui faire un message ?

—Pardonnez-moi, j'ai…

—Rendez-vous avec monsieur Debray, je sais; je l'appelle tout de suite !… Allô, monsieur Debray ? Monsieur Roy vous attend à la réception… d'accord !… Monsieur Debray arrive dans cinq minutes… je vous en prie, monsieur, assoyez-vous.

Ce n'est pas un bureau, c'est une gare ! J'occupe l'îlot central du hall d'entrée : décor superbe, éclairage tamisé, et pour donner le ton de la maison, des haut-parleurs dissimulés aux quatre coins de la pièce diffusent en boucle les grands succès de la semaine. Impossible de répondre au téléphone avec un bruit pareil. Je tente de baisser le son de temps en temps, mais il semble que mes patrons soient sourds, puisqu'ils le relèvent machinalement chaque fois qu'ils passent.

Je surnage dans un tourbillon continuel de gens qui vont, viennent, et s'agitent nerveusement pour un rien : producteurs, musiciens, chanteurs, se bousculent entre le livreur, le facteur, et le *petit toutou de la Vedette*, qu'on verra très bientôt au premier plan sur la pochette du nouveau microsillon de sa *môman* !

Durant mon heure de repos, je descends me promener au rez-de-chaussée où les boutiques annoncent déjà les nouveautés d'automne. Inutile de m'informer des prix : c'est trop cher ! J'ai tout juste ce qu'il me faut pour me payer une tablette de chocolat et un café ; si je m'offre un morceau de fromage, je n'aurai plus assez d'argent pour retourner à Biarritz. À partir de demain, j'apporterai mon lunch.

Je n'imaginais pas qu'on puisse téléphoner autant ; je n'ai aucune seconde de répit. Le temps passe vite : bientôt cinq heures. J'ai faim ! Les enfants vont m'attendre. Que vais-je préparer pour souper ?

L'autobus est bondé, les gens se bousculent pour s'asseoir. Je reste debout près de la porte arrière, perdue dans mes pensées : j'espère avoir fait bonne impression. Sait-on jamais, je garde toujours espoir de trouver du travail.

Alexandre est revenu de Saint-Sauveur, cet après-midi. Je retrouve mon fils plus calme, plus reposé ; visiblement son séjour là-bas lui a fait du bien. Martine enjambe la porte-fenêtre, avec un gâteau dans les mains.

— Je ne vous dérange pas ?
— Entre, voyons !
— Je voulais souligner le retour d'Alexandre !
— Tu soupes avec nous ?
— D'accord !

Je prépare du poulet pour tout le monde. La présence de Martine me réconforte, et l'amitié qu'elle apporte à Mélanie rend la vie à Biarritz un peu plus facile à supporter.

Quand Philippe vient à son rendez-vous de vingt-trois heures, j'ai déjà les bigoudis sur la tête, et je n'attends que son *Bonsoir Comtesse… sois bonne !* pour aller me coucher.

∞

Mercredi 13 juillet

Troisième journée de travail! Mes patrons semblent apprécier mes services. Il pleut, mais le temps qu'il fait n'a aucune
importance, puisque mon bureau n'a pas de fenêtre. Les
employés qui m'entourent sont de plus en plus gentils avec
moi, et mon travail me rend heureuse.

À la pause-café, je donne un coup de fil à Jacqueline, pour
reprendre contact avec ma réalité.

— Je suis sans nouvelles de Gabriel depuis plusieurs jours
et ça m'inquiète. Sa réaction face à la saisie a été d'une telle
violence...
— Si ça peut te rassurer, je sais qu'il était à la maison
dimanche, et que l'auto rouge était garée devant la porte...

L'auto rouge! La maudite auto rouge! Jacqueline continue
de parler, mais je ne l'entends plus. Je raccroche. La tête me
tourne, je vais m'évanouir...

Alerté, le patron m'apporte une serviette d'eau froide, tandis
que sa secrétaire achemine les appels à ma place. Qu'est-ce
qui m'a pris? Pourquoi ce téléphone à Jacqueline m'a-t-il fait
cet effet-là? Je repense à un livre que Pauline m'a offert, dans
lequel l'auteur écrit: *les idées de faits* nous font souvent plus
mal que *les faits*! J'étais bien. Je ne pensais pas à Gabriel, ou
en tout cas j'y pensais moins, et il a suffi d'une toute petite
phrase pour que je me retrouve complètement chavirée.

Ma réaction est insensée; d'autant plus insensée que,
dimanche, je me faisais bronzer sur le yacht de Roger, et ne
me souciais pas plus de la maudite auto rouge, possiblement

garée à Versailles, que de n'importe quelle auto rouge, garée devant n'importe quelle maison. Je permets donc à une *idée de fait* de venir me perturber, mercredi, alors que le *fait* ne m'a pas dérangée dimanche.

Il se passe en moi une chose d'étrange ; un déclic aussi imprévu qu'irréversible : sans pouvoir l'exprimer clairement, je pressens que ma vie ne sera plus jamais pareille.

⚭

Vendredi 15 juillet

Vendredi, jour de paye ! En entrant au travail, j'apprends que l'agence de placement retient ma première paye en garantie. Je suis effondrée. Je n'ai plus le sou !

Encore une fois, je devrai téléphoner à Gabriel pour lui demander de m'apporter les chèques d'allocation familiale en catastrophe. Chaque mois, je me promets d'effectuer mon changement d'adresse, et chaque fois je me ravise, en craignant de perturber l'émission des chèques à venir.

Je profite de l'heure du lunch pour rejoindre Gabriel à la maison. Il est froid, hautain, presque arrogant. Quand je lui demande la faveur de laisser mes chèques à Biarritz en passant, il refuse catégoriquement.

— *Mon pauvre chérie*, je n'ai pas le temps de me plier à tes caprices. Je pars pour le week-end dans quelques heures… j'irai lundi !

J'insiste, il crie, je pleure, il hurle : nous raccrochons ! Il ne me reste que deux dollars et un billet d'autobus, je suis découragée.

*Élise, chère Élise, ne te laisse surtout pas dominer par
la peur !*

Ce n'est certes pas en me tourmentant que je vais résoudre
mon problème. Mon patron s'approche :

— Pourriez-vous rejoindre Ben Cassidy à Calgary ?
— Tout de suite, monsieur !

Je corrige rapidement mon maquillage et reprends mon poste,
en mettant mes problèmes en veilleuse jusqu'à cinq heures.

Sur le chemin du retour, j'achète un litre de lait et un pain ;
heureusement qu'il reste encore du poulet ! Je croise Alexandre
dans le corridor :

— As-tu eu ta paye ?
— Non, la semaine prochaine.
— Qu'est-ce qu'on va faire ?
— Ne t'inquiète pas.

Il me regarde en souriant et part retrouver ses amis. Mon
Dieu, jusqu'où serai-je capable d'en prendre encore ? Je n'en
peux plus. Je suis dans le noir. Mon avocat ne me donne aucune
nouvelle, j'ignore quand se régleront les préliminaires du
divorce, et je n'ai aucune idée de ce qu'il adviendra de moi,
après ces dernières semaines de travail ?

⚭

Samedi 16 juillet

Je n'arrive pas à rejoindre Lorraine. J'ai téléphoné plusieurs
fois hier soir, et encore ce matin : sans réponse. Je n'ai plus
rien, c'est la panne sèche !

Mélanie a été invitée pour deux jours chez son amie Josée, où on lui servira certainement de bons repas ; ça me rassure. De son côté, Alexandre s'affaire à fouiller minutieusement les poubelles du quartier, à la recherche des bouteilles de bière vides abandonnées par les ouvriers du building.

— Maman, maman, j'ai quatre dollars et quarante !

Satisfait de sa recette, Alexandre part retrouver ses copains, cheveux au vent, le sac en bandoulière, heureux comme un roi !

Je reste seule. Une dernière tentative pour appeler Lorraine : rien ! Résignée, je me recroqueville dans le fauteuil avec un livre. Le samedi, les amis s'éparpillent. Même Philippe est parti chez son frère, et ne reviendra que lundi. Je n'attends donc rien, ni personne.

Je n'arrive pas à me concentrer sur ma lecture ; lire, lire, lire, je ne fais que ça depuis des mois. Les mots s'embrouillent et se mêlent à mes pensées lointaines : j'imagine l'*autre* tendrement blottie dans les bras de Gabriel, et j'en crève !

Alexandre me téléphone :

— Salut maman, nous sommes sauvés !
— Que veux-tu dire ?
— J'ai été engagé pour la journée à la cantine de la paroisse, pour le pique-nique annuel du curé : je mange gratis, et je gagne dix dollars !

Il parle si vite que j'ai du mal à le suivre, je le sens fier d'apporter sa pitance :

— Je te le dis, maman, nous sommes sauvés !

Élise, chère Élise, c'est quand la nuit est la plus noire que l'aube est la plus proche !

On frappe à la porte, c'est Lorraine. Je me jette dans ses bras.

—Où étiez-vous ?
—Nous rentrons de Québec. Nous allions manger au restaurant, et nous avons pensé faire un détour pour venir te chercher…

Chère Lorraine, cher Antoine, soyez à jamais bénis pour ce détour, pour cette pensée. Il n'y a pas de hasard. Alexandre a dit : *nous sommes sauvés* ! Soudain, une grande chaleur m'envahit. Je sais qu'Alexandre a dit vrai, que tout va s'arranger.

—J'ai essayé de t'appeler plusieurs fois…
—Avais-tu besoin de quelque chose ?
—Si seulement tu pouvais me dépanner !

Lorraine accepte volontiers de me prêter le montant des chèques d'allocation, jusqu'à ce que Gabriel me les apporte. Je me sens soulagée. Nous partons, tous les trois, partager un repas que je n'oublierai jamais.

∞

Vendredi 22 juillet

Cette deuxième semaine de travail a passé beaucoup plus rapidement que la première. Je prends de l'expérience, et les noms de mes compagnons de travail me deviennent familiers. On ne me voit plus comme une étrangère dans la boîte. J'aime l'atmosphère de ce bureau ; la musique est toujours aussi forte, mais je m'habitue… à moins que je ne devienne sourde ?

Me retrouver chaque matin dans le métro, sentir que je suis utile à quelque chose, c'est épatant ! Aujourd'hui, je reçois enfin la paye retenue par l'agence pour ma première semaine de travail : cent soixante-dix dollars ! Je n'ai plus qu'une envie : revenir à Biarritz et dévaliser le supermarché.

Martine et Mélanie m'accompagnent. Nous faisons notre première vraie commande d'épicerie depuis le mois de février :

— Maman, est-ce que je peux acheter des biscuits ?
— Bien sûr !
— Et des menthes roses ?
— Pourquoi pas !

Des biscuits et des menthes roses, quelle opulence ! Me sentir capable de nourrir mes enfants avec de l'argent gagné en travaillant, me redonne confiance en moi. Je suis intelligente, travaillante, en bonne santé ; il n'y a aucune raison pour que je ne m'en sorte pas.

Je découvre Biarritz avec des yeux neufs : tout est changé ! Je me sens joyeuse, taquine, enjouée ; j'ai le goût de rire, de chanter, et de mettre des fleurs partout. Pourtant, l'appartement est toujours aussi petit, et Gabriel toujours aussi inconscient, mais je m'en fous. Pour la première fois depuis mon départ, je me sens vraiment libre. La différence tiendrait-elle aux quelques dollars de plus que j'ai en poche ?

∽

Lundi 1er août

Déjà le mois d'août ! Je retourne au travail pour la dernière semaine, puis ce sera de nouveau la monotonie des jours qui se succèdent lentement, inutilement. J'adore la sensation d'être une femme qui peut gagner sa vie et celle de ses enfants, sans rien devoir à personne.

J'aimerais que mon contrat se prolonge mais je sais que c'est impossible ; la réceptionniste revient de vacances lundi prochain. J'ai appris par l'Agence que les commentaires de mes patrons avaient été très élogieux. On ne sait jamais, j'ai peut-être une chance d'être engagée à un autre poste ?

Je ne me suis quand même pas beaucoup gâtée ces derniers temps, aucune folie, aucun dîner au restaurant ; juste un lunch dévoré à la sauvette entre deux appels, dans une petite salle attenante à mon bureau. Aujourd'hui, c'est décidé, je me paye la traite : un croissant au jambon, un café et un énorme éclair au chocolat !

En me rendant au casse-croûte, je regarde les vitrines et rêve que je suis une nouvelle Élise, bien coiffée, bien maquillée, s'offrant une robe neuve et du parfum, du *vrai* parfum ! Pourquoi faut-il que ce ne soit qu'un rêve ?

Je reste pensive tout l'après-midi. Dans le métro, je m'imagine revenant à Biarritz, les bras chargés de cadeaux pour Alexandre et Mélanie. J'arrête à l'épicerie. Tout le monde me regarde avec un merveilleux sourire ; aurais-je vraiment l'air de mon rêve ?

Sur le palier, je croise mon ami le concierge qui lave les vitres de la porte d'entrée. Je prends les devants :

— J'irai vous porter mon loyer tout à l'heure !
— Y a pas de presse.

Je me dirige vers la boîte aux lettres : rien ! Le chèque du bien-être social n'est pas arrivé comme prévu, et il ne me reste plus assez d'argent pour payer le loyer. Je devrai donc gagner du temps. J'appelle l'ascenseur : on dirait que ce building a cent étages ! Je piétine, je m'impatiente. Enfin la porte s'ouvre, mais juste au moment où je m'apprête à pousser le bouton du troisième, j'entends :

— Pour votre mari, y a rien de nouveau ?

Ce jeune homme se paye ma tête, c'est sûr.

Élise, chère Élise, tu ne vas pas te tourmenter pour ce que pense le concierge ?

Si, pourtant, puisque j'hésite à lui dire la vérité. Peut-être ai-je peur de devoir y faire face moi-même ? Peut-être suis-je en train de me prendre à mon propre jeu, de croire à mon histoire ? Je longe le corridor et m'empresse d'entrer, en refermant rapidement la porte : ici, je suis chez moi ! Ici, je suis à l'abri ! Et le loyer ? Comment, vais-je payer le loyer ? Se pourrait-il que mon travail actuel retarde l'émission de mon chèque, ou que ma déclaration ait affolé l'ordinateur ? Ce serait trop bête !

J'ai trouvé ! Demain, j'irai voir le concierge et lui remettrai un chèque daté du 5 août. Je sais qu'il l'acceptera sans problème. Vendredi matin, je toucherai ma dernière paye et pourrai déposer les fonds nécessaires pour couvrir le loyer… J'apprends à composer de plus en plus vite avec les événements.

∞

Vendredi 5 août

En arrivant à mon poste, une note m'apprend que l'agence de placement retient mon salaire des deux dernières semaines de travail, et qu'un chèque me sera envoyé prochainement par la poste…

Tout s'écroule ! Il ne me reste que trois dollars, et un chèque de loyer postdaté qui risque d'être retourné sans provisions.

C'est vendredi, il fait beau, et pourtant je suis triste. Tout le monde semble aller quelque part, avec quelqu'un ; tandis que moi, je n'ai personne et ne vais nulle part. Cette dernière journée de travail n'en finit plus, et le retour à Biarritz me paraît aussi pénible que d'escalader l'*Everest*. J'ai envie de pleurer. Je me sens seule. J'étouffe.

Enfin chez moi ! J'ai parlé toute seule, tout le long du trajet. Quelle vieille folle je fais ! J'aperçois, dès l'entrée, un petit bout de papier brun qui sort de la boîte aux lettres : *mon chèque* ! Avec cinq jours de retard, le BS est enfin arrivé ! En décachetant l'enveloppe, je reçois un choc : deux cent trente-sept dollars, au lieu de trois cent soixante ! Je savais qu'on m'enlèverait une certaine somme, en tenant compte de mon travail via l'agence, mais pas tant que ça !

J'ai voulu être honnête, en déclarant immédiatement l'argent que je prévoyais recevoir pour ces trois semaines ; et je me retrouve pénalisée, sans même avoir été payée pour le travail effectué. Quand j'aurai déposé les cent quatre-vingts dollars pour honorer le chèque du loyer, il ne me restera que cinquante-sept dollars pour passer le mois…

∞

Vendredi 19 août

Je n'ai toujours par reçu le chèque de l'Agence, ni les chèques d'allocation familiale du mois dernier, que je dois encore à Lorraine. Les chèques de ce mois-ci doivent déjà être arrivés et je devrai, encore une fois, téléphoner à Gabriel pour quémander ce qui m'appartient.

— Allô ! J'écoute !

— Bonjour !

— Ah, c'est toi *mon chérie* ! Que me vaut l'honneur ?

— Tu as reçu mes chèques ?

— Bien sûr, ce matin même ; je pensais justement te les apporter tout à l'heure

— Quand ça ?

— Vers quinze heures, ça ira ?

— Ça ira !

— Alors, à tout à l'heure !

— À plus tard !

Nous ne nous étions pas parlé depuis des semaines, et j'aurais voulu le garder au bout du fil, juste pour entendre le son de sa voix.

Élise, chère Élise, méfie-toi du chant des sirènes !

Il a dit : *vers quinze heures…* et je l'attends déjà. Je me suis faite belle sans oublier le moindre détail. J'ai mis exprès la jupe qu'il aime et le chemisier qui me sied le mieux. Assise toute droite dans mon fauteuil, je guette l'horloge comme un chat guette une souris.

Vers quinze heures quinze, Gabriel téléphone pour m'avertir qu'il sera un peu en retard ; je joue celle que ça ne dérange pas du tout, puis je recommence à l'attendre. Je ne peux rien faire pour passer le temps. Je ne veux ni froisser ma jupe, ni me décoiffer. Aucune lecture, si passionnante soit-elle, ne parviendrait à capter mon attention durant plus de cinq minutes. Je suis excitée à l'idée de revoir Gabriel ! J'aurais le goût de l'embrasser et de faire l'amour avec lui, sans penser à l'*autre*.

La radio diffuse une chanson qui me poigne aux tripes. Je me mets à pleurer à chaudes larmes. Mon mascara coule en laissant de grands sillons noirs sur mes joues. Je suis laide à faire peur ! Le téléphone sonne à nouveau.

— Excuse-moi, *mon chérie*, mais je n'aurai pas le temps de monter chez toi ! Peux-tu descendre et m'attendre sur le trottoir, afin que je puisse te remettre tes chèques rapidement, sans devoir garer ma voiture ?
— Bien sûr.
— Ça ne te dérange pas, j'espère.
— Pas du tout.

Menteuse ! Je suis profondément déçue. Encore une fois, je m'illusionnais, en espérant que Gabriel allait monter chez moi ; que j'allais pouvoir le voir, lui parler, l'embrasser. Il sera là dans quelques minutes ! J'ai tout juste le temps de me *réparer*, et de descendre.

Debout dans l'entrée du building, je surveille le va-et-vient des voitures. Je reconnais bientôt la sienne qui s'approche, passe devant la maison, tourne au coin suivant… puis vient s'arrêter juste devant ma porte. Le temps de baisser la vitre, de me balancer les chèques, et Gabriel est reparti. Je le regarde s'éloigner, sans y croire. Tout s'est passé si vite : un geste trop bref, impalpable et flou, et puis plus rien. Je n'ai pas le courage de me retrouver seule dans l'ascenseur. Je remonte à l'appartement par l'escalier de service ; je compte les marches, et je me sens vieille.

∞

Dimanche 28 août

En se levant, Alexandre décide de se faire cuire des œufs ; comme Mélanie est dans ses jambes, il la plaque contre le mur. J'interviens. Il me bouscule et me pousse sur le réfrigérateur en sacrant. Puis il lance la spatule à l'autre bout de la pièce et sort en claquant la porte. Mélanie pleure et moi je tremble.

L'arrivée de Dodo ramène un petit sourire sur la figure de ma fille. Elles s'installent sur le tapis pour jouer au scrabble. J'ai besoin de prendre l'air. Je sors me promener. Je descends la rue qui mène chez mes parents. Je sonne : personne ne répond. La voisine me dit les avoir vus partir avec Lorraine et Antoine ; tant pis.

Je retourne chez moi tranquillement, en contemplant les arbres ; certaines feuilles ont déjà commencé à rougir. J'ai le cœur en compote en pensant à Alexandre ; il me fait peur. Je ne me sens plus la force de continuer toute seule.

Je me réfugie sur le toit pour pleurer. Les sanglots m'étouffent. Les râles restent coincés dans ma gorge. Je voudrais mourir. Yeux fermés, tête baissée, je me laisse glisser tout doucement dans un coin, en attendant que la vie me reprenne.

∞

La rentrée des classes… déjà ! Les deux enfants ont décidé de changer d'école pour se rapprocher de Biarritz. Mélanie a toujours peur du changement mais, après coup, elle s'adapte rapidement. Pour Alexandre, c'est différent, il envisage un nouveau départ et j'espère pour lui qu'il en sera ainsi.

L'inscription a lieu ce matin. Les jeunes ont déjà pris les devants en courant. Comme il fait beau et que la nouvelle école est située à quelques rues de Biarritz, je décide de m'y rendre à pied pour économiser mes sous. Je retrouve mon âme d'écolière : l'odeur de la craie, les planchers cirés, tout me rappelle mon enfance. Je me promène dans les corridors et jette un coup d'œil dans les classes, par-dessus les vitres à demi givrées. Est-ce tellement différent ? Il me semble que non : les salles de toilette en marbre dont les murs sont craquelés et les longs abreuvoirs que nous prenions d'assaut à l'heure de la récréation ; tout m'apparaît à la fois pareil et différent. Dans quel esprit mes deux enfants entreprendront-ils cette nouvelle année ? Y verront-ils, comme moi, un pas vers la libération ? Une première rupture d'avec la banlieue ? Versailles me semble loin, les souvenirs s'estompent ; il y a combien de temps déjà ?

En sortant, j'aperçois la voiture de Jacqueline garée près de la cour d'école.

—Qu'est-ce que tu fais là ?

—En arrivant chez toi, j'ai croisé Mélanie qui revenait de l'école ; elle m'a dit que tu placotais avec le directeur.

—Disons plutôt que je mettais certaines choses au point. Mais quel bon vent t'amène ?

—J'allais faire des courses, veux-tu venir avec moi ?

—Avec joie !

Le long du trajet, Jacqueline m'aide à élaborer un plan en trois temps : changer les enfants d'école, trouver un appartement convenable dans le quartier, ce qui ne devrait pas être trop difficile, et finalement, récupérer mes meubles à Versailles. Les procédures de divorce étant engagées, je dois être en mesure d'agir dans les plus brefs délais, afin de sauvegarder les quelques biens qui me resteront au moment du partage.

Chemin faisant, nous arpentons le quartier et visitons quelques appartements à louer dans les rues voisines de Biarritz : trop petits, trop sales, trop chers ! Faut croire que le temps n'est pas encore venu.

∞

Mercredi, 7 septembre

Première journée d'école, première crise du matin. Alexandre lance ses couvertures, brise sa tasse de café contre le mur et bouscule sa sœur qui se sauve à toutes jambes en voyant venir l'orage. À bout de nerfs, je frappe Alexandre qui me rend aussitôt ma gifle ; furieuse, j'ouvre le tiroir de la cuisine et sors une longue cuillère de bois, en menaçant de lui en donner un coup s'il ne quitte pas immédiatement la place. Il part en flèche en me laissant complètement épuisée. Je ne sais plus comment réagir face à cet adolescent survolté. Il faut absolument que je fasse quelques chose, mais quoi ?

En fin d'après-midi, Alexandre revient de l'école, calme et de bonne humeur, accompagné de sa sœur avec qui il a fait la paix.

— Tiens, maman, j'ai rapporté ma liste !
— Moi aussi !

Je prends panique ! Je ne me rappelais pas qu'il fallait autant de choses. Alexandre et Mélanie font ensemble la tournée des magasins du quartier, à la recherche de la meilleure aubaine, et reviennent après avoir pris des notes : les règles de plastique sont moins chères au restaurant du coin, tandis que les cahiers sont en solde à la papeterie, et les crayons offerts à meilleur marché à la pharmacie. Ils ont tout noté, tout calculé ; au moins cher, et au mieux, il y en a encore pour quarante-cinq dollars ! Je n'ai que soixante dollars en banque pour finir le mois… et leurs chaussures ne tiennent plus le coup !

Je me rabats encore une fois sur ma bonne Lorraine, et lui emprunte cent dollars : *sur mon honneur*. Si j'ajoute cette somme aux cinquante dollars qu'elle m'a prêtés quelques jours après mon départ, ça fait cent cinquante dollars *sur la glace*, que je lui remettrai certainement un jour, mais Dieu seul sait quand !

Elle me prête cette somme spontanément et discrètement ; ça me permettra de faire face à la situation : l'achat des effets classiques et de souliers neufs. Voilà au moins deux problèmes de réglés.

∞

Jeudi 15 septembre

C'est le grand congrès annuel des AA. Je m'apprête à partir avec les enfants quand Gabriel téléphone. Il pleure, me dit qu'il n'en peut plus, qu'il veut arrêter de boire ; il réclame de l'aide. J'en ai les jambes coupées. Bien sûr que je trouverai quelqu'un qui acceptera de s'occuper de lui ! Je verrai des amis, je leur parlerai.

Cet appel de Gabriel me comble de joie ! On ne peut aider un alcoolique à s'en sortir, à moins qu'il le demande ; or, Gabriel le demande. Il arrive au bout du rouleau, et me crie : *Au secours* !

Je me rends au congrès avec le cœur léger comme un ballon gonflé à l'hélium. J'y retrouve avec joie des figures familières : Monique et Jean, Fernand et Ginette, Pauline, Jacqueline et Philippe qui m'invite à prendre un café. Je fais provision d'accolades et de poignées de mains. Je suis heureuse ! J'aperçois Adrien, nous échangeons quelques mots, un sourire… Je baigne dans une mer d'amitié, de chaleur, de tendresse ; partout je ne croise que des amis, des amis, des amis ! Quelle soirée extraordinaire !

J'en avais presque oublié Gabriel. Ce n'est certes pas le moment de le laisser tomber ; je dois lui prouver combien je l'aime. Mes amis ne partagent pas mon enthousiasme. Ils acceptent d'aider Gabriel, mais à une seule condition : Gabriel devra téléphoner lui-même ; je lui ferai le message, on verra bien.

∞

Deuxième journée de congrès. Mélanie a quitté l'appartement très tôt, pour se rendre à la répétition de la création collective à laquelle elle participera cet après-midi. Je suis seule avec un Alexandre enragé depuis son réveil. La guerre éclate quand je lui demande de se calmer. Il me pousse avec force, je le gifle et il réplique en me frappant les bras à grands coups de karaté.

Élise, chère Élise, qu'y a-t-il de plus inutile qu'une telle scène de violence ?

Je regrette d'avoir giflé Alexandre ; c'est maladroit, et ça ne règle jamais rien. Je sais très bien que le problème est profond ; mais aujourd'hui, je n'ai pas le cœur à la psychanalyse : je suis vidée. Je m'enferme dans la salle de bains tandis qu'Alexandre continue de crier ses litanies de l'autre côté de la porte. Le bruit de la douche parvient à peine à couvrir le son de sa voix.

Je me savonne vigoureusement afin d'activer la circulation du sang ; je voudrais faire peau neuve. La voix s'est tue. Je sors prudemment de ma tranchée et trouve Alexandre endormi en travers du lit, comme un petit gars vaincu par la fatigue. Je m'habille et pars sans faire de bruit.

∞

Vendredi 23 septembre

Je vis en pleine euphorie ! Gabriel n'a pas bu depuis une semaine ; je lui ai donné les prénoms et les numéros de téléphone de mes amis AA qui avaient accepté de l'aider. Il leur a téléphoné, il en a même reçu deux à Versailles. Je constate avec joie que ses intentions étaient sérieuses. Il m'appelle plusieurs fois par jour. Il est question de rapprochement, de rencontre. Gabriel commence à voir la vie différemment, à entrevoir au loin une lueur d'espoir. Même les enfants s'aperçoivent d'un changement d'attitude de leur père, sans toutefois soupçonner quoi que ce soit puisque, respectant le désir de Gabriel, je ne leur ai pas soufflé mot de ses démarches.

Quand Gabriel a exprimé le désir d'une rencontre à trois, j'ai tout de suite proposé le Père Benoît comme médiateur. La diplomatie et le tact de mon ami nous seront certainement d'un grand secours. Il s'agit là d'une mission délicate, mais j'ai pleinement confiance dans les talents de notre arbitre.

Le Père Benoît et moi avons décidé de nous rendre ensemble à Versailles. Gabriel s'est donné un mal fou : il a préparé des canapés, des amuse-gueules, du café… et pris soin d'étaler des revues pornographiques un peu partout dans le salon, dans l'intention bien évidente d'impressionner, sinon de choquer, notre invité. Par bonheur, le Père Benoît en a vu d'autres. Le temps de le dire, d'un geste simple et naturel, il dépose son cartable de cuir sur les seins plantureux d'une blonde ingénue, jette nonchalamment son cahier de notes sur le pubis d'une femme panthère et, mine de rien, ramenant vers lui le cendrier le plus proche, il recouvre du même coup le derrière rebondi d'une danseuse créole… Olé !

Agité, nerveux, Gabriel crâne et tente sans arrêt de faire bifurquer la conversation par des blagues intempestives. Le Père Benoît reste impassible, focalisant notre entretien sur des sujets plus sérieux : notre mariage, notre vie de couple, notre séparation, et enfin, notre divorce prochain. Nous avons un conciliateur de premier ordre. Il nous écoute tour à tour, nous interroge, nous incite à nous exprimer plus clairement, et facilite même le dialogue en suggérant le mot juste au bon moment.

Gabriel s'avère un être difficile à cerner et à comprendre. Il patine habilement et joue avec les mots comme un chat avec une souris. Finalement, il se détend et parle ouvertement, sans réserves, permettant une meilleure approche des problèmes qui nous préoccupent. Cette soirée longue et fatigante nous ouvre finalement des horizons nouveaux.

Quand le Père Benoît me laisse à ma porte, vers deux heures du matin, je suis épuisée mais heureuse. La situation ne peut que s'améliorer ; j'y mettrai pour ma part toute ma bonne volonté.

Le mois de septembre s'écoule calmement, beau, ensoleillé, chaud et coloré. Je mène une petite vie tranquille, fréquente régulièrement mes amis, et fais de longues promenades avec Martine, le long de la rivière des Prairies. Je pense continuellement à Gabriel et rêve de le retrouver guéri, plus calme et plus serein.

Il me téléphone fréquemment, et nos conversations deviennent de plus en plus sincères. Nous nous aimons toujours, mais les plaies sont encore vives, et le passé refait si facilement surface, qu'il faut déployer du doigté pour ne pas mettre le feu aux poudres. Certains griefs, encore chauds, exigent que nous agissions prudemment ; nous marchons sur des œufs.

Mon fidèle Philippe m'appelle également deux ou trois fois par jour. Souvent, nous bavardons tard dans la nuit, échangeant des confidences, nous rappelant des souvenirs. Il me parle de sa jeunesse, et de la guerre qu'il a faite alors que je n'étais qu'une enfant. Philippe est mon ami du bout du fil : il me conseille, me console, me comprend. Que de choses nous séparent ! que de choses nous rapprochent et nous lient ! simplement, sans contrainte, dans une amitié douce et tendre.

— Bonne nuit, Comtesse, sois bonne !

∞

Mardi 27 septembre

J'éprouve depuis quelque temps des étourdissements et des chaleurs qui m'inquiètent. J'ai un mal fou à m'endormir, je ressens des besoins physiques si ardents que je n'arrive pas à les apaiser. Je m'ennuie de Gabriel ; la pensée de sa main chaude sur mon corps me donne le vertige.

Son coup de téléphone tombe à point. Il me parle tendrement, je lui réponds doucement, il devient câlin, je me fais câline ; bref, ça s'annonce bien ! Il m'invite à luncher, j'accepte. Je décide de reconquérir mon mari, et refuse de m'avouer vaincue. L'*autre* ne pourra prendre *ma* place, que si je la lui cède. J'ai encore des munitions et je suis prête à me battre !

Nous allons manger en amoureux ; puis je lui fais découvrir mon *bord de Seine*. Nous longeons la rivière, main dans la main, en parlant de Versailles et des enfants. Je nous sens très proches l'un de l'autre. Il me parle de lui, je lui parle de moi, mais nous évitons de parler d'*elle*.

Gabriel m'invite à Versailles. J'hésite un peu, puis je me laisse convaincre : cet homme est toujours mon mari, et je l'aime.

Assis au coin du feu, nous bavardons tout simplement. Gabriel me bécote, ça me plaît. J'aime sentir la chaleur de son corps près du mien. Je reprends peu à peu toute ma place ; je dirais même qu'en ce moment, je me fous éperdument de l'*autre*.

— Je lui dis tout…
— Vraiment ?
— Elle saura que tu es là ce soir !
— Ça m'est égal. *Elle* est dans ta vie, pas dans la mienne.

Je réalise subitement que l'*autre* ne peut entrer dans ma vie que si je lui en donne la permission. *Elle* ne peut donc me faire du mal que si j'accepte de souffrir. Cette constatation me soulage et me libère.

Je passe une merveilleuse soirée auprès d'un amant aux petits soins pour moi. Je me sens néanmoins étrangère dans ma propre maison. Bien que l'intruse n'ait laissé aucune trace, sa présence hante la place. *Elle* téléphone vers onze heures. Gabriel lui parle en anglais, mais je comprends qu'il n'ira pas chez *elle* comme convenu. Il l'informe de ma présence puis raccroche. Je ne lui parlerai pas de ce téléphone puisque *cette femme* ne fait pas partie de ma vie. J'ai une conquête à faire, et nul ne pourra m'empêcher de la faire : *avec les loups on hurle, on ne bêle pas !* Je me sens d'attaque.

—Il est tard, j'aurais bien envie de rester pour la nuit.
—À tes risques et périls.

Gabriel me donne trois choix : je couche dans le lit et il dort sur le divan, il prend le lit et moi le divan, nous dormons ensemble dans le lit ou sur le divan. J'opte pour le grand jeu et choisis le lit pour deux.

Nous nous dirigeons à pas lents vers la chambre… vers *notre* chambre. Gabriel devient nerveux.

—Nous sommes dans une situation embarrassante, ne trouves-tu pas ?
—Que veux-tu dire ?
—Tu es là, dans mes bras, tu es toujours ma femme, et pourtant je me sens maladroit.
—Pourquoi ?
—Parce que je sais que je vais finir par faire l'amour avec toi…
—Tu n'en as pas envie ?
—Si, justement !
—Alors, où est le problème ?
—Je ne veux plus mentir.
—Ce sentiment t'honore.
—Et il m'emmerde ! Elle sait que tu es là…

—Et alors ?

—Elle saura également que nous avons fait l'amour ensemble !

—Tu ne voudrais tout de même pas que je me sente coupable de coucher dans *mon* lit avec *mon* mari ? Dis-lui ce que tu voudras, je m'en fiche puisqu'*elle* n'existe pas pour moi : *she is a nobody… Nothing!* Crois-moi, il vaut mieux qu'il en soit ainsi, sans quoi je ne pourrais pas être là.

—Pour moi, c'est différent.

—Sans doute, mais je n'ai pas à en tenir compte.

—Non, écoute, je suis certain qu'*elle* comprendra…

—Si tu préfères, je peux partir.

—Mais non, voyons, tu es là, et je suis content !

—Alors, arrête de me parler d'*elle*, tu lui diras ce que tu voudras, je m'en moque ; je suis là, tu es là, parlons de nous !

—Tu as raison.

—Embrasse-moi !

—C'est que…

—Tu n'as pas envie de m'embrasser ?

—Oh oui !

Nous nous embrassons à en perdre le souffle, et nous faisons l'amour… deux fois plutôt qu'une. Allongés l'un près de l'autre, sans bouger, sans parler, nous frôlant avec une infinie tendresse, nous nous endormons amoureusement enlacés…

Quand je me réveille, Gabriel est déjà levé, il a préparé le petit déjeuner et l'a déposé sur le lit : du jus d'orange, des biscottes, du café et des raisins, de gros raisins verts que Gabriel s'amuse à me faire attraper avec les dents, comme dans les films pornos : *Les orgies d'Élise !* Quel programme !

La sonnerie du téléphone nous dérange. Gabriel s'énerve : c'est *elle* ! Je l'entends qui lui parle, toujours en anglais. Le ton monte. La *madame* n'est pas contente ! Je me verse un deuxième café, mais le charme est rompu. Cette situation tourne au ridicule. Qui a déjà entendu l'histoire du monsieur qui se fait enguirlander par sa maîtresse, parce qu'il a couché avec sa femme ? Soudain, je vis et me regarde vivre, et je ris à m'en taper les cuisses.

Gabriel raccroche brusquement, puis il vient me retrouver dans la chambre. Il essaie d'avoir l'air naturel.

—Ça va, mon amour ?
—Oui, oui, tout va bien, *mon chérie*, rassure-toi !

Il s'approche, m'enlace, m'embrasse, et s'enroule avec moi sous la couverture.

—Tu n'as pas froid ?
—Non, je suis bien !

Il se passe alors quelque chose d'étrange ; je regarde le plafond : il ne m'est pas tombé sur la tête, le lit ne s'est pas écroulé, et l'idée que l'*autre* y couche, ne me gêne plus du tout. Rien ne s'est effondré, tout est comme avant, mais plus rien n'est pareil. En recouchant dans mon lit, je l'ai désacralisé. J'ai démystifié le symbole. Ma chambre n'est plus un *tabernacle* ; c'est une chambre. Mon lit n'est plus un *autel*, c'est un lit. Et Gabriel n'est plus un *Dieu*, mais un homme ; juste un homme, que je n'ai plus du tout envie de disputer à une *autre*. Je lui cède la place, je m'en vais, je tourne la page : je suis libre !

Quelle sensation indescriptible ! J'ai l'intuition que je ne referai plus jamais l'amour avec Gabriel. Ça ne me fait ni mal ni peur ; je le sais, c'est tout !

Gabriel se lève précipitamment en regardant sa montre :

— Merde ! Midi ! J'ai promis à *qui tu sais* de dîner avec *elle* !
Je te ramène chez toi ?
— Non, merci, je préfère marcher.

Nous quittons Versailles ensemble. Gabriel va vers sa voiture
tandis que je continue ma route à pied. Il a tôt fait de me
dépasser ; je le regarde s'éloigner au bout de la rue. Je souris
à la vie et me grise du petit vent frisquet d'automne qui me
fouette le sang.

Élise, chère Élise, tout est consommé !

Il fallait que je vienne, il fallait que je pose ce geste, afin de
remettre les choses à leur place, en leur redonnant la mesure
qui leur convient. Je ne regrette rien, je me suis exorcisée.

∞

Imprévisibles, fulgurantes, les crises d'Alexandre s'accentuent.
Ses explosions de rage, ses colères intempestives, se prolongent
par un discours incohérent allant parfois jusqu'au délire.

Philippe m'a conseillé de consulter un psychologue ; au
point où nous en sommes, tous les moyens sont bons. Une
certaine Anna Schmidt nous a donné rendez-vous, à son
bureau, après la classe. Je caresse mon dernier espoir.

— Madame Schmidt vous attend !

Cette grande femme brune, froide et distante, nous observe
derrière d'énormes lunettes teintées, et nous écoute en prenant
des notes. Je ne me suis jamais sentie aussi nerveuse. Alexandre
parle sans arrêt, répondant même aux questions que le docteur

Schmidt me pose. Son langage est agressif, et il éprouve bien du mal à refréner certains mouvements de colère. Ce garçon souffre, j'en suis consciente, mais comment l'aider alors que je suis tellement impliquée, tellement proche ? Cette entrevue nous amènera peut-être à dialoguer davantage ; mais est-ce que ce sera suffisant ?

Au bout d'une heure, le docteur Schmidt se lève brusquement :

— Je verrai votre fils toutes les semaines, madame.

Puis, s'adressant directement à Alexandre :

— Tu viendras le mercredi, après l'école.

Elle nous conduit à la porte sans le moindre sourire. Alexandre a l'air satisfait de cette rencontre. Pour ma part j'entrevois ces visites du mercredi en me disant : voilà au moins un journée où je n'aurai pas à subir les crises de mon fils, puisqu'il pourra se défouler ailleurs.

Cette madame Schmidt m'a scruté l'âme sans ménagement. Je dois admettre que je deviens envahissante. Je veux tout régler, tout contrôler. Je ne fais pas confiance à la vie. J'empêche la jument de parler en la bâillonnant au départ. Je deviens responsable de tout ce que vivent mes enfants ; je les manipule, et les laisse me manipuler en retour.

Mon Dieu, je vous confie ma volonté et ma vie ; mais pour mes enfants, laissez faire, je vais m'en occuper moi-même…
Merci pareil !

∽

Dimanche 16 octobre

La nature déploie ses couleurs automnales et, pour en profiter, Pauline propose que nous allions faire une balade sur la
montagne avec sa sœur Astrid. Trois femmes, trois folles, trois
collégiennes en vacances, batifolant dans les feuilles mortes.
Pauline en ramasse quelques-unes, les plus belles, pour agrémenter son herbier, tandis qu'Astrid s'en fait des bouquets
qu'elle éparpille aux quatre vents, en récitant des vers classiques.
Pour ma part, je choisis le plus gros chêne et m'assois à l'ombre
de ses branches. Le soleil me réchauffe. Mon bonheur dépend
de moi, et je ne pense à rien d'autre qu'à être bien !

Élise, chère Élise, accorde-toi la permission d'être heureuse.

Astrid nous invite à souper : potage, fromages et vin d'Alsace !
Au dessert, Pauline me dévoile ses talents de cartomancienne :

— Vas-y, Élise, brasse les cartes ! Je vois du travail pour
toi, ma vieille… Il y a un homme aux cheveux gris… Il est très
près de toi… Brasse encore !

Je reprends les cartes, les brasse vigoureusement, les coupe
puis les recoupe, pendant que Pauline poursuit son baratin :

— Tiens, regarde, il est là ! Tout près de la Dame de cœur…
C'est un homme assez jeune… assez beau…

— Tu vois ça dans les cartes ?

— Je vois tout dans les cartes, moi, Madame l'incrédule,
et je ne dis plus rien à celle qui en doute !

— Sais-tu s'il est libre ?

— Peut-on jamais savoir ? Tu travailles en tout cas, ça,
c'est sûr !

— Est-ce que vous voyez où, par hasard, Madame la Voyante ?

— Je ne vois rien par hasard : tout est là, dans les cartes !
Je vois du monde… beaucoup de monde… ça bouge autour
de toi…

— J'ai trouvé ! Je fais du théâtre ! J'ai toujours rêvé de faire
du théâtre.

— Avec tes allures de clown, je te verrais beaucoup mieux
dans un cirque !

Ce bain de fraîcheur m'a fait du bien. Il y a longtemps que
je n'avais pas autant ri. Je reviens à Biarritz, les vêtements
imprégnés par l'odeur des feuilles mortes, la tête pleine d'images
colorées et de rêves en maraude… Pauline a dit : du travail…
un homme… J'empile des oreillers au bout du divan et regarde
le dernier film avec les enfants. Leur présence apaisante me
réchauffe. La soirée finit bien, et demain c'est congé !

Gabriel m'appelle presque tous les jours depuis notre dernière
rencontre, et le poids de ses problèmes finit par alourdir mes
épaules. Non seulement je m'inquiète pour lui, mais je me
surprends à poireauter à côté du téléphone en attendant qu'il
sonne. Progressivement, imperceptiblement, Gabriel me
rattrape dans son giron et ça me fait peur.

Je refuse d'être son esclave, je refuse de l'attendre, et je
refuse d'aliéner ma liberté. Mon affection pour Gabriel me
fait oublier ma sérénité personnelle. Aujourd'hui, personne ne
répondra à son appel ; je n'attends plus, je sors !

Je constate avec effroi que je me leurre sur mes intentions.
Je ne suis certainement pas aussi désintéressée que je voudrais
le croire. J'use de moyens détournés pour diriger la vie de

Gabriel. Je rêve d'être son ange gardien ; celle par qui son bonheur doit arriver.

Élise, chère Élise, ne serait-ce pas ta façon de te venger d'elle ?

En vérité je lui ai laissé le lit, mais je suis restée omniprésente, offrant en échange à Gabriel un amour platonique plus écrasant et plus envahissant que le premier. Je suis orgueilleuse, je souffre à la pensée que Gabriel, *mon* Gabriel, pourrait vivre sa vie sans moi, être heureux sans moi. L'*autre* ne pourra jamais l'aimer autant que je l'aime. Moi seule connais Gabriel, moi seule sais où il doit aller, moi seule sais ce qu'il doit faire, moi seule, moi seule, moi seule !

∽

Lundi 24 octobre

Voilà bientôt neuf mois que j'ai quitté Versailles. Neuf mois ! Le temps de me remettre au monde. Allongée sur mon lit, les yeux fermés, je me laisse envahir par un nouveau bien-être, par une douce chaleur, par une grande paix : *Tout ce que vous demanderez, en Mon Nom, vous sera accordé !* J'ai soif de tendresse, j'ai soif d'amour. Je ne veux plus souffrir inutilement par ma faute. En refusant de délier les autres, je me fais prisonnière de mon propre boulet ; j'accepte que les choses qui me font mal me retiennent. Or, tant de choses me font mal : de vieux souvenirs, des prénoms, des lettres… Je ne pardonne pas.

Élise, chère Élise, tout ce que tu ne pardonnes pas, t'enchaîne.

Pour la première fois de ma vie, je saisis pleinement le sens du mot *pardon*. Ce mot, il ne suffit pas de le penser, il faut le dire : je *pardonne* ! Tout est dans la parole.

J'ai tout à coup l'âme au pardon. En prononçant clairement le mot pardon, sans restrictions, sans réserves, je me délivre de toutes les idées noires qui me trottent dans la tête et me torturent depuis des mois. J'efface de ma mémoire les souvenirs sombres, prononce un à un les prénoms qui font mal, et détruis mentalement toutes les lettres. Par le pardon, je les délie, je m'affranchis, je nous libère...

Le coup de fil de Philippe me surprend en pleine séance de méditation :

— Bonjour, Comtesse, je te dérange ?
— Pas du tout, je pardonnais !

Il rit de cette voix cristalline qui lui est particulière. Comme nous nous disons tout, je lui fais part de la démarche intérieure que je viens de faire. Il en rajoute :

— Tu sais, Comtesse, ce qu'il y de merveilleux avec le pardon, c'est que, une fois qu'on a *tout pardonné*, on ne peut plus *ne pas avoir pardonné*.

Et vlan dans les tibias ! Je suis foutue. La remarque de Philippe vient saborder d'un coup sec toutes mes séances d'apitoiement. Finies les soirées de vague à l'âme, quand, après un bon bain, je m'allongeais sur le divan et relisais, l'une après l'autre, les anciennes lettres de Gabriel, ou que je ressassais les vestiges du passé en écoutant des chansons d'amour, tristes de préférence. Je pleurais sur mon sort, m'apitoyais sur mon pauvre *petit moi*, et m'endormais finalement, complètement épuisée, en avalant mes larmes. Par mon pardon, je viens de renoncer au plaisir de souffrir.

Élise, chère Élise, tant qu'on n'a pas tout pardonné, on n'a rien pardonné.

Or, j'ai tout pardonné, même à moi, même à l'*autre*. Désormais, je suis libre et tout peut m'arriver : même la jument pourrait parler.

∞

Mardi 25 octobre

Quand j'ai pris la décision d'aller faire du lèche-vitrines au centre-ville, je n'imaginais certes pas rencontrer Louise, une amie d'enfance que j'avais perdue de vue depuis des années. Elle me reconnaît tout de suite.

— Élise Desmarais !
— Louise Béliveau ! Il y a des siècles !

Elle est radieuse. Je retrouve son sourire et la petite pointe de malice au coin des yeux qui me la rendait si sympathique.

— Ma chère Élise, je ne sais plus où donner de la tête ! Je ne veux plus travailler et on m'offre trois jobs !
— Et moi que me cherche désespérément du travail ! Tu ne pourrais pas m'en refiler un ?
— Attends un peu ! J'ai un ami médecin qui m'a téléphoné ce matin : sa secrétaire doit s'absenter pour trois mois, et il cherche quelqu'un pour la remplacer jusqu'en février. Ça t'intéresse ?
— Évidemment !
— Mais, c'est seulement pour trois mois !

—Ça ne fait rien, c'est déjà ça de pris.

—Tu devras recevoir ses patients, répondre au téléphone…

—Est-ce qu'il faut taper à la machine ?

—Pourquoi ? Tu ne sais pas ?

—Oui, oui, un peu, enfin, c'est à voir…

—Tiens, je te laisse mon numéro ; appelle-moi demain matin !

Quelle heureuse rencontre ! Je n'y crois pas encore, c'est merveilleux ! Ce travail m'arrive sur un plateau d'argent : je vais pouvoir acheter des vêtements, trouver un appartement, déménager…

Élise, chère Élise, trois mois, seulement trois mois !

Je sais bien que trois mois ce n'est pas long, mais je veux travailler. Peu m'importe ce qui me permettra de faire le grand saut : je veux sauter ! Au mieux, je pourrai trouver un emploi équivalent dans trois mois, forte de l'expérience acquise ; au pire, je me sers de ce surplus d'argent pour déménager, et je me retrouve sur le bien-être social une fois les trois mois terminés. Cette perspective de travail me rend folle de joie. Je rentre à Biarritz tout excitée, la tête pleine de projets.

Élise, chère Élise, ayant sur sa tête un pot au lait bien posé sur un coussinet, prétendait arriver sans encombre à la ville…

☙

Mercredi 26 octobre

Gabriel arrive à l'improviste.

—Tiens, regarde ce que j'ai trouvé !

—Qu'est-ce que c'est ?

—Un fossile datant d'avant l'arrivée des blancs sur le continent !

—Ah bon !

—Je suis allé faire un tour dans la région d'Oka, et j'ai rapporté plusieurs pièces qui, bien que sans grande valeur, sont extrêmement intéressantes ; celle-ci est la plus représentative…

Il y a longtemps que Gabriel ne s'était pas adonné à une activité de ce genre, lui qui a toujours eu un penchant pour la recherche archéologique. Je suis contente de constater qu'il reprend goût à la vie. Je l'observe ce matin avec un regard différent. Il a l'air fatigué, et paraît ravagé physiquement. Se pourrait-il qu'il boive encore ? Je ne le sais pas. Je ne veux pas le savoir. Et sincèrement, aujourd'hui : je m'en fous !

—J'envisage sérieusement de descendre au Brésil un de ces jours.

Gabriel raconte vraiment n'importe quoi ! Je l'écoute me parler de voyages, d'expéditions, de départs possibles ; rien de concret dans tout cela ; les plus grandes aventures se terminent toujours dans sa tête.

—Veux-tu prendre un café avec moi ?

—Non, je te remercie, on m'attend.

—Je ne te retiens pas.

En sortant, il fait demi-tour et lance mes deux chèques d'allocation sur le comptoir :

—Arrange-toi donc pour effectuer ton changement d'adresse, je ne serai pas ton facteur encore longtemps !

— Dès que j'aurai trouvé un appartement, je le ferai, c'est promis. Pour l'instant, ça risquerait de retarder les prochains chèques, et comme j'ai besoin d'argent…

— On a tous besoin d'argent, *mon chérie*! Allez, ciao!

Une fois parti, je réalise que j'ai omis de lui faire part de mes projets de travail. Est-ce un oubli, ou une façon détournée de protéger ma vie privée?

J'ai essayé de rejoindre Louise tout à l'heure, mais je me suis heurtée à un répondeur: *J'ai dû m'absenter pour quelques heures; au son du timbre, veuillez laisser votre message et je vous rappellerai dès mon retour.* Voilà, c'est fait, je n'ai plus qu'à attendre.

Je suis subitement atteinte d'une *déménagite* aiguë. Je sors acheter le journal et décide de jouer le tout pour le tout; de sauter dans le vide, sans balancier, sans filet. J'arrête à la loge du concierge et lui donne un mois d'avis: je quitterai Biarritz le 1er décembre! Je ne sais encore ni où j'irai, ni comment, mais je sais que je partirai. Pour moi, ce geste est important. Cet avis d'un mois signifie que je m'engage à trouver un appartement le plus vite possible, mais que j'accepte également de briser tous les liens avec le passé, en allant chercher tous nos meubles à Versailles. J'éprouve la certitude de faire le pas qu'il faut: les dés sont jetés, advienne que pourra.

Ça marche! Mon amie Louise vient de m'appeler pour me dire que ça peut marcher! Le docteur Gauthier attend mon appel. Je tremble, j'ai les mains moites. Premier coup… Deuxième coup… Troisième coup… *Mon Dieu, faites qu'il réponde!* Quatrième coup… *Mon Dieu, j'ai peur!*

— Allô!

—Le docteur Gauthier, s'il vous plaît.

—C'est moi.

—Je suis Élise Desmarais.

—Oh! oui, bonjour!

—Je vois que Louise vous a parlé de moi…

—En effet.

—Elle m'a dit que vous cherchiez quelqu'un pour rem-placer votre secrétaire…

—Pour trois mois, oui.

—Ça tombe bien, moi, je cherche quelqu'un, qui cherche quelqu'un, pour du travail.

—Dans ce cas, venez me rencontrer à la Clinique, demain, disons vers quatorze heures, ça vous va ?

—Tout à fait !

Le docteur Gauthier a une voix rieuse, c'est bon signe. Je note l'adresse et raccroche à regret. J'ai hâte à demain. Je suis nerveuse. Je tourne en rond. Il faut absolument que je parle à quelqu'un, sinon je vais m'évanouir de joie. Je traverse chez Martine où les enfants s'attardent après l'école. Je les retrouve tous les trois réunis autour de la table, et leur annonce ma bonne nouvelle, comme si ma vie en dépendait:

—J'ai rendez-vous avec le docteur Gilbert Gauthier, demain !

∞

Jeudi 27 octobre

J'arrive à la Clinique dix minutes en avance. Je dois donner l'image d'une femme sérieuse, ponctuelle, responsable… Je monte l'escalier et m'arrête à la réception:

—Le docteur Gilbert Gauthier, s'il vous plaît ?

—Quatrième étage, au bout du corridor !

Comme dans les films d'animation, je marche sans avancer; on dirait même que mon but s'éloigne à mesure que j'approche. J'ai le trac !

La porte est entrouverte, mais je ne vois personne.

—Docteur Gauthier ?

—Je suis là !

—Élise Desmarais. J'arrive trop tôt ?

—Non, non, pas du tout, approchez, je vous attendais.

Je dois faire quelques pas avant de me retrouver devant son bureau, volontairement placé en biais dans un coin pour le protéger des importuns. Quel choc ! Quelle surprise ! J'aperçois la plus belle chevelure grisonnante qu'on puisse imaginer… et ce sourire… J'en suis bouche bée.

—Je vous en prie, madame, assoyez-vous !

J'obéis, mais je reste figée sur le bout de ma chaise, trop occupée à l'observer : Dieu que cet homme est beau !

—Comme je vous l'ai dit, il s'agit d'un emploi temporaire.

—Vous m'avez parlé de trois mois…

—C'est exact ! Ça vous convient ?

—Parfaitement.

—Vous avez de l'expérience ?

—Très peu…

Je lui tends mon curriculum vitae, mais comme je ne possède aucun diplôme ronflant, j'ai ajouté deux pages intitulées : *j'aime !* et *je n'aime pas !*

Le docteur Gauthier jette un bref coup d'œil sur mes papiers, enlève ses lunettes, puis éclate de rire :

— Mais, je ne vais pas lire ça ; j'aurais l'impression d'être indécent !

Il dépose mon texte sur le coin de son bureau, et se cale dans son fauteuil :

— Vous tapez à la machine ?
— Euh ! oui, un peu… enfin, pas beaucoup… mais Louise m'a dit que ce n'était probablement pas nécessaire.
— Non, pas vraiment, c'est surtout pour le téléphone !
— Ah ça, pour le téléphone, vous ne trouverez pas meilleure que moi !

À vrai dire, je tape assez bien à la machine, mais j'ai dit non parce que je n'avais pas du tout envie de devenir une *dactyloteuse* esclave de sa machine à écrire. Aussitôt qu'une femme avoue qu'elle sait taper, on ne lui demande plus si elle sait penser.

Le docteur Gauthier se lève et vient vers moi en me tendant la main :

— Alors, c'est entendu, je vous attends ici jeudi prochain, à neuf heures !

Jeudi ? Seulement jeudi ? Pourquoi pas lundi ? Pourquoi pas demain ? Je voudrais retenir le temps, rester encore un peu. Le docteur Gauthier me regarde en souriant :

— Si vous saviez comme je suis content !
— Alors, à jeudi !
— C'est ça, à jeudi !

Sans cesser de sourire, il me tend à nouveau la main, en répétant :

—Je suis content, tellement content !

S'il savait à quel point, moi aussi, je suis contente. Je m'éloigne à regret. J'aurais envie de me retourner pour partager un dernier sourire, un dernier geste de la main, mais une infirmière s'approche de lui, et je n'ose pas.

Je suis folle de joie ! Il faut absolument que je partage mon bonheur avec quelqu'un. J'arrête chez Pauline et la surprends dans son jardin en train d'habiller ses rosiers.

—J'en ai pour deux minutes, le temps d'en attacher un dernier !

Elle retire ses gants souillés de terre.

—Je range mes outils et je reviens !

Nous nous retrouvons dans le solarium. Pauline a fait du café et disposé joliment quelques biscuits dans une assiette.

—Alors, dis-moi, qu'est-ce qui t'amène ?
—Trop de choses, je ne sais plus par où commencer !

Je lui raconte tout, sans omettre aucun détail. Mon bonheur lui fait plaisir…

—Élise, tout va s'arranger pour toi, j'en suis sûre !

Puis, jouant la cartomancienne, elle se prend la tête à deux mains en écartant les doigts sur ses tempes :

—Yé voua du travail et ouna bel homme au chévoux grrris !
—Ha ! ha ! ha ! sacrée Pauline ! Pourquoi pas ?

∞

Jeudi 3 novembre

Je pensais que ce jeudi-là n'arriverait jamais. La présence de quelques amis et les nombreux téléphones de Philippe ne parvenaient pas à faire passer le temps ; enfin, j'y suis !

Je plonge immédiatement dans le feu de l'action, puisque plusieurs patients occupent déjà la salle d'attente située juste devant mon bureau.

— Bonjour, bonjour ! Bienvenue chez nous !

Le docteur Gauthier m'accueille avec le même sourire jovial et la même simplicité que lors de notre première rencontre. Malgré son horaire chargé, il prend le temps de m'expliquer calmement le déroulement de la journée, qui se résume essentiellement à trois choses : accueillir les patients, sortir les dossiers et répondre au téléphone.

Ce travail arrive dans ma vie comme marée en carême : une vraie bénédiction, qui me donnera le coup de pouce nécessaire pour emménager dans un nouvel appartement. Il faudra dénicher quelque chose de plus grand et de moins cher ; de plus grand pour pouvoir respirer, et de moins cher, pour arriver à joindre les deux bouts. Je ne dois pas oublier que cet emploi se terminera dans trois mois, après quoi je devrai renouveler mon inscription au bien-être social, jusqu'à ce que je trouve un nouveau job. Le BS, rien que d'y penser, j'en ai des crampes.

— Venez-vous dîner ?

La question du docteur Gauthier me surprend, mais son invitation ne se refuse pas. Nous descendons à la cafétéria et choisissons une table dans un coin retiré afin de pouvoir bavarder en paix. J'observe mon nouveau patron du coin de l'œil : des yeux brillants, un air souriant ; à première vue, il n'a rien d'un coureur de jupons. Son attitude est franche, simple, correcte. Mais, quel genre d'homme est-il donc ? J'ai appris, par mon amie Louise, sa récente séparation d'avec sa femme, rien de plus. Vit-il seul ? Y a-t-il une autre femme dans sa vie ? De toute façon, ça ne me regarde pas. Nous parlons du travail à faire, des bureaux à organiser, des dossiers à reclasser ; rien d'intime, rien de personnel.

Aussitôt le repas terminé, le docteur Gauthier quitte le bureau pour l'après-midi. La place est vide et le temps s'étire. À seize heures, je ferme boutique et retourne sagement à Biarritz en autobus.

Les enfants m'ont laissé une note sur le comptoir : *Viens nous rejoindre chez Martine !* Ma voisine a fait mijoter un pot-au-feu :

— Élise, pour célébrer cette première journée de travail, je vous invite à souper tous les trois.

Elle dresse le couvert sur la table basse du salon et débouche une bouteille de vin :

— Je porte un toast à Élise !

Les verres tintent les uns contre les autres, dans un cliquetis chaleureux. Chacun s'empresse autour de moi. Mélanie devient curieuse :

— Alors, maman, raconte !
— Il n'y a rien à raconter, je suis heureuse !

∞

Vendredi 4 novembre

Deuxième journée de travail, même scénario, mais déjà je me sens moins nerveuse ; ce n'est qu'une question de routine et je commence à m'y faire.

Vers midi, le dernier patient s'en va, le docteur Gauthier aussi. Je descends à la cantine acheter une pomme et un yaourt que je mange à mon bureau en lisant le journal. Le temps passe et mon patron ne revient pas.

Mon Dieu, faites qu'il arrive avant mon départ !

J'entends des pas dans le corridor.

— Bonjour, bonjour !

Le docteur Gauthier vient vers moi, et me tend une enveloppe.

— J'ai pensé que ça vous arrangerait peut-être si je vous payais tout de suite.

— Je vous remercie, docteur, c'est gentil, vraiment gentil !

S'il savait à quel point j'apprécie son geste. Compte tenu de ma situation, il a décidé de me payer mes deux journées de travail immédiatement et en argent comptant, pour m'éviter le désagrément de courir à ma banque. On rencontre si peu de gens attentifs aux autres ; se pourrait-il que le docteur Gauthier soit de ceux-là ?

∞

Samedi ! Quelle pagaille ! Je range, j'astique, je nettoie ; c'est fou ce qu'un appartement mouchoir de poche peut se salir quand on fait la cuisine à côté du lit et qu'on mange au milieu du salon.

J'ai les bigoudis sur la tête et m'amuse comme une folle à récurer le fond du four, quand Gabriel arrive avec des fleurs :

—Tiens, *mon chérie*, c'est pour toi !
—Merci ! entre…
—Je ne te dérange pas ?
—Tu vois !

Je dépose les fleurs dans une bouteille sans pouvoir m'expliquer la raison de ce geste. Cet homme, pour moi, reste une énigme que je n'essaie plus de déchiffrer.

—Je te sers un café ?
—Si tu en prends un aussi, d'accord.

Je profite de ce tête-à-tête pour informer Gabriel de ma décision de quitter Biarritz à la fin du mois. Écrasé dans le fauteuil, il me regarde fixement, sans réagir. Je comprends qu'il vaut mieux changer de sujet.

—As-tu des projets pour les Fêtes ?
—Nous irons chez les parents de *qui-tu-sais*…
—Tu peux la nommer, ça ne me gêne pas !

Tout en parlant, j'enlève mes bigoudis et range les produits de ménage qui encombrent le comptoir.

—Au fait, tu pourras inviter les enfants, si tu veux.
—Mais, je viens de te dire que je ne serai pas seul.
—J'ai compris, mais ça m'est égal.

Je reviens m'asseoir en face de Gabriel, en ajoutant avec un air de femme du monde :

—D'ailleurs, moi non plus je ne serai pas seule !
—Ah bon ! C'est sérieux ?
—Peut-être !

Élise, chère Élise, pourquoi as-tu dit ça ?

C'est sorti tout seul. Je ne sais pas ce qui se passe, mais je n'ai pas envie de me rétracter. Je préfère déstabiliser Gabriel en lui laissant croire qu'il y a peut-être un autre homme dans ma vie. Mélanie vient nous rejoindre et nous parlons d'autre chose.

∞

Mardi 8 novembre

Tous mes amis ont été monopolisés pour m'aider à trouver un appartement. Chacun appelle pour me signaler une adresse, ou proposer de m'accompagner. J'ai déjà ratissé au peigne fin tous les quartiers avoisinants ; les logements sont trop petits, trop sales, ou trop chers. Il faudra voir ailleurs. Même la femme de ménage de la Clinique s'en mêle. Ce matin, en entrant au bureau, j'ai trouvé sur ma chaise un billet rose m'indiquant deux adresses ; j'irai voir ça à l'heure du lunch.

Je m'apprête à partir quand le docteur Gauthier m'interpelle.

—Vous sortez, Élise ?
—Oui, la femme de ménage m'a donné des adresses.
—Il fait très froid, voulez-vous que je vous accompagne ?
—Je n'aurais jamais osé vous le demander, mais puisque vous me l'offrez…

Le premier appartement me déprime : vue sur la cour, sans soleil, sans balcon ; je ne veux pas sortir d'une cage pour tomber dans une prison. Le deuxième est plus spacieux, il me plaît beaucoup mais n'offre aucun aménagement pour faire la lessive. Avec deux adolescents, il faut prévoir au moins le minimum.

Le docteur Gauthier se promène les mains derrière le dos. Il inspecte attentivement chaque détail et pose plusieurs questions importantes. En sortant, il se retourne vers moi :

— Qu'en dites-vous, Élise ?
— Je préfère attendre.
— Je vous approuve ; et maintenant allons dîner !

La serveuse nous désigne une banquette près de la fenêtre. J'admire le paysage.

— Tiens, il commence à neiger !
— Vous aimez la neige, Élise ?
— Vue de l'intérieur, oui, mais j'ai horreur du froid ! Et vous, Gilbert ?

Il me regarde en souriant et, pour la première fois, oubliant le travail, nous ne parlons que de nous.

∽

Samedi 12 novembre

Je découvre avec enthousiasme le quartier Côte-des-Neiges : c'est là que je voudrais vivre. Reste à communiquer mon enthousiasme aux enfants. Alexandre s'en fout, un quartier ou un autre, pourvu qu'on parte ! Mélanie, pour sa part, se montre plus réticente ; elle hésite, il faut voir. Elle peut difficilement faire un pas en avant sans s'attarder un peu sur le pas d'en arrière. Je comprends très bien que, dans sa tête, l'idée de changer de quartier élimine pour toujours l'espoir de retourner à Versailles. Biarritz, c'est la proximité, le connu, le concret, les amis… Côte-des-Neiges c'est l'aventure ! Et l'aventure, à quatorze ans…

J'achète le journal et propose à Mélanie de m'accompagner ; Martine viendra aussi. Nous sommes presque à la mi-novembre, et les appartements à louer se font rares. Nous allons visiter tous ceux qui sont disponibles immédiatement : trop petits, trop sales, ou trop chers !

Nous arpentons le quartier dans tous les sens. Mélanie nous suit, deux pas derrière, l'air renfrogné, sans dire un mot. Je tente par tous les moyens de l'intéresser à ma démarche ; rien à faire. Elle se ferme comme une huître à toute suggestion, nous refusant même le moindre sourire.

Il se fait tard. Je renonce pour l'instant à poursuivre mes recherches. Suffit de garder l'œil ouvert ; quand le temps sera venu, je trouverai bien.

En rentrant je croise le concierge :

— Oh ! oui, je voulais vous dire : il se pourrait que je garde l'appartement encore un mois !

Je file par l'escalier de service avant qu'il ait le temps de s'en remettre.

Profitant d'un congé scolaire, Mélanie me fait la surprise d'une visite impromptue à mon bureau, dans l'intention bien évidente de rencontrer *mon Docteur*! Malheureusement, le docteur Gauthier est absent et j'ignore s'il reviendra avant la fin de l'après-midi.

Ma fille m'aide à classer des dossiers, à brocher des feuilles, quand soudain la porte s'ouvre :

— Bonjour… bonjour… mais, c'est la belle Mélanie !

Surprise, elle se retourne et aperçoit mon docteur : c'est le coup de foudre ! Elle le trouve *trop cool! trop hot! trop super!* Bref, il lui plaît !

Sur le chemin du retour, Mélanie m'avoue avoir beaucoup réfléchi avant de me donner son accord pour venir habiter près de la Clinique :

— Seulement, j'ai une condition !
— Laquelle ?
— Je ne veux pas changer d'école.
— Mais c'est beaucoup trop loin !
— Ça m'est égal.
— Laisse-moi y penser, veux-tu ?

À peine sommes-nous rentrées qu'Alexandre nous pique une crise sans aucune raison apparente. Tout éclate pour une peccadille : un sandwich mal taillé, un verre de lait trop petit, trop grand, pour rien… Après avoir viré l'appartement à l'envers, il part en claquant la porte, tandis que Mélanie, désemparée, va se réfugier chez Martine. Je m'effondre, bouleversée, je n'en peux plus.

Élise, chère Élise, aussi longtemps qu'on crie : je n'en peux plus…

≈

Lundi 28 novembre

Notre anniversaire de mariage : le dix-septième. J'aurais préféré le passer sous silence, mais le téléphone de Gabriel me le rappelle cruellement. Ironiquement, il profite de cet événement pour me parler des procédures de divorce déjà entamées. Il affirme être d'accord pour divorcer, mais refuse obstinément de prendre un avocat. Je me bats contre un moulin à vent ; *Dame Quichotte* se sent vidée !

Gilbert m'invite dans son bureau. Il a fait du café. Ces moments d'intimité me plaisent. Nous parlons ouvertement, sans secret, ni censure ; nous savons tous les deux ce que le mot *chagrin* veut dire. De confidence en confidence, nous prolongeons notre pause-café quotidienne bien au-delà du rituel habituel. Quand Gilbert consulte sa montre, il est déjà presque l'heure de nous quitter.

Ce soir, je voudrais ne pas rentrer à Biarritz. Mélanie sort avec Martine, et je crains la solitude. Maudite solitude ! Ce grand vide effrayant qui va me prendre à la gorge aussitôt que j'aurai passé la porte. Je ne veux pas rester seule : j'ai peur ! Il faut absolument que je fasse quelque chose pour reculer l'échéance du retour.

Prenant mon courage à deux mains, je propose à Gilbert de venir avec moi prendre une bière à la brasserie :

— C'est moi qui vous invite !

Le voilà subitement embarrassé, gêné. Il sourit, mais ses lèvres demeurent un peu crispées. Je crains d'avoir gaffé.

—Je regrette Élise, mais j'ai vraiment trop de travail, merci quand même.

—Tant pis, ce sera pour une autre fois…

—C'est ça.

Pourquoi ne lui ai-je pas avoué franchement ce que je ressentais ? Pourquoi n'ai-je pas osé lui parler de ma peur, de mon angoisse ? Enfermée dans l'ascenseur, j'étouffe ! J'ai besoin de me retrouver à l'air libre. Je quitte la Clinique, mais je suis incapable de traverser la rue : devant moi, c'est le trou noir, le gouffre. Il n'y a plus aucune lumière, aucune voiture, plus rien qu'un immense espace vide, noir et profond. Je prends panique et reste figée sur le trottoir, incapable d'avancer.

Je ne saurais dire combien de temps a duré cet état de choc, mais quand une bonne dame pose gentiment sa main sur mon bras pour m'offrir de l'aide, je suis appuyée sur un arbre et tremble de tout mon corps.

—Vous n'avez besoin de rien ?

—Non, non, ça va mieux, merci !

Je reviens à moi, mais je me sens étourdie, mal à l'aise. J'ai le cœur gros. Je parviens difficilement à retenir mes larmes. Rendue dans le métro, j'éclate. Le front collé sur la vitre, la figure cachée par le collet de mon manteau, je laisse enfin couler mes larmes.

Au moment même où j'insère la clé dans la serrure, le téléphone se met à sonner. Je lance mon sac à main sur le lit et m'empresse de répondre :

—Bonsoir, Comtesse !

—Philippe !

—Je te dérange ?

—Oh non ! Tu ne pouvais pas mieux tomber, juste à temps pour me consoler.

∞

Mardi 29 novembre

Je reviens à la Clinique un peu craintive. Pourvu que mon invitation d'hier n'ait pas indisposé Gilbert. Nous avons eu jusqu'à présent une relation franche et sincère, je dirais même amicale, et il serait dommage de tout gâcher à cause d'une maladresse.

Pourquoi lui ai-je offert d'aller prendre une bière, alors que je n'en bois jamais ? Sans réfléchir, j'ai dit la première chose qui m'était passée par la tête. Peut-être a-t-il été choqué par mon audace ? Peut-être est-il de ceux qui ne peuvent pas accepter de se faire inviter par une femme ?

Le docteur Gauthier est débordé ce matin, je devrai donc attendre pour lui parler. Ses consultations terminées, il me convoque dans son bureau. Son regard me rassure : il n'est pas fâché. Il prend l'offensive :

—Je veux m'excuser pour hier soir, Élise. J'avoue que, sur le coup, votre invitation m'a un peu surpris. Puis je me suis ravisé et je suis descendu pour vous rejoindre, mais vous étiez déjà partie.

—J'ai paniqué à l'idée de me retrouver seule…

—Je l'ai compris trop tard.

Nous descendons à la cafétéria et lunchons en tête-à-tête dans un coin tranquille. La conversation prend tout à coup une tournure plus personnelle. Gilbert me parle de lui, de son travail, de sa vie de célibataire depuis sa récente séparation, et de cette femme qui l'appelle de temps en temps.

—C'est une copine de ma sœur. Je l'accompagne quelque-fois au cinéma, au restaurant, rien de plus.

—Moi aussi j'ai un bon ami, il s'appelle Philippe.

Ces échanges quotidiens servent à mieux nous connaître, tout en préservant notre vie privée. Plus je le côtoie, plus je suis convaincue que Gilbert est franc et honnête. J'ai connu suffisamment de menteurs pour l'apprécier.

Nous retournons au bureau. Plusieurs patients nous attendent. Le docteur Gauthier redevient mon patron, je redeviens sa secrétaire… jusqu'à la prochaine pause.

∞

Il fait un temps magnfique, le soleil inonde la place. Je compile quelques dossiers et mets de l'ordre dans les filières pendant que Gilbert parle au téléphone. Perdue dans mes pensées, je rêve. Je pense à l'hiver, au déménagement qui approche, et à l'appartement qu'il faut trouver…

Gilbert termine son appel et sort précipitamment de son bureau.

—Je dois m'absenter pour quelques heures ! J'ai rendez-vous avec ma secrétaire ; il semble qu'elle ait quelque chose d'important à me dire.

J'avais presque oublié que je n'étais pas sa vraie secrétaire, que je n'étais là qu'en transit, dans une situation temporaire. Combien de temps me reste-t-il au fait ? Les semaines passent si vite quand on les compte à rebours.

— Vous devrez donc luncher toute seule.

— Je ne serai pas seule, j'ai un livre.

Je le regarde partir avec une certaine crainte. Je panique à l'idée de ne plus travailler pour lui, de ne plus travailler tout court. Je n'ai toujours pas trouvé d'appartement, et si je ne déménage pas maintenant, après il sera trop tard. Je ne pourrai plus envisager cette dépense.

Je passe mon heure de lunch au bureau, à tourner et retourner des chiffres. Je n'y arriverai jamais ! Le spectre du bien-être social me hante. Il faut absolument que je trouve un autre emploi ! Non seulement j'ai besoin de travailler, mais j'en ai envie.

Je regarde par la fenêtre, en formant avec mon souffle des cernes de buée sur la vitre. Je trouve le temps long. J'ai déjà mon manteau sur le dos et m'apprête à partir quand je vois le docteur Gauthier apparaître, essoufflé mais souriant :

— Êtes-vous libre, ce soir, Élise ?

— Vous le savez bien.

— Alors, je vous invite à souper, Madame !

Cette invitation ne me déplaît certes pas, mais elle m'étonne. J'hésite. Gilbert insiste :

— Il y a un problème ?

— Oui, mes enfants !

Je rejoins Mélanie à Biarritz. Elle m'apprend qu'Alexandre passera la nuit chez François, et qu'elle s'apprêtait justement à partir au cinéma avec Martine, qui obtient très souvent des billets gratuits, et lui fait profiter de sa chance. Je peux donc accepter l'invitation de Gilbert, sans me sentir coupable.

—Je suis libre.

Mon patron m'amène dans un petit restaurant fort sympathique. Le garçon, nous prenant pour des amoureux, nous réserve le coin le plus discret de l'endroit. Gilbert a l'air enjoué de quelqu'un qui cache quelque chose. Nous parlons de la pluie et du beau temps. Je suis triste.

Nous commandons l'apéritif. La flamme de la bougie fait briller les yeux de mon partenaire qui m'observe avec un petit sourire malin. Il lève son verre et le frappe contre le mien :

—Félicitations !
—Félicitations ? Pourquoi ?
—Pour votre nouvel emploi !
—Je ne comprends pas !
—Ma secrétaire ne reviendra pas en février. Elle a décidé de poursuivre ses études et elle a eu la gentillesse de m'avertir tout de suite. Si vous l'acceptez... enfin, si *tu* l'acceptes, la place est à toi !

La jument parle encore une fois ! J'avais tout envisagé, tout prévu, sauf ça. Dans mon esprit embrouillé, je n'entrevoyais que deux issues : ou bien je me trouvais un autre emploi, ou bien je *retombais* sur le bien-être social. Encouragée par le premier tutoiement de Gilbert, je continue :

—Crois-tu que je ferai l'affaire ?
—Pourquoi pas ? Tu es consciencieuse, honnête, travaillante. Que faut-il de plus ? Tu t'occuperas des patients, du téléphone, du courrier, et pour le reste...

—J'ai un aveu à te faire, si tu me promets de ne pas en abuser : je sais taper à la machine !
—C'est vrai ?

— C'est vrai ! Je ne tape pas comme une mitraillette, mais je me débrouille assez bien.

— Si tu peux t'occuper également de la correspondance ; moi, je ne demande pas mieux. J'ajouterai bien entendu un supplément à ton salaire, puisque ça m'évitera de payer la secrétaire d'un de mes confrères.

Après tout ce temps, j'envisage enfin la solution à mes problèmes. Le vin me tourne un peu la tête. Je ris pour rien. J'ai le cœur en fête, la vie est belle, et je suis heureuse !

Gilbert me ramène à Biarritz. Je grimpe l'escalier en courant, tant j'ai hâte de me retrouver chez moi ; il n'y a personne, mais je m'en fous ! La solitude ne m'attend plus derrière la porte. Je tourne et virevolte comme une toupie aux quatre coins de la pièce. Je voudrais monter sur le toit et crier ma joie au monde entier : fini la misère, fini la faim, fini la peur !

Martine et Mélanie reviennent du cinéma. Certaines de me trouver endormie sur le divan, elles me regardent sans trop comprendre. Je ne leur laisse pas le temps de s'interroger longtemps :

— Le docteur Gauthier m'engage pour de bon ! Non mais vous vous rendez compte ? Je deviens officiellement la secrétaire du célèbre docteur Gilbert Gauthier !

Les deux filles restent figées, comme si ma nouvelle les avait changées en statues de sel. Après quelques minutes d'hésitation, Mélanie sort de la léthargie :

— Tu vas travailler tout le temps ?
— Oui ! Es-tu contente ?
— Je ne sais pas.
— Nous allons enfin pouvoir vivre convenablement.

—Élise, il faut fêter ça !

Martine traverse chez elle enjambe la porte et revient aussi vite avec des croissants, du pâté et une tarte aux bleuets. Mélanie devient plus conciliante.

—Je vais réchauffer la tarte !
—Qui veut du thé ?

Je mets l'eau à bouillir, tandis que Martine installe une nappe sur le tapis du salon. Nous dégustons ce pique-nique impromptu, assises à l'indienne comme autour d'un feu de camp.

—Je porte un toast à notre nouvelle vie !

Je lève ma tasse de thé et la frappe allègrement sur celles des autres. Nous trinquons toutes les trois en riant, nous grisant simplement du plaisir d'être ensemble.

∞

J'ai la tête pleine de projets fous et j'ai envie de partager mon enthousiasme avec mon amie Jacqueline. Sans lui souffler mot de quoi que ce soit, je lui ai donné rendez-vous à mon bureau. À peine a-t-elle franchi la porte que je lui saute au cou :

—Ah ! Jacqueline, tu ne sais pas ce qui m'arrive : j'ai le job à temps plein !
—Quel job ?
—Celui-ci !
—Non, ce n'est pas vrai ! Avec ton docteur ?
—Avec mon docteur !
—Mais c'est formidable !
—Je suis tellement contente, si tu savais.

—Ça se voit !

—C'est un bon job et j'ai un patron extraordinaire !

—Je ne te trouve pas très objective.

—Attends de voir…

Gilbert sort de son bureau sur ces entrefaites. Je lui remets un dossier. Il me sourit, m'adresse quelques mots, puis retourne à son patient. Jacqueline nous observe discrètement. J'attends son verdict avec une impatience difficile à supporter. Elle me fait languir, puis me tape un clin d'œil en levant son pouce en signe d'approbation :

—Super, ma vieille !

—Il me plaît beaucoup, tu sais.

—Toi aussi tu lui plais.

—Tu crois ?

—Ça crève les yeux !

—Voyons donc !

—En tout cas, si vous ne voulez pas que ça se voie, vous devriez porter une cagoule !

—Je peux donc accepter ce poste avec ton accord ?

—Mieux que ça, tu as ma bénédiction !

—Oh ! merci, Jacqueline, j'en avais besoin !

—Fais-moi rire !

Pendant que je verrouille les classeurs et ramasse mes affaires, Jacqueline se promène dans la salle d'attente en espérant revoir Gilbert.

—Ton beau docteur en a-t-il encore pour longtemps ?

—Le dernier patient vient d'entrer dans son bureau ; mais nous pouvons partir.

À peine avons-nous quitté la Clinique qu'un accident nous oblige à faire un détour. Jacqueline effectue un virage à droite, et nous empruntons, par hasard, la rue Linton.

—Jacqueline, regarde, là, juste au coin !

Une pancarte *appartement à louer* attire mon attention. Jacqueline ralentit : le bloc est bien situé, bien éclairé…

—On y va ?
—On y va !

La jeune femme qui nous accueille paraît surprise.

—Je viens pour l'appartement.
—C'est que… je viens tout juste de mettre l'écriteau !

Elle nous précède et nous fait visiter un appartement superbe situé au rez-de-chaussée, avec balcon donnant sur la rue, de grandes fenêtres, une salle de bains impeccable…

—C'est combien ?
—Deux cent vingt-cinq jusqu'au mois de juillet, puis deux cent cinquante pour le prochain bail, chauffé, eau chaude fournie.

Ce loyer est évidemment un peu plus cher que prévu mais comme je peux désormais compter sur un salaire régulier…

—Et pour faire la lessive ?
—La salle de lavage est juste en dessous ; suivez-moi, je vais vous montrer…

Le sous-sol est bien tenu et la salle de lavage offre toutes les commodités que je recherchais.

—J'aimerais quand même en parler à mes enfants.

— Vous en avez combien ?

— Deux : un garçon de seize ans et une fille de quatorze ans. Je ne doute pas qu'ils soient d'accord, mais…

— Je suis prête à attendre votre réponse jusqu'à demain.

— Merci ! Tenez, notez mon numéro et appelez-moi si jamais un locataire éventuel se présentait.

— Je vous le promets.

Je crois que je peux lui faire confiance. De toute façon, je n'ai pas le choix, il serait impensable que je prenne une décision aussi importante, et qui nous concerne tous les trois, sans consulter les enfants.

J'invite Jacqueline à partager notre repas. Et c'est autour d'une énorme pizza, livrée directement à Biarritz, que nous élaborons les premiers plans de notre future demeure.

∞

Alexandre et Mélanie m'ont donné carte blanche. Je décide d'aller signer mon bail à l'heure du lunch. Trop curieux pour attendre, Gilbert offre de m'accompagner en prétextant pouvoir m'aider si jamais mon nouveau propriétaire exigeait un certificat d'emploi. Un détail auquel je n'aurais jamais pensé.

Cette deuxième visite de l'appartement confirme ma première impression : je m'y sens chez moi ! La présence de Gilbert impressionne visiblement la concierge. Elle aimerait bien qu'il signe comme endosseur, mais je refuse. Il propose un compromis : il signera comme témoin. J'accepte à la condition formelle que le mot *endosseur* soit raturé et que le mot *témoin* soit souligné trois fois.

Voilà, ça y est, les jeux sont faits! Ce grand saut dans le vide m'excite et m'effraie à la fois. L'idée de déménager m'emballe, tandis que je tremble à la pensée d'aller chercher mes meubles à Versailles.

À ce sujet, je suis dans le noir. Mes relations avec Maître Boileau piétinent. Nous ne sommes pas sur la même longueur d'onde. Ma décision de divorcer *pour alcoolisme* l'embarrasse. Il me ramène toujours la même rengaine : *pour adultère, ça va plus vite!* Or, je maintiens mon refus de divorcer pour adultère.

Je me souviens soudain d'un certain Maître T. membre des Alcooliques Anonymes, dont Philippe m'a souvent vanté les mérites. Nul doute que cet homme saisira mieux le but de ma demande et qu'il saura en tenir compte. Philippe accepte de servir d'intermédiaire et Maître T. me rappelle aussitôt. Inutile de lui expliquer mon cas, il en connaît tous les détails; il me précède, il me devine. Nous parlons le même langage. Je me sens enfin comprise et soulagée d'un poids énorme, je confie ma cause à cet homme en toute tranquillité. Je n'aurai qu'à me présenter au bureau de l'Aide juridique pour signer les papiers nécessaires au transfert de mon dossier.

∞

Vendredi 16 décembre

Je rentre du travail un peu plus tôt que d'habitude et me retrouve en plein *bordel!* Les enfants participent ce soir à un gala de bienfaisance à l'école, et le rassemblement général a lieu chez nous. Ils sont sept dans la pièce à se piler sur les pieds. La douche, le séchoir à cheveux de Martine, le fer à repasser de ma sœur, tout fonctionne en même temps. Martine prépare des sandwiches chez elle, tandis que Mélanie se bat avec le glaçage d'un moka au chocolat qui penche légèrement vers la gauche.

— Salut tout le monde !

— Maman, aide-moi ! Je n'arrive pas à décorer mon gâteau, il glisse tout le temps !

— Maman, veux-tu repasser ma chemise ?

— Madame, pouvez-vous m'aider à zipper ma robe, s'il vous plaît ?

Tout le monde veut un coup de main en même temps : je remonte une fermeture éclair, attache une épingle de sûreté, recouds un bouton, tout en complétant le glaçage de la tour de Pise ! Pendant ce temps, Alexandre libère le bout du comptoir pour me permettre de repasser sa chemise et Mélanie vide la moitié du réfrigérateur pour faire refroidir son gâteau.

À dix-huit heures, les voilà prêts : Dieu qu'ils sont beaux ! Chaque fille a choisi sa plus jolie robe, et chaque garçon porte une chemise de couleur avec un pantalon propre. Je m'aperçois que celui d'Alexandre a oublié de grandir avec lui ; inutile de souligner ce détail, je n'ai pas le temps de le rallonger.

Ils partent en bande, les bras chargés de paquets ; heureusement que l'école n'est qu'à quelques rues d'ici.

— On va prendre un taxi !

— Je pense qu'il va falloir en prendre deux !

Ils discutent entre eux du prix de la course et décident de s'en partager les frais. Ce sera sûrement un merveilleux soir de fête !

Enfin, la place est vide ! Quand je dis vide, entendons-nous. Je jette un regard autour de la pièce : l'évier déborde de vaisselle sale ; c'est fou ce que ça peut être salissant de faire un gâteau à quatorze ans ! Alexandre a préparé des carrés de céréales à la guimauve… tout est collant ! Le divan disparaît sous une montagne de sacs à dos, et mon lit est jonché de jeans et de t-shirts lancés nonchalamment au rythme de leur métamorphose. Leurs vieilles chaussures traînent partout et la salle de bains n'est pas montrable.

Je n'ai pas envie de ranger ce champ de bataille ; les jeunes le feront en revenant. Pour l'heure qui vient, personne ne souffrira du désordre : je sors !

Il fait beau ! Il a neigé et la pleine lune fait briller la neige sous un ciel étoilé. Je me sens profondément heureuse. Noël approche et un vent de fête flotte dans l'air. Partout les vitrines incitent à la joie… et à la dépense.

Je me promène au hasard, sans but précis. J'entre machinalement dans une librairie et me rappelle que Gilbert n'a pas encore lu *Jonathan Livingston le goéland*. Je décide de lui offrir ce bouquin pour Noël. Je suis déçue, il ne leur en reste aucun exemplaire.

— Nous en recevrons la semaine prochaine.
— Merci, je ne veux pas attendre.

Je pars à la recherche d'une autre librairie. Je descends tranquillement la rue Lajeunesse en respirant profondément. Ça sent la neige fraîchement tombée. Il fait bon, je suis bien, et je pense à Gilbert.

Élise, chère Élise, serais-tu, par hasard, amoureuse de cet homme ?

Je longe le parc. La tempête y a laissé un immense tapis blanc sur lequel un amoureux a écrit, à l'aide d'un bâton : *Micheline je t'aime !* Ah ! comme en ce moment j'aimerais m'appeler *Micheline* ! Si j'osais, je me roulerais dans la neige en criant son prénom et le mien à tue-tête : Gilbert et Élise… Élise et Gilbert… puis je graverais nos initiales dans un cœur : *É. aime G…* pour Gilbert ? ou pour Gabriel ?

Élise, chère Élise, méfie-toi, les arbres ont l'écorce dure et la mémoire longue !

Il m'a fallu plus d'une heure de marche pour dénicher le livre que je cherchais chez un dépanneur, entre cent revues pornos et mille recettes de cuisine ! Toute fière de ma trouvaille, je reviens à Biarritz en autobus, trop claquée pour me taper le trajet du retour à pied.

Merde ! J'avais complètement oublié le désordre. Je n'ai plus la force de faire le moindre ménage. Je me contente d'empiler la vaisselle, de rincer les chaudrons et de jeter le tas de vieux jeans en vrac sur le tapis, afin de libérer mon lit. J'allume ensuite la lampe rouge et une bougie pour faire plus romantique et camoufler le décor. J'enfile ma robe de chambre et m'installe confortablement sous les couvertures. Je lis tout en grignotant un bout de fromage. Je me perds dans mes rêves, je fais des plans, je décore, je pars.

Mélanie revient avec Dodo :

— Alexandre va coucher chez François avec deux autres copains, et Dodo va prendre les coussins. OK ?
— OK !

BIENVENUE À BIARRITZ, CAMPING OUVERT « À L'ANNÉE LONGUE » !

∽

Lundi 19 décembre

Ce matin le trajet en autobus me paraît interminable. J'ai hâte de revoir Gilbert et de lui offrir mon cadeau. J'ai écrit sur la carte : *Il faut savoir oser le geste…* en espérant qu'il ne me trouvera pas trop audacieuse.

Élise, chère Élise, qui n'ose rien, n'a rien !

Je m'installe à mon poste un quart d'heure avant l'arrivée des premiers patients. Le docteur Gauthier est déjà là. La porte de son bureau est restée ouverte. Il parle au téléphone avec une femme… le ton est tendre, la voix est douce, et la conversation semble sérieuse. Ce que j'entends me trouble. J'ouvre la radio pour ne pas être dérangée par ce qui ne me concerne pas.

Je glisse mon cadeau dans le fond d'un tiroir et l'offrirai, s'il y a lieu, au moment propice. J'hésite encore entre mon plaisir de donner et ma peur d'être mal jugée.

J'ouvre le cahier de rendez-vous, et me concentre sur le travail à faire. Soudain, en déplaçant quelques dossiers, je découvre une enveloppe blanche sur laquelle il est écrit : *à Élise*. Je l'ouvre rapidement… l'enveloppe contient une carte… et la carte : un chèque de cent dollars ! Avec un mot : *À Élise, pour un Joyeux Noël, d'un patron bien content !* Je suis émue..

Gilbert termine son téléphone, quitte son bureau et vient vers moi. Je n'hésite plus et lui tends mon petit sac bourré de papier de soie.

— Tiens, juste une petite pensée pour toi !
— Élise, tu n'aurais pas…

Il déballe son cadeau, lit le mot dans la carte, relève la tête, sourit, puis me tend les bras. Il m'embrasse sur la joue, discrètement, presque timidement. Le livre et l'argent n'ont tout à coup plus d'importance. L'arrivée du premier patient nous ramène les pieds sur terre.

— Entrez dans mon cabinet, monsieur, je vous vois tout de suite !

Le docteur Gauthier redevient sérieux. Il consulte le dossier que je lui tends, s'éloigne, puis revient sur ses pas :

— Je viens de parler à ma mère, elle est heureuse, je l'amène au concert, ce soir !

Élise, chère Élise, méfie-toi des idées de faits !

Les patients se succèdent. Gilbert est débordé. Heureusement que sa capacité de concentration lui permet de garder le cap.

— À quelle heure allons-nous dîner ?
— La technicienne a fait les réservations pour treize heures.

Quoi de plus traditionnel qu'un dîner de Noël ? Nous rejoignons tous les employés de la Clinique dans un restaurant du Vieux-Montréal. Comme par hasard, on nous a désigné deux fauteuils côte à côte. Gilbert me regarde différemment, presque trop tendrement. Qu'y a-t-il de changé ? Il existe une complicité nouvelle entre lui et moi, comme si les autres convives ne faisaient plus partie du même repas. Les yeux de Gilbert pétillent et mes joues se colorent à mesure que le vin coule… Mon Dieu, si seulement nous pouvions avoir des cagoules !

Je rentre à Biarritz un peu rêveuse, déçue que personne ne soit là pour m'accueillir avec mon bonheur tout neuf. Trois œillets dans un vase m'attendent sur le coin du comptoir; il y a une petite carte : *Et voilà, c'est reparti, mais à trois cette fois-ci ! Félicitations ! Joyeux Noël ! Je t'aime !* et c'est signé : *Alexandre.* Je pleure de joie. N'y tenant plus, je traverse chez Martine et les retrouve tous les trois en train de décorer joyeusement le petit sapin que notre voisine vient d'acheter.

— Élise, qu'est-ce que tu as ?
— Qu'est-ce que t'as maman ?
— Maman, pourquoi tu pleures ?

Je reste sans voix. Debout près de la porte, je fais signe aux enfants de s'approcher en allongeant mon geste pour inviter Martine à se joindre à nous.

— Si vous saviez comme je vous aime, tous les trois !
— Élise, j'ai fait un ragoût et des tourtières; si ça vous tente, je vous invite, ce sera mon réveillon !

Nous transportons la table à dîner près de l'arbre de Noël au pied duquel Martine vient de déposer quelques petits cadeaux. Il y en a un pour chacun de nous. Elle a pensé à m'acheter de l'ombre à paupières et du mascara.

— Quelle bonne idée ! J'en avais justement besoin !
— Mélanie m'a aidée.
— C'est très gentil, merci !
— Tiens, maman, c'est pour toi !

Connaissant ma passion pour la correspondance, Mélanie m'offre du papier à lettres; j'adore écrire à ceux que j'aime !

— Merci, ma belle ! Et merci à toi aussi, Alexandre, les œillets roses sont mes fleurs favorites !

Je profite du dessert pour leur annoncer ma surprise : ce chèque de Gilbert, qui nous arrive comme un cadeau du ciel.

— Moi aussi, j'ai une surprise pour vous.
— Une bonne surprise, Martine ?
— Je ne sais pas, elle m'attriste en tout cas.

Martine se lève, va mettre un disque, puis revient près de nous. La flamme de la bougie fait briller davantage ses beaux yeux verts mouillés de larmes.

— Je retourne à Gaspé, chez mes parents.
— Pour toujours ?
— Oui, Mélanie, peut-être pour toujours.
— Ça veut dire qu'on ne te reverra plus ?
— Mais non, je viendrai vous voir souvent, c'est promis !

Voilà le genre de promesse qu'on fait habituellement pour dorer la pilule à ceux qui restent. Nous nous reverrons, bien sûr, mais où ? et quand ? La présence quotidienne de Martine m'a souvent tirée du désespoir dans lequel je m'enlisais. Je garderai toujours une place de choix dans mes souvenirs pour cette presque fille qui a partagé des heures de tendresse avec nous.

Martine verse une dernière goutte de vin dans mon verre. Je la regarde au travers, comme si je voulais imprimer à jamais ses beaux traits fins dans le rouge transparent du bourgogne : le vert de ses yeux, le roux de ses cheveux, son teint pâle, ses *rousselures*.

— Et tu pars quand ?
— Mes parents m'attendent pour le Jour de l'An.

Mon regard s'embrume. Martine me tend un mouchoir en riant.

—Élise, Noël approche, l'heure est à la fête !

Et pourtant, moi, ce soir, je suis heureuse et malheureuse.

∞

Jeudi 22 décembre

Gilbert est parti à l'aéroport. La copine de sa sœur s'envolait ce matin pour deux semaines au soleil.

Le docteur Gauthier revient au bureau juste à temps pour recevoir ses premiers patients. La salle d'attente se remplit peu à peu, ne nous laissant aucune occasion d'aborder des sujets personnels. À peine a-t-il le temps de noter toutes les courses à faire avant la fin de la journée. En prenant le dernier dossier, il me dit à voix basse :

—Ce midi, si tu veux, nous irons ensemble chercher le cadeau de noces de Marie-Claude.

Gilbert marie sa fille aînée, la veille de Noël, à dix-sept heures : Marie-Claude Gauthier épousera un beau Mauritanien, à la mosquée, dans le rite musulman traditionnel. Le repas de noces suivra dans un grand restaurant tunisien. Puis quelques intimes se retrouveront chez Gilbert.

Le père de la mariée ne sait plus où donner de la tête : les réservations, les vêtements, les fleurs… Dans son petit appartement meublé, Gilbert n'a pas suffisamment de vaisselle pour recevoir des invités. Il devra au moins acheter des coupes et des tasses à café ; je voudrais bien lui prêter les miennes, mais je n'en ai que trois.

Je l'accompagne chez une artiste qui a fabriqué un batik superbe représentant une scène d'hiver à la campagne ; les teintes sont toutes en douceur et le dessin d'une finesse incomparable. Gilbert a eu bon goût. Même si je ne connais pas Marie-Claude, je suis sûre qu'elle appréciera.

Il fait gris et les trottoirs sont glissants. En sortant, Gilbert me tend la main pour m'empêcher de tomber. Je m'accroche à son bras. Nous marchons lentement et, pour la première fois, il me parle de ses enfants, de sa mère, en ajoutant des détails personnels plus intimes. Il fait toujours aussi gris, mais le soleil apparaît soudain comme une énorme boule jaune transperçant les nuages : un drapeau japonais aux couleurs différentes. Nous passons sous un arbre immense tendant ses branches dénudées et formant une gigantesque silhouette crochue devant ce cercle lumineux. J'arrête Gilbert un instant :

— Lève la tête et admire un peu ce spectacle !
— Magnifique !
— Le Bon Dieu est Bon !

Ma remarque le fait sourire. Il me prend par l'épaule et nous continuons notre route chaleureusement appuyés l'un contre l'autre. Un petit je-ne-sais-quoi s'accentue de jour en jour entre nous ; une espèce de tendresse, une complicité indéfinissable. Ce n'est peut-être pas encore de l'amour, mais….

∽

Vendredi 23 décembre

Le bureau du docteur Gauthier est fermé pour le congé de Noël : quatre longs jours sans voir Gilbert.

Élise, chère Élise, tu ne vas pas te remettre à compter les heures?

À quoi bon me tourmenter, puisque je n'y peux rien. De toute façon Noël approche ; aussi bien que ce soit un Joyeux Noël ! S'il n'en tient qu'à moi, Biarritz prendra un air de fête. Je veux tout astiquer : le placard, les armoires, les vitres et la salle de bains. Tout reluit, tout brille, tout sent bon !

À peine revenu de l'école, Alexandre repart chez François :

— Je vais l'aider à décorer son arbre de Noël !

Je ne sais pas si c'est l'esprit des fêtes ou l'approche de notre déménagement, mais je trouve mon fils beaucoup plus calme ces derniers temps. Par contre, Mélanie devient mélancolique. Elle se complaît dans ses souvenirs : Noël à Versailles, c'était la fête, les cadeaux, le réveillon ! Je sens ma fille au bord des larmes. Elle espère un téléphone de son père, mais Gabriel ne nous a pas donné de nouvelles depuis qu'il a appris que j'avais enfin trouvé un appartement, et que j'irais bientôt chercher nos meubles.

— Écoute, ma belle, j'ai une idée !
— Quoi ?
— Le soir de Noël, après le souper, il y aura le dépouillement de l'arbre de Noël chez mes parents…
— Je le sais.
— Oui, mais, ce que tu ne sais pas, c'est qu'en disposant de quelques dollars nous pourrions offrir à chacun une petite bagatelle !
— Tu veux dire que nous autres aussi on leur offrirait des cadeaux ?

— Des petits cadeaux, bien sûr, mais je voudrais profiter un peu de l'argent que Gilbert m'a donné pour dénicher quelques surprises. Veux-tu m'aider ?

— Oh ! Oui !

Je la vois s'animer. Elle retrouve son sourire.

— Que dirais-tu d'aller magasiner dans le quartier Côte-des-Neiges ? Nous pourrions en profiter pour aller voir notre nouvel appartement !

— Bonne idée.

Nous partons joyeusement comme deux copines. Nous achetons quelques livres de poche que Mélanie agrémentera de jolis signets faits à la main, des vases amusants dans lesquels nous planterons des pousses prélevées à même les quelques plantes que nous avons à Biarritz, un agenda pour grand-papa, un carnet d'adresses pour grand-maman…

— Et une cuillère à spaghettis pour oncle Antoine !

Nous nous amusons follement. Mélanie est imbattable quand il s'agit de démontrer de l'ingéniosité. Un peu de papier, quelques bouts de rubans, et nous voilà équipées pour emballer nos trésors. J'ai dépensé un peu moins de trente dollars ; il me reste donc assez d'argent pour le bouquet, l'apothéose : le souper chez *McDonald's* ! Assises sur une banquette, dans la vitrine du restaurant, on peut admirer notre futur appartement situé juste en face.

— Tu vois ce grand balcon au premier étage ? C'est chez nous ! La fenêtre double sera dans ta chambre.

— On va rester juste en face du *McDo* ?

— Eh ! Oui !

Ça la rassure; le quartier lui plaît, le *McDonald's* aussi. Nous revenons de notre expédition les bras chargés. Je fais du thé puis nous nous installons toutes les deux sur le tapis pour emballer nos petits cadeaux. Je savoure le calme de ces instants d'intimité avec ma fille. Tout est tranquille. La radio diffuse des airs de Noël que nous chantons en duo.

Quand nous nous couchons, vers minuit, tout est rangé, la place est propre et les paquets enrubannés décorent le coin de la fenêtre. Alexandre a téléphoné, il dormira chez François. Notre nuit sera paisible.

∽

Samedi 24 décembre

Gabriel ne verra pas les enfants pour Noël. Il leur a téléphoné très tôt, ce matin, pour leur annoncer qu'il allait passer quelques jours chez les parents d'Ann-Lyz. Devant leur déception, il a promis de les amener luncher au restaurant à son retour. Mélanie a beaucoup pleuré, puis elle a fini par succomber au sommeil. Par contre, Alexandre le prend très mal. À plat ventre sur ses coussins, il vocifère contre son père en frappant dans son oreiller. Finalement vaincu par l'épuisement, il s'endort à son tour.

Nous sommes le vingt-quatre décembre, la veille de Noël, et contrairement à ce que j'aurais pensé, je ne ressens aucune tristesse, je dirais même que je me sens bien. Allongée sur mon lit, je rêvasse, j'échafaude des plans, j'organise mon déménagement: dans une semaine exactement! Je me défends de penser à Gabriel fêtant Noël avec Ann-Lyz, et lui refuse le droit de gâcher le Noël des enfants!

Alexandre se lève brusquement et se dirige en flèche vers la salle de bains : il y a de l'orage dans l'air ! Il revient à la cuisine, ouvre le réfrigérateur puis le referme violemment ; je sens qu'il va nous faire une crise. Je décide de rester couchée pour éviter d'envenimer les choses. Il sort un poêlon en faisant le plus de tapage possible. Je ne bronche pas. Je ne dors évidemment pas, mais je garde les yeux fermés en essayant de conserver mon calme. J'entends le bruit de la viande qui grésille mais résiste à la tentation d'aller la faire cuire à sa place. Soudain, Alexandre se met à sacrer, à frapper du poing sur le poêle, sur le réfrigérateur, sur le mur ; il me fait peur.

— Alexandre, mon chéri, qu'est-ce qui se passe ?

— Toi, ça ne te fait rien ! Toi, ça ne te dérange pas que papa ne soit pas avec nous pour Noël ! Tu t'en fous !

— Mais non, je ne m'en fous pas, mais que veux-tu que j'y fasse ?

— Moi, je pensais qu'on fêterait Noël tous ensemble ! J'aurais voulu qu'on soit ensemble ! Ensemble ! Ensemble ! Est-ce que tu comprends ?

— Oui, je comprends, mais je n'y peux rien ! Si ton père est parti jusqu'à mardi, ce n'est quand même pas ma faute !

Alexandre recommence à sacrer et à traiter son père de tous les noms. Surtout ne pas s'arrêter aux mots, mais tenter de découvrir ce qui se cache derrière ces mots. Je laisse Alexandre crier sans intervenir ; je n'ai aucune envie de rentrer dans son jeu, surtout pas aujourd'hui.

Il nous fait la crise la plus épouvantable qu'il ait jamais faite. Il crie sa haine, il hurle sa colère ; si seulement il pouvait pleurer ! Mon fils a mal, très mal, et je n'y peux rien. Le calmer impliquerait que je le retienne de force, ou que je me batte avec lui. Malheureusement, je ne suis pas de taille et, dans ces moments-là, quoi que je dise, il n'entend pas.

Il s'est préparé un hamburger qu'il mastique avec rage. Il lance son couteau ! Il lance la moutarde : Dieu merci, le contenant est incassable ! Soudain, il saisit le poêlon sale et le projette rageusement à l'autre bout de la pièce, en éclaboussant de la graisse partout. Mélanie reste couchée et fait semblant de dormir malgré l'orage. Alexandre prend son manteau et sort !

La tête me tourne. J'ai mal à hurler ! Mon Dieu, jusqu'où cela peut-il aller ? Aidez-moi, quelqu'un, je n'ai plus la force ! Mélanie se colle contre moi. Elle pleure et moi je tremble à ne plus pouvoir contrôler mon corps. Je voudrais crier mais le cri reste prisonnier au fond de ma gorge : j'étouffe ! Je serre Mélanie dans mes bras, nos corps se mêlent. Nous pleurons jusqu'à épuisement, puis nous nous endormons à bout de larmes.

La sonnerie du téléphone nous réveille brutalement. Alexandre appelle pour demander pardon ; pauvre enfant !

— Ne t'inquiète pas, maman, je suis au *Café Chrétien* avec des amis, nous préparons la Messe de minuit.

Le Café restera ouvert toute la nuit pour accueillir les jeunes qui n'ont nulle part où aller en cette nuit de Noël. Alexandre aimerait y rester jusqu'à l'aube. Je lui donne la permission d'y passer de la nuit ; il peut veiller tranquille, nous ne l'attendrons pas.

— Et si nous allions à la Messe de minuit, toutes les deux ?

Souriante et reposée, Mélanie accepte avec joie. Pendant qu'elle se coiffe, je répare rapidement les dégâts d'Alexandre ; nos jolis cadeaux sont tachés, quel dommage !

Nous marchons tranquillement dans la nuit. Il fait doux. Les cloches sonnent. Il y a du divin dans l'air. La vieille chapelle du Sault-aux-Récollets, située tout près de la rivière des Prairies, est une toute petite église rococo, ornée de fleurs et d'angelots dorés. À l'instant où le ténor entonne le *Minuit, chrétiens,* de très jeunes enfants, vêtus de longues tuniques blanches, apportent précieusement l'Enfant Jésus de bois et le déposent solennellement dans la crèche; c'est à la fois *quétaine* et émouvant.

Je repense aux Noëls de mon enfance et aux messages galvaudés dont on a oublié le sens profond : le Christ est venu pour apporter la paix dans le monde, aux hommes de bonne volonté. *Je vous donne ma paix! Je vous laisse ma paix!*

Soudain, je pense à Alexandre et lui laisse ma paix. Je pense à Gabriel, à Ann-Lyz et leur laisse ma paix. Puis je pense à Gilbert et lui laisse ma paix… Je regarde Mélanie, debout, là, près de moi, je veux qu'elle soit heureuse et lui laisse ma paix.

Je pense enfin à tous ceux que j'aime : à ma famille, à mes parents, à Philippe, Jacqueline, Fernand, Ginette, Pauline, Barbara, Monique et Jean… et je leur laisse ma paix !

J'éprouve un sentiment profond qui n'a rien de comparable à la foi de mon enfance toute faite d'interdits et de mystères, mais une foi forte et chaude comme une flamme vivifiante. Je vibre en harmonie avec l'univers et je l'accepte.

Mon Dieu, donnez-nous, *aujourd'hui,* notre pain quotidien, notre amour quotidien, notre paix quotidienne, et *que votre volonté soit faite !*

Le sens profond de ces cinq petits mots : *que votre volonté soit faite*, m'apparaît soudain d'une clarté cristalline : Dieu est vie, Dieu est santé, Dieu est amour ! Si j'accepte que sa volonté soit faite, j'accepte la vie, la santé et l'amour.

J'ai cru pendant trop longtemps que Sa Volonté ne pouvait impliquer que quelque chose de triste. Comme la plupart des gens, je courbais l'échine en disant à Dieu : *Envoie-les-moi, tes malheurs, Seigneur !* Puis j'attendrais que *le pire* arrive.

Aujourd'hui je dis : *que votre volonté soit faite !* en attendant le meilleur ; certaine qu'il ne tient qu'à moi de lever la tête et d'ouvrir les mains.

Il est né le divin enfant ! Les anges dans nos campagnes ! Çà, bergers, assemblons-nous ! Un jeune prêtre, pâlot et filiforme, invite la foule à chanter en chœur. Il bat la mesure en faisant virevolter ses bras dans les airs avec de grands gestes comiques, à croire que d'un instant à l'autre il pourrait s'envoler...

Sur le perron de l'église, nous croisons Lorraine et Antoine ; ils nous invitent à monter dans leur voiture, et nous arrêtons saluer nos parents avant d'aller dormir.

∽

Dimanche 25 décembre

C'est Noël ! Il faisait déjà jour quand Alexandre est entré sur la pointe des pieds, pour se coucher aussitôt, en évitant de faire du bruit. Incapable de me rendormir, je rêve les yeux ouverts. Le téléphone sonne. Pressée de répondre, je perds pied et accroche le récepteur qui va s'écraser sur le plancher à deux pouces de la tête d'Alexandre.

— Allô ?

— Joyeux Noël, Comtesse !

— Philippe ! J'ai l'impression qu'il y a un siècle !

— À peine quelques jours ; j'arrive de New York où je suis allé visiter ma sœur, la pauvre, je ne l'avais pas vue depuis deux ans !

— Ce n'est pas ça qui appauvrit une sœur, tu sais.

— Et vous, Comtesse, comment vont les amours ?

— Quelles amours ?

Je lui raconte les derniers événements qui ont bouleversé ma vie. J'essaie d'omettre certains détails, mais il me précède et les raconte à ma place. Ce matin, sa perspicacité m'énerve. Je coupe court à la conversation en inventant un prétexte futile.

— Excuse-moi, Philippe, il faut absolument que j'aille aider ma mère à mettre la dinde au four !

— Au revoir, Comtesse, sois bonne !

Mélanie se réveille sur ces entrefaites. J'avale un verre de jus en vitesse et file sous la douche.

— Si quelqu'un téléphone pour moi, prends le message… ou plutôt non, frappe dans la porte, je viendrai !

J'ai pensé : Et si c'était Gilbert ? J'ose à peine me l'avouer, mais j'espère son appel ; Philippe me devine beaucoup trop, ça me fait peur.

Chantons, dansons, amusons-nous ! Après un copieux souper de Noël au restaurant, nous nous retrouvons tous chez mes parents pour le traditionnel dépouillement de l'arbre. Pour nous faire rire, papa nous fait la surprise de se déguiser en Père Noël, comme il le faisait autrefois pour Alexandre et Mélanie.

— Ne range pas ton costume trop loin, papa, je suis enceinte !

Lorraine et Antoine ont su garder leur secret jusqu'à ce jour, afin de nous en faire la surprise en famille. Nous sommes tous ravis.

Le Père Noël distribue personnellement les étrennes aux enfants sages qui les méritent : Alexandre et Mélanie sont gâtés ! Sortant de sa besace quatre alléchantes bonbonnières enrubannées, il fait semblant de lire nos prénoms avec peine :

— Pour Élise, Estelle, Lorraine et Johanne ! Ho ! Ho ! Ho !

Chacune dénoue le cordon de satin rouge qui retient son sac : la tension monte ; laquelle finira la première ? Je gagne le concours par un quart de seconde. Nous vidons le contenu de nos bonbonnières sur nos genoux : du nougat, de la réglisse, des poissons à la cannelle qui brûlent la langue ; puis, tout au fond, minutieusement dissimulé dans une papillote : un billet de cent dollars !

— Tu pourras acheter ta balançoire !

Depuis le temps que je casse les oreilles de ma sœur Lorraine avec ma fameuse balançoire rose !

— Riez, riez, je l'aurai sûrement un jour !

Pour l'instant, je doute fort que cet argent puisse servir à contenter un caprice aussi farfelu.

— Je déménage la semaine prochaine, ne l'oubliez pas !

La fête se termine tard dans la nuit. J'ai goûté la douceur de cette soirée autant que j'ai pu, en savourant l'instant présent. La balançoire rose ce n'est pas pour demain, je le sais, mais rien ne m'empêche d'en rêver.

⊙⊙

Lundi 26 décembre

Ce congé de Noël n'en finit plus. Pour ne pas couper court aux réjouissances, ma sœur Estelle a invité toute la famille à souper, histoire de terminer les vacances en beauté. Elle s'est donné un mal fou pour préparer ce repas : tout est beau, tout est bon, tout est parfait, mais je ne fais pas vraiment partie de la fête. J'ai la tête ailleurs.

Heureusement, je suis la seule invitée qui travaille demain. Quelle chance ! Et quel bon prétexte pour me retirer. Je suis crevée. Jamais vacances de Noël ne m'auront parues aussi longues. Antoine me ramène à Biarritz, et il raccompagnera les enfants plus tard. Pour une fois, je ne suis pas fâchée de me retrouver seule.

Je n'arrive pas à fermer l'œil. L'imminence du déménagement me frappe comme une pierre dans le front : je ne peux quand même pas déménager au jour de l'An ! C'est impensable ! Je vais parler au concierge et tenter d'obtenir la permission de garder l'appartement jusqu'au 2 janvier. Pourvu qu'il ne l'ait pas déjà loué ! J'élabore un plan : vendredi, le 30 décembre, je vais chercher mes meubles à Versailles et les transporte à mon nouvel appartement. Nous célébrons le Nouvel An à Biarritz, et le lendemain, j'emménage définitivement au Château Linton. Tiens, je viens de lui trouver un nom !

Tout est clair dans ma tête. Je connais mon scénario dans les moindres détails. Il ne me reste plus qu'à mettre le moteur en marche.

⊙⊙

Mardi 27 décembre

Enfin ! Le cœur battant, je traverse la salle d'attente à grands pas et me tape le nez sur la porte du bureau de Gilbert. J'avais oublié qu'il ne recevait aucun patient ce matin. Et s'il fallait qu'il ne vienne pas ? Une impression de solitude m'envahit. Je me sens triste à pleurer. Je m'installe à mon poste sans enthousiasme et travaille sans hâte. Le téléphone de Gabriel vient briser le silence.

— Écoute, *mon chérie*, je ne te dérangerai pas longtemps, je veux simplement t'informer de mon intention d'inviter les enfants au restaurant.
— Quand ça ?
— Demain midi.
— Ils sont d'accord ?
— Je ne sais pas. J'ai pensé qu'il valait mieux t'en parler d'abord.
— C'est très gentil, mais désormais je préférerais que tu t'adresses à eux directement pour ce genre de chose.
— C'est que… je ne serai pas seul.
— Tu veux dire que tu seras avec Ann-Lyz ?
— C'est ça ! Tu n'y vois pas d'inconvénients ?
— Aucun.
— Alors, c'est parfait !

Je prends mon courage à deux mains :

— Oh ! Gabriel, en passant, je voulais justement te téléphoner…
— Pourquoi ?
— Pour te dire que j'avais l'intention d'aller chercher nos affaires à Versailles, vendredi.
— D'accord.

—Tu seras à la maison ?

—Évidemment.

—Alors, c'est entendu, à vendredi !

—À vendredi !

J'appréhendais la réaction de Gabriel, qui aurait pu perturber mes plans et retarder notre installation, mais il paraît dans de bonnes dispositions. J'ai subitement le cœur en compote. Ce coup de fil de Gabriel m'a chavirée. Et Gilbert qui n'arrive toujours pas !

Élise, chère Élise, encore une fois tu es déçue parce que les choses ne se déroulent pas exactement comme tu les avais imaginées.

J'ai trop pensé à Gilbert et à nos retrouvailles ; pauvre idiote ! J'avais pourtant juré de ne plus jamais attendre et me voilà qui vire la tête vers le couloir à tout bout de champ.

Un bruit de pas familier, une porte qui s'ouvre, enfin ! Gilbert arrive, sourire aux lèvres, coiffé d'une toque de fourrure à vous faire rêver de troïka !

—Bonjour, bonjour ! Ça va, ça va ?

Gilbert répète toujours deux fois ses *Bonjour !* et ses *Ça va ?* Je me moque de lui gentiment :

—Très bien, très bien ! Et toi, et toi ?

—Très bien aussi, j'ai passé le jour de Noël avec ma mère.

Comme c'est bon de le retrouver ; si je ne me retenais pas, je lui sauterais au cou.

—Et, ce mariage ?

—Magnifique, je te raconterai. As-tu mangé ?

—Non!

—Allons-y tout de suite alors, j'ai faim!

Nous descendons à la cafétéria, le froid nous enlevant toute envie de mettre le nez dehors. Nous retrouvons aussitôt notre intimité quotidienne.

—Gabriel a téléphoné tout à l'heure.

—Ah! oui?

—Il amène les enfants luncher au restaurant demain… avec Ann-Lyz!

—Tes enfants la connaissent?

—Alexandre l'a entrevue une fois, mais pour Mélanie, ce sera une première rencontre.

—Et toi?

—Oh! moi, il fallait bien que je m'y attende. Je me suis souvent demandé quelle serait ma réaction le jour où je saurais qu'ils sont tous les quatre ensemble : les deux enfants, leur père, et l'*autre* à ma place? Au fait, est-elle vraiment à ma place? Je ne me sens plus du tout menacée. Les enfants font naturellement la part des choses. Et puis, avec le temps, on finit par accepter ce qui nous paraissait impensable au départ.

Gilbert me donne une tape amicale sur la main :

—Élise, demain soir, nous fêterons notre Noël à nous!

—Tiens! Tiens!

—Tu te feras belle, je me ferai beau, et nous irons danser!

—J'adore danser!

Élise, chère Élise, méfie-toi, un homme qui t'invite à danser, n'est pas nécessairement un bon danseur!

Un cas urgent réclame Gilbert à l'hôpital. Je reste seule mais je ne me sens plus triste; je ne pense qu'à *demain*.

∞

Mercredi 28 décembre

La salle d'attente ne dérougit pas. J'ai tellement de travail que j'en oublie Gabriel qui lunche en ce moment avec *ses* enfants… et l'*autre*. Je refuse d'ailleurs d'y penser, puisque cet événement ne fait pas partie de ma vie. Ce soir, je sors avec Gilbert, et aucune pensée sombre ne peut ternir ma joie.

Le dernier patient parti, nous affrontons le trafic de l'heure de pointe. Gilbert me laisse à la porte :

— Veux-tu monter cinq minutes ?
— Non, merci, je dois aller me changer. Je reviendrai te chercher vers dix-neuf heures !
— À plus tard !

Je descends de la voiture, monte l'escalier, rentre chez moi… et me retrouve nez à nez avec Gabriel ! Je fige sur place. Qu'est-ce que Gabriel fait *chez moi*, avec *mes* enfants ? Il s'avance majestueusement, me tend les bras, et m'embrasse amicalement sur les joues. Je n'ose demander aux enfants s'ils ont eu un bon repas, ni si *elle* était là.

— Vous m'excuserez, je suis pressée !

Mélanie se fait curieuse :

— Gilbert vient te chercher à quelle heure ?
— Dix-neuf heures !

Je m'enferme dans la salle de bains, ravie de la complicité de ma fille qui a profité de l'occasion pour faire remarquer subtilement à papa que maman aussi a quelqu'un dans sa vie.

Je me prélasse dans un bain voluptueux, tandis que Gabriel s'attarde auprès des enfants. Je les entends rigoler et réalise à quel point je suis détachée de ce qui m'entoure. Étrangère à ces rires, je ne ressens aucune envie d'y être mêlée. Je suis dans ma bulle !

Gabriel s'attarde. Il attend visiblement que je quitte mon refuge pour partir. Puisque je n'y échapperai pas, aussi bien en finir tout de suite. Je m'enroule dans mon peignoir et je décide de faire face à la musique.

— Tiens, tu es encore là, toi ?
— Je partais, justement !
— Je ne te retiens pas.
— Mais dis-moi, *mon chérie*, as-tu toujours l'intention de venir dévaliser Versailles, vendredi ?
— Je n'ai pas changé d'avis.

Il met son paletot sur le bout de ses épaules, ramasse ses gants et m'en donne un petit coup sec sur le bout du nez en passant devant moi :

— À vendredi, *petite fille ! Ciao !*

Je le laisse partir sans répliquer, et prépare le souper des enfants qui me parlent abondamment de leur rencontre avec leur père, en évitant volontairement de parler d'*elle*.

Élise, chère Élise, surtout ne pas poser de questions dont tu n'es pas prête à recevoir les réponses.

Aussitôt le repas terminé, Alexandre et Mélanie se précipitent chez Martine, avec qui ils ont élaboré toute une stratégie pour lui permettre de rencontrer Gilbert : au premier coup de sonnette, je devrai frapper dans le mur afin de donner la chance à Martine de se coller l'œil au judas de sa porte pour le voir passer. Puis, prétextant avoir un besoin urgent de son fer à repasser, laissé exprès chez nous pour les besoins de la cause, elle viendra frapper à ma porte et en profitera pour l'observer à son aise.

Gilbert arrive à l'heure convenue, et tout se passe comme prévu : il sonne, je cogne un coup dans le mur, il monte, Martine le surveille, il entre, et elle vient frapper à ma porte pour récupérer son fer… mais, car il y a un *mais*, ses deux complices la suivent, et ils sont tellement tordus de rire que le prétexte ne tient plus. Je brise la glace :

— Approche, Martine !
— Excusez-moi, je…
— Gilbert, je te présente Martine, notre voisine, qui se mourait d'envie de te connaître !

Elle entre timidement, flanquée de ses deux acolytes. Le sourire de Gilbert a vite fait de la mettre à l'aise. Même Alexandre, qui le rencontre pour la première fois, paraît charmé par la bonhomie et la simplicité de *mon docteur*.

Martine invite Mélanie à passer la soirée chez elle et Alexandre décide d'aller passer la nuit chez François. Aucun nuage à l'horizon, je peux partir l'esprit tranquille. Il y a si longtemps que je ne suis sortie dans le *grand monde* !

Gilbert me fait découvrir un restaurant japonais où le serveur prépare les différents mets devant vos yeux et lance les crevettes dans votre assiette avec la précision d'un tireur de couteaux. Le repas est délicieux, et le saké brûlant ; nous le sirotons à petites gorgées, comme pour étirer le temps. Gilbert est détendu, souriant. C'est la première fois que nous nous retrouvons en tête-à-tête, juste pour le plaisir d'être ensemble, sans prétexte, pour rien.

—Élise, aimes-tu ça manger au restaurant ?
—Bien sûr !
—Tant mieux, parce que moi j'adore ça… Et maintenant, si nous allions danser !

Une discothèque à la mode occupe le dernier étage de l'hôtel *Quatre-Saisons* situé juste en face du restaurant. Pour nous y rendre, nous devons traverser la rue. Il fait froid. Gilbert me tend le bras et je me colle frileusement contre lui.

Déboussolés par l'éblouissement des lumières et le son assourdissant de la musique, nous prenons le temps de siroter un digestif avant de plonger dans cette faune grouillante et colorée. Faisant fi du rythme, nous restons debout, l'un devant l'autre, en imitant les gestes de ceux qui se trémoussent autour de nous. Gilbert danse avec entrain en soulevant exagérément les épaules. J'éclate de rire. Faussement vexé, il m'attrape par les poignets, m'attire vers lui, et me prend par la taille. Nous retrouvons l'ivresse des *plaisirs démodés*… des slows langoureux qui clôturaient nos bals d'étudiants et nous faisaient rêver… Quand nos regards se croisent, nos yeux dégagent une lueur amoureuse que nous évitons d'étaler au grand jour, de peur de rompre le charme, et d'effriter notre amitié si précieuse.

Après la danse, Gilbert me ramène bien sagement à Biarritz. Un doux baiser, une chaleureuse accolade, puis nous nous quittons sur un dernier sourire.

Je rentre sur la pointe des pieds pour éviter de réveiller Mélanie. Je n'ai pas envie de lui raconter ma soirée. Je préfère m'allonger par terre et réfléchir à ce qui m'attend. Après le bal, Cendrillon revient au bercail, consciente que les jours qui s'en viennent seront difficiles à vivre.

∞

Jeudi 29 décembre

Je viens de téléphoner à Gabriel pour préciser à quelle heure nous arriverons à Versailles, demain, et cette conversation a été si pénible que j'en suis encore toute bouleversée. Bien sûr, il le savait déjà. Bien sûr, nous en avions discuté à plusieurs reprises, et pas plus tard qu'hier… mais je m'aperçois qu'au fond, Gabriel crânait, et refusait d'y croire. Pourquoi faut-il que ce soit pénible de récupérer ce qui nous appartient ? Quoi qu'il en soit, le geste sera posé comme prévu.

C'est dur de vider une maison dans laquelle on a vécu huit ans, surtout à quelques heures du dernier jour de l'année. À Versailles, la célébration de la Saint-Sylvestre était devenue une véritable tradition. Parents et amis se retrouvaient chez nous où il y avait à boire et à manger en abondance. La fête se poursuivait jusqu'à l'aube, et même plus tard, puisque certains invités insistaient pour boire avec nous le premier café, du premier matin, de l'année nouvelle.

Je comprends que cette brisure sera aussi cruelle pour Gabriel que pour moi ; mais je n'avais pas le choix de la date, puisque Bill, le copain de Barbara, a gentiment accepté de sacrifier sa journée de congé pour venir m'aider à déménager. Il possède un camion et, dans les circonstances, une offre pareille ne se refuse pas.

Appuyée sur mon bureau, la tête cachée dans mes mains, je tente de retrouver mon calme. Gilbert s'approche et pose sa main sur mon épaule.

—Ça ne va pas, Élise ?
—Non, ça ne va pas !

Il m'invite à le suivre dans son cabinet où du café chaud nous attend. Mise en confiance par son sourire, je profite de cette pause pour analyser avec lui les implications de mon geste :

—Il est évident qu'en allant chercher nos affaires, je mets un terme à un pan de ma vie ; la maison cessera d'être Versailles, la brisure sera définitive, et mon départ, sans retour. Je ne ressens aucun remords. C'est dur à vivre, c'est tout !
—Élise, regarde par la fenêtre comme il fait beau ! J'ai des courses à faire ; si ça te plaît, à midi, nous fermons boutique et je t'emmène avec moi !

J'accepte mais sans joie. Aussitôt la dernière patiente partie, Gilbert m'entraîne dans les grands magasins. Peu à peu sa bonne humeur me gagne. Nous dévalisons les comptoirs de cadeaux : un pour sa mère, un pour sa sœur… Nous faisons des blagues, en nous payant parfois la tête des gens, comme deux adolescents en vacances. Soudain, il s'arrête et se tourne vers moi.

—Élise, sais-tu que nous sommes bien ensemble ?

Je lui prends la main. C'est vrai que nous sommes bien. Nous avons tant de goûts en commun, tant d'idées qui s'accordent. Nous pensons la même chose en même temps, nous avons le même sens de l'humour… sauf que, pour l'instant, je n'ai plus le cœur à rire.

Gilbert me ramène à Biarritz assez tôt pour que j'aie le temps de me reposer avant d'entreprendre la corvée qui m'attend.

— Veux-tu monter, cinq minutes ?
— Cinq minutes, pas plus, tu dois te coucher tôt.
— Promis !

Les enfants sont sortis, nous sommes seuls. Gilbert me prend dans ses bras et nous nous embrassons pour la première fois. Je ressens le même grand frisson qu'à seize ans. Cette étreinte me chavire ; une douce caresse, des lèvres chaudes… il y avait si longtemps ! Un bruit de clé dans la serrure nous fait sursauter. Quatre mousquetaires envahissent la place : Alexandre, François, Mélanie et Dodo saluent poliment *mon patron* avant de se regrouper devant la télévision.

Gilbert quitte le bateau en me laissant sur le pont, encore rêveuse. Je prépare du chocolat chaud pour les jeunes, puis m'en verse un grand bol, que je bois, assise au milieu de mon lit, en savourant chaque instant.

Élise, chère Élise, ce soir, ici, à cette heure, accepte d'être heureuse.

∞

Vendredi 30 décembre

Barbara et Bill arrivent très tôt, mais ils sont seuls ; le copain qui devait les accompagner s'est désisté. Il nous faut absolument une autre paire de bras.

— Je vais y aller, moi, maman !

J'aurais préféré tenir Alexandre à l'écart de cette tâche ingrate.

—Oh ! et puis pourquoi pas ? Arrive !

Voilà un déménagement qui ne sera pas facile à faire ! L'entrée du garage n'ayant pas été déblayée depuis le début de l'hiver, nous enfonçons dans la neige jusqu'aux genoux. L'escalier n'a pas été pelleté, non plus, et le perron s'est transformé en glissoire. Il y a juste assez de place pour poser un pied en biais au milieu de chaque marche. Bill nous rassure :

—Cinq marches, ça se saute bien !

Vêtu d'un pantalon noir, d'un veston de satin bleu, et d'un foulard de soie assorti, Gabriel nous attendait :

—Je vais vous faire du café ! Je n'ai que de l'*expresso*, ça ira ?.

Il est gentil, tellement gentil qu'il m'énerve. Son air condescendant, ses allures de baron qu'on saisit et qui crâne me mettent en rogne. Sans perdre de temps, nous organisons le premier voyage. Il faut trier et empaqueter au fur et à mesure. Je m'aperçois que Gabriel s'est chargé de faire un premier tri : tout ce qui avait un peu de valeur est parti. La plupart des livres ont disparu : les plus chers, les plus beaux, les livres d'art, les encyclopédies, les dictionnaires, les reliures plein cuir ; je n'ai droit finalement qu'à deux boîtes de livres de poche. Heureusement que la valeur d'une idée vaut mieux que la reliure sous laquelle on la présente. Le tourne-disque et même les disques se sont volatilisés, Des centaines de disques accumulés au fil des ans, il ne m'en a laissé qu'une douzaine : Mary Poppins, Noël Blanc, et de vieux succès des années '60. Où sont passés les disques que Gabriel lui-même m'avait offerts en cadeaux ? Qu'est-il advenu de Vigneault, de Brassens, de Moustaki, et des autres? Et les sculptures? Où donc a-t-il caché nos sculptures? Nous en avions toute une collection! Bien sûr, ce n'était pas des originaux de grande valeur, mais ces reproductions me plaisaient. Toutes les têtes ont disparu, plus de têtes, COUIC!

— Tu peux emporter toutes les plantes, si tu veux!

Elles n'ont pas été arrosées depuis si longtemps qu'il n'en subsiste que quelques tiges jaunies; enfin, peut-être méritent-elles encore d'être ranimées.

Une grande maison de deux étages, ça fait beaucoup de pièces à vider, beaucoup de recoins à visiter. Je n'ai ni le temps ni le courage de ratisser la place; tant pis si quelques souvenirs demeurent enfouis au fond des armoires, ou dans la cave! Nous sommes à deux jours du Premier de l'an, j'en suis consciente; je ne vais pas agir comme une voleuse et tout mettre à sac. Commençons donc par la cuisine:

— J'emporte la vaisselle blanc et bleu et te laisse l'autre service, d'accord?

— Je m'en sacre!

J'emballe soigneusement ma collection de porcelaine de Delft; enfin, ce qu'il en reste. J'ai toujours eu une préférence pour la porcelaine blanc et bleu; il y en avait partout avant la casse: sur les murs, les tablettes, les meubles; même le plancher est recouvert de tuiles de Delft, mais je ne peux évidemment pas les emporter, pas plus que le four fixé dans le mur, la cuisinière et le lave-vaisselle encastrés dans le comptoir, ou le réfrigérateur emboîté dans les armoires. Gabriel joue au propriétaire:

— Tout ce qui est encastré, reste encastré, et sera vendu avec la maison !

Je retiens une envie folle de l'emmurer dans la cave et de l'offrir en prime aux futurs propriétaires. Je n'ai pas le goût de me battre. Je me suis passée de tout ce bazar durant près d'un an, et n'en suis pas morte.

Bill et Alexandre sortent les boîtes au fur et à mesure. Comme le camion est très petit, il faudra faire plusieurs voyages.

J'emporte les quatre chaises de cuisine et laisse la table à Gabriel, puisqu'il y tient beaucoup. Je prendrai celle de la salle à manger. Ce chassé-croisé nous satisfait tous les deux. Je n'emporte rien d'autre dans cette pièce; le bahut, la table basse et le petit secrétaire ne me seraient d'aucune utilité.

Les chambres des enfants sont sens dessus dessous; rien, absolument rien, n'a été touché depuis notre départ. Même les lits sont restés défaits pendant onze mois ! Je vide les tiroirs et fais un tri rapide avant de me laisser gagner par l'émotion. La poupée de Mélanie, sagement couchée sur le plancher, espérait qu'on vienne la ramasser. Je la serre contre mon cœur puis la range minutieusement dans une boîte. Bill n'attendait que ces derniers meubles pour partir avec le premier chargement. Nous convenons que Barbara et Alexandre iront avec lui, tandis que je resterai à Versailles pour préparer le deuxième voyage.

Je me retrouve seule avec Gabriel. Il pleure. J'ai peur de me laisser attendrir. Il s'approche de moi et me serre dans ses bras, m'étouffant presque par son étreinte. Il sanglote dans mon cou. Son haleine pue l'alcool: cette odeur me glace. Je me dérobe en douceur et m'affaire à mettre de l'ordre dans mes papiers en attendant le retour de mes compagnons. Étendu sur le divan du salon, Gabriel fait maintenant semblant de dormir. Je sais qu'il suffirait que je m'approche et que je pose ma tête sur son épaule pour que nous fassions l'amour *comme si de rien n'était…*

Je me réfugie dans la bibliothèque, ma pièce préférée; tous les meubles qui s'y trouvent me viennent de ma grand-mère, ce sont des souvenirs auxquels je tiens : j'emporte tout ! Tout, sauf la bibliothèque plein mur, en bois de rose, que Gabriel a si habilement *encastrée* entre deux fausses colonnes de plâtre.

Mes déménageurs sont de retour. Bill entreprend la deuxième corvée. Gabriel se lève et vient vers moi :

— Achevez-vous ?
— Bill fait de son mieux pour empiler les choses, mais il faudra faire un troisième voyage…

Gabriel grimace. Il doit se rendre à un cocktail à dix-sept heures. Je lui propose de me confier sa clé.

— Je la laisserai dans la boîte aux lettres, ça me permettra de passer le balai et de faire un dernier tour d'horizon avant de partir. Je ne voudrais pas laisser la maison dans un tel désordre.

Il devient arrogant :

— Tu n'as pas été foutue de faire le ménage pendant dix-sept ans, tu ne vas pas commencer maintenant ! De toute façon, je n'irai pas à ce cocktail !

— Dans ce cas, peut-être devrions-nous aller manger avant de revenir ?
— Fais donc ce que tu voudras !

Alexandre grimpe dans le camion de Bill et je monte dans la voiture de Barbara. Le temps d'aller livrer notre chargement, puis de casser la croûte à toute vitesse, et nous voilà de retour sur le chemin de Versailles. Il pleut un peu, la route devient glissante. Encore un coup de cœur puis tout sera terminé. Je me sens soulagée. Barbara s'étonne encore de l'attitude de Gabriel :

— Franchement, je m'attendais au pire. C'est tellement plus facile pour tout le monde !

Gabriel a lancé quelques petites pointes acides, mais rien de vraiment méchant ; tant mieux, car je n'aurais pas pu le supporter.

Il pleut maintenant très fort. Une neige mouillante embrouille les vitres et rend la visibilité mauvaise. Nous avançons extrêmement lentement ; Impossible d'accélérer sans danger.

Nous garons la voiture et le camion devant la maison. Toutes les lumières sont éteintes, ça m'étonne. Je sonne : pas de réponse. J'essaie encore : toujours rien ! Aucune lumière, aucune réponse. Je tourne la poignée doucement... la porte n'est pas verrouillée. J'entre, suivie de Bill, que ce silence intrigue.

— Gabriel ! Gabriel, es-tu là ?

Aucune réponse. Ça m'inquiète. Nous faisons le tour des pièces, aucune trace de Gabriel. Soudain, j'entends un petit bruit sourd venant de la salle de bains :

— Gabriel ? Gabriel !

J'ouvre la porte. Gabriel est étendu dans le bain, sans lumière. J'allume. Il a bu. Tellement bu, qu'il a du mal à parler. En m'apercevant, il sursaute et devient rouge de colère. Il se met à frapper du poing violemment dans l'eau, en éclaboussant le plancher et les murs. Il crie :

— As-tu vu l'heure ?

— Seize heures !

— J'ai un cocktail, moi ! Il faut que je parte, moi ! Tu as fait exprès pour me faire manquer mon cocktail ! Tu as fait exprès !

— Mais, tu m'as dit que tu n'y allais pas.

— Je n'ai *jamais* dit ça !

Le téléphone sonne. Nous sommes sauvés par la cloche. Gabriel sort du bain, enfile sa robe de chambre et va répondre en titubant : c'est *elle* !

Nous profitons de cette trêve inespérée pour sortir à toute vitesse les choses que nous avions eu la merveilleuse idée d'empiler près de la porte avant de partir tout à l'heure.

Gabriel parle fort. Rien que de l'entendre gueuler au téléphone me donne des frissons dans le dos. Vivement qu'on en finisse avec ce cauchemar. Gabriel revient vers nous, fulminant, fou de rage. Il me bouscule, me lance des objets à bout de bras. Je ne saurais dire d'où me vient mon calme, mais sa colère ne m'atteint pas.

Bill et Alexandre sortent le dernier meuble, Barbara descend la dernière boîte, tandis que j'emporte la grosse plante, que j'avais spécialement gardée pour la fin, pour ne pas risquer de briser le vase de Delft dans lequel elle est empotée. Je m'apprête à sortir avec mon précieux fardeau, quand Gabriel s'approche derrière moi et me donne une poussée dans le dos. Je bute sur le paillasson. Bill arrive juste à temps pour me retenir et m'empêcher de tomber dans l'escalier. Gabriel referme la porte si violemment que toutes les vitres de la maison en vibrent.

C'est fini ! Enfin, fini ! Je respire. Avant de monter dans la voiture, je me retourne une dernière fois pour regarder la maison, le terrain, les arbres… Je ne ressens aucune tristesse. Je peux partir tranquille, je ne reviendrai pas.

Nous allons démarrer quand Gabriel sort précipitamment sur le balcon en hurlant de toutes ses forces :

— Bonne Année pareil !

Puis il rentre en claquant à nouveau la porte. Je me cale dans le siège de la voiture. J'ose à peine ouvrir les yeux. La maison peut brûler, le ciel peut s'effondrer, je ne veux plus jamais me retourner.

Le camion a été vidé, la voiture aussi, et le retour à Biarritz s'est fait sans heurts. Je suis claquée, vidée. Où Barbara et Bill trouveront-ils la force d'aller fêter ? Pauvre Bill, c'est son anniversaire ! En voilà au moins un qu'il n'est pas prêt d'oublier.

Le calme de Biarritz contraste merveilleusement avec la fébrilité de Versailles. Je trouve un petit mot de Mélanie : *Suis partie chez Dodo*. Alexandre prend sa douche puis part à son tour pour rejoindre François. Je reste seule. Bienheureuse solitude ! Bienheureux silence ! Je m'étends sur mon lit et tente de faire le vide dans ma tête pour oublier cette journée qui me paraissait insurmontable.

Je regarde autour de moi. L'aventure tire à sa fin : onze mois ! Nous aurons vécu à Biarritz durant onze mois ; je n'en reviens pas. Au moment de signer mon premier bail, si on m'avait dit que je le renouvellerais dix fois, je n'aurais jamais voulu le croire; j'aurais reculé, j'aurais eu peur.

Peut-on jamais prévoir le cheminement qui nous mènera au bout de la route? Une certaine grâce d'état nous est toujours donnée, de sorte qu'on a finalement la force de vivre ce qu'on n'aurait jamais cru pouvoir vivre. Ma barque a failli sombrer plusieurs fois, mais j'ai finalement réussi à la mener à bon port. Nous en sommes à la première escale, dans deux jours nous reprendrons le large vers des cieux plus cléments, et lentement, très lentement, ces souvenirs s'estomperont peut-être.

Élise, chère Élise, ce soir commence le compte à rebours…

∞

Samedi 31 décembre

Aucune tradition n'étant immortelle, nous n'accueillerons pas la nouvelle année à Versailles ce soir. Afin que la transition se fasse en douceur, Johanne et Robert ont eu la gentillesse de nous inviter à célébrer la Saint-Sylvestre chez eux. J'avoue que depuis ma visite chez Gabriel, j'appréhendais un peu l'approche fatidique de minuit; or, contrairement à ce que j'avais prévu, je ne me sens pas du tout triste, je suis même plutôt calme. Je me sens libre, je suis bien.

Robert compte les secondes à rebours:

— Six! Cinq! Quatre! Trois! Deux! Un! Bonne Année!

Alexandre et Mélanie viennent m'embrasser; notre étreinte en dit long sur la tendresse qui nous rapproche. J'ai envie de rire, de blaguer, d'être heureuse ! Nous avons gagné une dure bataille, mais la guerre n'est pas finie.

Robert verse du champagne dans mon verre. Le pétillement des bulles me chatouille les narines. C'est bon ! J'aperçois mon reflet dans le miroir du salon et lève mon verre : à ma santé !

Élise, chère Élise, je te souhaite une Bonne Année !

∞

Dimanche 1er janvier 1978

Drôle de jour de l'An ! Nous avons dormi tard. Vers midi, François est venu chercher Alexandre et Mélanie, qui passeront l'après-midi chez lui.

Je suis seule. Je n'ai jamais passé un jour de l'An toute seule. J'ai reçu plusieurs coups de téléphone, et Philippe m'a fait la surprise d'une courte visite pour me souhaiter une belle et bonne année ; avec des amis comme ceux-là, comment pourrait-elle être mauvaise ?

Étendue sur le divan, je lis en savourant les délicieux chocolats aux cerises que mon ami m'a apportés. Gabriel ne me manque pas. Notre dernière rencontre m'a fait comprendre qu'il valait mieux qu'il en soit ainsi. Je suis contente finalement de me retrouver seule avec Alexandre et Mélanie. Les réunions *papa-maman* dans de telles circonstances amènent souvent les enfants à s'accrocher à de faux espoirs. On se prend à vouloir renouer des liens, et il y en a toujours un des deux qui en souffre.

Encore un chocolat et je reprends ma lecture. La sonnerie du téléphone me surprend au milieu d'un chapitre palpitant.

—Allô ?

—Bonjour, bonjour ! Ça va, ça va ?

—Oh ! oui, oh ! oui, ça va, ça va !

—Je voulais te souhaiter une Bonne Année, Élise !

—Une Bonne Année à toi aussi ! Qu'est-ce que tu fais ?

—Je suis de passage chez mon frère, j'arrive du cinéma.

—Du cinéma ?

—J'ai bien pensé t'inviter, mais finalement je n'ai pas osé.

—Il faut toujours oser le geste ; rappelle-toi !

—Tu as raison ! Tu es seule ?

—Oui, enfin pour l'instant.

—Est-ce que je pourrais passer te voir ?

—Bien sûr ! Tu peux même venir souper, si tu veux…

—Ça me ferait tellement plaisir !

—Écoute, j'ai une idée : ce soir nous allons veiller chez mes parents, et, si ça te plaît, je t'invite !

—J'aurais trop peur de déranger…

—Déranger ? Ils seront ravis, au contraire.

—Écoute, laisse-moi y penser.

—Et pour le souper ?

—Attends-moi, j'arrive !

Je suis *folle comme un balai*, comme disait ma grand-mère. Je tourne en rond : l'appartement est impeccable, le souper est prêt, je suis bien habillée, bien maquillée, bien coiffée ; je peux donc terminer tranquillement la lecture de mon livre en attendant l'arrivée de Gilbert… ou des enfants. Merde ! Les enfants ! Comment diable vais-je apprendre cette nouvelle aux enfants ? Si Mélanie allait me refaire une crise *Adrien* ? Et mes parents ? J'ai dit à Gilbert qu'ils seraient ravis, mais au fond je n'en suis pas si sûre ; ne trouveront-ils pas *indécent* de voir leur fille accompagnée d'un autre homme que son mari, au jour de l'An ? Je n'ai pas encore trouvé de réponse quand Alexandre entre en courant. Allons-y carrément :

—J'attends de la visite.

—Ah ! oui ? Qui ça ?

—Gilbert…

—*Ton docteur ?*

—Oui, Alexandre, j'ai invité le docteur Gauthier à souper avec nous.

—C'est super !

Mélanie apprend la nouvelle directement de la bouche de son frère :

—On attend de la visite !

—Papa ?

—Non, le *docteur de maman* s'en vient !

—Je ne te crois pas !

—C'est vrai, ma chouette !

—Est-ce qu'il va venir aussi chez grand-maman ?

—On ne sait jamais, peut-être ?

—J'aimerais ça !

La réaction des enfants me soulage. Ils ont l'air d'accepter facilement ce que j'ai tant de mal à m'avouer. Le regard de Mélanie s'assombrit :

—Est-ce que grand-maman le sait ?

—Pas encore.

—Vas-tu l'appeler ?

—Pas tout de suite.

Au fait, pourquoi l'appellerais-je ? Je suis une grande fille libre de passer la soirée du jour de l'An avec qui me plaît. Tout compte fait, je n'appellerai pas ; je préfère miser sur l'effet de surprise et sur le charme de *mon beau docteur* pour leur faire avaler la pilule.

Gilbert arrive avec des fleurs et une bouteille de vin. Je dresse les plats sur le comptoir, tandis qu'Alexandre allume la bougie traditionnelle, celle qui brûle durant le souper du jour de l'An, puis qui s'éteint jusqu'à l'année suivante. Ce rituel date de notre arrivée à Versailles et, pour la première fois, ce soir, la tradition se perpétuera ailleurs.

Nous nous retrouvons tous les quatre, assis par terre, autour de la table à café. Gilbert ne semble pas du tout incommodé par cette posture, à croire qu'il a toujours vécu comme ça. Mélanie nous taquine et Alexandre observe la scène en ajoutant son grain de sel de temps en temps. Notre *impromptu de Biarritz* se déroule dans le calme et dans la bonne humeur.

Il est plus de vingt heures quand nous quittons Biarritz pour nous rendre chez mes parents. Comme ils habitent tout près, nous y allons à pied. Les enfants nous précèdent. Gilbert me tient la main. L'air est bon, il fait doux, et le ciel d'un bleu d'encre accentue davantage la blancheur de la neige.

—Gilbert, regarde, une étoile filante !

Je fais un vœu en serrant très fort la main de Gilbert. Les enfants accélèrent le pas, et bientôt nous les perdons de vue.

Annoncé par nos deux précurseurs, Gilbert est accueilli à bras ouverts, non seulement par mes parents, mais par tous mes proches ; ils m'ont tous assez vu pleurer pour me vouloir heureuse. Bien sûr, certains ne comprennent pas le sens de ma démarche, car, comme dit ma mère : *Gabriel, ils ne l'ont jamais vu chaud !*

Pauvre Gabriel ! Quelle Saint-Sylvestre a-t-il passée ?

Élise, chère Élise, savoure chaque instant, sans remords.

Gilbert semble à l'aise parmi les miens, on le trouve gentil, on le trouve beau ! Sa chevelure abondante en fait rêver plusieurs. Nous rions, nous chantons, mais surtout nous dansons, son corps si près du mien, sa joue contre la mienne ; j'aime l'odeur de son cou légèrement parfumé.

Aux petites heures du matin, nous retournons à Biarritz en marchant très lentement. Le temps s'est refroidi. La neige craque sous nos bottes et le son se répercute en écho. Comme la nuit est paisible ! Si seulement ça pouvait être de bon augure pour les jours qui s'en viennent.

Gilbert me laisse à ma porte. J'aimerais tant me blottir dans ses bras pour le reste de la nuit ; la soirée a passé si vite.

— Je peux venir t'aider, demain matin, si tu veux !
— Si je veux ?
— À onze heures, je serai là !

La pensée de revoir Gilbert me rend déjà la corvée du déménagement plus agréable. Il démarre et je le regarde s'éloigner jusqu'à ne plus le voir, puis je monte chez moi, la tête encore pleine d'airs de danse et de paroles tendres.

Les enfants s'endorment, à peine rentrés. Je sors de ma rêverie et réalise tout le travail à faire avant de déménager. Inutile de me coucher, je n'arriverai pas à fermer l'œil. Quelle heure est-il ? Quatre heures ! J'entrouvre la porte du réfrigérateur pour me laisser un filet de lumière, et commence à trier le contenu des armoires. Assise entre les boîtes, je vide les tablettes une à une, ne gardant à portée de main que le strict nécessaire. Ça me fait tout drôle de penser que, dans quelques heures, ça en sera fini de Biarritz, de la bohème, de la piscine et du grand balcon sur le toit. Cet appartement est tout plein de souvenirs, de cris, de hurlements, de larmes et de rires aussi.

Les enfants se lèvent et, le temps de le dire, la pièce est encombrée de tout ce qu'ils doivent emporter. Alexandre n'en finit plus de trier ses affaires, il a l'âme d'un grand collectionneur, ce qui nous donne droit à certains colis assez cocasses : roches, gommes à effacer, timbres, papillons, etc., etc.

— Faites attention, dans cette boîte-là, il y a ma collection de grenouilles en porcelaine !

C'est fou tout ce qu'on peut accumuler en quelques mois. La pièce est jonchée de bagages.

— Les enfants, vérifiez bien sous le bureau, le coin du fauteuil et l'arrière du divan !

Autant d'endroits de rangement, autant de choses à emporter. On sonne. Onze heures pile, c'est Gilbert !

Quand Gilbert promet un coup de main, c'est tout un coup de main ! Rapidement, tout est rangé, identifié, numéroté. Quand Lorraine, Antoine, Johanne et Robert arrivent, ils forment une chaîne pour empiler les boîtes dans les trois voitures.

La place est vide. Il ne me reste plus qu'à verrouiller la porte. J'hésite encore et me retourne une dernière fois…

Élise, chère Élise, attends-tu d'être changée en statue de sel ?

Je tourne la clé dans la serrure, emprisonnant à jamais tous mes souvenirs à l'intérieur. Puis, je viens rejoindre mes complices. Mélanie monte avec Johanne et Robert, Antoine et Lorraine amènent Alexandre, et je pars seule avec Gilbert. La caravane se met en branle, les trois autos se suivent à la queue leu leu. Peu à peu l'image de Biarritz s'estompe, balayant du même coup presque une année de ma vie.

∽

Château Linton!

— Bienvenue au Château Linton !

—Ah ! c'est beau, maman !

Mélanie fait le tour des pièces en reluquant dans chaque coin. Sa chambre est bien située, confortable, peut-être un peu plus petite que celle d'Alexandre, mais mieux éclairée.

—Mélanie, regarde ce que j'ai trouvé !

Alexandre transporte une boîte de jouets dans laquelle tous les deux découvrent des trésors oubliés depuis longtemps. Ils retrouvent avec joie leurs meubles, leurs lits… Moi, j'ai laissé mon lit à l'*autre* ; même désacralisé, je n'avais pas envie de dormir avec des fantômes. Un jour, plus tard, dans quelques mois, je m'achèterai un matelas tout neuf ; d'ici là, je me contenterai du petit grabat en caoutchouc mousse qui recouvrait autrefois le lit *encastré* d'Alexandre.

Après avoir déchargé les autos, mes *déménageurs* s'esquivent discrètement sous prétexte de me laisser le plaisir de ranger mes affaires à ma guise. Gilbert reste avec nous pour aider Alexandre à déplacer certains meubles un peu trop lourds pour moi.

— Écoute ça, Mélanie, je ne me souvenais plus d'avoir acheté ce disque-là !

— Et celui-là ? T'en souviens-tu Alexandre ? C'est moi qui te l'avais offert juste avant notre départ !

Les jeunes ont installé leur tourne-disque dans le corridor, et n'en finissent plus de s'extasier en reconnaissant les dizaines de titres provenant de leur discothèque personnelle ; Dieu merci, Gabriel n'a pas eu l'indécence de fouiller jusque-là.

Le Château Linton s'anime. Chacun s'occupe d'organiser son coin, à son goût, en attendant de penser à la décoration. Mélanie rêve déjà d'un papier peint marron, fleuri de minuscules marguerites blanches tachetées de jaune ; elle a vu cette merveille chez une amie.

— Je t'assure, maman, ce serait joli !

Gilbert nous rejoint dans la chambre d'Alexandre :

— Et si je vous invitais à souper, tous les trois ?

Cette proposition ne reçoit pas l'accueil espéré. Mélanie fait la moue :

— J'ai invité Dodo, on va faire des plans pour ma chambre.

Alexandre ajoute :

— François s'en vient, il va m'aider à ranger mes livres.

— Et si je payais du McDonald's à tout ce beau monde ?

Inutile d'insister, l'offre est acceptée. Gilbert refile un peu d'argent à Alexandre, qui traversera acheter le souper aussitôt que leurs deux copains seront arrivés. À les voir danser et se trémousser, je sens que mes enfants sont vraiment heureux. Assis dans la cuisine, Gilbert partage leurs rires et leurs taquineries, pendant que je libère la table. Une table ! Je me demande si les enfants savent encore ce que c'est ?

Je saute sous la douche pour effacer la fatigue du déménagement. J'entends le son de leurs voix qui me parvient malgré le bruit de l'eau qui coule sur ma tête et sur ma figure. Je me sens bien ; absente et présente à la fois, je savoure cette intimité nouvelle qui me permet de m'éloigner des autres tout en les sachant là.

Nos deux décorateurs en herbe se sont retirés, chacun dans sa chambre, pour ranger ses affaires ; ils font des plans.

Gilbert m'invite à découvrir un petit restaurant coréen récemment ouvert à quelques rues du Château. J'explore mon nouveau quartier, et je découvre des merveilles.

Confiants que les enfants sont en sécurité, nous pouvons prendre tout notre temps pour savourer le bonheur d'être ensemble. Les yeux de Gilbert brillent d'un éclat particulier. Il prend ma main dans la sienne et en caresse la paume.

—Tu as des mains quasi parfaites !
—Qu'est-ce qu'elles ont d'imparfait ?

Il rit, en renversant tout le poids de son corps sur sa chaise, puis rougit timidement, comme s'il avait commis une gaffe. La serveuse apporte l'addition.

—Et si je t'invitais à venir terminer la soirée chez moi ?

— J'accepterais avec plaisir !

Élise, chère Élise, rappelle-toi les conseils que tu donnes à ta fille !

Gilbert habite le quatorzième étage d'un immense building sans âme, tellement impersonnel qu'on ne peut y vivre qu'en transit.

— Je te sers un cognac ?
— Non, merci, jamais de cognac ! Du Cointreau, si tu en as.
— J'en ai.

Il se retire dans sa minuscule cuisine, puis revient avec deux verres :

— À la tienne, Élise !
— À la nôtre, Gilbert !

Il ouvre la radio puis me rejoint sur le divan. La tête appuyée sur son épaule, je me laisse bercer par la musique. Il m'embrasse dans le cou et je le laisse faire. Ses caresses me ramènent à la vie. Chaque étreinte réveille en moi des désirs refoulés. Je me sens femme et ne résiste pas à la douce chaleur de ses lèvres sur ma bouche. Nous nous embrassons langoureusement… puis, tout naturellement, nous nous laissons glisser sur la moquette, et nous faisons l'amour, comme ça, simplement, sans faire d'histoire. Allongés côte à côte sur l'épais tapis du salon, nous restons amoureusement enlacés, sans bouger, trop occupés à nous regarder sourire, à nous regarder vivre…

J'ai fait l'amour pour la première fois avec un autre homme que Gabriel ; je ne pensais jamais que ça pourrait m'arriver. Bien sûr, je fantasmais parfois dans d'autres bras, mais le spectre de Gabriel venait chaque fois brouiller l'image, me laissant croire que je serais incapable de détacher ma pensée du seul homme que j'aimais.

Or, ce soir, j'ai fait l'amour avec Gilbert, et uniquement avec Gilbert, sans penser une seule seconde à Gabriel. Repue et comblée, je ne ressens aucun malaise, aucune ambivalence : je suis savoureusement bien !

En revenant au Château, je retrouve les enfants en train de jouer aux cartes dans la cuisine.

— Est-ce qu'on peut finir notre partie, maman ?
— Dis oui, maman, on est encore en vacances !
— D'accord, à condition de ne pas faire de bruit. Je travaille demain, et je suis très fatiguée !

Je les embrasse et me fraie un chemin à travers les boîtes pour atteindre mon grabat, installé temporairement dans un coin du salon. Dans le noir, je me fais du cinéma : un beau film en couleurs dont je suis la vedette et Gilbert le héros. J'ignore où me mènera cette aventure, mais je suis convaincue qu'elle sera positive. Gilbert et moi ne nous sommes fait aucun serment, aucune promesse. Nous nous sommes aimés spontanément, sans contrainte, sans réserve, juste parce que nous en avions envie. Cet homme arrive dans ma vie sans que je l'aie cherché, et je veux faire face à cette situation nouvelle avec un regard neuf.

Ma vie prend subitement un tournant imprévu. Tout chavire autour de moi, me forçant à retrouver mon équilibre tout en me dirigeant vers un horizon inconnu. Je n'ai pas peur. Je suis prête à vivre pleinement ce que je dois vivre : *demandez et vous recevrez !* Je demande le bonheur, la paix, la santé et l'amour : en un mot, je demande *tout* ! J'ouvre les mains en tendant les bras, certaine de recevoir le *meilleur* en toute chose.

∞

Mardi 3 janvier

Il est huit heures trente ! Je sors de chez moi et trouve Gilbert qui m'attend patiemment à la porte en lisant son journal.

—Qu'est-ce que tu fais là ?
—Je n'ai pas osé sonner chez toi pour ne pas réveiller les enfants.

Il est tout sourire, tout bonheur.

Rendus à la Clinique, nous reprenons instinctivement nos rôles sans aucune difficulté. Gilbert reçoit des patients dans son cabinet, tandis que je travaille à mon poste ; à peine nous croisons-nous le temps d'échanger des dossiers ou de fixer un rendez-vous pour un patient.

—Je te ramène au Château ?
—Tu peux même souper avec nous, si tu veux.
—Voilà une invitation bien tentante.
—Et bien intéressée, il n'y a rien à manger et j'aimerais que tu me conduises au marché d'alimentation le plus proche.

—Tes désirs sont des ordres !

Mon premier vrai marché depuis plusieurs mois. Je profite de l'auto de Gilbert pour faire des provisions, regarnir les armoires et remplir le réfrigérateur. Je me sens riche et libre.

—As-tu assez d'argent ?

— J'espère que tu ne crois pas que je t'ai amené pour payer la note ? Non, rassure-toi, j'ai tout ce qu'il faut !

Nous avons tous les deux les bras chargés de sacs. Nous pourrons enfin manger ce qui nous plaît, sans constamment compter nos sous. Mélanie s'empare d'un sac.

— Qu'est-ce que tu as acheté ? Du pâté de foie ! Hum !

Soudain, elle aperçoit Gilbert.

— Tiens, salut ! Tu viens souper ?
— Ta mère m'a invité.
— Bonne idée !

Les enfants se préparent un gueuleton rapide avec du fromage, du pâté et du pain. Gilbert fait le tri des emplettes, tandis que je nettoie soigneusement les armoires et pose du papier blanc sur les tablettes avant d'y ranger de la nourriture.

Les amis arrivent. François vient passer la soirée avec Alexandre, et Dodo va rejoindre Mélanie dans sa chambre. Gilbert et moi restons presque seuls. J'ai mis la table pour deux : une jolie nappe, une bougie, quelques fleurs. Je revis. Je suis chez moi, et reçois qui me plaît. Quelle sensation grisante !

— Et si nous allions prendre le café au salon ?

Gilbert me suit en riant. Je peux me permettre de le recevoir *comme du monde*, et de changer de pièce à ma guise ; les châtelaines se font rares, mais il en reste.

Allongés à la romaine sur mon grabat, nous mangeons des dattes en écoutant la radio. Le temps passe à son rythme et nous en goûtons chaque seconde.

Gilbert me quitte assez tôt pour aller remplacer un confrère à l'urgence. J'en profite pour mettre un peu d'ordre dans mes affaires. Soudain, la crise éclate : Alexandre hurle, Mélanie crie, pendant que François et Dodo assistent impuissants à la scène. Avant même que j'aie eu le temps de comprendre, Alexandre se sauve en courant et Mélanie s'enferme dans sa chambre en refusant obstinément de me parler. François part rejoindre Alexandre, et Dodo, toute tremblante, décide de retourner chez elle.

Je suis claquée. Le surmenage des derniers jours, les émotions, les crises : je craque. Je m'allonge dans un bain chaud, sanglote un bon coup, puis m'installe pour la nuit avec un livre. Alexandre n'est pas rentré, mais je m'en fous ! Qu'il fasse ce qu'il voudra, qu'il aille où il voudra : je m'en contrefous !

Il passe minuit quand le bruit de la clé dans la serrure me réveille. Alexandre revient seul, et file directement dans sa chambre. Que dois-je faire ? Lui parler ce soir ? Attendre ? Je décide d'attendre. Ce soir, je ne me sens pas le courage de l'affronter tellement je tremble.

∽

Jeudi 5 janvier

Gilbert n'est pas rentré à la Clinique ce matin. Je consulte l'agenda : *Aéroport, 10 h 00 !* C'est écrit, noir sur blanc depuis plusieurs semaines, mais j'avais presque volontairement oublié ce détail : la copine de sa sœur revient de vacances *aujourd'hui !*

Tel que promis, Gilbert doit être au rendez-vous. Qui est cette femme ? Quelle place Gilbert occupe-t-il dans sa vie ? Peut-être est-elle amoureuse de lui ? Quelle sera l'issue de cette rencontre ? Si tout devait s'arrêter là, je ne ferais pas d'histoire. Nous resterions simplement bons amis. Pourrions-nous continuer à travailler ensemble ? Pourquoi pas ? Après tout, nous n'avons fait l'amour qu'une fois, qu'une seule fois ; à moins d'être Zola, il n'y a pas de roman à faire avec ça !

Élise, chère Élise, tu essaies de t'en convaincre, mais l'idée te tracasse.

Je descends à la cantine m'acheter une pomme. Je n'ai pas faim. J'essaie de me concentrer sur mon ouvrage, mais le cœur n'y est pas. Quand Gilbert reviendra, je promets de ne lui poser aucune question, de ne lui faire aucune allusion, de le laisser libre…

— Bonjour, bonjour !

Je frémis en entendant sa voix dans mon dos. Je me retourne et aperçois un Gilbert radieux. Je m'efforce de sourire. Il s'approche et me prend par les épaules.

— Élise, j'ai un aveu à te faire : je t'aime !

J'en reste stupéfaite. Inutile qu'il m'en dise plus long : il m'aime, et je crois bien que je l'aime aussi.

— Ce soir, nous soupons ensemble !

Cette invitation ne se refuse pas. Nous découvrons le restaurant *Le péché véniel*; un coin sympathique, chaleureux : une bûche d'érable flambe dans la cheminée et un concerto de Bach nous parvient en sourdine.

La présence de Gilbert à mes côtés me rassure. Je voudrais que le temps s'arrête. Mais, combien de fois déjà ai-je souhaité que le temps s'arrête ? Le temps passe, ou plutôt, nous passons dans le temps, et mieux vaut qu'il en soit ainsi, puisque les peines s'estompent et que les souvenirs demeurent. Chaque moment de notre vie est précieux. Gilbert s'approche pour m'embrasser. Son *je t'aime* murmuré à mon oreille me donne envie de pleurer de joie. Je ne veux goûter que l'instant présent et m'en gaver sans laisser de miettes.

∞

Samedi 7 janvier

Alexandre et Mélanie sont invités chez leur tante Raymonde. Comme chaque année, la sœur de Gabriel reçoit toute la famille pour célébrer la fête des Rois. Ce soir, il n'y manquera que moi, qui serai remplacée par la *nouvelle*! Pour la première fois, les enfants se retrouveront dans la famille de leur père en compagnie d'Ann-Lyz. Au début, cette idée me chiffonnait un peu, puis je me suis ravisée en me disant que personne ne remplace jamais personne, et que cette femme aura sa place bien à elle, sans que quiconque ne songe à lui donner la mienne.

Les enfants sont enfin partis rejoindre Gabriel, et je n'ai plus qu'un désir: être bonne pour Élise! Quand Gilbert arrivera tout à l'heure, je serai la plus belle.

Gilbert et moi ne nous quittons plus, sauf pour la nuit; il dort chez lui et je dors chez moi. Nous passons de longues soirées au Château, à écouter de la musique, à lire, à être bien! Tout à l'heure, nous irons souper chez lui. Il fait très bien la cuisine.

Éclairage tamisé, nappe de dentelle, bougeoir de cuivre et vin d'Alsace… quelle table romantique!

Gilbert nous prépare un apéritif. Je l'entends secouer vigoureusement le shaker de métal ; les glaçons rebondissent au
rythme de la musique comme un bruit de castagnettes.

J'ai retiré mes chaussures et me suis allongée confortablement sur les coussins du divan. Madame Récamier m'envierait
certainement.

—Tchin-tchin !
—Tchin-tchin !

Gilbert frappe son verre contre le mien. Son cocktail est
onctueux, savoureux, je le bois à petites gorgées.

—As-tu faim ?
—Un peu.
—Tout est prêt…

Je passe mes bras autour de son cou. Il m'enlace, m'embrasse,
se fait câlin.

—… mais tout peut attendre.

Oubliant momentanément le repas, nous prolongeons
notre étreinte dans un doux corps à corps. Nous faisons l'amour
au ralenti, sans nous presser, savourant chaque caresse jusqu'à
la lie. Gilbert me regarde en riant :

—Je suis heureux, et j'ai faim !
—Moi aussi !

Je m'enroule dans une robe de chambre trop grande, lui
dans un peignoir de ratine un peu top petit, et nous allons
prendre d'assaut le réfrigérateur et la cuisinière : Gilbert
réchauffe la paella, tandis que je fatigue la salade.

—Je te laisse déboucher la bouteille de vin ! Moi, je vais trancher le pain ! Où sont les couteaux ?

Nous soupons en amoureux, en nous bécotant entre chaque bouchée. Le regard de Gilbert et mes cheveux en bataille témoignent de nos ébats. Je me sens délicieusement bien. Perdue au quatorzième étage d'un building inconnu, personne ne m'attend, plus rien ne me retient : je suis libre ! Libre et amoureuse à en crier.

Quand Gilbert me ramène au Château, il est tard, très tard !

—Tu entres un peu ?
—Je ne sais pas si je dois ?
—Pourquoi pas ?
—Les enfants…
—Ils ne sont pas encore de retour.
—À cette heure ?
—On voit bien que tu ne connais pas Raymonde ! Elle sait si bien s'y prendre, qu'elle garde ses invités jusqu'aux petites heures du matin..
—Dans ce cas…
—Allez, viens ! Je sais que si je reste seule, je vais faire le guet à la fenêtre jusqu'à ce qu'ils arrivent. J'ai horreur de ça, mais je sais que je vais le faire ! Que veux-tu, on ne refait pas une vieille sentinelle.

Assis sur le grabat, nous écoutons la radio en nous faisant des confidences. Nous avons tant de choses à nous raconter. La porte s'ouvre. Mélanie et Alexandre chuchotent :

—Ne fais pas de bruit, maman doit être couchée !
—Mais non, regarde, ils sont là !

Mélanie se lance sur le grabat et pose sa tête sur mes genoux. Alexandre s'assoit par terre. Ils nous racontent leur soirée en détails : ils ont dansé, dansé, dansé, puis ils ont ri, ri, ri ! Bref, ils se sont amusés ferme, et la soirée s'est bien passée. Je ne leur pose aucune question sur leur père, ni sur Ann-Lyz. Mélanie s'étire en bâillant :

— Excusez-moi, je vais me coucher ! Qu'est-ce que vous faites demain ?

— Nous avions pensé aller au Musée des beaux-arts ; veux-tu venir avec nous ?

— Oh ! moi, tu sais, les musées !

Gilbert se lève et s'apprête à partir. Mélanie le regarde, étonnée :

— Où est-ce que tu vas ?

— Chez moi !

— À l'heure qu'il est, tu devrais dormir ici ! Bonne nuit !

Elle nous embrasse et se dirige vers sa chambre. En passant, Alexandre ajoute :

— Mélanie a raison… salut !

Gilbert reste figé sans trop savoir quoi faire. Je souris de le voir si timide. Il guette un geste, un signe de ma part. Je profite de l'occasion et abonde dans le sens des enfants :

— Tu peux rester, si tu veux, puisque nous partons tôt demain !

Inutile d'insister, il a enfin compris. Les enfants vont se coucher, nous restons seuls tous les deux :

— Mais, où vais-je dormir ?

— Avec moi ! Maintenant que la glace est brisée, sans hypocrisie, sans détour, nous dormirons ensemble. Plus de cachettes, finie la clandestinité ! Allez, aide-moi !

Nous installons notre campement pour la nuit ; nous partagerons le petit grabat. Serrés l'un contre l'autre, nous dormirons ensemble, toute une nuit… notre première nuit !

— Bonne nuit, Élise, je t'aime !
— Bonne nuit, mon amour, je t'aime aussi !

Gilbert me prend dans ses bras. Je goûte la chaleur de son corps contre le mien. Il m'embrasse tendrement, me caresse presque timidement ; nous ne ferons pas l'amour, bien sûr, mais nous ferons la tendresse.

∞

Dimanche 8 janvier

Cette visite au Musée des beaux-arts me perturbe. Je ressens un malaise : mon cœur palpite, j'étouffe, je manque d'air. Gilbert s'inquiète de me voir aussi pâle. Soudain, basculant comme dans un cauchemar, je me sens aspirée par le passé et me retrouve emprisonnée dans une immense poubelle où l'on aurait jeté pêle-mêle la préhistoire et tous les siècles confondus ; ça sent le pourri, le moisi, la décrépitude. Le cœur me lève, j'ai envie de vomir ! Il faut que je sorte !

Élise, chère Élise, pourquoi replonger dans ces souvenirs ?

Le Musée, c'était Gabriel, ses recherches, ses trouvailles, sa vie. Pour l'instant, je n'ai plus aucune envie de fréquenter l'archéologie, la poussière… et la mort. Je veux vivre ! Vivre librement, ouvertement, sans socle et sans vitrine : vivre pour vivre ! Je laisse la Mort aux autres, qu'ils la conservent, qu'ils la caressent, sans moi. Je refuse de m'accrocher au passé, plus de squelettes, plus de fossiles, mais de la vie ! Juste l'instant présent et la vie qu'il comporte. Tous les musées du monde peuvent s'écrouler, je n'y reviendrai pas.

À mon retour, je fouille dans les boîtes et fais une rafle dans mes souvenirs. J'ai l'âme au débarras : je trie, je déchire, je jette. Tout ce bazar me semble d'un inutile. Je m'affranchis de tout ce qui m'encombrait depuis des années, et découvre avec volupté la liberté du détachement.

∞

Mercredi 11 janvier

Petite journée tranquille. Il neige. Je reçois vers dix heures, un coup de téléphone de l'Agence pour laquelle j'ai travaillé l'été dernier. On m'offre un emploi temporaire comme téléphoniste au sein d'un parti politique qui organise sa prochaine campagne à la chefferie. Si ce contrat m'intéresse, je travaillerai exclusivement le soir, et quelquefois durant le week-end. Prise au dépourvu, je consens à rencontrer la personne responsable du comité central, avant même d'en parler à Gilbert. Quand je lui fais part de ce projet, il paraît à la fois surpris et désappointé.

— Et tu comptes accepter ?
— Je ne sais pas, c'est à voir ; j'ai rendez-vous à dix-huit heures ce soir.
— Ce soir ?
— Oui, mais, rassure-toi, il n'est pas question que je néglige mon travail à la Clinique.
— Tu ne risques pas de t'épuiser ?

—Non, je ne crois pas.

—Sois prudente, Élise.

—Ne t'inquiète pas, j'ai déjà fait ce genre de job.

—Peut-être, mais…

—Et puis, j'ai besoin d'argent !

—Élise, je suis prêt à t'aider…

—C'est très gentil, mais je ne peux pas me permettre de refuser du travail.

—Enfin, c'est toi qui sais ce que tu dois faire.

—Merci de me faire confiance.

Je me rends au comité à l'heure convenue. Gilbert a offert de m'accompagner. Il m'attend dans la voiture. Cette nouvelle démarche le tracasse un peu. On me propose un contrat de dix semaines pendant lesquelles je devrai travailler tous les soirs jusqu'à vingt-trois heures, les samedis de neuf heures à seize heures, et les dimanches de seize heures à vingt-trois heures : je refuse.

Trente-neuf heures de travail supplémentaire par semaine, c'est physiquement impossible. En discutant un peu, j'arrive à libérer les lundis et les jeudis, et obtiens qu'on m'accorde un dimanche sur deux ; ça me convient. On m'offre cinq dollars l'heure : je refuse. J'en réclame huit, j'en obtiens sept. Je me réserve toutefois le droit de ne donner ma réponse qu'après avoir consulté Alexandre et Mélanie.

Dans l'ascenseur, je fais des calculs rapides : près de mille huit cents dollars en quelques mois ; c'est énorme !

Je rejoins Gilbert dans la voiture. Il me regarde, un peu inquiet :

—Et alors ?

— Je commence demain !

— Ce n'est pas vrai ?

— Non, je blague, pas avant la fin du mois.

Je lui explique en quelques mots les conditions qu'on m'a faites. Il sursaute :

— Mais nous ne nous verrons plus ?

— Si, les lundis, les jeudis et les dimanches, comme *dans le bon vieux temps* !

Je vois bien qu'il s'efforce de sourire. Comment lui faire comprendre ce que je ressens ?

— Tu sais, Gilbert, dix semaines, c'est vite passé. Et puis, pense un peu à tout ce je vais pouvoir nous payer avec cet argent : les enfants ont grandi, ils ont besoin de bottes, de manteaux ; je pourrai profiter des soldes. Nous n'avons pas d'aspirateur, pas de téléviseur, celui qu'Antoine nous a prêté ne fonctionne plus…

Je parle sans arrêt en essayant de lui vendre ma salade, ou peut-être en essayant de me la vendre à moi-même. Il me regarde tendrement :

— Fais ce que tu voudras, mon amour, je respecterai ta décision. Et, si je peux t'être utile, tu pourras toujours compter sur moi.

Forte de l'appui de Gilbert, il ne me reste plus qu'à convaincre les enfants qui devront collaborer le plus possible. Beaucoup de travail signifie beaucoup de sous ; nous en profiterons tous les trois.

Mercredi 25 janvier

Je cumule mes deux emplois depuis quelques jours. Ces journées fort longues m'accaparent, bien sûr, mais Gilbert me seconde admirablement auprès des enfants. Il passe parfois ses soirées au Château, leur prépare des repas et regarde la télévision, sa télévision, qu'il a apportée à la maison pour que les jeunes ne s'ennuient pas. Quand Gilbert n'est pas là, Mélanie descend veiller chez nos jeunes concierges, et garde leur petite fille à l'occasion. Cette nouvelle relation me rassure parce que ce jeune couple habite juste en dessous, et que Mélanie pourrait se réfugier chez eux en cas d'urgence.

Les soirs où je travaille, Gilbert vient me rejoindre au comité à vingt-trois heures et m'invite à souper au restaurant *Le Péché véniel*, où nous bavardons souvent jusque très tard. Si je regrette parfois de m'être embarquée dans cette galère, sur le plan financier ça m'arrange drôlement. Je vais mettre tout cet argent de côté pour nous permettre des lendemains plus agréables.

∽

Jeudi 26 janvier

Précieuse soirée de congé réservée depuis longtemps pour aller magasiner avec Mélanie. Nous attendons l'arrivée de Gilbert quand Alexandre déclenche une crise, à propos du tourne-disque qu'il monopolise dans sa chambre sous prétexte qu'il y reçoit parfois quelques amis.

Tout a commencé quand Mélanie a voulu écouter un disque et que son frère lui a interdit l'accès à son royaume. Puisqu'il ne semble y avoir aucun compromis possible, j'exige que le tourne-disque retrouve sa place dans le corridor, afin que chacun de nous puisse en profiter en terrain neutre.

Frustré, Alexandre hurle et me traite de tous les noms en sacrant ; je ne le prends pas et réagis en lui donnant une gifle sur la bouche. Il riposte aussitôt en me poussant violemment contre le réfrigérateur. De cris en insultes, le conflit s'envenime jusqu'à ce que Mélanie parte en courant se réfugier chez nos concierges, et que mon fils se sauve en claquant la porte.

Je me sens dépassée par l'ampleur de ces crises. Alexandre et Mélanie sont maintenant plus grands et plus forts que moi, si bien que je n'arrive plus à imposer mon autorité sans élever le ton ; ce qui évidemment n'arrange rien. Dès que nous répondons aux impératifs dictés par la société, nous tombons dans le piège des stéréotypes *parent / enfant*, où les : *Tu ne me parleras pas comme ça !* et les : *Je vais te montrer qui c'est qui mène !* L'emportent sans réfléchir sur les véritables contacts humains. La prise de bec entre Alexandre et moi s'est aggravée quand chacun de nous a été piqué dans son orgueil. Ce n'était plus Élise et Alexandre, mais la *mère* et le *fils* qui s'affrontaient.

Élise, chère Élise, apprends à faire la différence entre un incident et un désastre.

Qu'un adolescent de seize ans se révolte et *sacre* sa colère, ce n'est certes pas souhaitable, mais est-ce vraiment si grave ? En réagissant aux blasphèmes, j'interromps la communication et me blesse moi-même en m'offusquant de paroles qui ne sont rien d'autre que l'expression du malaise profond qu'elles cachent. Ma réaction devient négative parce qu'elle tend à punir le blasphème et m'empêche du même coup de percevoir l'essentiel, c'est-à-dire la douleur que cette attitude révèle.

Gilbert arrive et me trouve en larmes.

—Que se passe-t-il ?
—Alexandre nous a fait une crise.
—Encore une ?
—J'espérais une accalmie, mais…

Mélanie ouvre la porte, en chuchotant pour ne pas se faire rabrouer.

—Il est parti ?
—Oui, oui, ma belle, tu peux entrer.

Mise en confiance par la présence de Gilbert, elle vient nous rejoindre sur le grabat. Au premier coup d'œil, on devine qu'elle a pleuré. Elle a les yeux rougis et paraît complètement bouleversée.

—Alexandre hurlait si fort qu'on l'entendait jusque chez le voisin.
—Oh ! mon Dieu !
—Le concierge voulait appeler la police, mais je lui ai dit que mon frère criait toujours comme ça quand il était frustré. Finalement, il n'en a rien fait, mais il m'a dit de t'avertir qu'il ne faut plus que ça se répète.

—Facile à dire, je ne sais même pas à quelle heure Alexandre va revenir, et encore moins dans quel état.

Gilbert nous prend toutes les deux dans ses bras.

—Je peux dormir au Château, ce soir, si vous voulez.

Cette proposition rassure Mélanie, mais me laisse perplexe. Comment Alexandre réagira-t-il en constatant que Gilbert dort dans mon lit pour me protéger ? Le verra-t-il comme un ennemi ? Comme un rival ? D'un autre côté, je ne peux pas laisser ma fille passer la nuit dans l'inquiétude.

— D'accord, nous partagerons mon petit grabat.

Il est maintenant trop tard pour aller magasiner. Mélanie se retire dans sa chambre pour téléphoner à son amie Dodo ; à leur âge, les confidences sont importantes.

D'une réflexion à l'autre, Gilbert et moi en arrivons à la conclusion qu'Alexandre a sérieusement besoin d'aide. Un psychologue ? Un psychiatre ? Il refuse obstinément de revoir madame Schmidt ; alors, qui d'autre ?

Mon Dieu, faites que je trouve la personne idéale… vite !

∞

Jeudi 2 février

Un an déjà que je fuyais Versailles !

— Bon anniversaire, Élise !

Gilbert se retourne vers moi, m'enlace tendrement et me glisse à l'oreille :

— Quelle heure est-il ?

J'étire le bras pour attraper sa montre.

— Six heures !
— Et à quelle heure les enfants…
— Jamais avant sept heures.

Il me tape un clin d'œil ; nous sommes sur la même longueur d'onde : un petit câlin en catimini, sous les couvertures, au cas où… beau défi !

Les cheveux en bataille, la figure étincelante de bonheur, je regarde le soleil levant jouer à travers les lattes du rideau de bambou accroché à la fenêtre. La journée s'annonce magnifique ! J'ai trente-neuf ans, et je me sens belle, beaucoup plus belle qu'il y a un an.

— Je suis heureux, Élise !
— Moi aussi, Gilbert : je suis heureuse, je t'aime, et j'ai faim !
— Si je nous faisais des crêpes ?
— Je m'en régale déjà !

Nous quittons le grabat sans faire de bruit et allons préparer notre festin. Le réveil sonne. Encore tout endormie, Mélanie entre dans la cuisine :

— Ça sent bon ! Qu'est-ce que vous faites ?
— Des crêpes, tu en veux ?
— Oh ! oui, fais-en beaucoup !

Après un détour par la salle de bains, Alexandre vient s'écraser sur la chaise la plus proche de la cuisinière.

— C'est toi, Gilbert, qui a décidé de faire des crêpes ?
— On dirait !
— Pourquoi ?
— Parce que c'est un grand jour !

Je fredonne en préparant le café. Mélanie réagit.

— C'est vrai, maman, c'est ta fête !
— Bonne fête, maman !

Ils s'approchent et m'embrassent tous les deux. Je reçois leurs vœux en évitant de souligner l'autre anniversaire.

— C'est prêt !

Gilbert dépose une grande assiette sur laquelle une pyramide de crêpes encore fumantes se tiennent en équilibre. Chacun pige la sienne puis l'arrose abondamment de sirop d'érable. Un déjeuner festif comme je les aime.

Le téléphone de Gabriel me fait l'effet d'une douche écossaise.

— Bon anniversaire, *mon chérie* !

Aurais-je trouvé le bon moyen pour qu'il n'oublie jamais ma fête ?

— Je voulais simplement te dire que j'ai vendu la maison !

Jamais je n'aurais pensé pouvoir entendre ces mots-là sans pleurer. Cette nouvelle me laisse parfaitement indifférente et je ne trouve que des questions banales à lui poser. Mais quand, par simple curiosité, je m'informe de quelques détails, Gabriel se raidit et devient cassant :

— Tu sais, *mon chérie*, vendre une maison en plein hiver… J'ai vendu à perte, c'est tout ce que je peux te dire !

Je comprends qu'il a peur que je lui réclame une part du gâteau ; il peut bien le manger tout seul, je m'en fous. Ma liberté n'a plus de prix ! La pension alimentaire qu'il ne paie pas, le travail qu'il fait ou pas, l'argent qu'il possède ou pas, je m'en balance. Aujourd'hui, fort égoïstement, je ne veux penser qu'à moi.

Son téléphone aura tout de même réussi à me chambouler. Je me rends au bureau en ressassant des idées noires. Je rage de le voir aussi irresponsable, aussi désinvolte envers les enfants.

C'est moi qui suis partie, d'accord ! Mais pour quelles raisons ?
Et dans quelles conditions ?

> *Élise, chère Élise, à quoi bon regarder en arrière alors qu'il*
> *fait si beau devant ?*

Gilbert m'aide à me *dépomper* en me parlant calmement
du nouveau sens que j'ai donné à ma vie. Quand on a le cœur
trop plein de ressentiment, il n'y a plus de place pour la tendresse.

⌒

Lundi 6 février

Alexandre nous a fait vivre une fin de semaine infernale. J'ai
travaillé sous pression tout le temps, et Mélanie s'est évadée
en allant passer quelques jours chez Dodo. L'intensité des
crises de mon fils s'accentue de jour en jour, et je n'entrevois
aucune solution. Trouver de l'aide spécialisée et forcer un
adolescent à se faire traiter relève carrément du miracle. Qui
donc acceptera de s'occuper de lui ? Jusqu'à maintenant, j'ai
réussi à contacter certains centres qui se vantent d'aider les
jeunes, mais tous refusent de me recevoir sans la présence de
mon fils. Je me sens complètement seule face à un monstre
d'incompréhension. J'ai beau leur expliquer qu'Alexandre est
en train de se noyer, et que je fais ce premier tri moi-même,
afin de lui éviter d'être trimballée d'un psychologue à l'autre,
ils restent insensibles à mes prières et refusent d'intervenir,
à moins qu'Alexandre demande de l'aide pour lui-même.

Je pense avoir enfin trouvé la perle rare, un certain Pierre B.,
psychologue, qui utilise une méthode-choc avec laquelle il
obtient, paraît-il, un succès foudroyant. Il m'a donné rendez-

vous à quatorze heures. En voilà un, au moins, qui a compris le caractère confidentiel de ma démarche.

. J'ai demandé à Gilbert de bien vouloir m'accompagner. Je suis terriblement nerveuse, je parle fébrilement, presque avec un sanglot dans la voix :

— Vous comprenez, docteur, je ne le prends pas !

Il regarde fixement le bout de ses souliers puis me dit calmement :

— Mais oui, ma chère dame, vous le prenez !
— Oh ! non, docteur, si vous saviez ; je n'en peux plus.

Il quitte sa chaise et s'avance lentement vers moi. Sans perdre son flegme, il donne un coup de poing magistral sur la table en disant d'une voix forte : *Je ne le prends pas !*

— Avez-vous compris, madame ? Quand *on ne le prend pas ;* on l'affirme ! On ne le pleurniche pas.

Je ne m'affirme pas assez, c'est vrai ; mais j'ai tellement horreur des scènes de violence que je me replie sur moi-même aussitôt que quelqu'un élève un peu la voix.

— Alors docteur, acceptez-vous de vous occuper de mon fils ?
— Certainement madame, mais à une condition : *votre fils devra téléphoner lui-même ;* sinon, il n'en est pas question !

Retour à la case « départ » : amener Alexandre à faire cette démarche lui-même.

— Je le connais, docteur, il ne voudra jamais.
— Et si le docteur Gauthier lui parlait ?

Gilbert reste stupéfait.

—Moi ? Mais je le connais à peine.

—Qu'importe, je crois que vous êtes présentement mieux placé que sa mère pour aborder le sujet.

—Je veux bien essayer, mais j'ai des doutes.

Le docteur Pierre B. se cale dans son fauteuil :

—Docteur Gauthier, vous représentez actuellement une présence masculine nouvelle dans la vie de ce jeune homme. Il vous écoutera plus que vous ne le croyez. De toute façon, nous avons affaire à un adolescent révolté et beaucoup trop rebelle à toute intervention venant de sa mère !

Gilbert accepte ce rôle ingrat et convient qu'il provoquera une rencontre en tête-à-tête avec Alexandre. Il ne lui reste qu'à trouver une occasion, un prétexte, pour lui parler simplement et lui remettre le numéro de téléphone de Pierre B., en laissant le reste à sa discrétion.

Je me sens mise de côté, et j'avoue que ça me dérange. Je connais très bien mon fils, je sais exactement ce dont il a besoin ! *Il faut* qu'Alexandre accepte d'être aidé : *il le faut !*

Élise, chère Élise, lâche prise, décroche, te voilà encore en train d'essayer d'organiser la vie d'un autre !

∞

Vendredi 10 février

L'intervention de Gilbert auprès d'Alexandre nous a donné droit à quelques jours d'accalmie. Peut-être mon fils a-t-il enfin compris qu'il devait s'amender ? Quoi qu'il en soit, un peu de silence et de paix, c'est bon à prendre !

Aujourd'hui, j'ai d'autres chats à fouetter : Barbara me demande d'être son témoin, à l'occasion de son divorce d'avec Marc-André. Comme la cause ne passera pas avant quinze heures, nous avons convenu de nous rencontrer au restaurant de la place Desjardins pour luncher. Gilbert nous y rejoint et s'étonne de nous retrouver de si bonne humeur. À ma droite : mesurant 1 mètre 60, et pesant 68 kilos, l'intimé Marc-André ; et à ma gauche : mesurant 1 mètre 50 et pesant 55 kilos, la demanderesse Barbara. Mariés depuis trois ans, pour le meilleur et pour le pire, ils divorceront dans quelques heures pour éviter le pire et ne conserver que le meilleur. Je serai le témoin, l'arbitre, mais je resterai l'amie des deux parce que je les aime autant l'un que l'autre.

— Êtes-vous bien certains qu'il s'agit d'un divorce ?

Gilbert se mêle à nous sans trop comprendre ce qui se passe. Qu'y a-t-il de sérieux dans tout cela ? Comment lui expliquer la grande complicité qui existe entre nous trois. Comme au moment de leur séparation, je ne viens pas témoigner *contre* Marc-André mais *pour* Barbara. Après en avoir discuté ensemble, nous en sommes venus à la conclusion que cette solution était la meilleure, et la plus simple, pour mettre fin sans grabuge à un mariage sans issue.

La ressemblance qui existe entre Marc-André et son oncle Gabriel, me paraît évidente en ce jour solennel : la même désinvolture, le même panache ! Barbara chiffonne nerveusement le bout de son châle. Je la sens fébrile, voire mal à l'aise, à l'idée d'étaler son linge sale devant des étrangers.

Nous profitons de ce dernier repas pour fignoler notre mise en scène, puis nous nous séparons en arrivant au Palais de justice. L'*Honorable Juge* ne doit pas se douter de notre connivence ; des témoins qui s'accordent dans son dos, il n'aime pas ça !

Assise avec Gilbert au fond de la salle d'audience, j'attends patiemment mon tour, tandis que Barbara, debout à la barre, expose ses griefs contre Marc-André, devant un juge indifférent qui s'obstine à tripoter ses papiers. Seul, sans avocat pour le défendre, Marc-André prépare sa riposte ; une riposte bien inoffensive puisqu'elle ne vise qu'à corroborer les accusations d'adultère portées contre lui : *pour adultère, ça va plus vite*, en cinq minutes tout est fini ! Je n'ai même pas eu à témoigner.

On appelle déjà une autre cause, mais nous sortons tous les quatre avant d'entendre les noms des prochains combattants. Marc-André et Barbara s'embrassent tendrement, pour se dire *au revoir*, avant de se séparer peut-être pour toujours. Ils n'ont pas eu d'enfants, et comme Barbara n'a pas demandé de pension, ils n'auront désormais aucune obligation de se rencontrer.

∞

Jeudi 2 mars

Je suis de plus en plus fatiguée. Je travaille trois soirs par semaine et désormais tous les week-ends, en plus de mon ouvrage à la Clinique ; c'est trop ! Ce matin, rien ne va plus. Je n'ai pas fermé l'œil de la nuit, et j'ai du mal à me lever : tout tourne. Une grande chaleur m'envahit, me rend toute molle ; j'ai l'impression que je vais tomber. Je ressens tout à coup une insupportable douleur dans le ventre.

—Gilbert, vite, aide-moi !
—Que se passe-t-il ?
—Je ne sais pas, j'ai peur !

Gilbert quitte le grabat rapidement et me transporte en me soutenant sous les bras jusqu'à la salle de bains. J'ai peine à me tenir sur mes jambes. Il m'aide à m'asseoir, puis me lave la figure à l'eau froide. Je crains de m'évanouir. La brûlure dans mon ventre devient intolérable. Je veux retourner dans mon lit. Gilbert me soulève. Soudain en me retournant, je pousse un cri d'horreur : l'eau de la toilette est rouge de sang.

—Allez, madame, tout de suite au lit !
—Et le bureau ?
—Je m'en occupe.

Gilbert n'a pas le choix, il doit partir, en me laissant seule, étendue sur mon grabat, les jambes en l'air avec un sac de glace sur le ventre.

—Je reviendrai te voir tout à l'heure. En attendant, essaie de dormir un peu. Ne t'inquiète pas mon amour, je t'aime !

Je m'assoupis mais la douleur se fait plus persistante, plus aiguë, ça brûle ! J'appelle à la Clinique :

—Gilbert, je n'en peux plus, l'hémorragie s'aggrave !
—J'aimerais que tu ailles à l'hôpital le plus vite possible, mais j'ai encore des patients qui m'attendent.
—Écoute, je vais appeler Jacqueline et lui demander de me conduire quelque part ; où veux-tu que j'aille ?

—Rends-toi à l'Hôtel-Dieu. J'appelle Belmont, mon confrère, pour qu'il te reçoive. Rappelle-moi si jamais Jacqueline ne peut pas venir.

—Elle pourra !

Je ne me trompais pas. Jacqueline arrive avec la rapidité d'une ambulance.

—Qu'est-ce qui t'arrive ? Tu es livide !

Je le crois sans peine, quand les infirmiers de l'urgence s'empressent autour de moi. Je chancelle. On m'installe sur une civière, et j'entends qu'on appelle le docteur Belmont au micro. Il m'attendait. Son air jovial m'inspire confiance ; c'est un grand bonhomme, doux, humain. Il m'examine avec beaucoup de tact, mais la douleur est si forte que je ne peux m'empêcher de crier. Une infirmière m'apporte une serviette mouillée et un verre d'eau. Le médecin s'éloigne pour se laver les mains, puis il revient vers moi en me regardant par-dessus ses lunettes :

—Je vais vous garder ma petite dame !

—Me garder ? Mais c'est impossible ! Mes enfants, mon travail, le Château…

—Il faudra qu'on apprenne à se passer de vous pour quelque temps. Je ne peux pas vous laisser partir comme ça ; je vais demander qu'on vous trouve une chambre.

Le docteur Belmont sort de la pièce et me laisse seule avec Jacqueline. Elle s'approche de moi et me prend la main. Je pleure. Je suis à bout. Je n'ai même plus la force de me battre. Je m'accroche à Jacqueline comme à une bouée. Elle se penche, appuie sa joue contre la mienne et nous pleurons ensemble, jusqu'à ce que nos larmes se mêlent. Elle colle sa bouche près de mon oreille :

—Ce n'est pas la première guerre que nous faisons ensemble…

—Ni la dernière, j'en suis certaine.

On vient me chercher pour m'amener à ma chambre. Je demande la permission de téléphoner à Gilbert pour le rassurer. On m'accorde deux minutes, deux toutes petites minutes.

—Allô, Gilbert, on me garde à l'hôpital !

Je ne peux retenir mes larmes. À l'autre bout du fil, Gilbert pousse un soupir de soulagement :

—Je suis content ! Vraiment content ! C'est pour ton bien, Élise, il faut absolument que tu te reposes.

—Mais, les enfants ? Qui va s'occuper des enfants ?

—Je passerai au Château tout à l'heure pour les avertir. Ne t'inquiète pas, tout ira bien, tu verras.

Je me rappelle tout à coup que nous avons des billets pour le spectacle de Jean Lapointe : pour une fois que je prenais congé.

—Vas-y quand même avec les enfants !

—Je vais demander aux concierges de les accompagner ; ils s'en feront un plaisir, j'en suis sûr.

—Et toi ?

—Moi, je viendrai te voir !

—Sens-toi bien libre.

—Mais je me sens libre, parfaitement libre, et je choisis librement d'aller te voir ; j'ai hâte ! En attendant, laisse-toi gâter et repose-toi.

Comment me reposer avec toutes les idées noires qui me trottent dans la tête. J'ai terriblement peur. Sans oser me l'avouer, je crains le pire : les enfants sont si jeunes, et je n'ai presque pas d'assurance vie ! Jacqueline sourit et me serre la main, comme si elle devinait à quoi je pense.

Les brancardiers me transfèrent dans mon lit. Une infirmière m'installe un soluté. Je ferme les yeux. Jacqueline s'assoit près de moi. Je ne lui parle pas, mais je sens sa présence ; chaque fois que j'ai besoin d'elle, elle est là ! Je l'entends qui ouvre son sac, puis qui le referme. Un léger reniflement attire mon attention :

— Jacqueline, que se passe-t-il ? Qu'est-ce que tu as ?
— Rien, ce n'est rien, nous en reparlerons !
— Mais tu pleures ?

Ses larmes se transforment en sanglots. Elle enfouit sa tête dans les couvertures pour étouffer ses râles.

— Tu es sûre qu'il n'y a rien de grave ? Je peux tout entendre, tu sais !
— Ce n'est pas le moment de t'ennuyer avec mes histoires…
— Mais, qu'est-ce qui se passe ?
— Je vais divorcer !
— Toi ? Mais je croyais que votre voyage aux Bermudes avait replacé les choses ?
— J'évitais de t'en parler, tu avais bien assez de soucis comme ça.
— Que s'est-il passé ?
— J'ai d'abord demandé une séparation pour *cruauté mentale*, puisqu'il n'y avait pas d'adultère…
— Et alors ?

—Mon cher mari a aussitôt rappliqué, et demandé le divorce en invoquant le même motif, contre moi : séparation pour cruauté mentale versus divorce pour cruauté mentale… et que le meilleur gagne !

—Quelle salade ! Que vas-tu faire ?

—Pour l'instant rien, je reste sur mes positions et mon mari reste sur les siennes, en attendant les préliminaires.

—Et vous continuerez à vivre sous le même toit ?

—Il le faut bien : celui qui part prend tous les torts !

—Quelle loi stupide !

—À qui le dis-tu !

—Écoute, si jamais je peux t'aider…

—Retrouve d'abord tes forces, nous verrons après.

Je me tasse et lui fais une petite place à côté de moi ; elle appuie sa tête sur mon oreiller. Nous restons ainsi, appuyées l'une près de l'autre, en silence. Le jour tombe sans que nous ressentions le besoin de faire de la lumière.

—Bonjour, bonjour !

J'aperçois la silhouette familière de Gilbert à travers le rideau. Il allume la veilleuse, me sourit, et je me sens déjà mieux. Jacqueline m'embrasse et lui cède sa place.

—Je te laisse à ton amour, je reviendrai te voir demain.

Gilbert vérifie le soluté puis s'assoit sur le bord du lit.

—As-tu vu les enfants ?

—Bien sûr ! Je suis d'abord allé au Château, je leur ai parlé de toi, et les ai rassurés sur ton état ; puis j'ai donné nos billets aux concierges, et j'ai finalement laissé tout ce beau monde au métro ! Voilà ! Tu es contente ? Tu sais tout !

—Et Alexandre ?

—Il était de très bonne humeur quand je l'ai quitté. C'est ça qui te tracasse ?

—Si tu savais comme ça m'inquiète !

—Rassure-toi, je leur ai promis d'aller coucher au Château durant ton absence.

—Veux-tu bien me dire ce que j'ai fait au Bon Dieu pour mériter un homme pareil ?

Élise, chère Élise, ne pose pas tant de questions.

∞

Le soleil me réveille. Où suis-je donc ? L'infirmière qui entre dans ma chambre avec une seringue à la main, me le fait vite comprendre. J'ai taché mon lit ! L'hémorragie continue de plus belle. Je suis sérieusement inquiète.

Après plusieurs prises de sang, des cultures et des tests de toutes sortes, on m'installe dans un lit tout propre.

On m'apporte mon petit déjeuner : un Jell-O et du thé.

Je téléphone au comité central pour mettre mes patrons au courant de mon état. Ils sont gentils. Ils se débrouilleront sans moi pour quelques jours. Pourvu que ce ne soit pas trop long ! Je sais fort bien que toute la tâche retombera sur les épaules de ma compagne qui devra prendre les bouchées doubles.

—Et alors, *petite madame*, comment allez-vous, ce matin ?

Le docteur Belmont vient m'annoncer qu'on me fera un lavement baryté dans trois jours ; donc pas question de quitter l'hôpital avant le milieu de la semaine prochaine ; aussi bien me résigner tout de suite.

On m'apporte mon dîner : un Jell-O et du thé !

Gilbert me téléphone. Quelle joie de l'entendre me dire : *Bonjour, bonjour !* Ça va ? Ça va ? Je voudrais lui dire : *Je t'aime ! Je t'aime !* mais deux fois, ce n'est pas assez ; c'est cent fois, mille fois, qu'il faudrait le lui dire !

Je passe une partie de l'après-midi à parcourir les interminables corridors de l'hôpital en fauteuil roulant : électrocardiogramme, radiographie des poumons… Je suis épuisée. Il semble que le médicament prescrit par le docteur Belmont ne produise pas l'effet souhaité. Je saigne toujours abondamment. On doit changer mes draps à plusieurs reprises.

On m'apporte mon souper : un Jell-O et du thé !

C'est l'heure des visites. Alexandre et Mélanie arrivent seuls.

— Où est Gilbert ?

Mélanie me rassure.

— Nous avons rencontré ton médecin près du poste des infirmières, et Gilbert consulte ton dossier.

Alexandre arpente la chambre de long en large sans dire un mot. Gilbert revient, les bras tendus, la bouche fendue jusqu'aux oreilles :

— Mon amour, Dieu merci, c'est *bénin* ! M'entends-tu ? C'est bénin ! Bénin ! Bénin !
— Tu en es sûr ?
— Absolument !
— Ouf ! si tu savais comme j'ai eu peur !
— Et moi donc !

Il me prend dans ses bras et me serre amoureusement contre lui. Je laisse enfin couler mes larmes. Debout au pied du lit, Alexandre me regarde fixement, sans trop comprendre. Mélanie s'approche pour m'embrasser.

— Ne pleure pas, maman !
— Non, tu vois, c'est fini, je ne pleure plus… mais je voudrais un mouchoir !

Alexandre me tend la boîte de *Kleenex* qui traîne sur la table. Ce geste anodin brise la glace. Je l'invite à s'approcher. Il obéit timidement, puis, tel un prestidigitateur, il sort de son chandail le programme du spectacle de Jean Lapointe, qu'il a eu la merveilleuse idée de faire autographier pour moi : *À Élise, prompt rétablissement, avec Amour, Jean L.* Cette pensée me touche. Le message d'amour de cet homme, que je ne connais pas, me parvient par l'entremise d'Alexandre, comme une déclaration par personne interposée. Je prends la main de mon fils dans la mienne, et la retiens durant de longues secondes.

— Et alors, si vous me racontiez cette soirée ?

Ils parlent tous les deux en même temps. J'ai droit à tous les détails, à toutes les mimiques ; soudain, mes enfants s'animent, ils sont heureux. Une voix nasillarde vient interrompre nos retrouvailles :

Les visites sont maintenant terminées, les visiteurs sont priés de se retirer.

— Je voudrais vous garder tous les trois près de moi !
— Sois raisonnable, Élise, il faut te reposer.
— Je sais, je suis lasse, mais je vais passer une meilleure nuit maintenant que tu m'as rassurée.

—Salut maman !

—Salut Alexandre !

—Bonne nuit, maman, je vais t'appeler en me levant demain matin !

—D'accord ! Bonne nuit, ma grande !

Je les embrasse une dernière fois et les regarde s'éloigner non sans un brin de mélancolie. Gilbert s'attarde encore un peu, il revient sur ses pas et prend ma tête entre ses mains :

—Élise, si tu savais comme je t'aime !

—Gilbert, si tu savais comme je t'aime !

Il m'embrasse puis disparaît, en laissant sur mes lèvres une merveilleuse impression de douceur, de tendresse…

Élise, chère Élise, qui a dit que la tendresse était le repos de la passion ?

∞

Dimanche 5 mars

L'infirmière ouvre les rideaux. Comme il fait beau !

— Je viens vous faire une petite piqûre ! Avez-vous bien dormi ?

—Comme une reine ! En supposant, bien sûr, que la Reine ait bien dormi !

—Tendez le bras droit… voilà ! c'est fini !

Mon infirmière-vampire repart, toute joyeuse, avec deux fioles de mon beau sang rouge. Je sonne. Il va falloir changer mon lit ; l'hémorragie n'est pas encore sous contrôle. On m'installe dans le fauteuil avec interdiction formelle de me lever ; de toute façon, je ne m'en sens pas la force.

—Venez, on va vous aider !

M'appuyant solidement sur l'épaule d'un jeune infirmier, je retrouve mon lit refait, et la fraîcheur des couvertures propres. Je suis bien. Une nouvelle compagne de chambre occupe maintenant le lit voisin. Elle dort encore. Je lis et médite un peu.

On m'apporte mon petit déjeuner : un Jell-O et un café noir.

Quel jour sommes-nous ? Non seulement c'est dimanche, mais c'est l'anniversaire de Mélanie ; j'ai failli l'oublier ! Pauvre chouette ! Le téléphone sonne, c'est sûrement elle ! Je réponds en chantant : *Chère Mélanie, c'est à ton tour…* quand je l'entends crier, complètement affolée au bout du fil :

—Maman, maman, Alexandre va tout casser !
—Ne t'énerve pas, Mélanie, et passe-le-moi !

Je l'entends appeler son frère :

—Alexandre, maman veut te parler !

Il répond de la cuisine :

—Je ne veux pas lui parler, *ostie* !

Mélanie reprend l'appareil :

—Il veut pas te parler.
—J'ai entendu. Mais qu'est-ce qui se passe ?
—Il m'a lancé une bouteille de shampoing par la tête ! Il y en a partout dans la cuisine : sur le plancher, sur le plafond, sur les murs…
—Vous êtes seuls ?

—Dodo vient d'arriver !

—Et Gilbert ?

—Il est parti chercher un dossier à la Clinique ; je l'ai rejoint, il s'en vient.

Alexandre sacre à tue-tête, je l'entends s'engueuler avec Dodo qui tente de le calmer. Une porte s'ouvre, une porte claque...

—As-tu entendu ? Alexandre est parti... attends, ne quitte pas, Gilbert arrive !

—Bonjour, bonjour !

—Pauvre Gilbert, tu tombes en pleine corrida !

—C'est fini ! Ne t'inquiète pas, je vais manger avec les filles, puis nous viendrons te voir.

—Merci d'être là !

—À tout de suite !

Je referme l'appareil et me mets à trembler. Je me sens faiblir, je suis à bout de force. J'ai de nouveau souillé mes draps. J'appelle au secours, j'ai besoin d'aide...

L'infirmière nettoie mes draps avec le sourire de celle que ça ne dérange pas.

—Si seulement je pouvais me lever !

—Le docteur Belmont l'interdit !

Je me mets à pleurer, ça déborde, j'éclate ! Douce et patiente, l'infirmière s'attarde un peu près de mon lit. Je lui livre le trop-plein de mon cœur. Elle m'écoute attentivement :

—Quelle épouvantable sensation d'impuissance ! Il faut que mon fils soit aidé ! Ça ne peut plus continuer, je suis en train d'y laisser ma santé !

Elle va vers le lavabo et me rapporte une serviette imbibée d'eau froide :

— Tenez, lavez-vous la figure, ça va vous faire du bien !

Je me cache la face dans la ratine glacée, je respire profondément et retrouve peu à peu mon calme.

— Maintenant, madame Élise, il faut vous reposer, c'est un ordre !

Elle borde mes couvertures solidement puis referme la porte tout doucement derrière elle. Je me laisse emporter dans un demi-sommeil, je flotte… L'infirmière revient :

— Voilà votre dîner !
— Un bouillon, un Jell-O et du thé ! Quel régal !
— J'ai une surprise !

Elle me tend un napperon de papier dissimulant un minuscule gâteau orné d'une bougie jaune :

— C'est pour l'anniversaire de votre fille !
— Comme c'est gentil !

Je me remets à pleurer. Je suis intarissable. J'ai encore les yeux rougis quand Gilbert arrive avec Mélanie et Dodo, suivis de Lorraine et d'Antoine qu'ils ont croisés dans l'ascenseur. Lorraine est en beauté, sa grossesse lui va bien !

— Papa et maman sont toujours en Floride avec Estelle, Johanne et Robert ; veux-tu que je les appelle ?
— Surtout pas ! Tu connais maman, elle voudra revenir avant le temps !

Nous faisons toutes les deux un pacte de silence.

Je déballe le gâteau de Mélanie et allume la bougie en entonnant la chanson d'usage : *Chère Mélanie, c'est à ton tour, de te laisser parler d'amour…* Elle fait un vœu puis souffle sa chandelle avec autant d'énergie que s'il y en avait quinze.

À l'aide d'une fourchette en plastique, elle partage son festin avec Dodo. Ma fille a retrouvé son sourire. Elle s'arrête net entre deux bouchées :

—Oh ! oui, j'oubliais, Philippe a téléphoné !

—C'est vrai ? Quand ça ?

—Hier soir, il partait pour New York et voulait te dire au revoir ; mais il était trop tard pour qu'il t'appelle à l'hôpital. Il t'embrasse et te souhaite bonne chance !

—Cher Philippe, son amitié me fait chaud au cœur.

Je remarque tout à coup le gros ventre de Lorraine. Son bébé commence à prendre beaucoup de place, ça me fait tout drôle :

—Est-ce qu'il bouge ?

—Bien sûr, touche…

Je pose délicatement ma main sur le bedon rebondi de ma sœur cadette, le bébé bouge un peu et ce mouvement me rappelle de merveilleux souvenirs qui datent maintenant de quinze ans : mon bébé a quinze ans, déjà ! Gilbert nous observe d'un air malin puis, s'adressant à Mélanie et à Dodo :

—Les filles, que diriez-vous d'une invitation au restaurant pour célébrer l'anniversaire de Mélanie ?

Je vois leurs figures s'animer rien qu'à l'idée d'une poitrine de poulet croustillante ; car, connaissant ma fille, je sais qu'elle finira par entraîner Gilbert dans une rôtisserie. Il le devine et me lance un clin d'œil complice :

— J'avais pensé que nous pourrions peut-être aller manger du poulet… et que la soirée serait encore plus agréable si Bernard nous accompagnait !

Dodo se retourne vers Mélanie qui fait un peu la moue.

— Et qui est Bernard ?
— Le fils de Gilbert !
— Il est vieux ?
— Bof !

Vingt et un ans, grand, mince, et beau comme un dieu ! Je me rappelle qu'à quinze ans je m'emballais pour beaucoup moins.

Mes invités me quittent en voyant l'infirmière s'amener avec des draps. Je les regarde filer vers la vie ; ce soir, ils feront la fête, et Mélanie retrouvera sa bonne humeur.

Je m'allonge sur mon lit fraîchement refait et profite du silence pour méditer un peu. Je suis calme, mes inquiétudes pour Mélanie se sont apaisées, mais je ne peux m'empêcher de songer à Alexandre ; qu'adviendra-t-il d'Alexandre ? Je me laisse emporter par mes pensées, quand une parole de délivrance me revient à l'esprit :

Mon Dieu, je remets mon fils entre vos mains !

Je capitule et m'en remets entièrement à *une puissance supérieure à la mienne*, comme dirait Philippe. Je n'ai plus la force de lutter. Me tracasser au sujet d'Alexandre n'arrange rien, et risque même d'aggraver mon état.

On m'apporte mon souper : re-bouillon, re-Jell-O, et re-thé… mais comme on a déposé le plat contenant le Jell-O sur mon bol de soupe, c'est une espèce de jus rouge qui bouge dans mon plat à dessert. Je commence à entretenir des fantasmes de poulet rôti !

C'est l'heure des visites mais je n'attends personne. Ma voisine de lit a quitté l'hôpital et j'ai la chambre pour moi toute seule. Je pourrai donc poursuivre calmement la lecture du livre que Lorraine m'a prêté. Les visiteurs arpentent le corridor mais leur va-et-vient ne me dérange pas. Soudain, un bruit de pas se rapproche, la porte s'ouvre tout doucement, et une figure aimée apparaît.

— Pauline ! Comment as-tu appris ?
— Jacqueline m'a téléphoné. Tiens, c'est pour toi !

Elle me tend quelques fleurs enrubannées de dentelles ; son bouquet lui ressemble,

— Ma pauvre Élise, qu'est-ce qui t'arrive ?
— Rien de spécial, j'ai simplement trouvé un bon moyen de me payer des vacances.

Elle rit en inclinant légèrement la tête, dans un geste qui lui va si bien qu'on croirait qu'elle est la seule à le faire. Chère belle Pauline, se rend-elle compte de l'espoir que son amitié m'apporte ? Nous ne nous sommes pas revues depuis Biarritz ; voilà au moins un siècle ou deux ! Je lui parle de mon travail, de Gilbert, de Mélanie, du Château… mais j'hésite à parler d'Alexandre, pour ne pas ombrager mes instants de bonheur. Ce soir, je désire que ma joie soit complète, sans qu'aucune pensée négative ne vienne l'assombrir.

Assise rien que sur une fesse sur le bord du lit, Pauline écoute le récit des dernières semaines. Je lui raconte tout pêle-mêle, sautant des bouts, revenant sur d'autres. Je me retrouve dans le regard de cette femme aimante ; elle se fait miroir, elle se fait conscience. Durant plus d'une heure, elle reste à mes côtés et réchauffe ma vie comme un rayon de soleil par un après-midi d'automne ; puis elle me quitte en laissant derrière elle l'odeur délicate d'un parfum de Nina Ricci.

Élise, chère Élise, le cadran solaire ne marque que les heures ensoleillées…

∽

Lundi 6 mars

J'ai passé une bonne nuit. J'ai faim ! Mais ce matin je n'ai pas droit à mon délicieux petit Jell-O mou ; c'est écrit « à jeun » au pied de mon lit. Le docteur Belmont a prescrit un lavement baryté et j'attends patiemment qu'on vienne me chercher.

Un jeune infirmier arrive armé d'un fauteuil roulant. Commence alors une course à obstacles dans les couloirs encombrés de l'hôpital. Mon chauffeur privé me gare dans un coin d'où je peux observer à mon aise les allées et venues des condamnés au baryum : encore deux, encore un, et c'est mon tour !

On m'installe sur une immense table grise et froide. Vêtu d'un long tablier de vinyle noir, portant des gants noirs et un masque, mon bourreau s'approche de moi, descend une énorme caméra sur mon ventre, place un écran à hauteur des seins pour me bloquer la vue, et disparaît derrière. On éteint la lumière. Tout se déroule désormais dans la noirceur la plus complète. Je me sens étourdie, j'ai mal au cœur.

Mon bourreau injecte lentement le baryum, mon ventre se gonfle comme un ballon…

— Pre-nez une *GRAN-AN-AN-DE* res-pi-ra-tion ! Res-pi-rez ! Res-pi-rez !

Il parle d'une voix d'outre-tombe, en séparant les syllabes d'un ton monotone. J'ai de plus en plus mal au cœur ; tout tourne autour de moi, la table bouge, je vacille, mon ventre va éclater !

Je ne suis plus qu'un énorme ballon ! Incapable de bouger, incapable de m'en aller, je suis à la merci de ce bourreau qui n'arrête pas de répéter comme un robot :

— (bip ! bip !) Pre-nez de *GRAN-AN-AN-DES* res-pi-ra-tions ! Res-pi-rez ! (bip ! bip !) Res-pi-rez bien !

Je n'en peux plus, je sens que je vais vomir.

— Arrêtez, j'ai mal au cœur !
— (bip ! bip !) Vous n'a-vez pas mal au cœur ! (bip ! bip !) Pre-nez de *GRAN-AN-AN-DES* res-pi-ra-tions ! (bip ! bip !) Res-pirez ! Res-pi-rez *PRO-FON-DÉ-MENT* !
— J'AI MAL AU CŒUR !
— (bip ! bip !) Vous pen-sez que vous a-vez mal au cœur ! (bip ! bip !) vous n'a-vez pas mal au cœur ! (bip ! bip !) Si vous n'y pen-sez pas, vous n'au-rez pas mal au cœur ! (bip ! bip !) Res-pi-rez ! (bip ! bip !) Res-pi-rez *PRO-FON-DÉ-MENT* ! (bip ! bip !) Pre-nez de *GRAN-AN-AN-DES* res-pi-ra-tions !
— J'AI MAL AU…

Une infirmière se précipite à mon secours :

— Arrêtez ! Attendez ! Elle vomit !

Mais mon bourreau ne me voit pas, il n'entend pas, il n'arrête pas. Tandis que l'infirmière me nettoie en tâtonnant dans le noir, mon robot, caché derrière son écran, continue de répéter comme un automate :

— (bip ! bip !) Vous n'a-vez pas mal au cœur ! (bip ! bip !) Res-pi-rez *PRO-FON-DÉ-MENT* ! Pre-nez de *GRAN-AN-AN-DES* res-pi-rations ! (bip ! bip !) C'est *TER-MI-NÉ* ! (bip ! bip !)

L'infirmière ouvre la lumière, mais *Monsieur bip ! bip !* est déjà loin. Il ne saura jamais ce qui vient d'arriver. Inconscient des dégâts qu'il laisse sur son passage, il traverse d'une salle à l'autre sans regarder derrière, pour la plus grande gloire de la médecine. Le *docteur Knock* a toujours des disciples !

L'infirmier doit me soutenir pour m'asseoir dans le fauteuil roulant. En passant près d'une autre salle, j'entends mon bourreau-robot qui remet ça :

— (bip ! bip !) Res-pi-rez ! Res-pi-rez *PRO-FON-DÉ-MENT…*

Je souris malgré moi en pensant au patient ou à la patiente actuellement sous l'emprise de *Monsieur bip ! bip !* Cette scène m'apparaît tout à coup d'un ridicule consommé et j'imagine avec plaisir ce qui arriverait si, un beau jour, le ridicule tuait !

∞

Mercredi 8 mars

Enfin libérée ! Quand Gilbert vient me chercher, il y a long-temps que je suis prête. Nous rencontrons une dernière fois le docteur Belmont.

— Ma petite madame, il résulte de toute cette histoire, à la lumière des différents tests, que votre hémorragie n'était en somme qu'une réaction nerveuse. Vous êtes au bout du rouleau, votre corps se révolte et réagit : vous n'êtes plus capable de prendre la colère !

J'aurais pu facilement poser ce diagnostic moi-même, mais de là à calmer mon fils, il y a une marge. Et je rentre au Château avec la désagréable impression de retomber dans la fournaise. Alexandre paraît heureux de me voir, mais à peine suis-je arrivée qu'il s'enfuit sans raison, en claquant la porte. A-t-il réfléchi ? A-t-il téléphoné à Pierre B. ? Je n'ose pas lui poser de questions.

Je dois me reposer et profiter des quelques jours de congé qui me restent pour récupérer mes forces avant de retourner travailler au comité. Heureusement que cette fichue campagne à la chefferie achève.

Gilbert a préparé le souper. Nous bavardons gaiement avec Mélanie, quand Alexandre revient accompagné d'un nouveau copain qui le suit dans sa chambre. Ils écoutent de la musique à tue-tête. J'ose aller lui demander gentiment de baisser le son, mais je me bute à un refus obstiné, et à une porte verrouillée.

Il est plus de minuit et la musique joue toujours aussi fort. Je profite de l'instant de silence entre deux plages pour frapper à la porte de la chambre d'Alexandre :

— Veux-tu baisser le son, s'il te plaît !

Je reçois pour toute réponse quatre grands coups de poing venant de l'autre côté de la porte, puis la musique repart de plus belle. Mélanie pleure dans sa chambre parce qu'elle ne peut pas dormir. Je ne sais plus quoi faire. Gilbert hésite à s'en mêler, craignant d'envenimer les choses. J'en arrive à souhaiter qu'un voisin impatient appelle la police, ce que je n'ose pas faire moi-même.

Élise, chère Élise, l'heure est venue de mettre le pied à terre.

Quand le Christ a chassé les voleurs du Temple, il l'a fait à coups de bâton, et non en leur demandant : voulez-vous sortir, s'il vous plaît ? Il faudra faire face sans avoir peur.

Vers deux heures, la musique cesse enfin ! J'espère que le fameux copain va déguerpir, mais non, il semble que ce soir nous aurons un invité au Château. Si seulement il ne sentait pas aussi mauvais ! Allons, allons, laissons là ces considérations de bas étage et essayons de dormir un peu. Je mets ma tête au neutre pour la nuit.

∽

Quand nous nous réveillons, vers huit heures, Alexandre et son acolyte sont déjà partis, en laissant derrière eux une odeur que plusieurs heures d'aération auront du mal à dissiper.

Bien que je sois encore en convalescence, je décide d'aller passer quelques heures à la Clinique afin d'aider Gilbert à organiser les prochains bureaux. J'ouvre la porte du vestiaire pour prendre mon manteau : quelle horreur ! Quelle calamité ! Le petit copain d'Alexandre a eu la merveilleuse idée d'accrocher son coupe-vent juste à côté de mon manteau de fourrure ! Ce joyeux compagnonnage ayant duré plusieurs heures, les poils touffus de ma petite bête se sont imprégnés de cette odeur épouvantable ; il faut le sentir pour le croire ! La plus racée des mouffettes en rougirait de honte : se faire damer le pion par un vulgaire petit renard puant, elle en mourrait, la *pôvre* !

Il fait très froid, je n'ai pas le choix, il faut que je sorte avec ça sur le dos. J'essaie d'y vaporiser quelques gouttes de mon parfum, mais au contact il se corrompt : quelle peste !

Vers onze heures, le directeur de l'école que fréquente Alexandre me rejoint au téléphone, et c'est sans surprise que j'apprends que mon fils ne s'est pas présenté en classe depuis plusieurs jours. Je n'ai aucune idée de ce qu'il peut faire de ses journées.

— Si votre fils ne revient pas à l'école demain matin, je me verrai dans l'obligation de sévir.
— Je lui parlerai dès ce soir, c'est promis. Merci d'avoir appelé.

Voilà qui est plus facile à dire qu'à faire. Je pratique mon entrée en matière en répétant plusieurs fois : *Alexandre, ça ne peut plus durer !… Alexandre, il faut que je te parle !… Alexandre, j'ai à te parler !… Alexandre !… Alexandre !… Alexandre !…* Merde, je n'y arrive pas !

Je prépare le souper tranquillement quand mon fils s'amène avec l'air innocent de celui qui revient de l'école.

— Alexandre ! Alexandre, viens ici, j'ai à te parler !

Il me rejoint dans la cuisine.

— Qu'est-ce que tu veux ?
— Où étais-tu ?
— Ce n'est pas de tes affaires !
— Le directeur de l'école m'a téléphoné…
— Je m'en sacre !

— Peut-être, mais moi je ne m'en sacre pas. Je te donne deux choix : ou bien tu appelles Pierre B. et tu demandes de l'aide, ou bien tu vas vivre chez ton père !

Il me regarde, la bouche crispée, les dents serrées. On dirait qu'il a des fusils à la place des yeux :

— Ton Pierre B. je l'ai dans le cul ! Je l'ai appelé cet après-midi et je lui ai dit de manger de la *marde*, puis de se mêler de ses maudites affaires !

J'essaie de rester calme mais mon corps se révolte et tremble intérieurement. Alexandre s'avance vers moi, me regarde avec rage et me pousse violemment sur l'armoire.

— En tout cas, ma *crisse*, tu ne m'auras pas !
— Alexandre, ça va faire !

Venue du salon, la réplique de Gilbert retentit comme un coup de fouet. Alexandre fige sur place ; il ne s'y attendait pas.

— Toi, tu n'as rien à me dire, tu n'es pas mon père, tu n'es même pas de la famille !

Gilbert nous rejoint dans la cuisine.

— Tu as raison, Alexandre, je ne suis ni ton père, ni ton parent d'ailleurs, mais Élise est la femme que j'aime et je n'accepterai jamais que tu lui parles de cette façon en ma présence ; c'est clair ?

Alexandre se retire dans sa chambre, en ressort avec un sac sur le dos, et part en criant :

— Je ne reviendrai pas coucher !

Toutes les vitres du Château ont vibré quand il a refermé la porte. Je me sens soulagée. Il ne reviendra pas coucher ? J'en suis fort aise. Peu m'importe où il passera la nuit, pourvu que ce ne soit pas sous mon toit.

∞

Vendredi 10 mars

Gilbert a dormi au Château pour ne pas me laisser seule avec Mélanie. Il craignait qu'Alexandre revienne au milieu de la nuit et nous rende la vie difficile. La crise d'hier m'a bouleversée plus que je ne l'aurais cru.

Après avoir déjeuné avec Gilbert, je retrouve la chaleur des couvertures, et m'y attarde avec plaisir. Vers dix heures, je reçois un appel inattendu :

— Madame Lépine ?
— Élise Desmarais Lépine, oui, c'est moi !
— Vous êtes la maman d'Alexandre ?
— Oui ! Il lui est arrivé quelque chose ?
— Non, mais j'ai à vous parler.
— À quel sujet ?
— Je suis Maître Bissonnet, avocat à la Cour, section Aide à la jeunesse…

Je ne sais plus quoi dire, ni quelle attitude prendre. Maître Bissonnet continue :

— Votre fils est venu me consulter et j'aimerais vous rencontrer à mon bureau lundi matin… disons vers onze heures, ça vous va ?
— Comptez sur moi !

J'ignore ce qui arrive, mais je me sens soulagée en constatant qu'il se passe enfin quelque chose. J'ose espérer que cette rencontre imprévue nous permettra d'amorcer un dialogue. Puisque toute communication semble devenue absolument impossible entre mon fils et moi, qui sait si l'intervention d'un tiers ne nous conduira pas vers une certaine entente, une sorte de traité de paix signé en terrain neutre ?

Je rejoins Gilbert à la Clinique et l'invite à souper au Château.

— D'accord, mais à une condition : je prépare le repas et tu te reposes !
— Promis !

Je m'allonge sur le grabat de mon salon-chambre et me propose de lire en paix, quand Alexandre revient en trombe accompagné de deux amis. Sans me saluer, ils s'enferment tous les trois dans sa chambre. C'est la guerre froide !

Je lis sans lire depuis un bon moment, lorsque j'entends le rire familier de Gilbert qui vient de rencontrer Mélanie sur le pas de la porte.

— Bonjour ! bonjour !

Il me rejoint sur le grabat tandis que Mélanie fait un détour pour voir ce qui se cache dans le réfrigérateur. Je viens à peine de commencer le récit du téléphone de Maître Bissonnet, quand la porte de la chambre s'ouvre. Alexandre s'approche, l'air agressif :

— J'ai consulté un avocat !
— Je sais.
— Il va te téléphoner !

— C'est déjà fait, je le rencontre lundi.

— Je te dis que tu vas te faire ramasser, ma vieille ! C'est le meilleur avocat en ville ! Il n'a jamais perdu une cause !

— C'est impressionnant.

— En tout cas, je t'avertis : je *crisse* mon camp, puis c'est pas toi qui vas m'en empêcher !

— Je n'en ai nullement l'intention ; je t'ai donné deux choix, tu es libre !

Alexandre s'agite, marche de long en large, se frotte les mains, s'assoit, se relève, se rassoit. Ses deux amis le suivent sans dire un mot. Ils ne sont là, semble-t-il, qu'à titre de témoins. La tension monte. Mélanie ne bouge pas, Gilbert n'ose pas sortir, et moi, je me sens très fébrile. Soudain, Alexandre me regarde furieusement en criant :

— Arrête donc de crâner, puis dis-le donc que tu m'aimes !

Sa phrase me coupe le souffle. J'hésite un instant, consciente que ma réponse doit refléter exactement le fond de ma pensée. Dire : *je t'aime, reste, ne t'en vas pas !* serait trop facile, et ça ne réglerait rien.

Mon Dieu, aidez-moi à trouver mes mots.

À mon tour, je regarde mon fils droit dans les yeux, et lui dis tout doucement :

— Alexandre, *je t'aime*. Je te le dis, et te le répète devant ta sœur, devant Gilbert, et devant tes amis : *je t'aime*. Je t'aime assez pour te laisser vivre les conséquences de tes actes ; un jour, tu comprendras que je t'aimais beaucoup.

Alexandre se lève, prend son manteau et sort sans ajouter un mot. Ses deux escortes le suivent de près. Je suis vidée. Je ne me débats plus. Je laisse la vie suivre son cours. J'ai fait ce que je devais faire, et j'ai la conviction d'avoir dit exactement ce qu'il fallait que je dise. Il n'était pas question de fondre en larmes, ou de supplier Alexandre de rester ; mon indulgence a ses limites. Je suis partie de Versailles pour fuir la violence, et n'ai pas l'intention de la subir à nouveau.

⁂

Dimanche 12 mars

Marie-Claude aura vingt-trois ans demain et, pour agrandir le cercle, Gilbert a décidé d'inviter sa bonne vieille mère, afin que ma première rencontre avec sa fille aînée se déroule intimement, autour d'un bon repas, dans une ambiance cordiale et chaleureuse.

Le restaurant que Gilbert a choisi est romantique à souhait. Attablés tout au fond Marie-Claude et son mari nous attendent déjà depuis un bon quart d'heure. Aussitôt qu'il nous aperçoit, Ahmed se lève et vient à notre rencontre. Il est plus grand et plus mince que je l'imaginais. Son teint doré, sa barbe noire encadrant délicatement son visage, lui donnent un air racé : on dirait un Roi mage !

Marie-Claude reste à l'écart, elle attend que je m'approche ; mais quand je lui tends la main, elle s'avance spontanément pour m'embrasser. Puis elle se penche vers sa grand-mère qui lui donne *un bec en pincettes*, en lui serrant les joues, comme on fait aux enfants quand ils ont les joues rondes. Gilbert nous observe toutes les trois avec un air amusé. Un vrai pacha entouré de ses femmes. Il ne manque qu'Annabelle, sa cadette, pour que le harem soit complet.

Assis en face de moi, Marie-Claude et Ahmed se taquinent à savoir lequel des deux aura la dernière bouchée. Ils ont goûté tous les plats, commenté chaque saveur, chaque fumet ; leur joyeuse gourmandise réjouit Gilbert qui partage lui-même ce péché mignon avec sa propre mère.

En observant plus attentivement Marie-Claude, je constate qu'elle ressemble étrangement à Mélanie ; ce n'est pas une question de traits, c'est plutôt une question d'attitude, un air, un geste. Cette jeune femme est très belle, sans fard, sans artifices ; je lui envie ses longs cheveux noirs qui couvrent ses épaules et descendent jusqu'au milieu du dos.

La lueur des bougies donne des reflets d'ambre au teint d'Ahmed et font briller ses yeux de braise. Ce garçon est beau à faire rêver ! Je comprends Marie-Claude de s'être laissée prendre à son charme exotique. Je suis étonnée de constater jusqu'à quel point ces deux nouveaux mariés s'expriment librement sur leur façon d'envisager la vie. Ils se connaissent depuis quatre ans, et n'attendent que le jour où Ahmed aura terminé ses études d'ingénieur minier, pour aller s'installer dans son pays.

— Pour longtemps ?
— Peut-être pour toujours !
— Pour toujours ?
— Tu sais, Élise, je savais très bien à quoi je m'engageais quand j'ai accepté d'épouser Ahmed !
— Mais cet engagement n'est-il pas forcément un grand saut dans l'inconnu ?
— Jusqu'à un certain point, oui, mais ça ne me fait pas peur.

Elle dit ça avec une telle sincérité que je la crois sans peine. Il faut beaucoup de courage et de conviction pour vivre une

relation profonde en étant de races et de cultures aussi différentes. C'est le genre de défi que seul un amour solide peut
permettre de surmonter.

— Que ça sent bon !

Grand-maman Gauthier s'exclame en voyant le serveur
flamber des crêpes Suzette sous nos yeux. Gilbert est l'heureux
fils d'une *vieille femme indigne*, dernière de la lignée des *vraies
savoureuses*. À quatre-vingts ans, elle en paraît dix de moins
et s'étonne encore de n'avoir plus vingt ans. Par quel secret
a-t-elle conservé cette capacité d'émerveillement ? Y aura-t-il
encore, parmi nous, de ces femmes exemplaires ? De celles qui
en ont trop vu pour s'énerver, et qui ont compris que rien n'est
important, si ce n'est *l'instant même* : celui qu'on vit, qu'on
savoure et qui passe ? En reste-t-il beaucoup des grands-mères
passionnées qui *amourent* la vie, le changement, le progrès ?
Je l'espère en tout cas, pour les autres et pour moi.

Quand Gilbert me laisse au Château, je constate avec
étonnement que je n'ai pas pensé à Alexandre de toute la
soirée. J'ai apprécié cette première rencontre avec Marie-
Claude et Ahmed, et me suis grisée de la présence de madame
Gauthier sans me laisser perturber par mes problèmes. J'ai
goûté l'instant présent et me suis donné la permission d'être
heureuse.

∞

Lundi 13 mars

J'appréhende l'entrevue de ce matin. Ce rendez-vous chez
l'avocat m'énerve et ces démarches me fatiguent énormément.
Je crains la récidive.

Gilbert a décidé de m'accompagner. Nous arrivons au bureau de Maître Bissonnet un peu plus tôt que prévu. Il nous reçoit immédiatement. Je lui donne ma version des faits, c'est la seule que je connaisse, en essayant de mettre en lumière les difficultés de communication entre mon fils et moi. Maître Bissonnet m'écoute avec attention.

— Dois-je comprendre que vous seriez-vous prête à reprendre votre fils à la maison ?

— Mais, je ne l'ai jamais mis à la porte ! Je lui ai simplement dit qu'il n'était plus question qu'il nous ostracise continuellement, sa sœur et moi. Il a vécu, tout comme nous, une période extrêmement difficile, mais il semble qu'il aura du mal à s'en sortir sans aide. Or, il refuse obstinément d'être aidé, et je refuse d'être ostracisée.

— Je crois aussi que votre fils a besoin d'aide. D'ailleurs, je comptais suggérer au juge une évaluation psychologique du comportement d'Alexandre ; avec votre permission, bien entendu.

— Je suis d'accord.

— Et maintenant, si vous acceptez, je vais demander à votre fils de se joindre à nous, et nous allons voir ce qu'il va décider.

Il sort et revient aussitôt avec Alexandre ; un Alexandre au regard dur, à la mâchoire serrée, pâle, amaigri, les yeux cernés jusqu'au milieu des joues. Maître Bissonnet l'invite à s'asseoir à côté de lui :

— Donc, Alexandre, si j'ai bien compris, tu maintiens ta décision de t'en aller en institution.

— C'est ça !

— J'en ai parlé avec ta mère, et si c'est vraiment ce que tu souhaites, elle n'y voit pas d'inconvénient.

Alexandre me fixe avec un regard vide. Je tente un léger sourire. Il détourne la tête. Maître Bissonnet se lève :

— Maintenant, si vous voulez bien me suivre, nous allons passer immédiatement devant le juge.

— Le juge ? Si vite ?

— Votre fils n'est pas encore majeur, et comme il y a des formalités à remplir, c'est vous qui devrez signer tous les papiers.

Je suis estomaquée. Je réalise que, d'après la Loi, c'est moi qui dois avouer mon impuissance à élever mon fils, et demander à la *Vénérée Cour* de le prendre en charge. C'est aberrant ! Du guignol ! Du grand guignol ! Je suis curieuse de voir jusqu'où cette comédie va nous mener. Et comme je suis bien décidée à jouer le jeu d'Alexandre jusqu'au bout : je signe.

Maître Bissonnet s'éloigne avec Alexandre. Ému, Gilbert me prend par l'épaule puis nous sortons ensemble.

Nous attendons dans l'antichambre. Un fonctionnaire vêtu d'un complet classique pour faire sérieux, et de souliers *Pepsi* pour faire jeune, arpente le corridor et fait le guet devant la porte. Assis dans un coin, Gilbert et moi observons Alexandre qui s'entretient avec *son* avocat de l'autre côté de la salle. Quelle situation absurde ! On nous appelle enfin :

— Lépine versus Lépine !

Monsieur Pepsi nous indique le chemin à suivre ; le *droit* chemin, bien entendu ! Nous entrons dans la salle d'audience : une pièce intime, aménagée avec recherche, mais conservant tout le côté officiel et constipant de la soi-disant justice humaine. Au centre, juché sur un podium, un monsieur très digne avec une tête de juge, assis sur une chaise de juge, derrière un pupitre de juge. À sa droite : une sténographe *officielle* assise dans une

boîte tout aussi *officielle* qu'elle. À sa gauche : seul dans sa boîte
à rien, l'*avocat qui n'a encore jamais perdu une cause* tourne en
rond comme un ours en cage, avant la représentation du cirque.
Au fond de la salle, une travailleuse sociale travaille sociale-
ment à *cerner le problème*, tandis que Gilbert, isolé dans la *boîte
aux curieux*, essaie de m'encourager par son sourire.

Nous sommes confiants, Maître Bissonnet nous a parlé on
ne peut plus sensément, nous laissant croire qu'il a très bien
compris le cas d'Alexandre ; tout devrait donc se terminer pour
le mieux.

Étant devenue, bien malgré moi, *la demanderesse*, je me
retrouve assise à côté d'Alexandre, face au *Vénéré Juge*, qui
me prie de lui expliquer en quelques mots, et très clairement,
ce qui m'a amenée à venir implorer la *Vénérée Cour* de bien
vouloir prendre mon fils en charge, et comment j'en suis
arrivée là. Voilà tout un programme pour une femme qui igno-
rait encore ce matin où cette rencontre la conduirait.

Je me sens subitement prise de court. Pour bien expliquer,
il faudrait remonter dans le temps, parler de Gabriel, de mon
départ de Versailles, de Biarritz… Bref, remuer beaucoup de
souvenirs qui, racontés sans détails, risquent de tout embrouiller
et de fausser le portrait. Je suis terriblement nerveuse, les
mots se bousculent, je bégaie, je tremble. Je refuse d'accabler
Alexandre ; c'est un adolescent qui se cherche, qui a mal, et
je ne vois pas la nécessité de l'écraser sous le poids des accusations. Au contraire, je voudrais tellement l'aider.

Vient maintenant le tour d'Alexandre : à l'entendre, je le
gifle et je le bats ! Il ramène même l'histoire de la cuillère de
bois, sans mentionner, bien sûr, que je l'ai remise dans le tiroir
sans le toucher. Il donne l'image d'un pauvre petit garçon à la

merci de sa mère et de sa sœur. Je le regarde, je l'écoute, et n'en reviens pas ! Il a vraiment l'air de vouloir à tout prix être placé sous la tutelle de la Cour.

Tout ça à cause de son fameux copain, *la mouffette*, qui lui a mis dans la tête qu'en agissant ainsi, non seulement il n'aurait plus besoin de travailler, mais qu'il serait logé dans un petit appartement pas cher, et qu'on lui enverrait un beau chèque de *BS* tous les mois ; la belle vie, quoi !

Qui pourrait blâmer Alexandre de l'avoir écouté, de l'avoir cru ? Son mirage était idyllique ! Petits détails : ce copain est majeur, il n'est pas très futé, et il est seul au monde ; ça change drôlement la donne.

Le *Vénéré Juge*, après nous avoir longuement écoutés en affichant un air affligé, s'apprête maintenant à prononcer son jugement. Il parle lentement, d'une voix paternaliste et condescendante :

— Mon garçon, je te félicite ! Il est rare, en effet, qu'un jeune de ton âge s'adresse à la Cour pour demander d'être aidé. Il faut beaucoup de courage pour faire ce que tu as fait. Il est évident qu'actuellement, *ta mère n'est pas dans son état normal ! Nous* allons donc te prendre sous *Notre Protection* pour quelque temps : tu iras dans un centre d'accueil pour les trois prochaines semaines, après quoi, vous reviendrez me voir, ta mère et toi, afin que *Nous* décidions ce que *Nous* allons faire à plus long terme.

Puis s'adressant à la travailleuse sociale, il ajoute :

— Madame, je vous confie ce jeune homme ; voyez à lui trouver un gîte aujourd'hui même !

L'avocat qui n'a encore jamais perdu une cause, se lève et tente une timide intervention :

— Monsieur le juge, puis-je me permettre de suggérer une évaluation psychologique chez ce jeune homme ?

Le *Vénéré Juge* le toise d'un air hautain et lui répond sèchement :

— Je n'en vois pas la nécessité !

Son Honneur quitte la pièce. Le tour est joué. Le *Grand et Vénéré Juge* a jugé : crise d'adolescence classique. *Nous* te protégerons, mon petit garçon ! Viens pleurer sur la petite épaule de ton *Bon Papa Juge* ! Pauvre petit garçon que sa *môman* ne comprend pas… Va voir la *Bonne Madame* qui va te trouver une belle petite place, dans une *Bonne Institution* où tu pourras coucher ce soir !

Ta mère n'est pas dans son état normal ! Et comment que je ne suis pas dans mon état normal, je voudrais l'écrabouiller ! C'est moi qu'on juge, et c'est moi qu'on évalue, en quelques minutes ; quelle farce ! La *Grande Sagesse* a parlé, le *Jugement de Salomon* a été rendu, et le *Vénéré Juge* s'est retiré. *L'avocat, qui n'avait encore jamais perdu une cause*, me regarde avec l'air impuissant de *celui qui vient d'en perdre une* ! Il me fait pitié. À croire qu'il ne sait pas dans quelle séance il vient de jouer.

Alexandre suit docilement la travailleuse sociale. Je le regarde s'éloigner et n'ai pas envie de le retenir. Je ne peux plus permettre à sa petite personne de m'envahir au point d'en être complètement démolie. Je n'accepterai plus jamais que quiconque projette sa haine et son ressentiment sur moi.

Nous quittons enfin la salle d'audience et croisons Alexandre dans l'escalier. Gilbert lui offre d'aller le conduire à sa nouvelle demeure.

— Non, laisse faire, quelqu'un m'attend. Merci pareil !
— Il n'y a pas de quoi.
— Je vais aller chercher mes affaires à la maison vers dix-huit heures.
— D'accord.
— Salut !
— Salut !

En sortant, nous apercevons le fidèle compère compagnon d'Alexandre qui fait les cent pas sur le trottoir. Ce *quelqu'un* qui l'attend a l'allure d'un enfant ballotté par la vie. J'incite Gilbert à démarrer avant qu'Alexandre ait passé la porte. Je ne veux pas revoir mon fils tout de suite ; je ne m'en sens pas le courage.

Gilbert retourne à la Clinique et je retrouve Mélanie au Château. Elle ne sait rien encore de ce que nous venons de vivre. Je lui raconte notre rencontre avec l'avocat, le simulacre de procès, et le verdict du *Vénéré Juge*.

— Voyons donc, maman, tu sais bien qu'Alexandre va revenir !
— Non, je ne crois pas, mais pour l'instant ça m'est égal. L'important vois-tu, c'est qu'il chemine. Peu importe la route qu'il empruntera, j'ai confiance. Et puis, tu sais… la jument…

Je nous fais du thé : deux tasses avec un seul sachet, comme au temps de Biarritz. Mélanie mange des biscuits *Oreo* en les séparant pour lécher la crème. Elle ne parle pas. Je la sens chagrinée, mais sereine. La vie lui aura au moins appris à ne plus avoir peur.

Tel qu'annoncé, Alexandre s'amène à dix-huit heures, accompagné d'un autre pensionnaire du centre d'accueil. Il me salue discrètement en passant, puis il file dans sa chambre, ramasse quelques objets personnels dans son sac à dos, empile ses vêtements dans un sac vert, puis repart aussi vite. Au moment de sortir, il hésite un instant avant de lancer :

— Je vais revenir chercher le reste de mes affaires une autre fois !

Il quitte le Château tranquillement, sans claquer la porte. Je suis démolie. J'ai l'impression d'avoir été dévalisée, dépossédée de mon enfant, de ma vie.

Gilbert arrive peu après le départ d'Alexandre.

— J'ai réservé notre table au restaurant *Le Péché Véniel*, à dix-neuf heures.

La voyant bouleversée par le départ précipité de son frère, Gilbert invite Mélanie à se joindre à nous. Elle accepte volontiers. Nous soupons tous les trois en évitant soigneusement de parler d'Alexandre, si ce n'est pour mentionner certains faits en les ramenant à leurs justes proportions. Le repas s'éternise et la chaleur de la bûche qui flambe dans l'âtre alourdit nos paupières. Comme je n'ai pas envie de me retrouver seule, j'invite Gilbert à partager mon grabat.

Allongés l'un près de l'autre, nous sirotons un dernier café en essayant de faire l'autopsie de cette journée épuisante : j'ai tout passé au peigne fin, tout ressassé mille et une fois dans ma tête ; je suis claquée. Je ne me sens pas triste, je me sens neutre.

Gilbert m'écoute patiemment, mais il a du mal à garder les yeux ouverts.

— Ça ne t'ennuie pas que je lise un peu ?
— Pas du tout !

Je prends mon livre de chevet, l'ouvre à tout hasard, et le referme aussitôt. Gilbert s'étonne :

— Tu ne lis pas ?
— J'ai lu !

Du premier coup, mes yeux sont tombés sur cette phrase : *Déliez-le et laissez-le aller !* En cet instant, du plus profond de moi, je délie mon fils et le laisse aller, confiante qu'il porte en lui la force qu'il faut pour le guider.

J'éteins la lumière et me love amoureusement contre Gilbert. Pour l'instant, je n'ai envie de rien d'autre que d'être là.

∞

Vendredi 24 mars

Vendredi saint. La Clinique est fermée pour le long congé de Pâques, mais le bureau du Comité reste ouvert et je travaille. Je reprends le collier ce soir, après trois longues semaines *de repos !* Les soirées vont me paraître longues et les week-ends à mi-temps me priveront du peu de repos dont je pourrais jouir avec Gilbert et Mélanie. Nous arrivons au dernier sprint. Il est grand temps que ce congrès finisse. L'enthousiasme des premières heures s'est effrité. Je suis sans doute trop bouleversée, trop perturbée par le départ d'Alexandre pour m'intéresser à la politique.

— J'en ai assez de transférer des centaines d'appels tous les soirs pour une bande d'étudiants trop affairés à compiler les résultats de leurs sondages pour se rendre compte qu'ils abusent de mes services !

Confident captif de mes jérémiades à une heure aussi matinale, Gilbert éclate de rire :

— Mais, je ne t'ai jamais vue aussi négative, qu'est-ce qui t'arrive ?

— Je ne sais pas. La fatigue, sans doute. Avoue que j'ai eu mon quota ces derniers temps. Je m'ennuie de moi, je m'ennuie d'*Élise la savoureuse*, qui prenait le temps de vivre. Je n'ai plus une minute à moi, et je rêve du jour où je pourrai enfin m'occuper de mes affaires.

— Écoute, j'ai une idée ! Pourquoi ne pas profiter de cette belle matinée de congé pour aller dévaliser les magasins avec Mélanie et Dodo ? Qu'est-ce que tu en dis ?

— J'en dis que Mélanie va être heureuse, depuis le temps que nous lui promettons cette folie de magasinage. Tu as raison, nous allons sortir, savourer ce Vendredi saint ensoleillé, et nous enivrer de cette fièvre de Pâques qui annonce le printemps.

Devant les vitrines décorées de fleurs et de lapins en chocolat, je retrouve mon âme de petite fille et me laisse facilement prendre au jeu. Et pour bien célébrer le printemps qui s'installe, je décide d'acheter un énorme bouquet de jonquilles pour fleurir mon Château. Gilbert m'arrête au beau milieu de l'allée, m'embrasse, et me serre affectueusement contre lui.

— Je t'aime !
— Moi aussi !

Je suis comblée, aimée, heureuse et amoureuse. Cette balade me régénère et me donne envie d'agripper solidement les rames pour guider mon bateau vers des ports inconnus. Je viens de retrouver mon vrai sourire.

— Tu sais Gilbert, mon travail ne me déplaît pas tant que ça; c'est juste le premier coup de barre qui est difficile à donner, ensuite, ça va tout seul!

Après avoir cassé la croûte au comptoir du petit restaurant voisin de Comité central, Gilbert repart avec les filles.

— Je reviendrai te chercher plus tard!
— Tu es gentil.

Les étudiants se sont cotisés pour m'offrir des fleurs et une carte fort jolie, qu'ils ont tous signée. Leur geste me touche, et le travail me paraît déjà plus agréable.

∞

Samedi 25 mars

Le Bureau du Comité est fermé jusqu'à mardi, et pour la première fois depuis notre arrivée au Château, je me retrouve complètement seule. Gilbert est de garde à la Clinique jusqu'à minuit et Mélanie passe l'après-midi chez Dodo. La journée m'appartient.

Je suis subitement atteinte d'une *ménagite* aiguë: j'ai le goût de frotter, d'astiquer, de décorer! Et si je nous préparais un petit réveillon? On peut tout aussi bien réveillonner à Pâques; pourquoi pas? Je sors acheter une dinde qui rôtira lentement pendant que je jouerai à la parfaite ménagère.

Quand Mélanie revient, vers seize heures, elle décide de préparer un dessert spécial : un délicieux gâteau aux bananes et au chocolat dont elle seule a le secret.

L'idée de ce souper surprise que nous ne prendrons qu'à la toute fin de la soirée, l'amuse et la motive.

— Vas-tu m'aider pour le glaçage ?
— Je vais t'apprendre à le réussir, aujourd'hui j'ai le temps.

Elle enfourne son gâteau, puis s'affaire à ranger sa chambre. Ma ménagite serait-elle contagieuse ?

Vers vingt heures, brisée de fatigue, je la retrouve étendue à plat ventre sur son lit, profondément endormie. Je tire la porte de sa chambre et m'enferme dans la salle de bains pour goûter les délices d'une montagne de mousse parfumée. Pour mieux apprécier ces instants de volupté, j'ai allumé quelques bougies et ouvert la radio : *musique langoureuse pour les amoureux de la nuit...* J'en profite.

Je me verse une tasse de thé bouillant et m'applique ensuite à me faire belle... Il y a longtemps que je ne me suis pas sentie aussi bien, aussi libre. J'ai fait de ma journée tout ce dont j'avais envie, absolument tout, et rien d'autre. Il ne me reste plus qu'à attendre, en lisant, le retour de Gilbert qui sera là dans moins d'une heure.

— Bonsoir ! bonsoir !

Le bruit de la clé dans la serrure me réveille en sursaut. Je me lève précipitamment mais retombe aussitôt sur le grabat, engourdie, courbaturée. J'émerge d'un trop long sommeil ; des millions d'aiguilles alourdissent mes jambes et mes bras.

— Excuse-moi, mon amour, je ne voulais pas te déranger.

—Je t'attendais ! Je ne dormais pas… enfin, oui, je dormais un peu ; je crois même que j'ai rêvé !

Il rit de me voir aussi confuse. Il se penche pour s'asseoir près de moi, je l'attire et le serre dans mes bras. Allongés l'un contre l'autre, nous prolongeons notre étreinte et repoussons le repas.

—Peux-tu me dire ce qui sent bon comme ça ?
—De la dinde, mon cher, j'ai préparé un réveillon !
—Pourquoi ?
—Parce que j'en avais envie !
—Un réveillon juste pour nous deux ?
—Pour nous trois, j'ai promis à Mélanie de la réveiller !

J'entre dans la chambre sans faire de bruit. Mélanie dort comme une enfant. Elle sent ma présence et ouvre les yeux :

—C'est l'heure ?
—Oui, tout est prêt !
—Accorde-moi encore cinq minutes, veux-tu ?
—Préfères-tu rester couchée ?
—Un réveillon, c'est un réveillon !
—Tu as raison !
—J'arrive !

Je sors les assiettes et Gilbert les apporte sur la table dressée bellement pour la circonstance. Mes jonquilles trônent fièrement au milieu de la vaisselle des grandes occasions, qui ressemble à s'y méprendre à notre vaisselle ordinaire.

Mélanie nous rejoint, encore somnolente. Ce souper nocturne prend des airs de festin. Nous nous retrouvons seuls, tous les trois, échoués sur la plage après la tempête, bénissant le Ciel d'avoir sauvé le bateau et d'être encore vivants.

∞

Dimanche 26 mars

Un jour de Pâques pas comme les autres. Notre réveillon s'étant prolongé tard dans la nuit, nous avons dormi jusqu'à midi. Après un café bu en vitesse, Gilbert est retourné à la Clinique pour le restant de l'après-midi. Mélanie dort encore ; elle reprend le sommeil perdu des derniers jours. Je vais profiter de cette journée de répit pour mettre de l'ordre dans mes papiers. J'ai des comptes qui traînent et, comme dirait Gilbert : je vais faire des heureux !

Je suis tout absorbée par mes calculs quand Alexandre arrive avec un copain, sans aucun doute un autre pensionnaire du Centre d'Accueil. Je n'avais aucune nouvelle de lui depuis son départ, et n'avais pas tenté d'en avoir non plus.

— Je m'en viens chercher le reste de mes affaires !
— Vas-y, fais comme chez toi !

Il fait signe à son ami de le suivre et ils s'enferment tous les deux dans sa chambre. Je me fais discrète et continue mes calculs comme si de rien n'était. Je l'entends pousser les meubles, parler fort, sacrer ; je ne serais pas du tout étonnée qu'il nous fasse une crise. Il vire les tiroirs à l'envers en fracassant certains objets contre le mur. Je ne bouge pas. Je le laisse faire. Il sort subitement de sa chambre, les bras chargés de choses appartenant soi-disant à sa sœur, et les jette en vrac dans la chambre de Mélanie qui se réveille en criant :

— Alexandre, qu'est-ce qui te prend ? Tu es fou ou quoi ? Va-t'en ! Laisse-moi tranquille ! Va-t'en ! Va-t'en !

Je retrouve *l'atmosphère des beaux jours* ! Je n'ai même pas le goût d'intervenir. Je me lève et referme la porte de la chambre de Mélanie en suggérant fortement à Alexandre de se dépêcher de quitter les lieux.

Il part enfin, mais en laissant sa chambre dans un état indescriptible. Je respire lentement pour calmer ma colère, puis je referme la porte tout doucement, en enfermant son désordre jusqu'à ce que je me sente le courage de ranger la pièce.

Rien n'a été brisé, personne n'a été blessé, je verrai pour le reste.

Élise, chère Élise, le sens des proportions permet de faire la différence entre un « incident » et un « désastre ».

∞

Lundi 27 mars

Je rêvais depuis longtemps de ce merveilleux matin de semaine où je n'aurais pas à me lever au son du réveil. Une longue journée, sans Clinique et sans comité. Flâner au lit, consacrer du temps à mes plantes, à mon Château ; ce qui s'appelle le vrai bonheur !

Je comptais évidemment sans ce soudain élan paternel de Gabriel qui, bouleversé par le téléphone d'Alexandre lui annonçant que *j'avais* demandé qu'on le place en Institution, décide de m'appeler pour exiger des comptes.

— Je comprends ton inquiétude, mais je préférerais te rencontrer afin que nous puissions discuter tranquillement.

Je refuse de lui donner ma version des faits au téléphone. Je me méfie. J'hésite à me laisser aller aux confidences, de peur que ça se retourne un jour ou l'autre contre moi. Je me souviens trop bien de ces conversations, aussi inutiles qu'épuisantes, qui ne menaient nulle part, et se terminaient la plupart du temps par un stupide *claquage de ligne*.

— Je regrette, *mon chérie*, mais il n'est absolument pas question que je me déplace uniquement pour satisfaire tes petits caprices !

— Dans ce cas, je n'ai rien à dire.

— Tu aurais pu au moins me prévenir !

— Je n'en ai pas vu la nécessité, sachant très bien que notre fils s'en chargerait.

— Mais, je suis son père !

— Je le sais !

— Alors, explique-toi !

— Gabriel, je te l'ai dit, et te le répète : je n'ai pas l'intention de discuter de cette affaire au téléphone ! Est-ce assez clair ?

— Et si moi, j'avais envie que tu en parles ?

— Je n'en parlerais pas, même si tu devais rester au bout du fil pendant cent ans !

Il a raccroché, encore une fois. Il finit toujours par raccrocher, pour me rappeler l'instant d'après en espérant m'avoir fait peur. Il y a longtemps que je n'avais pas parlé à Gabriel, et je commençais à chérir ce silence. Je pousse un grand soupir pour expulser de moi jusqu'au souvenir de cet appel.

Élise, chère Élise, aimerais-tu retourner en arrière ?

Bien sûr que non ! Pourtant, je ne peux m'empêcher de penser que dans peu de temps, je devrai me retrouver face à face avec Gabriel. Son téléphone vient de me rappeler que le divorce approche.

Je suis encore perdue dans mes pensées, quand je reçois un appel de Maître François T. m'annonçant que la date du divorce a été fixée au 19 avril prochain. Je comprends mieux maintenant l'intervention de Gabriel qui devait sans doute avoir reçu la même nouvelle.

Gabriel a toujours eu tendance à mêler les cartes. Ce qui se passe dans la vie d'Alexandre, doit rester dans la vie d'Alexandre. Notre divorce, c'est autre chose.

J'ai beau me répéter que c'est moi qui ai posé le geste, que je l'ai voulu, et qu'il est temps maintenant d'aller jusqu'au bout, ça me fait tout drôle de penser que bientôt, très bientôt même, je serai divorcée. *Divorcée*, ce mot qui me faisait frémir, ce mot qu'hier encore, j'osais à peine prononcer…

Gilbert s'arrête au Château et me retrouve en larmes. La coupe déborde.

—Élise, mon amour, qu'est-ce qui se passe ?

Il me rejoint sur le grabat où je me suis réfugiée après avoir raccroché le téléphone. Je lui raconte tout en même temps, mêlant mon avocat, Gabriel, Alexandre… Gilbert me tend un mouchoir en riant.

—Tiens, sèche tes pleurs et essaie d'être un peu plus précise.
—Je ne peux pas, tout s'embrouille dans ma tête.
—Attends, je vais t'aider ! Si je te suis bien, tu t'inquiètes présentement pour des idées de faits, et non pas pour des faits.
—Peut-être, oui.

— Qu'y a-t-il de changé depuis que tu as reçu le téléphone de Maître François T. ? Rien, absolument rien, si ce n'est que tu connais la date exacte de ton divorce !

— Le 19 avril ! Tu te rends compte ? C'est presque demain !

— Si tu comptes les dodos, tu verras qu'il t'en reste encore assez pour mourir de peur plusieurs fois. Par contre, si tu t'arrêtes à savourer l'instant présent, tu vas t'apercevoir qu'il fait beau, et que tu es en compagnie de l'homme qui t'aime !

Gilbert a raison. Parfois mon anxiété est telle, qu'elle m'empêche de voir les choses comme elles sont. Alors je deviens *Don Quichotte*, et je pars en guerre contre des moulins à vent.

∞

Jeudi 13 avril

Deuxième visite au Tribunal de la jeunesse. La convocation est pour neuf heures. Gilbert m'accompagne. Nous précédons l'arrivée d'Alexandre qui ne tarde pas à nous rejoindre, en compagnie d'une jeune femme âgée d'environ vingt-cinq ans, qu'il s'empresse de nous présenter :

— Micheline Alarie, psychologue au centre d'accueil.

Je suis heureuse de constater que quelqu'un s'occupe enfin de mon fils. Après les politesses d'usage, Alexandre se retire dans un coin avec la jeune femme qui lui parle discrètement à l'oreille. Ils ont l'air de bien s'entendre, tant mieux pour Alexandre.

Le fonctionnaire aux souliers *Pepsi* lit tranquillement son journal en guettant le son de la cloche qui lui indiquera que son travail peut commencer. Au premier coup de sonnette, il se lève et nous invite officiellement à pénétrer dans *l'Enceinte Sacrée*.

Mise en scène identique. Je me retrouve encore une fois assise à côté d'Alexandre, attendant que le *Vénéré Juge* daigne nous imposer un jugement à plus long terme. Il s'adresse d'abord à moi, en me toisant d'un air hautain :

— Madame, êtes-vous prête à reprendre votre fils chez vous ?

La question est directe, imprévue, et demande réflexion. Je prends le temps de ramasser mes idées et lui réponds en le regardant droit dans les yeux :

— Monsieur le juge, le retour d'Alexandre, chez nous, ne peut se faire qu'à la condition qu'il soit prêt à se conformer aux exigences qu'il connaît et à respecter notre mode de vie.

Le Vénéré Juge se penche sur son pupitre de Juge et s'adresse très paternellement à Alexandre qui s'obstine à fixer le bout de sa chaussure :

— Et toi, mon garçon, es-tu d'accord pour retourner chez ta mère dans ces conditions ?

Sans lever les yeux, Alexandre répond d'une voix forte :

— Non !
— Tu sais que le centre d'accueil où tu te trouves présentement ferme ses portes et qu'on devra te trouver un autre foyer ?
— Je le sais.
— Tu devras donc déménager dans un nouveau foyer d'ici la fin de la semaine ; es-tu bien sûr que c'est ce que tu souhaites ?
— Oui !

— Bon ! alors, madame la travailleuse sociale, si vous voulez bien trouver un autre gîte à ce jeune homme, le plus rapidement possible ; pour ma part, je vous reverrai ici, dans trois semaines… C'est terminé !

Le *Vénéré Juge* se retire puis nous sortons tous ensemble. Cette séance n'aura duré que quelques minutes. La travailleuse sociale me rejoint :

— Pardon, madame, puis-je vous voir un instant ?
— Certainement !

Elle m'entraîne vers une petite salle à l'abri des regards. Que peut-elle bien me vouloir ? Il me semble que la décision du juge était assez claire.

— Je voudrais savoir s'il vous serait possible de donner un peu d'argent de poche à votre fils ? Le bien-être social se charge de défrayer les coûts du logement et de la nourriture, mais ne s'occupe pas des *petites dépenses* ; et, vous comprenez, à son âge…

J'hésite à lui répondre. Après tout, je ne suis pour rien dans la décision du juge, et ne me sens aucunement coupable de ce qui arrive à mon fils aujourd'hui. Il a voulu se foutre dans le pétrin, qu'il y reste !

Élise, chère Élise, tu sais très bien qu'il n'est pas bon de couper tous les ponts.

— Vous savez, madame, beaucoup de jeunes volent ou deviennent *pushers*, pour payer leurs petites dépenses.
— Combien voulez-vous que je lui donne ?
— Dix dollars par semaine, est-ce trop ?
— Non, ça ira.

— Et comment comptez-vous régler ?

— Tenez, voici trente dollars, pour les trois prochaines semaines.

— Merci beaucoup, je les lui remettrai une semaine à la fois.

Je rejoins Gilbert. Nous reconduisons Alexandre et la psychologue à la station de métro la plus proche ; c'est à deux pas, en cinq minutes nous y sommes. Alexandre m'embrasse sur la joue avant de descendre. Je le regarde s'éloigner, l'air frondeur, les deux mains dans les poches. Suivi de près par la psychologue, il entre dans la station sans se retourner. Il me faut en ce moment beaucoup plus de force pour le laisser partir que pour le retenir.

Déliez-le et laissez-le aller… jamais plus je ne le retiendrai.

∞

Dimanche 16 avril

La campagne à la chefferie est maintenant chose du passé et nous pouvons enfin profiter pleinement de nos week-ends. Mélanie rêvait depuis longtemps d'un beau dimanche *d'effouérage* comme elle les aimait autrefois à Versailles.

Aujourd'hui, elle a invité Dodo, et Gilbert s'est joint à nous pour jouer au scrabble, assis sur le plancher, en écoutant de la musique. Le téléphone nous interrompt alors que j'avais un mot de six lettres à placer…

— Maman, c'est pour toi !

— Qui est-ce ?

— Papa.

— Merde !

Je quitte ma place en ordonnant à mes partenaires de ne pas bouger.

— Allô ?

— Bonjour, *mon chérie* ! ça va ?

— Ça va, oui.

— Écoute, je voulais simplement te laisser savoir qu'Alexandre est ici, et t'informer de mon intention de garder *mon fils* avec moi. Tu n'y vois pas d'inconvénient ?

— Aucun.

— Alors c'est entendu ! Oh ! oui, *mon chérie*, j'oubliais ! Nous divorçons mardi je crois…

— Mercredi !

— Pardon ?

— Pas mardi, mercredi ; nous divorçons mercredi ! Ton avocat ne te l'a pas dit ?

— Je n'ai pas d'avocat et n'ai pas l'intention d'en avoir un !

— Tu te défendras tout seul ?

— Je ne me défendrai pas, je n'irai tout simplement pas ! Je n'ai pas l'intention de me rendre ridicule uniquement pour faire plaisir à Madame ! C'est un luxe que je n'ai pas les moyens de me payer ; je n'ai pas l'aide juridique, moi !

— Fais comme tu voudras.

— Alors, à un de ces jours ! Ciao !

— C'est ça, tchaow !

Je retourne au salon. Au regard de Gilbert, je devine que je suis écarlate. Je cherche une chaise pour m'asseoir avant de parler. Mélanie s'approche :

— Qu'est-ce que tu as, maman ?

— Alexandre est allé se réfugier chez son père !

J'ai beau me l'entendre dire, je n'arrive pas à le croire. Ça m'a fait un choc sur le coup, mais maintenant je me sens presque soulagée. Je n'aurais jamais imaginé vivre pareille situation. Je voulais par-dessus tout la garde de mes enfants, je l'aurais défendue farouchement, et voilà que par un drôle de retour des choses, Alexandre se retrouve chez son père, sans que j'aie envie de faire quoi que ce soit pour le ramener vers moi. Dans le fond, c'est une bonne chose ; ils auront certainement de bonnes prises de bec mais ils régleront leurs différends entre hommes.

— Oh ! oui, Gabriel m'a également parlé du divorce.

— Et alors ?

— Il ne viendra pas.

— Mais qu'est-ce que tu vas faire ?

— Y aller quand même, et demander un divorce *par défaut*. Mais je ne pourrai pas, en son absence, obtenir de pension alimentaire.

— Tu n'auras donc aucun recours ?

— Quels seraient mes recours de toute façon ? Faire saisir son salaire ? Il ne travaille jamais *officiellement*. Comment veux-tu saisir le salaire d'un homme qui n'a pas de revenus calculables ?

— C'est tout ?

— Non ! Je pourrais également le faire arrêter, mais ça m'avancerait à quoi ? Gabriel ne m'a pas donné un sou depuis mon départ. Il a signé les préliminaires et ça n'a rien changé. Alors, je refuse de me battre avec un *zombie*. Et puis, dans la mesure où il garde Alexandre, je m'arrangerai bien avec Mélanie.

Je ne veux plus avoir affaire à Gabriel. J'ai tourné la page pour de bon. Il ne me reste plus qu'un geste à poser avant d'être vraiment libre. Ma liberté n'a pas de prix, je travaillerai aussi fort qu'il le faudra, mais je ne me ferai plus jamais *entretenir* par personne.

— Maman, est-ce que tu joues encore ?
— Oh oui ! mon beau mot de six lettres : *JUMENT* !

ᴄᴏ

Mercredi le 19 avril

Je divorce ! Tu divorces ! Il, ou elle, divorce ! Ici, tout le monde divorce. La salle des pas perdus fourmille de futurs ex-époux agités, nerveux, qui se regardent en chiens de faïence : lui d'un côté, elle de l'autre, les témoins tiraillés entre les deux.

Il n'y a aucun inconvénient à ce que Gilbert soit dans la salle, puisque Gabriel ne viendra pas. Mon *fan-club* est là : ma sœur Lorraine, mes amies Jacqueline et Pauline, et Barbara qui sera mon témoin. Fidèles entre toutes, elles sont venues m'encourager et m'apporter leur support moral.

Je me sens beaucoup moins nerveuse que je le craignais. Assis tous ensemble au fond de la salle d'audience, nous passons tout l'avant-midi à regarder des couples se déchirer dans l'arène ; la moyenne d'un combat : trente minutes !

— Vous jurez de dire la Vérité, toute la Vérité, rien que la Vérité ? Levez la main droite et dites : je le jure !
— Je le jure !

Le lavage de linge sale peut enfin commencer. La *demanderesse* débite son boniment : bla-bla, bla-bla, bla-bla... Le juge écoute distraitement puis s'informe en prenant un air solennel :

— Avez-vous des témoins ?

Son avocat s'empresse de répondre :

— Certainement, monsieur le juge !

S'avance alors soit la mère, la sœur, la voisine, ou l'amie, qui vient nous dire qu'elle a *tout* vu, *tout* entendu, à croire qu'elle était là tout le temps à écornifler les allées et venues de l'*intimé*. On ne nous cache rien, pas même le nom de la concubine :

— Elle s'appelle Madame Unetelle, et habite au 6027, rue Quelque part ! C'est une grande rousse avec des yeux verts !
— Des yeux verts ?
— Oui, monsieur le juge !

La témoin retourne à sa place en baissant la tête comme une première communiante, pour éviter le regard de l'*intimé*, qui s'avance à la barre pour la deuxième brassée. Il admet ses torts d'une voix si faible que le juge l'oblige à répéter : Madame Unetelle, 6027, rue Quelquepart. Il avoue tout, le front baissé, les mains jointes derrière le dos ; il ne lui manque qu'un bonnet d'âne pour que la scène soit plus touchante.

La *demanderesse* fixe l'*intimé* avec arrogance : elle fait face, elle compose, elle feint d'être outragée ! Et quand le juge lui demande, sous la foi du serment :

— Lui avez-vous pardonné ?

Elle répond d'une voix forte :

— Non, Monsieur le Juge !

Dans le fond, la demanderesse se fout de Madame Unetelle comme de l'an quarante ; mais, pour la forme, il faut jouer le

jeu. Son avocat l'a d'ailleurs avertie : *si l'adultère a été pardonné,
le divorce ne peut pas être accordé !* Alors, la main posée sur
l'Évangile, message d'amour et de pardon, elle jure ! Et le cirque
continue…

La preuve étant faite et les faits confirmés, il est temps maintenant de passer aux choses moins importantes : la pension
alimentaire et la garde des enfants. La demanderesse outrée
obtient presque automatiquement la garde des enfants, que
l'intimé viendra chercher tous les samedis. Il les cueillera sur
le balcon à onze heures pile et les ramènera sur le balcon le
lendemain avant seize heures. Si, à seize heures cinq, les enfants
ne sont pas à la porte : on appelle la police ! Donc, aucun
problème possible.

Vient le moment de passer aux choses sérieuses : là *demanderesse* exige trop ; l'*intimé* n'offre pas assez. Quoi qu'il advienne,
aucun des deux ne sera satisfait du jugement. Ils ne pouvaient
plus s'endurer et pourtant ils devront pour longtemps être liés
l'un à l'autre, non plus par l'amour, mais par l'argent.

À partir d'aujourd'hui, les jeux sont clairs : le chèque arrivera
toutes les semaines, ou tous les mois, sinon madame sera réduite
à quémander *son dû* à son ex-époux qui jouera peut-être à
l'écœurer. Par contre, si son ex-époux s'amuse à l'écœurer,
madame n'aura qu'à le faire arrêter : c'est facile, pratique,
efficace ; on n'y pense pas assez !

On appelle les témoins dans la cause Desmarais-Lépine !

Élise, chère Élise, c'est à ton tour…

Je me sens seule. J'ai l'impression de divorcer d'un fantôme :
Élise versus l'Homme Invisible ! Je m'avance à la barre.

—Nom, prénom, occupation…

—Élise Desmarais, secrétaire.

—Jurez-vous de dire la Vérité, toute la Vérité, rien que la Vérité ? Levez la main droite et dites : je le jure !

—Je le jure !

On me présente des papiers officiels que je dois identifier. Le juge demande ensuite la raison du divorce.

—Pour alcoolisme, Monsieur le Juge.

Il s'arrête un instant et me regarde, l'air de se dire : voilà enfin une petite distraction dans cette foulée d'adultères. Je ne suis certes pas la seule femme à divorcer pour ce motif, mais, comme on dit : *pour adultère, ça va plus vite !*

Je témoigne simplement, franchement, du fond du cœur. Il n'est pas question pour moi de démolir Gabriel, ni de l'accabler ; je ne lui en veux pas. Je n'ai pas honte de mon approche, je suis partie pour ça. Dans le feu de l'action, il me paraît plus sain de parler ouvertement de la difficulté de vivre avec un mari malade à cause de l'alcool, que d'étaler sur la place publique ma haine et mon ressentiment pour un homme adultère, en jouant l'hypocrite et la vierge offensée. L'alcoolisme, c'est clair : ça ne se pardonne pas. On supporte, ou on ne supporte pas. Et pourtant, on a peur. Le problème vient du fait qu'en ayant caché ce problème trop longtemps, on imagine mal pouvoir un jour en apporter la preuve.

Barbara vient confirmer mes dires. Témoin de plusieurs scènes entre Gabriel et moi, elle se contente de citer quelques exemples et de relater certains faits. On m'accorde le divorce et me confie la garde des deux enfants. Chose curieuse, il semble que le séjour d'Alexandre chez son père ne m'en enlève pas la garde *officielle*. Je reste entièrement responsable de mon fils, même s'il ne vit plus chez moi… c'est bizarre.

Je ne le réalise pas encore, mais je suis libre ! Je tourne la page et m'envole vers ma propre autonomie. J'ai coupé les liens, tous les liens qui me rattachaient à Gabriel. *Élise pour Gabriel* et *Gabriel pour Élise*, c'est fini, terminé ! Désormais, c'est Élise pour Élise et Gabriel pour Gabriel. À chacun sa vie. Nous sommes divorcés physiquement, légalement, psychologiquement et monétairement puisque je ne demande rien. Gabriel a trois mois pour en appeler de ce jugement conditionnel, après quoi le divorce deviendra officiel sur simple demande de mon avocat.

∽

Vendredi 21 avril

Ce soir, Gilbert soupe avec Annabelle, sa fille cadette, qui célébrera bientôt son dix-neuvième anniversaire de naissance. J'ai fait comprendre à Gilbert qu'il valait mieux que je ne sois pas de la fête, étant donné l'attitude de cette jeune femme à mon égard. Je ne l'ai entrevue qu'une seule fois à la Clinique. Froide, distante, elle était passée devant moi, en me disant sèchement :

— Je viens voir mon père !

Puis elle s'était dirigée vers le cabinet de consultation d'où elle était ressortie un quart d'heure plus tard, sans me jeter le moindre regard.

Le dernier patient parti, Gilbert m'appelle dans son bureau.

—Élise, assieds-toi, j'ai une invitation à te faire : tu soupes avec nous !

—Non, écoute, c'est très gentil, mais nous avions convenu que tu irais seul.

—C'est Annabelle qui t'invite !

—Allons donc !

—Je viens de lui parler à l'instant; c'est elle qui m'a chargé de te transmettre cette invitation !

—Ne crains-tu pas que ma présence la perturbe ?

—Voyons, Élise, ce n'est plus une petite fille, c'est une femme !

Annabelle nous attend à l'entrée du restaurant. Je la reconnais de loin : grande, mince, avec une superbe chevelure dorée : c'est *Annabelle la bien nommée* !

Quand Gilbert nous présente officiellement l'une à l'autre, elle me tend la main sèchement, sans ajouter un mot. Puis, l'apéritif aidant, la conversation devient plus agréable et chacun de nous semble apprécier cette rencontre. Les tournedos flambés au cognac dégagent un fumet subtil, la flamme s'élève et danse sous nos yeux. Un accordéoniste s'approche et joue pour Annabelle de vieilles chansons françaises qu'elle fredonne en souriant. Gilbert me prend la main.

—Si tu savais comme je suis content !

∞

Lundi 24 avril

Il est presque midi quand je reçois un coup de fil de Lorraine à la Clinique.

—Élise, papa est à l'hôpital, il a fait un infarctus !

—Oh ! mon Dieu !

—Son état est considéré comme critique…

—Mais que s'est-il passé ? Il allait bien pourtant.

—Tu l'ignorais, mais il était très nerveux… à cause de toi…

—De moi ?

—Oui, il a fait les cent pas devant le Palais de justice durant toute la journée, le jour de ton divorce.

—Oh non ! Pauvre papa, si seulement il avait osé entrer.

J'avertis Gilbert et nous passons prendre de ses nouvelles aussitôt le bureau terminé. La consigne est formelle : une minute de visite… et à une seule personne à la fois. Gilbert va rejoindre ma mère et mes sœurs dans le solarium.

Dans la chambre sans fenêtre, il fait sombre. Le lit est entouré d'écrans qu'on surveille constamment du poste central. Papa ne parle pas mais l'infirmière prétend qu'il peut entendre. De toute façon, je ne trouve rien à lui dire, les mots restent bloqués au fond de moi. J'ai peine à retenir mes larmes. Seuls dans cette pénombre, je me sens très proche de lui ; nous nous ressemblons étrangement tous les deux.

Une infirmière s'approche.

—Excusez-moi, madame, je vais vous demander de quitter la chambre, je dois lui faire une injection. J'irai vous voir dans deux minutes.

Je sors retrouver les autres qui attendent patiemment des nouvelles. L'infirmière tient promesse :

—Monsieur Desmarais est hors de danger pour l'instant. Je viens de lui injecter un calmant qui l'aidera à dormir durant plusieurs heures ; je vous conseillerais d'en faire autant. Soyez tranquilles, nous prendrons bien soin de lui.

J'ai l'impression que la terre s'est retirée sous mes pieds, que je flotte dans le vide, retenue seulement par un fil fragile qui risque à chaque instant de se rompre. Ce soir, ma vie va trop vite, je voudrais l'arrêter.

ᗧᗣ

Jeudi 4 mai

J'aimerais avoir la tête un peu plus tranquille pour affronter une nouvelle rencontre à la Cour et discuter du sort d'Alexandre. Le *Vénéré Juge* a décidé de convoquer tout le monde. Gilbert et moi arrivons les premiers, mais j'aperçois déjà Alexandre et Gabriel au bout du corridor. Ils marchent du même pas, arborent le même sourire ; leur ressemblance me frappe. Alexandre vient vers moi et m'embrasse, puis il serre la main de Gilbert et le présente à Gabriel qui s'approche à son tour pour m'embrasser. C'est une rencontre des plus courtoises ; ne sommes-nous pas entre gens civilisés ?

Autour de nous, la salle est remplie de jeunes qui attendent qu'on décide de leur sort. Qu'ont-ils bien pu faire pour en arriver là ? Je ne vois que des êtres humains en mal d'aimer et d'être aimés. Pourtant il est difficile de les aider. Ils agissent comme de petits chats blessés, et griffent sauvagement quiconque ose les approcher. La plupart d'entre eux se promènent comme des fauves en cage, en fumant sans arrêt. Une jeune fille blonde pleure dans un coin, une autre se cache la tête dans ses mains, tandis que Monsieur Pepsi lit tranquillement son journal du matin, complètement indifférent à tout ce qui se passe autour de lui. Il en a vu d'autres, il est habitué ; au fait, est-ce qu'on peut vraiment s'habituer ?

Crânant au milieu de cette agitation, Gabriel se compose une attitude :

— Alors, *mon chérie*, il paraît que nous sommes divorcés ?
— Tu ne t'en es pas aperçu ?

Élise, chère Élise, à quoi bon jeter de l'huile sur le feu ?

Nous sommes tous nerveux : Gabriel parle sans arrêt, Alexandre fait des blagues, Gilbert sourit exagérément, et moi je navigue entre les trois hommes de ma vie, en essayant de faire la part des choses. Je ne peux nier que chacun d'eux occupe une place bien particulière : Gabriel parce qu'il a été, Gilbert parce qu'il est, et Alexandre parce qu'il a été, est, et restera toujours mon fils.

Nous vivons une situation absolument ridicule. Même Monsieur Pepsi ne semble pas en croire ses yeux. Il nous regarde fixement comme si nous étions des animaux bizarres. Et nous devons en effet avoir l'air bizarre ; nous sommes là, tous les quatre, entassés dans un coin, espérant la fin de cette histoire. À nous voir, on ne dirait jamais qu'il y a un problème. D'ailleurs, où est-il le problème ? Alexandre est d'accord pour aller vivre chez son père, son père est d'accord pour le garder, et je suis d'accord pour que son père le garde. Oui mais voilà, le juge, lui, il est là pour juger, alors ?

Monsieur Pepsi nous invite à le suivre dans la salle d'audience. Gabriel prend place dans la boîte aux témoins, face à Gilbert qu'on a planqué dans la boîte des *en-cas*.

Son Honneur le Juge replace honorablement ses lunettes sur le bout de son nez, analyse les faits à la lumière des derniers événements, puis s'adresse à l'auditoire, en fixant une personne invisible située au fond de la salle.

— Nous pensons, qu'étant donné les circonstances, et compte tenu du consentement de ce jeune homme d'aller vivre avec son père, il serait opportun que Madame renonce à la garde de son fils au profit du père qui nous apparaît présentement plus apte à en assumer la garde. Nous proposons donc d'enregistrer une demande dans ce sens…

Gabriel lève la main pour demander la parole. Le juge lui fait signe qu'il peut être entendu.

— Je m'excuse, Monsieur le Juge, mais je ne demande pas la garde de mon fils, je demande seulement la permission de l'accueillir chez moi temporairement. Je le prends *à l'essai* sans qu'il soit question d'en enlever la garde à *ma femme*!

— Expliquez-vous, mon ami, vous voulez la garde de votre fils, ou vous ne la voulez pas?

— Je ne la veux pas du tout! Sa mère a insisté pour l'avoir, c'est son droit. Mais puisqu'il semble que madame ne soit plus en mesure d'assumer cette responsabilité, je veux bien rendre service à la Cour, et m'occuper de mon fils, sans plus. Il n'est pas question que j'en dispute la garde officielle à sa mère.

Tout à coup, je vois clair dans son jeu. Je le vois venir; j'espère seulement qu'il n'aura pas le culot de me demander une pension alimentaire pour s'occuper d'Alexandre; ce serait le bout de l'absurde! Le juge me regarde :

— Et vous, madame, êtes-vous d'accord?

— Je suis d'accord pour garder officiellement Alexandre, mais à une condition : que son père en assume entièrement la charge et les frais, le temps qu'il vivra sous son toit. Pour ma part, je m'engage à lui acheter des vêtements pour la valeur de son allocation familiale, sans plus !

— Puisque les deux parties s'entendent, le Jugement sera rendu dans ce sens. Nous vous retrouverons tous ici, dans exactement trois mois. La séance est levée !

Nous quittons la salle d'audience. Gabriel et Alexandre m'embrassent, serrent la main de Gilbert, puis se dirigent vers la sortie. Quand je pense que nous devrons nous retrouver encore ici, dans trois mois ! De trois mois, en trois mois, Alexandre atteindra sa majorité, et il n'y aura plus de recours possible. C'est sans doute la façon la plus simple de régler le problème de la jeunesse.

∞

Vendredi 5 mai

Le téléphone de Lorraine m'a réveillé en sursaut. Hospitalisé depuis douze jours, papa a fait un arrêt cardiaque, cette nuit, et on a dû utiliser les techniques de réanimation. On a beau s'y attendre, c'est le genre de nouvelle qu'on refuse de croire ; le genre de malheur qui n'arrive qu'aux autres.

— Quelle heure est-il, Gilbert ?
— Cinq heures et demie.

Il se retourne vers moi et m'attire dans ses bras. Sa chaleur me calme, me rassure. Je tremble, je voudrais pleurer mais je n'y arrive pas. Le soleil entre doucement dans la pièce comme pour nous réveiller sans nous brusquer. Il ne peut pas savoir, le soleil, que la vie s'est chargée de le faire à sa place. Je ferme les yeux. Je me complais dans la grisaille. Je sais que le soleil brille toujours au-dessus des nuages, mais ce matin je ne le vois pas.

Élise, chère Élise, tu ne t'élèves pas assez haut.

Mélanie dort encore. Je déjeune en tête-à-tête avec mon amoureux en attendant que Lorraine me rappelle… Enfin !

— Alors, quelles sont les nouvelles ?
— Papa a repris conscience, il respire bien. Une infirmière le surveille constamment.
— Est-ce qu'on peut le voir ?
— Non, toutes les visites sont interdites.
— Et maman ?
— Elle m'attend bien sagement dans le solarium.
— Vous n'avez pas besoin de moi ?
— Pas pour l'instant, non.
— Tu me rappelleras !
— Bien sûr !

Tandis que je parlais à Lorraine, Gilbert a rangé la cuisine avant de sauter sous la douche. Mélanie dort toujours. Je profite du silence qui règne au Château pour faire le vide dans ma tête : faire le plein par le vide, me libérer de mes tensions en prenant de grandes respirations, puis me laisser habiter par une énergie nouvelle.

Je me souviens qu'étant enfant, une femme que j'admirais énormément avait dit devant moi : *S'il m'arrive un malheur et que je n'y peux rien, j'essaie de faire exactement ce que j'aurais fait, si cet événement-là ne s'était pas produit :* Je devais me rendre à la Clinique, je me rendrai donc à la Clinique.

Il est encore très tôt. Enroulée dans mon vieux peignoir, je m'installe sur le grabat avec un livre. J'ouvre la radio, on y joue la troisième symphonie de Beethoven. Je lis : *être sans espoir, c'est nier les merveilleuses possibilités de l'avenir !* Et moi qui étais sur le point de ne plus espérer…

∞

Mardi 9 mai

Après une courte visite à l'hôpital pour voir mon père, qui se remet lentement de sa dernière attaque, je rejoins Gilbert au restaurant *Le Péché Véniel*. Il a l'air soucieux.

— Qu'est-ce qui se passe ?
— Il m'arrive un imprévu.
— Quel genre d'imprévu ?
— Le concierge a reçu cette lettre ce matin. Tiens, lis !
— C'est écrit comme un télégramme : *REVIENDRONS PLUS TÔT QUE PRÉVU – NOUS EXCUSONS DU DÉ-RANGEMENT – AIMERIONS REPRENDRE NOTRE APPARTEMENT DÈS LE PREMIER JUIN – ATTEN-DONS RÉPONSE…*
— Et de qui est-ce ?
— Des locataires dont j'ai sous-loué l'appartement.
— Tu t'y attendais ?
— Pas du tout ! Mon bail finit le premier novembre.
— Et qu'en dit le concierge ?
— Le pauvre garçon, il est dans l'eau bouillante.
— C'est sa faute ?
— Bien sûr, c'est lui qui a signé le bail.
— Que vas-tu faire ?

—Je ne sais pas, je vais réfléchir ; de toute façon je voulais partir…

Ce qui me rappelle que je dois prendre une décision concernant la chambre d'Alexandre. Mon château est vraiment trop petit pour que je puisse me permettre d'y préserver des oubliettes, des recoins secrets, des chambres closes ; on n'est plus au temps de Barbe-Bleue !

J'ai l'intention d'aménager cette grande chambre pour moi ; et si jamais Alexandre revient, il se contentera du grabat. C'est une décision difficile à prendre, un peu comme si je mettais mon fils à la porte de ma vie. Mon Dieu qu'il est pénible de se détacher par amour et d'accepter que l'oiseau qu'on a couvé s'envole à tire-d'aile loin du nid.

∞

Mardi 23 mai

Gilbert se cherche activement un appartement. Le temps passe et la date fatidique approche : le train s'en vient rapidement. En jasant avec ma concierge, j'apprends que mes voisins d'en face ont décidé de déménager. Un appartement petit mais confortable, qui conviendrait certainement à Gilbert. Malheureusement, ils ne le quitteront pas avant le premier juillet. Or, Gilbert doit libérer le sien avant la fin du mois. J'en discute tout bonnement avec Mélanie qui me dit le plus simplement du monde :

—Veux-tu me dire pourquoi Gilbert ne vient pas vivre avec nous ? C'est vrai, il est toujours ici !
—Parles-tu sérieusement ?
—Pourquoi pas ?

—Et Alexandre ?

—Maman, arrête de te faire des illusions, tu sais très bien qu'Alexandre ne reviendra pas. Et puis, si jamais il revenait, il serait toujours temps pour Gilbert de se trouver un autre appartement.

Ma fille me surprend parfois par sa logique implacable et sa capacité de raisonnement. À première vue, sa solution n'est pas bête, mais jusqu'à quel point suis-je prête à ça ?

Élise, chère Élise, n'aliène jamais ta liberté.

Je tourne et retourne cette idée dans ma tête, sans arriver à me fixer. À quoi bon me torturer les méninges avant d'en avoir parlé à Gilbert ?

∞

Jeudi 25 mai

Si la nuit porte conseil, après deux nuits blanches je sais exactement quels arrangements je suis prête à proposer à Gilbert. Je l'invite au casse-croûte pour luncher :

—As-tu repensé à ton déménagement ?

—Tu m'as parlé de l'appartement en face de chez toi…

—Il ne sera libre qu'en juillet !

—Je le sais, mais j'aimerais le louer, si tu acceptais de m'offrir l'hospitalité pour un mois ; sinon, je pourrais m'installer à l'hôtel.

—J'ai une autre proposition à te faire.

—Laquelle ?

—Que dirais-tu de venir vivre au Château ?

—Et Mélanie ?

— C'est elle-même qui l'a proposé !

— As-tu envisagé le retour d'Alexandre ?

— Bien sûr, si jamais il revenait, ce dont je doute, il serait toujours temps d'aviser. Tu pourrais te chercher un appartement, ou alors nous pourrions déménager tous ensemble dans un cinq pièces. Mais, pour l'instant…

— Ta proposition me surprend. Évidemment, nous pourrons partager les dépenses…

— Là, je t'arrête !

— Pourquoi ?

— J'y ai beaucoup pensé, et je ne suis pas du tout prête à aliéner ma liberté. Si tu veux venir habiter au Château avec Mélanie et moi, tu es le bienvenu, mais à une condition…

— Laquelle ?

— Tu habiteras *chez moi* !

— Ce qui veut dire ?

— Que je paye le loyer, l'électricité, le téléphone et la nourriture !

Il me regarde comme si une brique venait de lui tomber sur la tête. Je bouscule son vieux complexe de pourvoyeur.

— Et moi, qu'est-ce que je paye dans tout ça ?

— Toi ? Tu me gâtes ! Tu m'amènes au restaurant, au théâtre, en voyage ; bref, tu m'offres tout ce que je n'ai pas les moyens de me payer !

— Tu parles d'un arrangement !

— C'est le seul que je me sente prête à accepter. Je ne veux plus qu'un homme me fasse vivre !

— Mais qui parle de te faire vivre ? Je voulais seulement partager !

— Je sais que pour toi c'est difficile à comprendre, mais fais un effort : j'ai présentement un appartement à ma mesure, et mon salaire à la Clinique me permet de rencontrer toutes les dépenses de base. Vivre avec le *Docteur Gilbert Gauthier*, c'est bien beau, mais si jamais tu n'étais plus dans ma vie, je ne voudrais pas dégringoler. Grâce au coup de pouce que tu m'as donné en m'engageant à ton service, j'ai acquis de l'assurance. Et je sais maintenant qu'en cas d'urgence, je pourrais trouver un travail équivalent et continuer de vivre à mon rythme. Il faut que le Château reste *mon Château* ; pour moi c'est très important, tu comprends ?

— Mais je vais avoir l'air d'un gigolo !

— Pas du tout ! Tu compenseras autrement, c'est tout. Et puis, il y a Mélanie, je tiens à ce qu'elle se sente chez elle, libre d'amener des amis et de faire ce dont elle a envie, sans devoir rendre des comptes.

— J'avoue que j'ai du mal à te suivre !

— C'est pourtant simple : si tu crois être capable de vivre librement, auprès d'une femme libre, le Château t'est ouvert ! Sinon, tu te trouves un autre appartement, et rien ne change à nos relations actuelles. Ma proposition est surprenante, j'en conviens, et je te comprends d'hésiter. D'ailleurs, ce qui te fait hésiter, c'est ta conception stéréotypée des rôles de l'homme et de la femme. Tu ne crois pas qu'il serait temps qu'on en sorte ?

— Me donnes-tu au moins quelques heures pour y penser ?

— Prends tout ton temps, mais rappelle-toi que je ne pourrai désormais partager ma vie qu'avec des gens suffisamment libres pour respecter ma liberté ! J'ai acquis mon autonomie en la payant très cher, tu le sais, et ne suis pas prête à l'échanger pour un plat de lentilles.

Vendredi 26 mai

Gilbert n'a pas dormi au Château hier soir. Comme il avait besoin de réfléchir, il a dû passer la nuit à cogiter et à mettre de l'ordre dans ses affaires. Depuis notre arrivée ce matin, la salle d'attente ne dérougit pas. Nous nous croisons rapidement entre deux patients, le temps d'échanger un dossier contre un sourire. Soudain, Gilbert quitte son cabinet de consultation et se dirige vers son bureau.

— Madame Desmarais, puis-je vous voir une seconde ?

Le ton est solennel. J'obéis et j'apporte un dossier pour la forme. Il me reçoit, comme la première fois, assis derrière son pupitre. Il m'invite à m'asseoir dans le fauteuil en face de lui. Le silence dure quelques secondes… puis il éclate de rire.

— Si tu savais comme je suis content !
— Content de quoi ?
— De la proposition que tu m'as faite.
— Dois-je comprendre que…
— Si ça te convient toujours, j'accepte.
— Je suis heureuse de constater que tu as l'esprit assez ouvert pour t'aventurer en dehors des sentiers battus ! Quand comptes-tu emménager au Château ?
— Demain, si ça te convient, je pourrai avoir l'aide de Bernard.
— Arrive, quand tu voudras !

Je me lève rapidement en entendant un patient toussoter dans la salle d'attente.

Gilbert me suit jusqu'à la porte, mais avant que je l'ouvre il retient mon geste en me prenant dans ses bras.

— Qu'est-ce que tu fais ce soir ?

— Si tu crois pouvoir me suivre, je t'entraîne dans les magasins. J'ai économisé des sous et je me paye une *folie folle* : la balançoire de jardin dont j'ai toujours rêvé !

— Tu comptes sérieusement installer une balançoire dans ton salon ?

— Pourquoi pas ?

— C'est une idée originale, mais je ne vois pas très bien ce que ça pourrait donner.

— Moi, je vois très bien, fais-moi confiance ! Je pensais l'installer dans le coin, près de la fenêtre, avec d'énormes plantes tout autour, comme dans un petit jardin intérieur !

Le reste de la journée me paraît interminable, tellement j'ai hâte. Gilbert me suit dans ma folie. Je déniche la plus extraordinaire balançoire dont on puisse rêver : plancher stable, bancs se balançant individuellement sur pivots ; un vrai coup de foudre !

— Ah ! Gilbert, je me vois déjà confortablement installée dans ma balançoire rose...

— As-tu dit *rose* ?

— Hé oui, elle sera rose ! D'un *beau petit rose cochon pas salissant*, garnie de coussins de dentelle sur lesquels je m'appuierai nonchalamment.

Gilbert rit de m'entendre exprimer ainsi mes fantasmes :

— C'est tout à fait le genre d'originalité qui te ressemble ! Et elle coûte combien, cette merveille ?

— Trois cents dollars !

— Aimerais-tu que j'en paye la moitié ?

— Pour que tu partes un jour en emportant la moitié de mon trésor : jamais !

— Alors, permets-moi d'acheter deux fauteuils pour meubler l'autre coin…

— Si tu veux !

— Tu t'assoiras quand même dans mes fauteuils de temps en temps ?

— Bien sûr ! Aussi longtemps que nous serons ensemble, je m'assoirai dans tes fauteuils, et tu te berceras dans ma balançoire ; mais, si jamais on se sépare, je garderai ma balançoire et tu emporteras tes fauteuils

— À chacun ses *bébelles* quoi !

— Tu as tout compris !

∞

Jeudi 15 juin

A-t-on le droit de parler du divorce des autres ? Je ne le crois pas, sinon dans la mesure où cet événement nous amène à faire un certain cheminement face à nos propres implications.

Il semble que je sois devenue un témoin fort recherché. Je ne pouvais certainement pas refuser à Jacqueline un témoignage en sa faveur. Je dis bien *en sa faveur*, parce que c'est à cette seule condition que mon témoignage peut être valide. Jacqueline étant mon amie depuis toujours, il m'est facile d'aller affirmer qu'elle est honnête, sincère, capable de dévouement, et de gestes gratuits ; c'est la moindre des choses. De même que de jurer qu'elle est une mère aimante, chaleureuse, et une amie comme on en trouve peu. Je ne vais donc témoigner *contre* personne, mais prendre parti *pour* elle !

Je me rends à la Cour des divorces à l'heure convenue. On y joue toujours à *guichet fermé*. Je me retrouve finalement dans le couloir d'attente, en compagnie du frère de Jacqueline et de sa femme. La cause est déjà en cours. Comme on a interdit formellement aux témoins d'entrer dans la salle d'audience, nous bavardons tous les trois en attendant que notre tour vienne. L'avant-midi passe sans qu'aucun de nous ne soit appelé. La Cour ajourne pour le dîner. Jacqueline nous rejoint au restaurant.

—Comment te sens-tu ?
—Très bien, je suis confiante, mais plusieurs points sont litigieux ; je doute fort que le jugement soit rendu aujourd'hui.

Vers quatorze heures, nous retrouvons nos places dans le corridor d'attente, sans autre solution que de prendre notre mal en patience : quinze heures… quinze heures trente… Nous lisons, nous parlons, nous attendons. Forte de mes expériences passées, j'ai apporté des mots croisés : nous faisons donc des mots croisés. Nous en arrivons même à jouer au *pendu*, pour passer le temps ; jouer au pendu dans une Cour de justice, faut le faire.

À seize heures trente, la cause est ajournée. On nous convoque pour la séance de demain : le frère de Jacqueline devra perdre une autre journée de travail, sa femme paiera une autre journée à la garderie, et je devrai m'absenter de la Clinique une fois encore, sans savoir si nos témoignages seront entendus.

J'ai tout juste le temps d'embrasser Jacqueline puis de filer vers la station de métro où Alexandre m'attend. Ce soir, je sors avec mon fils qui a besoin de vêtements décents pour assister au vingt-cinquième anniversaire de mariage du frère de son père. Je veux absolument que mes enfants soient vêtus convenablement pour la circonstance, et prétends consacrer le même soin à l'un et à l'autre.

Alexandre paraît de bonne humeur. Il y a longtemps que je n'ai pas eu autant de plaisir à le voir. Nous faisons la tournée des magasins à la recherche de la bonne aubaine. Alexandre choisit un complet gris pâle, une chemise blanche, un foulard de soie, une ceinture, des chaussures, des bas, et même des petites culottes. Il a fait de très bons achats, il est content.

Je me sens extrêmement fatiguée ; cette journée perdue à la Cour m'a donné la migraine : j'ai faim ! J'invite Alexandre au restaurant. Nous prenons place sur une banquette assez grande pour y déposer tous les sacs.

À peine assis, Alexandre se relève :

—Excuse-moi, il faut que j'aille appeler mes parents, pour leur dire que je n'irai pas souper !

Il part à la recherche d'un téléphone, sans s'apercevoir que j'ai le cœur gros. Il a dit : *mes parents*, et ça m'a fait mal.

Élise, chère Élise, ce sont des mots, rien que des mots qui ne peuvent t'atteindre que dans la mesure où tu acceptes qu'ils te fassent mal…

La réaction d'Alexandre a été saine, spontanée ; c'est moi qui ai des réserves. Il n'y a pas de quoi en faire un drame. Si Alexandre est bien avec son père, tant mieux. Et si Ann-Lyz est gentille avec lui, pourquoi m'en offusquer ?

Alexandre revient :

—Tout est correct !

— Je te propose leur filet mignon et leurs frites, elles sont délicieuses !

— D'accord !

Tout en mangeant, nous bavardons pour la première fois depuis des mois. Je ne lui pose aucune question concernant sa vie avec son père. Il ne m'en parle pas non plus. Notre conversation se borne aux civilités, au badinage…

J'aspire à cet état de sérénité qui permet de se détacher émotivement de ce qui se passe en dehors de soi.

∞

Vendredi 16 juin

Je saute dans un taxi pour me rendre à la Cour. J'ai mal au ventre. Je partage le trac de Jacqueline qui attend qu'on décide de son sort. En arrivant près du Palais de justice, nous sommes arrêtés par un attroupement : les fonctionnaires ont déclenché une grève générale et empêchent l'accès des lieux. On m'informe que tous les procès sont remis à une date indéterminée. Je cherche désespérément Jacqueline dans la foule puis renonce finalement à la repérer dans cette cohue.

Je m'engouffre dans le métro le plus proche et retourne au Château. Je profiterai donc de ce congé imprévu pour terminer la blouse que Mélanie portera demain.

J'ai à peine le temps d'enfiler mon aiguille que je reçois un téléphone d'Antoine :

— Élise, fais un désir de naissance !

— Une fille ?

—Non, un garçon ! Un gros garçon de 3,5 kilos !

—Lorraine n'a pas trop souffert ?

—Pas du tout, j'étais là, alors…

—Ça me rassure. Et le bébé ?

—Il est superbe !

—Vraiment ?

—Il me ressemble, c'est tout dire !

—Je ne te trouve pas très objectif !

—Si, si, il est très beau, je t'assure !

—Je préfère attendre et juger par moi-même.

—Tu viendras le voir ?

—Bien sûr, j'ai hâte !

Cette nouvelle me rend heureuse. Lorraine et Antoine désiraient cet enfant depuis si longtemps. Quelle joie qu'il soit en bonne santé !

Mélanie arrive de l'école :

—Maman, je te croyais à la Cour ?

—La cause n'a pas pu être entendue à cause d'une grève-surprise.

—Ah bon ! As-tu fini ma blouse ?

—J'achève.

—N'oublie pas qu'il me la faut pour demain !

—Aucune chance, tu me le rappelles sans arrêt.

—Personne n'a téléphoné pour moi ?

—Pour toi, non, mais fais un désir de naissance…

—Lorraine a eu son bébé ?

—C'est ça !

—Attends, attends, ne bouge pas : un garçon !

—Tu l'as !

—Quand est-ce qu'on va le voir ?

—Dès ce soir, si tu veux.

Un bébé absolument adorable, une jeune maman radieuse et un papa gonflé d'orgueil ; quel spectacle réjouissant !

Nous revenons au Château le cœur rempli de joie ! De l'entrée, on entend la sonnerie du téléphone :

—Vite, dépêche-toi d'ouvrir la porte, ce doit être Gilbert qui appelle de la Clinique !

La clé de Mélanie bloque dans la serrure. La sonnerie se fait persistante. La porte s'ouvre enfin et j'attrape le récepteur de justesse :

—Allô ?
—Élise, c'est Ginette !
—Ginette, quel bonheur de t'entendre ! Je voulais justement vous appeler…
—Fernand est mort !
—Quoi ?
—Fernand est mort !
—Mais où ? Quand ? Comment ?
—Ce soir, à vingt heures, à l'hôpital !
—Oh non ! Ce n'est pas vrai ! Je n'y crois pas, je rêve ! Ginette, dis-moi que je rêve !
—J'ai essayé de te rejoindre à plusieurs reprises hier, pour te dire qu'il était à l'hôpital, mais…
—De quoi est-il mort ?
—Cancer du poumon. Ils ont tenté l'opération, mais il était trop tard ! Tout s'est passé si vite, si vite !

Ginette parle mais les mots tournent dans ma tête : incinération… demain matin… stricte intimité… sept heures… matin… intimité… Incinération… Elle raccroche et me laisse effondrée, brisée ; j'ai mal à l'âme. Fernand, mon grand ami Fernand ! Lui qui n'avait que quarante-cinq ans ! Lui qui était si heureux avec sa Ginette ! Lui qui m'aura appris à ne pas tirer sur les carottes avant qu'elles ne soient poussées ! Je lirai Proust un jour, à sa mémoire.

Trop de choses se sont passées aujourd'hui. Je suis déchirée entre la joie et la peine, à la fois heureuse et malheureuse ; je voudrais rire avec Lorraine et pleurer avec Ginette mais je reste figée, sans sourire et sans larmes.

∞

Samedi 17 juin

Mélanie a mis des heures à se faire belle pour assister aux noces d'argent de son oncle et de sa tante. J'ai cousu le dernier ourlet de sa blouse au milieu de la nuit et pressé son pantalon à la dernière minute. La voilà prête. Élégante, souriante, elle est radieuse. Gilbert a gentiment offert que nous allions la reconduire chez Gabriel assez tôt pour qu'il puisse prendre quelques photos avant de partir pour la soirée.

Après nous avoir remerciés plusieurs fois, elle revient sur ses pas pour nous embrasser avant d'entrer chez son père. Je la regarde s'éloigner sans amertume. Contrairement à ce que j'aurais cru, je ne me sens pas étrangère à cette fête, pas remplacée, pas laissée de côté ; je n'y vais pas, c'est tout.

La voiture fait demi-tour, puis Gilbert me ramène au Château avant sa soirée de garde à l'urgence de l'hôpital. Il fait un temps superbe et j'ai devant moi de belles heures qui m'appartiennent. Je vais profiter du calme et de la tranquillité de cette magnifique nuit d'été pour penser, méditer, rester dans le silence de mon être, ou me laisser captiver par une lecture qui me passionne.

Gilbert me retrouve endormie sur le balcon avec mon livre ouvert entre les mains. Son baiser me réveille.

—C'est toi ? Déjà ? Quelle heure est-il ?
—Minuit et quart. À quelle heure attends-tu ta fille ?
—Gabriel ne la ramènera certainement pas avant plusieurs heures… Si je nous faisais du café ?
—Laisse, Élise, je m'en occupe !

Gilbert apporte la cafetière sur le balcon. Allongés sur nos chaises, nous bavardons en attendant, sans l'attendre, le retour de Mélanie. Vers quatre heures, la voiture s'arrête devant la porte. Mélanie descend la première, suivie d'Alexandre qui profite de l'occasion pour venir chercher son courrier.

Je réalise soudain que, là, juste devant mon nez, se trouve la fameuse petite auto rouge qui m'a tant fait pleurer. Ann-Lyz est au volant. D'où je suis, je ne peux pas la voir, mais je suis certaine qu'elle me voit ; inutile de jouer à cache-cache. Gabriel passe sa tête par la fenêtre et me fait de grands signes :

—Ça va *mon chérie ?*
—Ça va ! Avez-vous passé une bonne soirée ?
—Excellente ! Mélanie te racontera !

Au même moment, Alexandre me fait un petit *bonjour* timide, puis remonte dans la voiture ; Ann-Lyz démarre aussitôt. En s'éloignant, Gabriel crie dans ses mains en porte-voix :

—Au revoir, *mon chérie* ! À un de ces jours ! Ciao !

Et voilà ! La fameuse auto rouge est repartie comme elle était venue. Était-ce un rêve ? Je reste là, debout, les coudes appuyés sur le bord du balcon, la tête penchée entre mes mains. Gilbert s'approche, me prend par les épaules et pose un baiser sur ma nuque.

—Gilbert, tu as vu ? C'était l'auto rouge ! La *fameuse petite auto rouge* !
—J'ai vu !
—Elle n'avait vraiment rien de spécial, n'est-ce pas ?
—Absolument rien.
—C'est exactement ce que je me disais : comment une petite auto aussi simple, aussi inoffensive, a-t-elle pu me faire aussi mal ?

Gilbert m'entraîne doucement vers le salon. Nous retrouvons Mélanie qui meurt d'envie de nous raconter sa soirée. Je voudrais me griser à l'infini de la présence rassurante de ces deux êtres aimés. Assis dans la balançoire, nous placotons tous les trois jusqu'au lever du jour. Mélanie se retire dans sa chambre ; nous retrouvons notre grabat. Gilbert s'endort entre mes bras, tandis que je frissonne durant des heures, sans trop savoir pourquoi.

∞

Samedi 24 juin

Pour bien célébrer la Saint-Jean, je prends officiellement possession de la chambre d'Alexandre. Il était temps que je me décide. Depuis que Gilbert vit avec nous, les nuits sur le grabat deviennent de plus en plus éreintantes. Dormir sur le plancher, au beau milieu du salon, nous oblige souvent à réduire nos élans amoureux à leur plus simple expression : Bonsoir ! Bonne nuit !

Nous aurons désormais une chambre bien à nous, un coin qui nous ressemble, où il fera bon flâner, lire, et nous aimer sans que personne ne vienne violer notre intimité. Le décor est tout en douceur : beige, sable et crème, avec une toute petite touche de rose. J'ai acheté deux carpettes et Gilbert a acheté un lit… enfin un lit… toujours sur le principe : *tes bébelles, mes bébelles* ! Pour qui ne connaît pas notre entente, nous aurons l'air d'un vrai couple.

Après avoir consacré la majeure partie de la journée à notre aménagement, nous décidons d'aller fêter la Saint-Jean dans le Vieux-Montréal avec Mélanie et Dodo. La place Jacques-Cartier est noire de monde. D'immenses haut-parleurs diffusent des chansons qui donnent des fourmis dans les jambes. Des adolescents font la chaîne, d'autres dansent dans la rue. Partout on voit des magiciens, des comédiens, des vendeurs de breloques. Mélanie s'achète un bracelet, Dodo choisit des boucles d'oreilles. Puis elles se font *tirer le portrait* dans une boutique de photos *à l'ancienne*. Avec son chapeau à plumes et sa blouse de dentelle, ma fille ressemble à ma grand-mère sur cette photo jaunie.

Il est tard. Il fait chaud. Les deux filles ont envie d'une crème glacée. Nous prenons place sur une terrasse. Gilbert et moi commandons de la bière. C'est la fête. Mélanie et Dodo s'amusent. Plus elles rigolent, plus les garçons les regardent ; plus ils les regardent, plus elles rigolent. Nous passons plus d'une heure à observer une scène que Molière en son temps avait déjà écrite.

Vers minuit, Mélanie nous fait cadeau d'un premier bâillement. Je saute sur l'occasion pour inviter Dodo à dormir au Château. Le temps d'appeler sa mère et nous voilà partis. Gilbert fait un détour pour trouver sa voiture, puis nous rentrons chez nous étrenner notre chambre.

⬭

Mardi 27 juin

Alexandre a dix-sept ans ! Le beau garçon qui nous attend au restaurant *Le Péché Véniel* est déjà presque un homme. Accompagné d'une jeune fille que je ne connais pas, il joue au connaisseur et la fait patienter en sirotant avec elle une vodka-jus d'orange. À quoi bon lui faire remarquer qu'il n'est pas encore majeur puisqu'il en a déjà bu plus de la moitié.

La conversation demeure assez superficielle. Je préfère ignorer ce qui se passe chez Gabriel, et Alexandre préfère ne pas en souffler mot. D'un air calme et détaché, il parle sans arrêt avec l'accent *français* de son père. Il a le geste large de son père, l'élégance de son père, et il fume sans arrêt… comme son père !

Nous commandons des fruits de mer et une bonne bouteille de vin. Connaissant le petit côté gourmet de mon fils, je suis certaine qu'il apprécie ce repas. Par contre, il m'est extrêmement difficile de juger s'il en va de même pour sa copine, qui semble trop impressionnée par la volubilité de son chevalier servant pour émettre la moindre opinion. Elle écoute, bouche bée, toutes les énormités débitées par Alexandre, qui discute avec une assurance consommée de n'importe quel sujet. Ce qu'il ne sait pas, il l'invente, à la grande admiration de son interlocutrice. Que celui qui n'a jamais eu dix-sept ans…

Gilbert porte un toast à la santé d'Alexandre :

— En te souhaitant de découvrir l'être unique et profondément merveilleux qui se cache en toi comme en chacun de nous. C'est dans le silence intérieur que tu pourras l'entendre ; sois patient !

Mercredi 28 juin

Le jugement préliminaire en divorce de Jacqueline vient d'être prononcé, mais le jugement du *Vénéré Juge* est tellement aberrant que plus jamais je ne croirai en la justice humaine ! Par une décision, prise à l'emporte-pièce, le Vénéré-Misogyne-en-Robe-de-Juge a décidé que : *la garde des enfants ne serait pas confiée à la mère, parce qu'une mère-comédienne c'est moins présent et plus fragile émotivement qu'une mère ordinaire, et que les enfants, surtout les adolescents, ont besoin d'une poigne solide.* Jacqueline s'écroule. Toute la force, toute l'énergie qu'il lui a fallu déployer pour en arriver là ! Je ressens une telle impuissance, une telle frustration face à cette décision de la Cour que ça me donne envie de vomir sur la soi-disant Justice de notre Société malade… Comme plusieurs, Jacqueline a été victime du jugement biaisé d'un *Vénéré-Misogyne-en-Robe-de-Juge*, et il en va des *Vénérés-Misogynes-en-Robes-de-Juge* comme des patates-en-robes-de-chambre ; à force de boursouflures, ils éclatent !

Je ne vais certainement pas abandonner ma grande amie dans un moment pareil. Je la ramène au Château où elle peut enfin laisser libre cours à ses larmes. Gilbert et moi tentons de la consoler de notre mieux, mais quels mots trouver pour rendre acceptable une décision aussi injuste ? Nous avons devant nous une femme qui ne boit pas, ne sort avec aucun homme, ne maltraite pas ses enfants… son seul tort : elle est comédienne ! Sommes-nous encore au Moyen Âge ?

Jacqueline, c'est une mère amusante, qui rit, blague, et taquine ses enfants. Elle a le don du merveilleux, du rêve, de la *jouerie*, et ses cinq enfants lui ressemblent : de vrais oiseaux de liberté. Combien de fois s'est-elle assise au piano pour chanter avec eux ? Combien de fois a-t-elle inventé des jeux, des costumes, pour les distraire et les amuser ? Oui, c'est vraiment une mère *le fun* ! Mais, *le fun*, ça ne pèse pas lourd dans la balance de la Justice : la Justice, *le fun*, connaît pas !

Si à la barre on m'avait demandé de définir Jacqueline dans son rôle de mère, j'aurais vanté sa nature chaleureuse et aimante ; mais on ne me l'a pas demandé, pas plus qu'on a demandé à ses enfants de donner leur avis ; tout ça parce que Jacqueline, trop confiante en la justice, a refusé de leur faire subir un interrogatoire déchirant en les amenant témoigner devant le juge. Et la voilà réduite à quitter la maison familiale immédiatement puisque le jugement stipule que : *Madame devra quitter les lieux d'ici 48 heures…* en ajoutant que : *Monsieur devra trouver une personne responsable pour s'occuper des soins du ménage et de la garde des enfants.* C'est grotesque !

Nous offrons à Jacqueline de l'accompagner pour lui permettre d'aller récupérer ses affaires personnelles. Elle pourrait bien sûr attendre un jour ou deux avant de quitter les lieux, mais l'idée de coucher une autre nuit dans cette maison d'où on la chasse lui paraît insupportable.

Gilbert ralentit en arrivant devant *chez elle*. Aussitôt, ses enfants se précipitent en larmes dans ses bras. On n'entend que des : *Ça ne se peut pas ! … Ce n'est pas vrai ? … Maman, dis-nous que ce n'est pas vrai !* La plus jeune pleure et crie : *Le maudit juge est fou ! Fou ! Fou !* Jacqueline s'arrache péniblement à leurs caresses. Puis elle entre dans la maison calmement, la tête haute. Je sais bien qu'elle a le cœur en compote, qu'elle se retient pour ne pas éclater. Elle essaie de semer le calme autour d'elle pour éviter de donner prise à la colère.

J'aide Jacqueline à remplir sa valise. Elle ramasse quelques objets auxquels elle est particulièrement attachée : les photos des enfants, leurs cadeaux, quelques livres… puis, après avoir caressé une dernière fois ces cinq têtes qui lui sont si chères, elle s'engouffre dans l'auto. Elle ne se retourne pas pour regarder derrière. La tête enfouie dans ses mains croisées, elle mord son mouchoir avec rage, retenant mal le bruit sourd des sanglots qui lui barrent la gorge.

Nous déposons sa valise au Château, puis sortons tous les trois pour souper. Assise dans un coin retiré, Jacqueline ne mange pas, mais elle retrouve peu à peu son sourire. Elle parle maintenant de tout cela avec ce merveilleux sens de l'humour qui la caractérise. Que ceux qui s'imaginent l'avoir démolie se détrompent ; Jacqueline est un poussah qui revient toujours sur son axe quand on croit lui avoir fait perdre l'équilibre.

Nous quittons le restaurant très tard. Il a plu et le pavé mouillé étire à l'infini les traces de lumière qui sillonnent la rue. Soudain, Jacqueline s'arrête et nous fait signe de nous arrêter aussi. Je m'inquiète.

—Que se passe-t-il ?
—Attendez ! Vous allez assister à un événement solennel ! Recueillez-vous… et regardez !

Elle retire lentement le jonc qu'elle portait à son doigt depuis près de dix-huit ans, et le soulève religieusement comme une offrande, en disant :

—Que ce qui ne m'a donné que de la merde, retourne à la merde !

Elle se penche et jette directement ce symbole dans la bouche d'égout, juste sous nos pieds. Soulagée, libérée, elle nous prend tous les deux par le bras, et nous repartons presque joyeusement. À partir de maintenant, Jacqueline peut revivre. Les jeux sont faits, rien ne va plus : *ITE MERDUM EST!*

∞

Dimanche 9 juillet

Nous avons enfin terminé la décoration du Château et avons réussi à installer une ambiance chaleureuse dans laquelle il fait bon vivre. Ma balançoire rose bien en évidence *côté jardin*, pourrait facilement laisser croire que nous évoluons dans un roman de Colette et que les plantes qui l'entourent ne sont là que pour créer cette impression de calme, de repos, de volupté, si nécessaire au déroulement de l'intrigue.

Tous les amis de Mélanie qui fréquentent le Château trouvent ça *génial* de pouvoir se balancer à leur aise dans un coin du salon : la glissoire et le carré de sable, ce sera pour l'année prochaine !

Ahmed est parti à New York pour quelques semaines, et notre belle Marie-Claude vient languir son veuvage au Château. Elle et Mélanie sont devenues bonnes copines et s'entendent comme larrons en foire, ce qui est excellent tant pour elles que pour nous.

La plupart de nos amis sont en vacances : Jean et Monique passent l'été à leur chalet, Pauline profite du soleil des Bahamas, et Ginette s'est réfugiée chez ses parents à la campagne peu après le décès de Fernand.

Jacqueline et Barbara partagent assidûment nos soupers du dimanche ; sans oublier Annabelle et Bernard qui viennent parfois se joindre à nous. Les jours de canicule, le Château fait salle comble.

Reste mon fidèle Philippe qui ne m'a donné aucune nouvelle depuis des mois. Il me téléphonait régulièrement matin et soir et puis plus rien. Le silence complet. Ma grand-mère disait toujours : *Quand on parle du loup…* Le téléphone sonne à contretemps, juste au moment de nous mettre à table. Mélanie répond rapidement puis me tend l'appareil.

—Allô ?
— Bonjour, Comtesse !
—Philippe ! Je pensais à toi, justement, qu'est-ce qui t'arrive ?
—Je me suis retiré du monde, ma chère !
—Toi ? Pas possible ! Depuis quand ?
—Trois mois ce soir, exactement ! Je suis allé d'abord à New York puis je me suis retiré au chalet de mon frère où j'ai vécu comme un ermite. J'avais besoin de me retrouver, de repenser ma vie. Et toi, Comtesse, comment ça va ?
—Merveilleusement bien !
—Et tes amours ?
—Gilbert vit avec nous maintenant.
—Et toi qui jurais de ne plus t'y laisser prendre ?
—Mais, je ne m'y suis pas laissé prendre. Gilbert habite avec Mélanie et moi, mais je reste seule et unique locataire de mon Château. Nous vivons *à côté*, pas *accotés*, tu comprends ?
—Mais qui paye le loyer ?

— C'est toujours moi et il n'est absolument pas question que je le partage avec qui que ce soit.

— Tu ne vas pas me dire que tu fais vivre un docteur ?

— C'est ça, moque-toi ! Mais non, penses-tu, Gilbert fait sa part, mais sur un autre plan : il paye ce que je n'aurais pas les moyens de m'offrir. En somme, nous vivons sur le *mode Élise*, et sortons sur le *mode Gilbert*; et ça me convient parfaitement, crois-moi !

— Tu es la dernière des grandes courtisanes !

— Une poule de luxe, quoi !

— Toi, une poule de luxe ? Tu veux rire ? Tu es beaucoup trop affranchie pour ça !

— Alors, disons que tu es un AA et moi une CA pour Courtisane Affranchie !

— Chère Élise, tu m'étonneras toujours !

— Dis donc, Philippe, quand est-ce qu'on se voit ?

— Demain, si tu veux.

— D'accord ! Si on se donnait rendez-vous à dix-sept heures au restaurant *Le Péché Véniel*, tu connais ?

— Pas du tout.

— Rue Saint-Denis, près de Mont-Royal…

— Je trouverai, sois sans crainte. Est-ce que Gilbert viendra avec toi ?

— S'il est libre, nous viendrons tous les deux, sinon j'irai seule. De toute façon, je serai au rendez-vous.

— J'ai déjà hâte à demain !

— Moi aussi !

— Sois bonne !

Je ne sais pas exactement ce qui s'est passé, mais je suis certaine que Philippe a changé. Une force intérieure lui permet de s'élever au-dessus des problèmes et de les surmonter. Je suis vraiment très attachée à cet homme. Et si un jour il avait besoin de moi, j'aimerais lui apporter une parcelle de la joie de vivre qu'il m'a offerte en temps de crise.

∞

Lundi 10 juillet

Gilbert a spontanément accepté de m'accompagner. *Le Péché Véniel* est devenu notre lieu de rendez-vous privilégié. On s'y sent chez soi, on devient vite un habitué, pour finalement faire partie des amis de la maison ; nous en sommes là !

Quelle joie de revoir Philippe ! Je le retrouve comme s'il ne m'avait jamais quittée. Si l'ami a un peu maigri, en revanche l'ermite n'a rien perdu de sa verve. À peine sommes-nous arrivés qu'il parle déjà comme une pie, mais une pie intéressante, dotée d'un sens de l'humour inépuisable.

Gilbert prend part à la conversation, mais discrètement, sans forcer les confidences. Il respecte trop la complicité qui existe entre Philippe et moi pour s'immiscer dans nos souvenirs du *bon vieux temps de Biarritz*, alors que Philippe m'a si souvent empêchée de sombrer dans le désespoir.

—Cher Philippe, je te dois mes meilleurs moments de rire de mon époque *pré-Gilbertaine* ! Pourrai-je un jour assez t'en remercier ?

À ma gauche : Philippe ! À ma droite : Gilbert ! Je regarde ces deux hommes avec une certaine émotion. Je ne peux nier que j'éprouve pour chacun d'eux un sentiment profond. Pourtant, mon amitié pour Philippe n'enlève rien à mon amour pour Gilbert ; et mon amour pour Gilbert demeure intact malgré mon amitié pour Philippe. Je suis heureuse que mon amoureux ait saisi la nuance. Preuve que les sentiments sincères et honnêtes ne laissent aucune place à la jalousie et à la clandestinité.

Deux têtes surgissent à la fenêtre. Passant par là comme par hasard, Mélanie et Marie-Claude tentent de nous repérer parmi les clients du restaurant. Gilbert les aperçoit et leur fait signe de nous rejoindre. Le cercle s'agrandit et nous terminons cette soirée à cinq, après plusieurs éclats de rire.

∞

Mercredi 19 juillet

Gilbert et moi sommes débordés. L'approche des vacances nous oblige à prolonger les heures de bureau. Le téléphone de Gabriel me dérange.

— Bonjour, *mon chérie* ! ça va ?
— Ça va !
— Écoute, Élise, j'ai pris une grande décision et je voulais t'en faire part.
— Je t'écoute.
— Je rentre Alexandre dans l'armée.

Les bras m'en tombent. Il ne va tout de même pas me vendre la salade du père qui se fie sur l'armée pour *casser* son fils et lui *mettre du plomb dans la tête* ?

— Tu… quoi ?
— Je rentre Alexandre dans l'armée, c'est la seule solution ! Ça va lui faire du bien, ça va le casser et ça va lui mettre du plomb dans la tête !
— Une balle pourrait en faire autant !
— Quoi ?

—Rien. Et Alexandre, il est d'accord ?

—Je ne lui en ai pas encore parlé, je voulais d'abord avoir ton avis.

—Et si tu lui demandais le sien ?

—C'est inutile, ma décision est prise. J'ai parlé à l'Amiral en chef...

—Rien que ça ?

—Il m'a dit qu'il ne lui restait qu'une seule place, et je l'ai réservée pour Alexandre.

—Ah !... bon...

—Je ne lui laisse d'ailleurs pas le choix : ou il *passe*, ou il *casse* !

—Gabriel, dis-moi, pourquoi m'as-tu téléphoné ?

—Alexandre est aussi *ton fils*, que je sache !

—Je suis pour la paix ! Inconditionnellement pour la paix ! Tu ne vas tout de même pas me demander d'encourager ta démarche ?

—Comme tu n'as jamais été foutue d'en faire un homme, je devrai m'en charger malgré toi !

—Fais comme tu voudras, mais ne me mêle pas à tes histoires.

—D'accord ! D'accord ! *Encore une fois*, je prendrai *toutes* les responsabilités ! Ça va ! J'ai compris ! Ça m'apprendra à te demander ton avis. Désormais, je ferai ce que j'aurais toujours dû faire : j'agirai et je te mettrai au courant après.

—Ce ne sera même pas nécessaire.

—Dans ce cas, je sais ce qu'il me reste à faire.

—Fais-le, et laisse-moi tranquille.

—Compte sur moi ! Salut !

—Salut !

Enrôler Alexandre dans l'armée, alors qu'il est en pleine révolte contre la société ; ça me paraît ridicule ! Que certains jeunes rêvent de s'enrôler, et le fassent ; je n'ai rien contre. Mais que l'armée devienne le dépotoir de toutes les fortes têtes dont les parents ne viennent pas à bout est une solution archaïque qui n'a plus sa raison d'être. Pourquoi ne pas les enfermer au cachot, au pain sec et à l'eau, comme au temps d'Oliver Twist ? Ça vous formait des hommes, mais à quel prix ? Imaginer Gabriel, un verre de gin à la main, annonçant autoritairement à son fils qu'il va l'inscrire dans l'armée *pour en faire un homme…* ça m'écœure !

Quoi qu'il en soit, je ne veux plus me laisser détruire par le sort d'Alexandre. Il a choisi de vivre avec son père, qu'il s'arrange avec son père. Nous devons nous retrouver à la Cour, à la mi-août, et je ne doute pas une seconde que le *Vénéré Juge*, en voyant devant lui un brave petit matelot, avec sa coupe de cheveux militaire, et ses bottines bien cirées, va s'imaginer que tout est réglé.

∽

Mercredi 2 août

Heureuse qui comme Élise va faire un beau voyage ! Nous partons à l'aube, le coffre de l'auto chargé de bagages. Gilbert est au volant, moi à ses côtés, et derrière nous deux déesses encore endormies. Mélanie a insisté pour que Dodo soit de la partie. Elles n'ont rien oublié : maillots, brosses à cheveux, maquillage, de quoi transformer deux jeunes filles toutes simples en starlettes bronzées. Wildwood ce n'est pas la Croisette, mais à quinze ans ça lui ressemble.

L'itinéraire prévoit quelques jours à New York avant de filer au bord de la mer. L'idée nous semblait intéressante, mais c'était sans compter la canicule et la grève des éboueurs qui rendent l'air irrespirable. Malgré tout, nous décidons courageusement d'aller nous promener sur Time Square. Les deux filles marchent loin devant nous, moins intéressées à regarder ce qui se passe qu'à s'assurer qu'on les remarque.

Un homme tente de se jeter devant un taxi qui réussit à freiner juste à temps. Quatre policiers se ruent sur un jeune homme armé d'un couteau en le coinçant près d'une vitrine. Les deux filles se rapprochent de nous. Un peu plus loin, deux gangs adverses se préparent visiblement à s'affronter au coin d'une rue. Mélanie me regarde l'air apeuré :

—Qu'est-ce qu'on fait, maman ?
—On continue !

Heureusement, nos chambres sont climatisées. Ce matin, je n'ai qu'un souhait : visiter le Musée Guggenheim où sont exposés deux tableaux de Salvador Dali qui, vus à travers une lentille, n'en forment qu'un.

Comme les deux filles préféraient visiter l'exposition permanente, nous décidons de nous séparer. Dans l'immense hall d'entrée, une foule silencieuse forme une queue qui s'allonge à l'infini. Subitement, mon cœur s'arrête : Dali est là ! un peu en retrait près des tableaux, il observe les curieux qui défilent devant lui sans oser le regarder. Sans réfléchir, sans même prendre le temps d'être timide, je me dirige vers lui, le grand Salvador, en lui tendant le programme du musée et un stylo. Je m'adresse à lui en français. Il se retourne vers moi, me sourit gentiment… et signe ! Cet autographe vaut une fortune, mais pour moi il n'a pas de prix.

Je rejoins Gilbert qui m'attendait patiemment au bout de la file. Je suis si fébrile que j'ai peine à lui raconter le moment extraordinaire que je viens de vivre. Soudain, le grand maître quitte sa place et longe la queue très lentement. Avec ses longues moustaches, sa cape, et sa canne qui frappe le sol à tous les pas, il en impose et s'en amuse. Il s'approche et s'arrête net, droit devant nous. Il me regarde et me salue en s'inclinant poliment : *Mes hommages Madame !* Puis il s'éloigne et sort de la salle sans regarder personne. Heureusement que Gilbert a été témoin de la scène, sinon je croirais avoir rêvé.

En rentrant à l'hôtel, je place soigneusement mon programme autographié dans une revue que je range au fond de ma valise. J'ai l'impression de transporter un trésor.

Mélanie et Dodo insistent pour que nous écourtions notre séjour à New York. La mer les attire davantage que cette ville bruyante jonchée de sacs verts éventrés par les rongeurs. Partageant leur dégoût, nous mettons le cap sur Wildwood où nous avons réservé un appartement assez grand pour nous loger confortablement tous les quatre.

Commence alors la parade de mode quotidienne. Les filles s'échangent des maillots pour mettre en valeur leur bronzage. Seul hic ! Dodo ne bronze pas. Elle brûle par plaques et se retrouve avec des cloques sur tout le corps. Gilbert l'invite à se couvrir pour ne pas empirer les choses, mais elle n'écoute pas et retire son peignoir aussitôt qu'elle est sur la plage. Le jour suivant, le docteur devient plus autoritaire. Gilbert se rend à la pharmacie puis revient avec un onguent à base de cactus, malodorant mais efficace. Dodo se renfrogne et Mélanie se languit.

∞

Lundi 7 août

C'est l'anniversaire de Gilbert. Nous débutons notre journée
par un petit déjeuner spécial suivi d'une longue promenade
sur le *board walk*. Tous les journaux titrent à la une : *le Pape
est mort !* Bienheureuse insouciance des vacances : Paul VI a
rendu l'âme, hier, et nous n'en savions rien.

∞

Jeudi 10 août

Nous reprenons tranquillement le chemin du retour. En revenant au Château, je ne pense qu'à exhiber mon trésor. Je vide
ma valise sans retrouver la revue dans laquelle j'ai protégé
ma précieuse signature. J'interroge Gilbert qui m'assure qu'il
ne l'a pas vue. Je m'inquiète et joue à Sherlock Holmes. C'est
Mélanie qui résout le mystère :

— Cherches-tu la revue sur New York qui traînait dans ta
valise ?

— Elle ne traînait pas, je l'avais soigneusement rangée !

— Je l'ai passée à Dodo pour qu'elle puisse la montrer à
sa mère.

— Veux-tu rappeler Dodo et lui demander de me la rapporter ?

— Mélanie part en flèche puis revient toute penaude :

— Trop tard, la mère de Dodo l'a jetée tout de suite en
arrivant !

— Elle l'a jetée ? Pourquoi ?

— Parce que ça puait trop !

—Mais qu'est-ce qui puait ?

—La revue ! La crème de cactus avait coulé dessus !

Élise, chère Élise, nos plus beaux souvenirs ne sont que des mirages.

∞

Dimanche 20 août

J'ai invité Alexandre à souper. Il arrive avec un copain. Ce soir, le Château a l'insigne honneur de recevoir, non pas un, mais deux futurs marins de Sa Majesté : uniformes impeccables, chaussures cirées et crânes rasés ; de quoi réjouir un père qui résume l'éducation de son fils à la longueur de ses cheveux. Pour ma part, je ne m'habitue pas à voir mon fils tondu comme un mouton.

Nos deux invités viennent de recevoir leur salaire : deux cent cinquante dollars comptant, pour deux semaines de travail. Ils se sentent riches. Et si j'en crois mes oreilles, ils ont eu droit à un *party de paye* à se rouler par terre. Il existerait, paraît-il, une coutume qui veut que les jeunes marins se retrouvent entre eux, les soirs de paye. On leur vendrait alors l'alcool à moitié prix. J'ai du mal à le croire, mais j'ai devant moi deux petits tondus qui l'affirment… et ils n'ont que dix-sept ans ! Mon ami Philippe en aurait sûrement long à raconter sur ses premières cuites dans l'armée.

Malgré tout, le souper se déroule gaiement et nos invités se régalent. J'éprouve davantage de plaisir à recevoir Alexandre depuis qu'il ne vit plus sous mon toit. J'arrive à mettre mes émotions au repos quand je le vois. Je constate toutefois que la marine commence à lui rentrer dans le corps. L'indomptable couche-tard doit se lever à cinq heures tous les matins pour être fin prêt à six heures et demie ; combien de temps tiendra-t-il à ce rythme ?

∞

Samedi 26 août

Presque tous nos amis sont maintenant revenus de vacances ; la vie normale reprend son cours. Je n'avais pas vu Monique et Jean depuis trop longtemps, je suis ravie qu'ils soient nos invités.

Éreintés par une longue balade à la montagne qui leur a donné une fringale de tous les diables, Mélanie, Dodo et deux copains ont préféré pique-niquer sur la table de la cuisine, au lieu d'attendre l'heure du souper.

Ils se balancent tous les quatre pendant que Monique, Jean, Gilbert et moi partageons notre repas sur une table bien dressée digne d'un souper de retrouvailles. Un certain malaise plane dans l'air. Je trouve Dodo de plus en plus pâle. Elle paraît nerveuse. Elle a déjà reçu plusieurs coups de fil de sa mère, et ces conversations désagréables viennent perturber notre repas. Je n'arrive pas à m'expliquer ce qui se passe. Pourtant l'entente était claire : avec la permission de ses parents, Dodo devait passer le week-end chez nous.

Nouvelle dispute au téléphone. Dodo pleure. D'où nous sommes, nous pouvons entendre distinctement le père de la petite crier qu'il va la tuer. Il est ivre. Incapable de calmer son mari, la mère de Dodo lui ordonne de rentrer immédiatement à la maison. Je ne peux pas laisser cette situation s'envenimer davantage.

Je ne peux changer ni le père ni la mère de Dodo, mais rien ne m'empêche d'intervenir quand ce genre de chose se passe chez moi. J'ai le devoir de protéger Dodo, de l'héberger au besoin, de lui offrir de l'aide. Je m'empare du récepteur en essayant de rester calme :

— Puis-je savoir ce qui se passe ?

— Je veux parler à ma fille !

— Elle va te rappeler plus tard, veux-tu ?

— Je veux qu'elle s'en vienne !

— Écoute, nous sommes encore à table, dès que nous aurons terminé notre repas, Gilbert pourra la ramener chez toi !

— Dis-lui de s'en venir tout de suite, compris ?

— Mais elle devait coucher chez nous !

— Mon mari ne veut pas !

— Pourquoi ?

— Parce qu'il a changé d'idée, c'est tout !

— À ce que j'entends, ton mari est en colère. Ne crois-tu pas qu'il serait préférable que Dodo reste ici, le temps que les esprits se refroidissent ?

— Élise ne te mêle pas de ça, veux-tu ? Allez, passe-moi ma fille !

Sans m'éloigner, je tends le récepteur à Dodo ; j'entends sa mère crier :

— Prépare-toi, ton père s'en va te chercher ! Je te dis que tu vas en manger une maudite en arrivant !

Dodo écoute en silence durant quelques secondes, puis referme l'appareil. Elle me regarde, désespérée :

— Mon père s'en vient me chercher !

— Ne crains rien, nous sommes là !

Jean et Monique ne vont certainement pas s'offusquer d'un repas au service intermittent; ils en ont vu d'autres, et des bien pires. Dodo nous fait pitié avec ses grands yeux tristes.

Jean prend l'offensive :

— Ma belle Dodo, ton père est complètement saoul ! Tu sais très bien qu'il ne viendra pas.

— Ma mère m'a dit qu'il s'en venait !

— Ta mère a dit qu'il allait venir, mais moi, je sais qu'il ne viendra pas. Les hommes qui boivent, moi je connais ça, tu sais ! J'ai bu durant assez longtemps pour savoir de quoi je parle.

— J'ai peur, je sais qu'il va venir !

— Ne crains rien, nous avons l'habitude de faire face à des gens qui ont bu. Penses-tu que ton père pourrait me faire peur ?

Jean se lève en dépliant sa taille d'un mètre quatre-vingt avec autorité, ce qui a pour effet de dérider tout le monde, même Dodo. Nous profitons de cette légère trêve pour continuer tranquillement notre repas. Dodo se balance sans dire un mot. La sonnerie du téléphone la fige sur place. Je réponds encore une fois :

— Allô ?

— Élise, dis à ma fille qu'elle s'en vienne tout de suite, sinon…

Dodo me regarde avec de grands yeux suppliants. Elle est morte de peur. Il y tant de jeunes qui fuguent ou se suicident pour moins que ça.

Élise, chère Élise, tu ne vas pas laisser cette petite partir toute seule dans cette tempête ?

Mon Dieu, donnez-moi le courage, la sagesse… vite !

—Ça va faire les menaces ! Écoute bien ce que je vais te dire : je garde Dodo pour le week-end ! C'est clair ?

—Je vais envoyer la police chez vous, Élise !

—C'est ça ! Tu connais mon adresse ?

—J'envoie la police, là ! Je t'avertis : je l'appelle, là !

—Fais ce que tu voudras, mais Dodo dormira chez nous !

La ligne claque brusquement. Comment ai-je eu la force de garder mon sang-froid ? Dodo pleure. Je la serre contre moi :

—Ne crains rien.

—Ma mère va envoyer la police ; je le sais, j'ai tout entendu !

J'aimerais la rassurer, lui garantir que sa mère n'appellera pas la police ; encore faudrait-il que j'en sois convaincue. Comment calmer une adolescente survoltée ? Dodo a l'air d'un petit chat pris de panique.

Les jeunes se regroupent autour de la table. Je réchauffe le café et leur sers du gâteau. Dodo grelotte de tous ses membres. Elle meurt de peur. Pauvre fille ! Comment lui expliquer que la peur n'existe pas dans l'univers ? J'ai eu moi-même si peur déjà.

Jean fait des blagues, les jeunes ricanent, mais je les sens terriblement nerveux. Ils craignent malgré tout que la police arrive.

—Et même si la mère de Dodo mettait sa menace à exécution, que voulez-vous que la police fasse ? Rien, absolument rien.

Un des copains tente une réponse :

—La police pourrait nous arrêter !

— Pourquoi ? Il est vingt heures trente et vous êtes tous les quatre assis bien sagement avec nous. Nous sommes des gens honnêtes, et il n'y a ni drogue, ni alcool dans la place, alors ?

Jean déplie à nouveau son mètre quatre-vingt.

— Vous savez, la police non plus, ça ne me fait pas peur !

Les jeunes rigolent mais la sonnerie du téléphone a l'effet d'un coup de glas. Je réponds : la mère de Dodo hurle au bout du fil sans me donner la chance de placer un mot, tandis que son mari répète en gueulant qu'il va tuer sa fille. Je décide de prendre l'offensive.

— Puis, finalement, as-tu appelé la police ?
— Je vais le faire, là !
— Je t'avertis que si jamais la police arrive ici, j'ai des témoins. Ton mari a menacé de tuer sa fille, et nous l'avons tous entendu. Quant à toi, tu te fais sa complice en ajoutant que Dodo va en manger une maudite en arrivant ! Ceci dit, si j'étais toi, je tiendrais ça mort jusqu'à demain, puis je laisserais Dodo dormir tranquille.

Je raccroche doucement avant qu'elle n'ait le temps de rétorquer. Les copains me regardent, l'air éberlué. Le plus grand des deux n'en revient pas.

— Madame Élise, vous avez pris la part de Dodo contre sa mère ! Sacrifice !
— Tut ! tut ! tut ! Surtout, ne nous méprenons pas : je n'ai pas pris *pour* Dodo *contre* sa mère ; d'ailleurs je ne sais même pas comment tout ça a commencé. J'ai pris parti *contre la violence* ; c'est différent ! Je ne peux plus supporter la violence, et je sais par expérience que la seule façon de lui échapper, c'est la fuite. On s'ôte de là en attendant que l'orage soit passé, pour revenir

ensuite discuter calmement une fois que les têtes se sont refroidies. Je ne pouvais pas, en toute conscience, laisser partir Dodo vers cet enfer de cris et de jurons.

Dodo me regarde fixement :

— Je me serais sauvée !

— Il n'y a rien de pire que de traquer un être humain, on peut alors le pousser à faire les pires bêtises. Le père de Dodo doit partir dans quelques heures pour ne revenir que la semaine prochaine, Dodo n'a qu'à attendre son départ pour téléphoner à sa mère, qui sera sans doute plus calme et mieux disposée à lui parler.

Le plus petit de deux copains tente une timide intervention :

— Et la police ?

— Vous voyez bien qu'elle ne vient pas ! Si seulement cela pouvait vous apprendre à ne jamais faire de menaces que vous n'êtes pas prêts à mettre à exécution. Dans la vie, voyez-vous, il y a toujours des moments où il faut prendre une décision, poser un geste ; on ne dit pas : *Je vais partir !* On part ! Sinon, personne ne vous prend plus jamais au sérieux.

Je ne sais pas s'ils ont compris mais, quand les copains partent, Dodo paraît enfin calmée. Les deux filles se retirent dans la chambre, et nous pouvons enfin prendre un dernier café avec Monique et Jean sans risquer d'être dérangés. Heureusement que tous les soupers au Château ne sont pas aussi excitants !

☙

Mardi 5 septembre

ATTENDU que la partie requérante a formé une demande en divorce contre la partie intimée;

ATTENDU que la partie intimée n'a pas comparu dans les délais prévus et que défaut a été enregistré contre elle;

VU la preuve faite et les pièces versées au dossier;

CONSIDÉRANT que la requête est bien fondée;

PAR CES MOTIFS, etc., etc.

VU que la requête soumise à la cour aux fins de rendre irrévocable le jugement conditionnel de divorce dans la présente instance;

ATTENDU que le jugement conditionnel n'a pas été porté en appel et que le dossier ne laisse voir aucune raison valable pour qu'il ne soit pas fait droit à ladite requête;

PAR CES MOTIFS,

LA COUR DÉCLARE que le jugement conditionnel de divorce prononcé le 19 avril 1978 entre Élise Desmarais dont le mariage avec la partie intimée Gabriel Lépine a été célébré le 28 novembre 1960 à Montréal est maintenant irrévocable et qu'ils sont divorcés.

Le tout sans frais.

Et c'est signé, étampé, en bonne et due forme.

Cette attestation de la cour me touche. Bien sûr, je savais que j'étais divorcée de Gabriel et que la demande aux fins de rendre le divorce irrévocable avait été déposée par mon avocat à la date prévue par la Loi; mais je ne me rendais pas compte de la véracité des faits.

À partir de maintenant, je ne suis plus mariée à Gabriel Lépine ; cette union est finie, irrémédiablement finie ! Je possède un papier officiel qui l'affirme. Pour la première fois, je prends pleinement conscience de l'implication de ce geste : on fait d'abord les démarches qui s'imposent, un peu poussé par les événements, on vit le cauchemar de la séance à la cour, et puis on attend patiemment qu'il se passe quelque chose ; mais il ne se passe rien de bien différent de ce qui se passait dans les mois précédents.

Aujourd'hui, j'ai la preuve, noir sur blanc, que le mariage d'Élise et de Gabriel est de l'histoire ancienne, et qu'il n'existe plus que dans la mémoire de ceux qui ignorent les dernières nouvelles, ou qui persistent à croire que le mariage est éternel et ne prend fin qu'à la mort de l'un ou l'autre des deux conjoints.

Élise, chère Élise, comment quelque chose d'éternel peut-il prendre fin avec la mort ?

Peut-être bien qu'un jour, dans une autre vie, je retrouverai Gabriel, mais ce n'est certes pas mon divorce terrestre, et bassement légal, qui pourra y changer quelque chose.

Donc, légalement, à partir d'aujourd'hui, je suis libre ! Je pourrais me remarier immédiatement, si je le voulais. Mais, le voudrai-je jamais ? Qu'on me montre un seul avantage à un deuxième mariage ; quel peut être l'intérêt d'être unis par la loi, alors qu'il est si pénible d'être désunis par elle ?

Quand tout va bien entre deux êtres qui s'aiment, qu'est-ce qu'un mariage civil peut apporter de plus, si ce n'est une fausse impression de sécurité et la bénédiction de la bienveillante société qui a tant de mal à accepter qu'on puisse vivre en liberté ? Il faut se retrouver face à un divorce pour voir jusqu'à quel point les pseudo-lois, qui supposément nous protègent, n'ont plus de dents le moment venu, et qu'il ne sert à rien de signer des contrats pour remplacer l'amour quand il n'existe plus.

Je choisis librement de vivre à côté de Gilbert, et non accotée, attachée ou mariée. Je l'aime en toute liberté, et lui suis fidèle en toute liberté. Si jamais rien ne va plus entre nous, il partira de son côté, en emportant ses *bébelles*, et je partirai du mien en emportant les miennes…

Quand Gilbert s'approche de moi, alors que je tiens encore le papier de la cour dans ma main.

— Qu'est-ce que tu fais ?
— Je défroisse mes ailes et goûte avec ivresse une nouvelle sensation de liberté. Je t'aime !
— Moi aussi !

Gilbert me serre dans ses bras et m'embrasse amoureusement. Il sait qu'il a sa place bien à lui, dans ma vie. Il ne remplacera jamais Gabriel, personne ne remplace personne, mais il est là, aujourd'hui, ici, maintenant, et l'instant présent est le seul qui compte. Demain, dans cinq ans, dans dix ans ? On verra !

∞

Vendredi 8 septembre

Conseillée par ma sœur Lorraine, Marie, une ancienne voisine et amie de Versailles me rejoint à la Clinique. Elle est affolée au bout du fil :

—Élise, Élise, il faut que tu m'aides… Denis a perdu la tête, il est devenu fou, il veut partir avec les enfants !

Son mari prend l'appareil :

—Élise, ne l'écoute pas ! Ma femme est folle, complètement folle !

Marie lui arrache le téléphone des mains :

—Élise, c'est lui qui est fou ! Tu sais ce qu'il a fait ?

Non, mais je sens que je ne vais pas tarder à le savoir. À travers ses pleurs saccadés, Marie me raconte en détail la dispute qu'ils viennent d'avoir, tandis que Denis, en parlant plus fort qu'elle, intervient constamment pour donner sa version. Bien sûr, il n'est pas fou, bien sûr, elle n'est pas folle ; ils sont seulement perturbés, chamboulés, en pleine crise. J'arrive enfin à placer un mot :

—Marie, ma petite Marie, si tu me téléphones de si bonne heure pour me raconter ta peine, j'imagine que c'est parce que tu as confiance en moi. Je vous propose, à tous les deux, d'aller vous rencontrer immédiatement après mon travail. J'irai même avec Gilbert, si tu veux, à quatre, nous y verrons plus clair.

Nous débarquons chez eux un peu après seize heures. Le beau Stéphane et la petite Annie s'amusent devant la porte sans se soucier que la femme qui nous guette par la fenêtre, a les yeux remplis de larmes.

Le terrain de leur superbe maison de banlieue est immense. À leur porte, j'imagine un écriteau en lettres d'or : *LA MAISON DU BONHEUR* ! Je m'arrête un instant sur le bord du chemin. Là-bas, à quelques mètres à peine, c'est Versailles ! On se rencontre, on s'aime, on se marie. Les premières années sont les plus difficiles, mais on espère qu'un jour… Et puis vient un enfant, le premier, une merveille ! Personne, de mémoire d'homme, n'en a vu d'aussi beau… Alors la vie repart à trois ; le petit être a ses droits, il fait ses dents, ses premiers pas ; on attend le deuxième : pourvu que ce soit une fille, pour faire le couple ! Elle naît, mignonne et blonde, puis, très vite elle grandit. Le logement de quatre pièces est bientôt trop petit. Il faut trouver plus grand… le rêve d'une maison déjà commence à poindre à l'horizon. On la voudrait modeste : juste un peu de verdure et une cour arrière pour la joie des enfants. Et pourquoi pas un coin jardin ? Les légumes sont si chers, et les fleurs si jolies ! Le dimanche en famille on s'en va visiter ; pas encore pour acheter, juste pour regarder ! Deux fois, trois fois, quatre fois, on arpente le quartier, on retourne sur place. Et puis un jour on en trouve une : pas trop loin, pas trop cher, c'est parti pour le rêve ! Ici l'air est plus pur, il fait bon, on respire. C'est merveilleux de pouvoir élever ses enfants en serre chaude, loin du bruit et de la pollution !

Le soir, après avoir couché les enfants, on en parle à voix basse. On calcule, on prévoit… et puis on hypothèque. Avec un peu de chance, on emménage *chez soi* juste à temps pour l'école. Le premier entre à la maternelle, l'autre à la garderie, et le samedi pour les emplettes, maman les traîne au centre d'achats !

La banlieue s'agrandit, de nouveaux voisins s'installent. Les taxes montent en flèche, mais en comptant chaque sou on peut y arriver. On ne sort plus, ou presque : pas le temps, pas d'argent, mais qu'importe ? Quelle joie de recevoir l'été sur la terrasse, et l'hiver au sous-sol ! À propos du sous-sol, il faudrait l'agrandir, finir la cave, en faire une salle de jeu, construire un bar, et prévoir un coin plus vaste pour profiter de la vie de famille. Les salaires à eux seuls ne comblent plus le vide; il faudrait plus d'argent. Le mari vient souper de moins en moins souvent. Parfois il téléphone : des heures supplémentaires, du travail au bureau... pour le bien de la famille. Faut faire des sacrifices, faut être raisonnable ! Maman en a ras le bol ! Elle bouscule les enfants : devoirs, souper, dodo ! Sitôt qu'ils sont couchés, elle pleure à fendre l'âme. Il faudrait en parler, calmement, mais comment ? Quand vient le moment propice, on n'ose plus, on se tait. Le plus grand confident devient l'aspirateur, son tuyau... un micro, et son bruit... une musique.

Un soir, au coin du feu, on met les cartes sur table. Chacun ouvre son cœur, on croit toucher le point. Ensemble, on tire des plans, on rénove la cuisine, et on repeint l'entrée... Un jour, un peu plus tard, on ajoute une pièce : on l'adore, on s'en lasse, et puis tout recommence, comme une roue qui tourne sans jamais s'arrêter !

En me voyant songeuse, Marie ouvre la porte et me crie du haut du palier :

— Veux-tu acheter la maison ?

Je souris, sans répondre, puis je m'avance vers elle et la serre dans mes bras. Elle a les yeux rougis. Derrière je vois Denis; lui aussi a pleuré. Que s'est-il donc passé ? Aucun ne peut le dire. Chacun des deux affirme que l'autre a commencé. Je propose à Denis de lui enlever sa femme, pour ce soir, pour cette nuit. Je l'emmène au Château. Il me regarde d'un air triste, passe nonchalamment sa main dans ses cheveux décoiffés, puis me répond sur un ton résigné :

— Je veux bien qu'elle aille avec toi, mais sans les enfants.

— D'accord, sans les enfants. Éloignés l'un de l'autre, vous y verrez plus clair.

Gilbert observe Marie et la sent très inquiète. Il s'approche de Denis et devient son complice :

— J'ai une proposition à te faire : on laisse les femmes retourner au Château, et moi je reste ici, avec toi, pour la nuit ! Une soirée entre gars, qu'est-ce que tu en dis ?
— Et les enfants ?
— À nous deux, on devrait bien valoir une femme !

Le regard de Marie s'éclaire. Je la sens rassurée. Elle me suit sans résister. Nous prenons sa voiture. En passant je me retourne juste un peu et j'aperçois Versailles qui a perdu l'éclat qu'il avait autrefois. Les nouveaux proprios n'ont pourtant rien changé. Et devant la maison une petite auto rouge me donne soudain envie d'en avoir une aussi.

Le retour au Château se déroule en silence. Marie gare sa voiture et s'attarde à regarder mon petit appartement qui n'a pas de gueule, vu de l'extérieur.

— C'est ici que tu vis ?
— Hé oui ! Ici c'est mon Château ! Et j'ai un grand balcon, tu vois !
— Tu vis ici, avec un docteur ?
— Nuance : le docteur vit ici avec moi !

J'ai l'impression qu'elle s'attendait à visiter un vrai château. Pour ne pas la brusquer, je la prends par le bras.

— Viens, allons marcher un peu, la nuit est merveilleuse.

Nous descendons la rue tranquillement. Au détour, l'Université de Montréal se détache en lumières sur un ciel sombre et profond. Mais Marie ne voit rien de tout cela. Elle évolue dans un monde à part, la tête entourée d'une brume épaisse et noire, lui cachant à la fois le ciel et la réalité. Elle ne pense qu'à Denis, et ce soir elle le hait comme jamais elle n'aurait cru pouvoir le haïr :

— Il est bête, méchant, égoïste, cruel ! Il ne me regarde plus, il ne m'aime plus ! Il m'en a fallu beaucoup, tu sais, pour que je t'appelle.

— Ma belle, ma douce Marie, j'ai hurlé moi aussi et je comprends ceux qui hurlent.

À force de la laisser parler, j'arrive à faire sortir le chat du sac : Marie s'ennuie de Marie ! Elle ne prend plus le temps de penser à elle, ne lit plus, ne voit plus ses amis. Elle voudrait sortir, étudier, être utile, au lieu de passer son temps à regarder passer le temps par la fenêtre du salon ; à trente ans, quelle pitié !

Nous passons une grande partie de la nuit à bavarder. Parfois, entre deux séances de *braillage*, Marie arrive à s'assoupir quelques instants. Au matin, je la retrouve heureuse et souriante :

— Élise, j'ai réfléchi, la nuit m'a fait du bien !

Et comment qu'elle a réfléchi ! La nuit n'aura servi qu'à faire tourner le vent : c'est elle, la seule fautive, et Denis est un saint ! Il devient bon, aimant, travaillant, juste, et tendre, tandis qu'elle est méchante, égoïste et sans cœur. Comment un ange comme Denis peut-il aimer un démon comme elle ?

Quand Denis téléphone, Marie pleure et s'excuse :

— Non, non, c'est moi !… Oui, mon chéri, c'est ma faute !… Non, mon chéri, je t'assure, non, non, c'est moi !… Oh ! oui, mon amour !... À tout de suite, mon amour !... J'arrive !... Je t'aime !

Elle raccroche, prend son manteau, son sac et part en m'embrassant rapidement sur la joue.

— Merci, Élise, merci pour tout !

Je la regarde aller, joyeuse, presque insouciante. Elle monte dans sa voiture et s'envole en fredonnant vers son Denis. Pourvu qu'elle n'oublie pas de me retourner mon amoureux.

∞

Jeudi 28 septembre

L'automne mordoré, pourpre, écarlate nous offre un spectacle éblouissant. Nous filons sur la route de La Malbaie depuis plusieurs heures et je n'en finis pas de m'émerveiller. Le Québec s'éclate en septembre !

Gilbert se rend à un congrès et il a insisté pour que je l'accompagne. Ce sera ma première visite officielle au bras du docteur Gauthier. Au risque de devoir affronter quelques regards hostiles, j'ai décidé de suivre l'homme que j'aime et de profiter pleinement de ces quelques jours de repos dans un endroit qui m'apparaît comme un havre de paix.

Je rêve de me retrouver seule avec Gilbert, de dormir dans ses bras, et d'aller me promener avec lui dans les sentiers boisés recouverts de feuilles mortes. Durant la journée, je n'aurai qu'à me prélasser au soleil, pendant que Gilbert se farcira les exposés hautement scientifiques de ses confrères. Leur langage hermétique impressionne-t-il encore quelqu'un ? Personnellement, je préfère me réfugier dans un livre.

Je n'imaginais pas que la distance fût si grande entre Montréal et La Malbaie. Il fait maintenant nuit noire. La route est extrêmement étroite. La fatigue, mêlée à cette curieuse impression d'être *au milieu de nulle part*, me donne le vertige, et me prive du plaisir de jouir pleinement du spectacle grandiose des aurores boréales, lumineuses, évanescentes, multicolores, légères comme des foulards de soie qui se balancent dans un ciel d'encre.

Nous arrivons trop tard pour explorer l'endroit où nous passerons les prochains jours. On nous conduit immédiatement à notre chambre. Nous marchons sur la pointe des pieds pour éviter de réveiller tous ces disciples d'Hippocrate. Demain, au réveil, nous aurons la surprise.

∞

Vendredi 29 septembre

Il fait beau à rêver. Après le petit déjeuner dans la chambre, Gilbert me quitte pour assister à la première session de la journée. Je sors me promener toute seule le long du Saint-Laurent qui, un peu moins fleuve, se donne déjà des airs d'océan.

Une véranda ensoleillée invite à la détente. Je m'y installe avec mon livre, mais je n'ai pas vraiment envie de lire. Assise à l'écart, j'observe tout ce qui se passe autour de moi, un peu comme si j'assistais à un spectacle auquel je ne serais pas invitée. Je me sens étrangère. Je ne suis pas une femme de docteur ; je n'en ai ni l'allure, ni les manières. Je ne porte ni la jupe de tweed ni le tricot signé qui conviennent, et je n'ai pas, non plus, la botte de cuir dispendieuse par laquelle on distingue celles qui ont réussi, ou plutôt, celles dont les maris ont réussi.

Je reste dans mon coin, j'ai envie d'être seule. J'ai la désagréable impression d'être épiée, montrée du doigt. Je suis l'intrigante, la *maîtresse* du docteur Gauthier, celle qui vient *à la place de l'autre* ! Je réalise qu'il m'aurait été impossible de m'engager dans une relation avec un homme qui n'aurait pas été complètement libre. Je chéris trop ma liberté pour m'enliser dans du sable mouvant.

Je réussis finalement à me laisser absorber par ma lecture. La main de Gilbert sur mon épaule me fait sursauter. J'ai faim. Nous allons à la cafétéria. Gilbert connaît tout le monde. Il sourit, serre des mains, me présente. Je me sens mal à l'aise : ma jupe est démodée, ma blouse trop habillée… et mes bottes datent de l'année dernière !

Après le lunch les congressistes ont droit à une heure de détente. Une heure pour flâner, nous sourire, nous aimer. Main dans la main, nous marchons dans les sous-bois. Nous parlons, nous nous taisons, puis nous parlons encore. Seule avec Gilbert, je reprends confiance. Je n'ai plus peur des autres, de ce qu'ils disent, de ce qu'ils pensent.

Élise, chère Élise, depuis quand te soucies-tu de l'opinion des autres ?

Gilbert retourne au meeting et je monte à la chambre dormir un peu en attendant son retour. Vers dix-huit heures, nous allons souper dans une petite auberge cachée sous les arbres. Un couple nous y rejoint. Ils sont gentils. Ils ont tôt fait de briser la glace. Attablés loin des regards curieux, nous trinquons à notre amitié naissante. J'apprends avec surprise que ce jeune médecin et sa compagne vivent ensemble depuis bientôt huit ans. J'ose leur faire part du malaise que je ressens. La jeune femme me rassure.

—Que veux-tu, la marginalité n'a pas sa place dans certains milieux. Il leur faut des diplômes, de la légalité ; on n'y peut rien. Après tout, c'est leur problème, pas le nôtre !

∞

Samedi 30 septembre

Gilbert m'abandonne pour l'après-midi. Je retrouve l'immense véranda surplombant le fleuve. Tout est calme, si calme qu'on dirait un tableau : aucun mouvement sur l'eau, aucun vent dans les arbres. J'apprécie ma solitude et me laisse bercer par la douceur des choses qui m'entourent. Un bon sang chaud coule dans mes veines, je savoure ces instants de bonheur, précieusement.

J'écoute ce qui se passe autour de moi, et j'observe en silence certaines situations divertissantes. Ainsi, je vois un médecin et sa femme qui se promènent de long en large devant l'auberge, ils croisent sur leur chemin deux autres médecins faisant de même. Le premier médecin, galant, s'empresse de faire les présentations d'usage : *Docteur* UNTEL, *Docteur* UNTEL… *ma* femme ! Au même instant, un autre couple s'approche du groupe ; notre ami repart de plus belle ; *Docteur* UNTEL, *Docteur* UNTEL… *ma* femme ! Les mains se tendent et le nouveau venu de répliquer : Je suis le *Docteur* UNTEL… et voici *ma* femme ! Alors, sans avoir de noms, *ma* femme de l'un et *ma* femme de l'autre se rapprochent pour parler de choses futiles et secondaires, comme la maison et les enfants, tandis que leurs maris *Docteurs* règlent le sort du monde en écrivant l'Histoire Universelle de la Médecine en quatre tomes. Je ne peux m'empêcher de sourire.

Élise, chère Élise, l'identité des femmes, ce n'est pas pour demain.

∞

Ce soir, le congrès offre son banquet de clôture avec tout ce que cela comporte, y compris les nombreux discours de circonstance que personne n'écoute, sauf celui qui parle. Tous les invités s'ennuient à mourir mais c'est plus *officiel* qu'un souper sans discours.

En entrant dans la salle, je constate avec joie que nos nouveaux amis nous ont réservé deux places à leur table. Je me sens déjà moins étrangère. Le vin aidant, les esprits se réchauffent et les distingués confrères retrouvent pour un soir leur âme de carabins. Les *tu* et les *toi* remplacent les *vous* et les chansons grivoises acquièrent de nouvelles lettres de noblesse ; on parlait *CUL* au temps des Rois, que diable !

Le repas tire à sa fin, Gilbert et moi n'avons qu'une idée : nous retirer dans notre chambre pour goûter quelques moments de solitude. Nous filons à l'anglaise tandis que nos joyeux copains entonnent pour la dixième fois : *Ils ont des chapeaux ronds, vivre la Bretagne ! Ils ont des chapeaux ronds, vivent les Bretons !* Personne certainement ne remarquera notre absence.

On nous monte deux cafés espagnols que nous sirotons en nous amusant des bruits de la fête, qui parviennent jusqu'à nous par la fenêtre entrouverte. Collés l'un contre l'autre, nos caresses se font plus tendres. Le café terminé, nous glissons sous les couvertures. Le bruit ne nous dérange plus. Nous savourons notre intimité puis nous nous endormons, épuisés mais ravis…

∞

Dimanche 1er octobre

Nous reprendrons la route dans quelques heures. Je décide de sauter sous la douche avant de boucler nos valises. En ramassant ses affaires, Gilbert s'aperçoit qu'il a oublié ses lunettes sur la table, au banquet, hier soir.

—Je vais aller les chercher tout de suite.

—Achète donc le journal en même temps. On ne sait jamais, le Pape pourrait être mort, puis on ne le saurait pas !

Il quitte la chambre en riant, en me traitant de presque folle. Je n'ai pas encore eu le temps de rentrer sous la douche, que Gilbert revient en coup de vent :

—Qu'est-ce qui se passe ?

—Le Pape est mort !

J'éclate de rire.

—Élise, ne ris pas, c'est vrai !

Il braque le journal devant mon nez en m'obligeant à lire la nouvelle que le monde entier connaît déjà.

—Il est mort quand ?

—Le 28 septembre.

—Pauvre Jean-Paul, il n'aura pas régné longtemps !

— On devrait reprendre pour lui cette épitaphe retrouvée sur la tombe d'un roi, qui mourut la nuit même de son sacre : *Voici celui qui ne fit rien, mais le fit bien !*

— Gilbert, soit sérieux, c'est grave : on ne pourra plus prendre de vacances !

— Pourquoi ?

— Le Vatican va nous accuser de porter malheur aux papes !

∽

Jeudi 5 octobre

Gilbert se plaignait depuis quelque temps d'une douleur vive au genou droit, mais ce matin le spécialiste consulté a été formel : ménisque déchiré ! La chirurgie s'impose et dans les plus brefs délais.

Gilbert a reçu cette nouvelle comme une gifle. Il faut prévoir le séjour à l'hôpital, l'immobilisation de la jambe durant plusieurs semaines et de nombreuses séances de physiothérapie afin de redonner force et souplesse au genou opéré.

Il faudra donc réorganiser les bureaux des prochaines semaines de manière à ne léser personne. En y repensant, Gilbert en arrive à la conclusion que le début du mois de décembre pourrait être la période idéale pour envisager ce temps d'arrêt, en profitant du temps des fêtes pour prolonger sa convalescence de quelques jours. Après mûre réflexion la décision finale est prise : Gilbert entrera à l'hôpital le sept décembre pour y être opéré le huit.

∽

Dimanche 8 octobre

Quel beau jour ! Comme au temps des contes de fées, je suis marraine. J'ai enfin un filleul bien à moi. Heureusement que l'enfant de Lorraine et d'Antoine est un garçon, sinon j'étais foutue. Quand un baptême est célébré dans le rite byzantin, comme c'est le cas actuellement, le parrain joue le premier rôle pour un garçon, et la marraine pour une fille. Or, avoir une marraine divorcée est une condition absolument inacceptable quand il s'agit d'une fille, mais qui devient secondaire et sans importance quand il s'agit d'un garçon. Ici, le parrain, un parent d'Antoine, offre en ce sens toutes les garanties d'une vie saine et bien rangée. Je rage un peu intérieurement mais j'en prends mon parti ; tant pis, je ne serai pas une marraine ordinaire, je serai une Fée-marraine, de celles qui apportent des dons et saupoudrent sur la route de leurs filleuls des parcelles de bonheur qui les empêchent d'être atteints par la laideur du monde.

J'aime cet enfant qui arrive dans notre famille après un long silence. Je le porte précieusement. Il a quatre mois, il est superbe, et ses immenses yeux noirs s'écarquillent pour mieux voir les bougies qui scintillent. En apercevant l'officiant vêtu d'une longue cape noire et la tête recouverte d'un capuchon, le bébé se met à pleurer. L'officiant s'approche :

— Retire-toi, Satan !

La voix est grave et solennelle. J'ai beau regarder attentivement, je n'arrive pas à croire que Satan soit dans cet enfant. L'officiant lui souffle maintenant dans la figure :

— Retire-toi, Satan !

Les mots écorchent mes oreilles. Je crois profondément au message du Christ, et j'ai entièrement confiance en la bonté divine, mais je refuse de croire à l'emprise de Satan. Satan n'existe pas, non plus que la noirceur ; c'est une absence de Lumière, une absence de Bien, une absence de Christ. On ne peut pas *faire la noirceur*, si ce n'est qu'en retirant la lumière. La noirceur, ce n'est pas une réalité en soi : la noirceur ça n'existe pas ! *Le Bon Dieu est Bon !* Mon grand-père me l'a souvent répété et je n'en ai jamais douté. Aujourd'hui, je l'affirme à mon tour à cet enfant qui ne se doute pas encore des sept dons précieux que sa Fée-marraine va lui donner. Je me penche sur lui, faisant fi des prières archaïques de l'officiant, et lui murmure à l'oreille :

— Par le Christ qui t'habite et qui veut que tu SOIS, que tes yeux ne voient que le Bien afin que le mal se dissipe. Que tes oreilles entendent les sons justes, sans se laisser perturber par les fausses notes. Que ta bouche ne prononce que des paroles de Paix, puisque tout est dans la Parole. Que tes narines se grisent du subtil parfum des fleurs et savourent les arômes les plus délicats. Que tes mains se tendent vers toutes les créatures vivantes, puisque tout est partage. Et que ton cœur soit tout amour. Je t'apporte également le sens de la Justice, le respect de la Vie et de la Liberté. Maintenant, il te reste à vivre.

On me demande à présent de dévêtir l'enfant avant de le remettre à l'officiant qui procédera au baptême par immersion. Au centre, près de l'autel, trône un énorme vase de cuivre dans lequel on a déposé un minuscule bol à mains contenant tout au plus un litre d'eau bénite. La difficulté consiste à asseoir un si gros bébé dans un si petit récipient. Le futur baptisé n'apprécie pas de se faire mouiller de la sorte, et ses contorsions sont de taille.

En récitant d'interminables prières, l'officiant tente avec sa main gauche de maintenir l'enfant assis dans le bol, tandis qu'avec sa main droite, il l'asperge d'eau bénite sur la tête, le cou et même dans les oreilles, en n'oubliant aucun recoin, tout comme si, profitant de la moindre parcelle de peau laissée sans eau bénite, le diable allait s'infiltrer dans son âme et la dévorer comme de la rouille.

On me tend un bébé dégoulinant qui se débat et hurle de toutes ses forces. Je m'empresse de l'enrouler dans une grande serviette éponge, en le serrant contre moi et en lui bécotant le front pour le consoler. Je l'habille tout en blanc, symbole de pureté, et le ramène à l'officiant. Je réalise avec étonnement que, mis à part le fait de lui poser la main sur l'épaule pour promettre, en son nom, de renoncer à Satan, à ses pompes et à ses œuvres, le parrain n'a pas touché son filleul une seule fois et que c'est toujours à la marraine que revient l'honneur de dévêtir et de revêtir l'enfant ; est-ce vraiment le contraire lorsqu'il s'agit d'une fille ?

Nous voilà prêts pour la grande promenade ; la marraine, encore elle, portant l'enfant dans ses bras, doit faire le tour de l'église, solennellement précédée par l'officiant, accompagnée par le parrain, et suivie par les parents et tous les invités. Chacun doit tenir dans sa main droite un long cierge allumé, symbolisant la pureté du nouveau baptisé. La difficulté consiste à marcher sur des talons hauts, sans m'enfarger dans ma robe longue, et de tenir un cierge allumé dans ma main droite, tout en soutenant de ma man gauche, un bébé de quatre mois qui gigote.

*Mon Dieu, s'il vous plaît, faites que je ne me casse pas la
gueule !*

Le cortège redescend la grande allée jusqu'à la balustrade.
La cérémonie est terminée. La Fée-marraine présente à tous
le nouveau baptisé, qui répondra désormais au doux prénom
de Mathieu.

∞

Lundi 16 octobre

Jacqueline inaugure ce soir les *lundis d'Élise*. Comme les grandes
dames de l'époque romantique, j'aurai désormais *mon jour*. Au
lieu de me languir les soirs où Gilbert doit donner des cours,
j'ai choisi d'égayer mon veuvage en invitant mes amis à venir
faire un tour dans ma balançoire rose.

J'ai cuisiné un souper fin que Gilbert partage avec nous
avant de s'éclipser pour la soirée. Jacqueline a choisi le banc
près de la fenêtre, moi celui près des plantes. Assises l'une en
face de l'autre, nous nous berçons, chacune à son rythme, et
retrouvons spontanément nos soirées de placotage, nos secrets
partagés, nos confidences. Soudain, Jacqueline éclate de rire :

— Élise, te rappelles-tu notre première rencontre *à quatre* ?

Ce souvenir évoque une foule de quiproquos loufoques décri-
vant bien notre façon de vivre au début des années soixante.
Nous étions toutes les deux nouvellement mariées et chacune
venait de donner naissance à son premier bébé. Je me trouvais
tellement chanceuse d'avoir un garçon ; pauvre Jacqueline !
Il me semble encore m'entendre répéter des aberrations du
genre : Sa fille est bien jolie, mais je suis sûre que son mari

aurait préféré un garçon !… C'est normal pour un homme !… Et puis, un garçon, ça commence tellement mieux une famille !… Sans compter que pour le nom…

Après lui avoir tiré l'oreille, j'avais finalement réussi à convaincre Gabriel de m'accompagner chez ma meilleure amie, qui devrait, ce soir-là, nous présenter officiellement son mari et sa fille.

Jacqueline et moi voulions tellement que ce premier souper de couples soit un succès. Nous pressentions intuitivement que, de cette rencontre, dépendait la poursuite de notre amitié. Il fallait à tout prix que nos deux maris se plaisent, sinon… L'idée d'une amitié individuelle ne nous effleurait même pas; nous n'avions pas encore fait la part des choses : c'était *à quatre*, ou *pas du tout* !

Pour la première fois depuis notre mariage, nous allions nous rencontrer en vraies *madames*. Bien sûr, nous avions lu *Marie-Claire* et *Jour de France*, mais nous n'avions pas encore complètement intégré tous les conseils judicieux qui nous étaient donnés. Je portais, comme il convient, ma *petite robe noire toute simple* et mon sautoir de fausses perles qui ressemblaient à s'y méprendre à des vraies. De son côté, Jacqueline s'était cousue, durant la semaine, la *petite robe d'hôtesse du numéro d'octobre*; que fallait-il de plus pour que tout soit parfait ?

Arborant toutes les deux des coiffures *Arlequin* collantes de fixatif et un maquillage à la mode, nous observions nos deux maris qui tentaient désespérément de faire connaissance. L'enjeu était de taille, la vie de couple de chacune en dépendait. Il ne fallait surtout pas que ça rate.

Sachant que le mari de Jacqueline était un homme sérieux, tout absorbé par ses recherches, j'avais recommandé à Gabriel de s'abstenir de parler d'art ou d'archéologie, ses deux passions, et de s'intéresser davantage à *la recherche*. D'autre part, Jacqueline, qui connaissait déjà un peu mon artiste de mari, avait cru bon prévenir le sien de ne pas ennuyer Gabriel avec ses recherches, mais de s'efforcer de faire ressortir au maximum ses *connaissances artistiques*.

Or, ce qui devait arriver arriva : chaque fois que Gabriel feignait s'intéresser à la recherche, le mari de Jacqueline écartait le sujet en amenant Beethoven sur le tapis. Pourquoi Beethoven ? Parce que Jacqueline n'avait pas mentionné de quel art il fallait parler. Gabriel, craignant alors que l'art ne prenne le dessus, renvoyait la balle dans l'autre camp en parlant de n'importe quoi qui ressemblait à de la recherche.

Assises toutes raides sur le divan, Jacqueline et moi observions la scène avec un air découragé. C'était foutu, le contact ne passait pas ; nos deux maris ne deviendraient jamais amis. À tout bout de champ, le mari de Jacqueline regardait sa montre avec insistance, et si Gabriel ne regardait pas la sienne, c'est tout simplement parce qu'il n'en avait pas. Après plusieurs secondes de silence, Gabriel a pris l'offensive :

— Quelle heure est-il ?

Allongeant exagérément le bras pour être bien certain de ne pas se tromper, le mari de Jacqueline a répondu avec un air surpris :

— Il est déjà vingt-deux heures quarante !
— Pas déjà ?

Le mari de Jacqueline a tendu son bras vers Gabriel :

— Tiens, regarde !

À les entendre, on aurait cru qu'il était quatre heures du matin. J'ai regardé mon mari en souriant :

—Nous devrions partir, n'est-ce pas, chéri ?
—Vous partez déjà ?

Nous dit Jacqueline, en allant chercher nos manteaux.

—Vous reviendrez, n'est-ce pas ?

Ajouta-t-elle avant de fermer la porte derrière nous.

J'avais le cœur gros. Je descendais l'escalier en ravalant mes larmes. Que s'était-il passé ? Jacqueline et moi avions tout simplement voulu diriger la vie de nos maris en leur disant quoi dire et comment le dire, étouffant dans l'œuf toute spontanéité.

Jacqueline est morte de rire et moi j'en ai des crampes.

—Non, mais, réalises-tu à quel point nous étions dépendantes ?
—Nous attendions vraiment d'un mari qu'il fasse notre bonheur.
—Et nous ne pouvions être heureuses que si nos maris partageaient ce bonheur.
—Nous permettre des amitiés individuelles, c'était leur en permettre aussi, et ça nous faisait peur.
—Il n'était pas question que l'un des deux aille quelque part sans l'autre, la survie du couple en dépendait.
—Nous rêvions de symbiose et d'amour exclusif…
—Pauvres folles !

Heureusement nos hommes se sont repris par la suite, si l'on en juge par toutes ces soirées *à quatre* qui se sont terminées aux petites heures du matin. Que reste-t-il des deux petites *madames parfaites* ?

— Quand je pense à toutes les contorsions que nous avons dû faire pour nous conformer aux normes de beauté des magazines… Élise, te souviens-tu de nos masques aux blancs d'œufs ?

— Et de nos masques aux concombres ? Quand nous nous beurrions la figure de miel, en recouvrant le tout de minces tranches de concombre ; une concoction qui devait avoir pour effet de reposer la peau, de la régénérer et de nous donner un teint de nymphe.

— Certains jours, tu te rappelles, nous nous allongions sur le plancher, une poche de thé mouillée sur chaque paupière pour éviter les rides, les pieds en l'air pour avoir de belles jambes, et une pile de livres sur le ventre pour stimuler nos muscles !

Par ici, voyez Jacqueline et Élise, les femmes-orchestres de la forme physique !

— Quand je pense que nous avons pleuré ensemble pour quelques centimètres de tour de taille !

Jacqueline se tapote la figure d'un air espiègle :

— Jacqueline, chère Jacqueline ! je t'aime comme tu es !

J'imite son geste en me pinçant les joues :

— Élise, chère Élise, je t'aime comme tu es !

En rentrant, Gilbert surprend deux vraies folles, tordues de rire, qui se balancent comme deux fillettes *lâchées lousse* dans un parc.

— Bonjour ! bonjour !

Quand je lui tends les bras, il nous rejoint dans la balançoire, trop heureux de partager nos rires et nos moqueries. À le voir se bidonner, je soupçonne qu'il a dû, lui aussi, se forcer quelquefois pour rentrer dans un moule.

∞

Dimanche 22 octobre

L'été indien tire à sa fin et l'automne nous offre les derniers accords d'une symphonie sublime. Un hommage à la vie qui prend une pause avant le long sommeil de l'hiver. Je me rappelle qu'à cette époque, l'année dernière, je parcourais sans joie les sentiers du mont Royal. Entraînée par mes deux copines, je me languissais et peuplais ma solitude, sans me douter que je n'étais qu'à quelques jours, qu'à quelques heures, de ma rencontre avec Gilbert.

Aujourd'hui, je refais le même parcours, main dans la main avec l'homme que j'aime. Le craquement des feuilles mortes sous nos pas, le vent dans nos cheveux, le bras de Gilbert enlaçant tendrement mon épaule, tout me semble participer au bonheur d'être ensemble. Gilbert s'arrête, me prend dans ses bras et me murmure à l'oreille :

— Si tu savais comme je suis content !

Je suis content ! Ces mots répétés plusieurs fois, le jour de notre première rencontre, pour signifier sa joie d'avoir enfin trouvé quelqu'un qui l'aide à partager sa tâche, il les répète aujourd'hui dans un tout autre sens. Il est *content* et ça se voit. Ses yeux pétillent. Je l'embrasse et lui rends sa caresse.

— Moi aussi, tu sais, je suis contente !

Je retrouve auprès de cet homme ma capacité d'émerveillement. Je goûte à chaque minute, chaque seconde, chaque
instant, l'indescriptible volupté d'être vivante.

— Aïe !
— Ton genou te fait mal ?
— Un peu, oui.

Je connais assez bien Gilbert pour deviner que lorsqu'il dit
un peu, ça veut dire *beaucoup*.

Nous redescendons très lentement vers le Château. Mélanie
s'est retirée dans sa chambre pour écouter de la musique. Gilbert
allonge ses jambes sur le divan, puis se détend en lisant un
bon livre. Je fais de même. Nous profitons des dernières heures
de ce dimanche pour nous plonger dans un roman qui nous
passionne. En sourdine, le 4ᵉ concerto de Mozart berce ces
instants inestimables. Mélanie sort de sa chambre.

— Maman, j'ai envie de jouer au scrabble !
— Bonne idée !
— Est-ce que je peux jouer aussi ?

Nous approchons la table près du divan pour permettre à
Gilbert de jouer sans déplacer sa jambe. Mélanie est heureuse.
Elle se sent aimée, entourée, et retrouve spontanément le plaisir
des dimanches de son enfance, alors que sa vie était douce, à
l'abri des orages.

~ ∞ ~

Vendredi 27 octobre…

Gilbert est surchargé de travail et c'est à peine si nous avons
le temps de nous retrouver à la cafétéria pour dîner. Tous les

patients qui devaient être vus avant Noël, l'auront été au moment de l'hospitalisation de Gilbert, prévue dans quelques semaines. Il est temps que cette intervention soit faite; son genou lui cause des douleurs difficilement supportables, et il a du mal à conduire sa voiture.

Je jette distraitement un coup d'œil au calendrier : vendredi 27 octobre… Vingt-sept octobre ! Un an ! Il y a un an, jour pour jour, je me présentais timidement au bureau du docteur Gilbert Gauthier, en espérant de toutes mes forces obtenir cet emploi de trois mois qui me permettrait de quitter Biarritz pour un appartement plus grand. Je n'en demandais pas plus, juste de quoi faire le grand saut sans me casser le cou.

Gilbert m'appelle au micro : *Élise, voulez-vous, s'il vous plaît, m'apporter le dossier Dumouchel !* Le *vous* me fait sourire. J'entre dans son bureau avec le dossier désiré. Il est seul et sérieusement penché sur ses papiers. Je pense encore : *mon Dieu comme il est beau !* Et j'éprouve en le regardant la même sensation de bien-être que la première fois où je l'ai vu. Quand il sent mon regard posé sur lui, Gilbert relève la tête :

—Que se passe-t-il ?
—Rien, je te regardais… tu es beau !

Il rougit. Il rougit toujours quand je lui dis qu'il est beau.

—Sais-tu que c'est notre anniversaire ?
—Quel anniversaire ?
—Un an !
—Déjà ? Mais c'était hier !
—Gilbert, je suis contente !

— Moi aussi, Élise, je suis content ! Si tu savais... Un an !
Déjà un an ! Il faut fêter ça ! Après le bureau, je t'enlève, et
nous allons souper tous les deux seuls, en amoureux !

Quel autre endroit que *Le Péché Véniel* pour célébrer en
beauté cette date mémorable ? Les patrons ont dressé et fleuri
notre table, près du foyer : tout est parfait ! Nous sommes
heureux...

Mais à quoi servent les anniversaires ? À peine arrivés, nous
constatons, tous les deux, que nous n'avons plus du tout envie
que le temps s'arrête. La vie n'est pas un cercle mais une
spirale, sans point de retour. Un instant qui avance vers l'infini
sans jamais revenir sur ses pas. Serait-ce la peur de l'inconnu
qui nous porte à déposer des pierres blanches çà et là sur la
route, comme autant de balises nous ramenant à nous-même ?
Je ne veux plus tourner en rond pour me retrouver à périodes
fixes face à face avec mon passé, uniquement pour le plaisir de
compter les années.

Anniversaires de rencontre, de fiançailles, de mariage...
je n'avais jamais pu définir exactement le malaise que je ressentais dans chacune de ces circonstances. Ce soir, pour la
première fois, j'arrive à mettre le doigt sur le bobo. Quand on
se retrouve à deux pour célébrer un anniversaire commun, ne
cherche-t-on pas, inconsciemment, une espère de symbiose ?
On veut croire que l'autre se trouve exactement sur la même
longueur d'onde ; or, deux êtres humains, si près soient-ils l'un
de l'autre, ne peuvent avoir exactement la même perception
d'une même chose, au même moment ; encore moins si cette
chose est programmée d'avance. Ces soirs-là, nous attendons
fébrilement que *quelque chose se passe*, un peu comme par magie.
Le moindre retard, la moindre petite faille au programme, et

tout s'écroule. Une goutte de pluie, une entrecôte trop cuite, et c'est la catastrophe ! Et si, par malheur, l'autre ne répond pas exactement à nos attentes, le château de cartes s'effondre, ternissant du même coup, et pour toujours, nos plus chers souvenirs.

— Gilbert, je n'ai vraiment plus envie que cette soirée soit spéciale. Je veux retrouver le Gilbert de tous les jours, celui qui me parle amicalement, me regarde tendrement, et m'aime profondément.

— Tu as raison, célébrons simplement la journée d'aujourd'hui pour ce qu'elle est, et pour ce qu'elle nous apporte.

Nous quittons le restaurant et poursuivons la soirée en faisant du lèche-vitrines le long de la rue Saint-Denis. Nous redevenons Élise et Gilbert, deux amoureux perdus dans la foule anonyme. Nous retrouvons notre capacité d'émerveillement, et le bonheur de savourer l'instant qui passe. Plus jamais d'anniversaires de couple, plus jamais de voyages à contre-courant; car il est un seul temps pour vivre, et il est sans retour.

∽

Samedi 4 novembre

Novembre, le mois des morts, le *mois triste*, comme disait ma grand-mère. Les journées raccourcissent, la brunante tombe de bonne heure, et le sifflement du vent dans les arbres dénudé s'amuse à faire peur aux bonnes âmes qui croient encore aux revenants.

Fidèle à ma promesse d'habiller Alexandre avec l'argent que m'envoient mensuellement nos deux généreux gouvernements, j'ai donné rendez-vous à mon fils à la sortie du métro, à proximité des grands magasins du centre-ville.

Je l'aperçois de loin : comme il a grandi ! Je ne l'ai pas vu depuis quelques semaines et la différence me frappe. Il me dépasse maintenant de plusieurs centimètres, si bien que son expression *petite mère*, toujours aussi agaçante, devient mieux appropriée.

Nous partons tous les deux à la chasse aux aubaines. Contrairement à la plupart des jeunes de son âge, Alexandre n'aime ni les jeans, ni les vêtements de sport. Il rêve de s'acheter un paletot. Si je l'écoutais, il choisirait un long manteau à la Sherlock Holmes ou bien une grande cape noire doublée de satin rouge semblable à celle du Fantôme de l'Opéra.

— Puis-je me permettre de te rappeler que tu vas encore à l'école, et que l'hiver, chez nous, il faut compter avec la *sloche* ?

Il opte finalement pour un paletot beige, supposément pas salissant, d'une ligne sobre qui lui va à ravir. Comme le prix est raisonnable, je peux me permettre de lui offrir le foulard dont il a envie. Il hésite entre le brun et le vert :

— Allez, achète les deux ! Au moins je ne craindrai pas que tu prennes froid.

— Merci, petite mère !

Je l'invite à souper au Château. Seul chef dans la cuisine durant tout l'après-midi, Gilbert a pris le temps de laisser mijoter cette délicieuse sauce à spaghettis, dont lui seul a le secret. Nous n'avons plus qu'à passer à table. Durant le repas, Alexandre nous avoue avoir quitté l'armée, malgré l'opposition de son père qui se voyait déjà avec un fils amiral.

Contrairement à nos habitudes, Mélanie a ouvert la télévision. Alexandre y jette parfois un coup d'œil distrait. Soudain, son regard est attiré par un certain docteur *Alfred Tomatis* qui parle avec calme et assurance de sa célèbre thérapie de l'écoute.

— Ça, c'est exactement le genre de bonhomme que j'aimerais rencontrer !

Cette réaction inattendue m'incite à prêter davantage attention aux propos de cet illustre spécialiste, cet extraordinaire phénomène, qui arrive à capter l'attention d'Alexandre. L'émission se déroule sur le ton de la confidence. Je partage rapidement l'enthousiasme du commentateur, qui semble lui-même emballé par les propos de cet homme à l'esprit vif continuellement à l'affût d'une nouvelle découverte. Il nous parle abondamment de sa thérapie pour le moins révolutionnaire. Longtemps après la fin du reportage, nous reprenons ses paroles et analysons ses propos à la lumière de nos faibles connaissances.

Alexandre est vraisemblablement tombé sous le charme de cet homme. Par contre, Gilbert exprime quelques réserves : il faudra s'informer, demander l'avis de certains confrères ; enfin, c'est à voir ! Dans mon for intérieur, je me promets de procéder à ma petite enquête personnelle visant à récolter tous les renseignements susceptibles de nous éclairer. Et Dieu dit : *Que la Lumière soit ! Et la Lumière fut !* Je constate pour la première fois que la Parole est au présent et l'action au passé. Dès l'instant où la Parole est prononcée, la réponse est déjà donnée ! Il ne me reste qu'à trouver la bonne thérapie avec le bon thérapeute.

Élise, chère Élise, tu tires encore sur les carottes !

Mardi 15 novembre

Gilbert travaille à l'urgence, ce matin. Profitant de l'heure du lunch, je fais un saut à la librairie pour prendre livraison du livre : *L'oreille et la vie*, d'Alfred Tomatis, que j'avais commandé depuis déjà plus d'une semaine.

J'achète un lunch rapide à la cantine, puis je retourne à la Clinique, où, bien calée dans le fauteuil du patron, je commence ma lecture en attendant l'arrivée du premier patient. Ce que je découvre est tellement passionnant que si ce n'était de mon travail qui me rappelle à l'ordre, je passerais la journée à dévorer ce livre, et on me retrouverait lisant encore à la tombée de la nuit.

J'exécute mon travail en n'ayant qu'une idée en tête : retourner au Château et terminer ma lecture. Je ne peux d'ailleurs pas résister à la tentation d'ouvrir mon livre de temps en temps, pour saisir quelques lignes et en savoir un peu plus long. J'y retrouve Alexandre avec ses problèmes d'apprentissage, ses difficultés scolaires, sa dyslexie et même sa gaucherie : tout est là, noir sur blanc !

Je parle abondamment de ma découverte à Gilbert qui, influencé par l'opinion de ses savants confrères, se charge de refroidir mon enthousiasme. On lui a dit : *C'est un fumiste !... Sa thérapie n'est pas assez rôdée !... Il n'y a rien de prouvé !...* Et, malgré lui, ces commentaires le laissent perplexe.

— Écoute, Gilbert, je te demande seulement de lire ce livre, après nous en reparlerons, d'accord ?

— C'est d'accord !

— De toute façon, j'ai beau scruter le bottin téléphonique, je n'arrive pas à trouver la moindre trace ni d'Alfred Tomatis, ni de son centre. J'ai même interrogé certains de tes confrères ;

tous sont d'accord pour discuter sa thérapie et mettre en doute sa méthode, mais aucun ne peut me dire où il niche.

Ne sachant toujours pas où m'adresser, j'ai renoncé à cette recherche effrénée qui m'animait les premiers jours; en temps et lieu, je trouverai bien.

Au milieu de l'après-midi, Gilbert m'interpelle au micro:

— Élise, pourriez-vous rejoindre le docteur Lambert au Centre de Recherches cliniques?

Comme je ne connais pas le numéro par cœur, je prends l'annuaire et cherche à la lettre C: Centre… Centre d'armoires de cuisine… Centre d'astrologie… Centre d'audio… Et si c'était là? Mes yeux restent accrochés à ces mots durant quelques secondes; j'ai cherché: Centre Tomatis… Centre Alfred Tomatis… Institut Tomatis… Institut Alfred Tomatis… sans succès. Se pourrait-il que ce soit le centre que je cherche?

Oubliant pour l'instant le docteur Lambert, je compose nerveusement le numéro indiqué: c'est exact, la méthode employée dans ce Centre est bien celle du célèbre docteur Tomatis! Je n'en crois pas mes oreilles. Sans hésiter une seconde, je prends rendez-vous pour mercredi, dix-neuf heures.

Je surveille la sortie du patient et j'entre en trombe dans le bureau de Gilbert

— Euréka! J'ai trouvé!
— Tu as trouvé quoi?
— Le Centre, voyons! Le Centre d'audio du docteur Tomatis! On m'a fixé un rendez-vous demain soir à dix-neuf heures…
— Déjà?

—Écoute, Gilbert, je ne me demande pas si c'est le bon endroit pour Alexandre : j'en suis certaine !

—De toute façon, il y a longtemps que j'ai renoncé à me battre avec ta jument ; il ne te reste plus qu'à convaincre Alexandre.

Élise, chère Élise, souviens-toi que ton fils doit s'impliquer lui-même, sans quoi toute tentative de thérapie est inutile.

Je rejoins Alexandre chez son père. Il paraît d'abord surpris de ma démarche puis se ravise et accepte finalement d'assister à cette première entrevue. Je dirais même qu'il semble la désirer presque autant que moi.

—Alors, c'est entendu, nous nous rencontrerons directement au Centre d'audio… rue Cherrier, à deux pas du métro.

—Oui, oui, je sais.

—Alors, à…

—Minute, maman, j'ai une nouvelle à t'annoncer.

—Quoi donc ?

—Papa a été très malade.

—C'est vrai ?

—La consigne était de ne pas t'en parler, mais j'aime mieux te le dire ; enfin, ne le répète pas, mais… papa ne boit plus ! Rien, pas une goutte depuis deux semaines.

—Je te remercie de me l'avoir dit… à demain.

Gabriel ne boit plus. Même si cette nouvelle me fait plaisir, elle ne me touche pas autant que je l'aurais cru. J'ai tellement attendu ce jour-là que j'ose à peine y croire. Je me rappelle un temps, pas si lointain, où la seule pensée qu'une autre femme puisse avoir la joie de voir mon Gabriel parvenir à la sobriété aurait suffi à me mettre dans un état de rage indescriptible. Aujourd'hui, peu m'importe que Gabriel ait cessé de boire pour l'une ou pour l'autre, puisque je sais qu'on n'arrête jamais de boire que pour soi. L'important c'est que Gabriel soit sobre et qu'il persévère dans cette sobriété afin de recouvrer sa santé.

Dieu sait pourtant combien j'aurais aimé diriger la vie de Gabriel; être *Élise le bon Ange Gardien de Gabriel*, celle qui guide ses pensées, le contrôle dans tous ses actes et l'entraîne à suivre la bonne voie, c'est-à-dire : la mienne ! Heureusement, j'ai appris qu'on ne peut diriger personne, et qu'on ne peut changer que soi.

Élise, chère Élise, pourtant, tu essaies encore de diriger Alexandre !

∽

Mercredi 22 novembre

Piqué par la curiosité, Gilbert a décidé de m'accompagner au Centre d'audio. Alexandre fait les cent pas devant la porte. J'avoue que je m'attendais à du tape-à-l'œil : moquette luxueuse, musique de fond et mise en scène de magazine. Ici, rien de tel, un décor simple et sobre qui prédispose à la détente et à l'écoute. La directrice nous accueille; ce n'est pas une cover-girl mais une toute jeune femme, enceinte d'environ cinq mois, qui nous explique en quelques mots, le fonctionnement du Centre d'audio et l'application de ce qu'ils appellent : la *méthode Tomatis,*

Elle nous invite ensuite à rencontrer le consultant, qui s'occupera personnellement d'Alexandre. Nous faisons la connaissance d'un homme charmant, d'une stature imposante, impressionnant par sa simplicité et sa cordialité. Il nous parle du docteur Tomatis et de sa thérapie de l'écoute. Il s'exprime clairement, parle très lentement, et s'adresse toujours directement à Alexandre qui suit attentivement toutes les données que cet homme lui expose. Il prend le temps de lui expliquer les diverses phases par lesquelles il devrait passer, de même que les difficultés qu'il devrait surmonter. Puis, désirant rester un moment seul avec *son sujet*, il nous demande de bien vouloir nous retirer dans l'antichambre pour le reste de l'entrevue.

Au bout d'un quart d'heure, Alexandre revient vers nous.

—Ça m'intéresse, j'embarque !

Le consultant l'arrête :

—Pas si vite, mon garçon, donne-toi au moins quelques jours pour y penser. Quand tu seras bien décidé, tu n'auras qu'à m'appeler.

Il serait facile pour cet homme d'insister pour boucler sa vente sur le champ; mais non, tel qu'on me l'a mentionné au téléphone, cette première entrevue coûte cinquante dollars : c'est tout. Aucune promesse écrite, aucun acompte; si Alexandre revient, on lui facturera les cassettes écoutées au fur et à mesure, sans dépôt préalable, sans engagement pour le futur. Cette attitude me plaît. Bien sûr, je suis consciente que cette thérapie risque de me coûter cher, mais si Alexandre en profite, je suis prête à en payer le prix. Je suis de plus en plus convaincue d'avoir frappé à la bonne porte.

Gilbert pose quelques questions d'ordre médical et les réponses qu'on lui fait dissipent ses derniers doutes. Il croit, tout comme moi, que nous n'avons plus rien à perdre puisque Alexandre semble accrocher à cette méthode. Nous repartons tous les trois enchantés de notre rencontre.

∞

Vendredi 8 décembre

Gilbert a été hospitalisé hier soir et l'opération était prévue pour huit heures ce matin ; il est dix heures, et je compte les minutes en attendant le téléphone de l'infirmière qui a promis de me donner des nouvelles aussitôt qu'il sera de retour dans sa chambre. Fidèle à mon habitude de faire dans les moments critiques exactement ce que j'aurais fait autrement, je me suis rendue à la Clinique ; enfin, mon corps y est, mais mon esprit erre ailleurs, quelque part dans un hôpital où l'homme que j'aime est endormi, à la merci de ses éminents confrères qui s'affairent autour de lui.

Depuis plus d'une heure, je reste là, clouée sur ma chaise, n'osant délaisser mon poste au cas où…

Élise chère Élise, tu attendras donc toujours ?

Non, je n'attends pas vraiment, du moins pas de cette attente qui vous ronge le corps et le cœur. Je suis seulement un peu inquiète parce que Gilbert a déjà réagi négativement aux effets d'une anesthésie.

Onze heures ! Il faut absolument que je me change les idées. J'attrape un livre dans mon sac, et je lis : *Quelques-unes de vos blessures ont guéri, vous avez même survécu aux plus cruelles ; mais que de tourments vous avez endurés pour des maux qui ne vous sont jamais arrivés !* Il ne m'en faut pas plus pour me remettre en piste. J'ai l'esprit plus tranquille.

Je fais les cent pas au coin de la rue en attendant un autobus qui ne vient pas. Il fait terriblement froid ! J'entre dans une pharmacie pour me réchauffer. Je regarde distraitement un étalage de revues quand mon regard est arrêté par un simple livre de poche déposé là comme par hasard : *Du côté de chez Swann*, le premier tome de la série *À la recherche du temps perdu* de Marcel Proust. Je pense à Fernand et m'empare du bouquin comme d'un secret, à croire que tous les clients n'ont d'yeux que pour ma découverte. L'autobus tourne le coin de la rue, je paye et m'assois en serrant mon livre contre ma poitrine.

Fernand, mon cher Fernand, ce soir je tiendrai ma promesse et lirai Proust à ta mémoire. Assise sur la banquette avant de l'autobus, la tête appuyée sur la vitre givrée reflétant mon image, je pense à Fernand et me souviens avec tendresse de ses propos sur la valeur du temps qui passe : *La vie ne se comprend que comprise !* m'avait-il dit un soir de tristesse. Avait-il lu ça quelque part ? Prévoyait-il sa fin prochaine ? Qui sait ? Comme il en a coulé de l'eau depuis ce temps à la fois si lointain et si présent ! Je feuillette les pages de mon livre sans oser en commencer la lecture, me réservant ce plaisir pour plus tard, tout à l'heure, dans mon lit !

Élise, chère Élise, tout se croise dans la Vie !

∞

Lundi 11 décembre

Mon amour revient au Château ! J'aide Gilbert à descendre en fauteuil roulant et à prendre place dans un taxi. Blottie contre lui, je retrouve avec joie sa présence familière, la douceur de ses mains, le goût de ses lèvres. Le chauffeur nous regarde avec un air complice ; nous sommes des amoureux comme il en a vu mille.

Enfin chez nous ! Gilbert éprouve de la difficulté à se promener avec ses béquilles. Je le guide jusqu'à la chambre et l'installe comme un toutou au milieu du lit, entouré d'une bonne demi-douzaine de coussins moelleux.

—Ne bouge pas, je vais nous préparer un petit gueuleton !

Je dresse un plateau avec plein de bonnes choses à bouffer, puis je me glisse à ses côtés et nous grignotons tous les deux en savourant nos retrouvailles.

—Je t'aime, Élise !
—Moi aussi, je t'aime !
—Est-ce que je peux venir avec vous ?

Mélanie revient de l'école et nous rejoint. Allongée au pied du lit, elle nous raconte sa journée avec un enthousiasme débordant. Que nous sommes bien, tous les trois, réunis dans cette chambre. Nous menons une vie calme, sans cris, sans chicanes, à cent lieues des tempêtes tropicales.

—Maman, sais-tu ce que j'aimerais faire ?
—Aucune idée !
—Je voudrais sortir les décorations de Noël !
—Déjà ?
—Noël c'est dans deux semaines !
—C'est pourtant vrai !
—Tu veux ?
—D'accord !

Mélanie se précipite au sous-sol où se trouve notre casier, puis revient les bras chargés d'une énorme boîte contenant les décorations rapportées de Versailles. Nous déposons la boîte sur le lit afin que Gilbert puisse participer à notre fête. Nous faisons des découvertes et retrouvons avec joie des trésors oubliés; une foule de petits riens qui sont autant de souvenirs : deux petits soldats en habits de velours, un tambour perlé, quelques boules de satin rose, des guirlandes un peu ternies par le temps…

Mélanie retrouve son âme d'enfant et s'amuse de tout ce qu'elle découvre. Gilbert s'affaire à démêler un nœud de petites lumières multicolores qui s'allument et s'éteignent allégrement sur la couverture, formant sur le plafond et sur les murs un kaléidoscope géant. La chambre devient soudain un immense arbre de Noël. Mélanie met un disque de circonstance et nous faisons la fête.

Je rêve d'un Noël tout blanc…

∞

Mercredi 13 décembre

Je me rends à la Clinique, comme tous les matins, pour prendre le courrier et répondre aux messages. Toutes les secrétaires ont décoré leur bureau, tandis que le mien reste triste et sans joie. En fouillant dans les armoires, je trouve un énorme Père Noël en carton que je colle sur ma porte, puis je repars le cœur content.

Alexandre a commencé sa thérapie au Centre d'audio et, d'après ce qu'il m'en a dit au téléphone, il se sent déjà plus calme, plus reposé, il dort mieux. La musique filtrée a, paraît-il, le pouvoir d'adoucir les mœurs.

Aujourd'hui, c'est mon tour. On m'a convoquée pour une séance d'enregistrement. À l'aide d'une bobine, ma voix sera retransmise en sons filtrés à Alexandre, qui l'entendra exactement comme il l'entendait dans mon utérus. C'est une expérience fascinante ! Je suis aussi émue que si je portais mon fils à nouveau dans mon ventre ; je redeviens enceinte de mon bébé de dix-sept ans.

J'arrive un peu en avance afin de relire une dernière fois *Le Petit Prince* de Saint-Exupéry que j'ai choisi pour faire ce test. On m'installe dans une pièce minuscule où je peux à peine bouger. Je mets les écouteurs et m'approche tout près du micro placé à l'extrême droite de ma bouche ; la séance d'enregistrement commence.

Jamais je n'ai entendu ma voix avec une telle pureté ; le ton est juste et la moindre défaillance dans l'intonation me revient clairement à l'oreille. J'adore réciter ce texte magnifique : la rose… le renard… *L'essentiel est invisible pour les yeux… C'est le temps que tu as perdu pour ta rose qui fait ta rose si importante…* Je me grise de tous ces mots remplis de poésie. J'ai la sensation d'être sur le point d'apprivoiser Alexandre : *Tu deviens responsable pour toujours de ce que tu as apprivoisé…*

—C'est terminé, madame, vous pouvez sortir !

Je rencontre le consultant qui m'explique le processus technique par lequel ma voix deviendra inaudible à Alexandre, qui n'entendra qu'une espèce de grincement familier. À un certain moment, on lui fera vivre l'accouchement sonique, en faisant passer ma voix graduellement du son filtré au son réel. Cette expérience m'emballe de plus en plus.

—Quand déciderez-vous du moment de le faire renaître ?
—C'est Alexandre qui nous le demandera !
—Et s'il ne le demandait pas ?

Le consultant me regarde en souriant d'un air malin :

—Ils le demandent toujours.

Je me sens complètement transformée, à croire que cette séance d'enregistrement m'a rendue plus lucide. J'ai le cerveau clair ! Je marche jusqu'au métro en récitant *Le Petit Prince*.

∞

Vendredi 15 décembre

En quittant la Clinique, j'arrête à l'épicerie. J'ai perdu l'habitude de faire mon marché sans auto et je me laisse tenter par toutes sortes de bonnes choses. Je reviens au Château chargée comme un mulet.

—Coucou ! C'est moi !
—Bonjour ! bonjour !

Gilbert est dans la cuisine. Il a installé sa chaise près de l'évier et lave la vaisselle avec Mélanie. Depuis qu'il est en convalescence, il ne sait plus quoi faire de ses journées. Il tourne en rond. Je m'aperçois à quel point j'apprécie son aide dans la maison. Nous partageons toutes les tâches domestiques; c'est une merveilleuse habitude qui se prend très, très, très vite.

—Il n'y a rien de spécial ?
—Oh ! oui, Alexandre a téléphoné. Il participe ce soir à une exposition d'artisanat, et il voudrait que tu ailles y faire un tour.
—C'est où son truc ?
—À son école.
—Oh la, la, c'est loin !
—Veux-tu que j'y aille avec toi, maman ?

La proposition de Mélanie me redonne du courage. Je n'avais pas envie de sortir seule, mais avec elle c'est différent.

Il fait un temps épouvantable ! Une petite neige mouillante transforme en boue glissante les quelques pouces de neige déjà tombés. En traversant la grande cour de l'école, la chaussée est si glissante que j'ai du mal à me tenir sur mes jambes. Mélanie rit et se moque de moi en me traitant de *petite vieille*.

La salle d'exposition est située au deuxième étage. Il y a beaucoup de monde et nous devons nous frayer un chemin jusqu'au kiosque où Alexandre expose une série de masques fabriqués à même des noix de coco. Je suis agréablement surprise par la qualité de son travail. Dans l'ensemble, on peut dire que c'est une exposition réussie.

Une jeune femme brune passe quelques commentaires élogieux à l'endroit des travaux d'Alexandre. Elle semble le connaître assez intimement et paraît apprécier grandement ce qu'il fait. J'en conclus qu'il s'agit probablement d'un de ses professeurs. Soudain, je sens un mouvement de foule derrière moi.

— Bonsoir, *mon chérie* !

Merde ! la pensée d'une rencontre avec *mon Ex* ne m'avait même pas effleuré l'esprit. Gabriel s'approche, me prend par les épaules, me serre contre lui et m'embrasse affectueusement. La femme brune nous regarde d'un air étonné :

— Vous vous connaissez ?

Et Gabriel de lui répondre :

— Mais bien sûr que je la connais, c'est Élise, c'est *ma femme* !

Puis, il se retourne vers moi en prenant un air navré :

— Excuse-moi, *mon chérie*, j'oubliais que tu ne connaissais pas Ann-Lyz !

Je reste sans voix, j'ai les deux jambes coupées ; figée sur place, je ne peux ni parler, ni m'enfuir. Gabriel faire les présentations d'une voix théâtrale : Élise, je te présente Ann-Lyz ! Ann-Lyz, je te présente Élise ! Je réalise pour la première fois à quel point nos deux prénoms se ressemblent : Élise, Ann-Lyz, Ann-Lyz, Élise ! De loin, quelques amis d'Alexandre surveillent la scène en rigolant.

Élise, chère Élise, cette femme-là n'est pas dans ta vie.

Une fois le premier choc passé, je me surprends à parler à cette femme exactement comme si je parlais à n'importe quelle autre personne qu'on viendrait de me présenter. Il faut dire que je ne l'imaginais pas du tout comme ça ; on ne les imagine jamais *comme ça* ! Elle est très jolie mais n'a rien d'une poupée ; c'est une femme ordinaire, en chair et en os, visiblement très amoureuse de Gabriel. Un Gabriel qui tourbillonne entre elle et moi comme un papillon entre deux flammes.

Il s'adresse à elle :

— *Fille*, as-tu vu cette courtepointe ?

Puis il se retourne vers moi :

— Et toi, *mon chérie*, tu as vu cette courtepointe ?

Il l'appelle *fille* et m'appelle *mon chérie* ! Il ne changera donc jamais ? Si, pourtant, il a changé, je lui trouve l'air reposé. On commence à remarquer les bienfaits de sa sobriété nouvelle ; tant mieux pour lui... et tant mieux pour elle !

Élise, chère Élise, serais-tu enfin devenue une femme libre ?

Je suis là, face à cette jeune femme simple et élégante, et n'éprouve nulle envie d'être son ennemie. Je dirais même que je la trouve plutôt gentille. Comment en suis-je arrivée là ? Cette *idée* qui m'a tant fait souffrir, ce *fantôme* que j'aurais volontiers écrabouillé, ce *spectre* que j'ai traité de tous les noms, cette *autre*, ennemie entre toutes, que j'avais la prétention de pouvoir identifier entre mille, et à qui je rêvais de crever les yeux, et de plumer les ailes, et le cou, et la tête… elle est là, devant moi, et je n'éprouve aucune colère, aucune idée de vengeance : je ne la reconnais pas.

Je m'éloigne du kiosque d'Alexandre et rejoins Mélanie qui se perd déjà dans les dédales de l'exposition. Nous continuons la visite ensemble. J'ai besoin de me ressaisir, de m'éloigner de Gabriel et d'Ann-Lyz. Au tournant d'une allée, Gabriel me rejoint, me prend le bras et m'entraîne à l'écart :

— Mon *chérie*, j'ai à te parler !
— Que se passe-t-il ?
— J'ai quelques chose d'important à te dire.
— De quoi s'agit-il ?
— J'ai pensé qu'il serait préférable que je te l'apprenne moi-même.
— Mais de quoi parles-tu ?
— J'épouse Ann-Lyz… voilà !

Il a dit : *voilà !* avec la désinvolture de celui qui vient de se soulager d'un poids énorme. Je le regarde sans ajouter un mot. Gabriel, l'homme que j'ai tant aimé, le père de mes deux enfants, m'annonce qu'il épouse une autre femme et je ne sais rien faire d'autre que de le regarder. Planté là, devant moi, il attend une réaction qui ne vient pas, parce que je ne ressens rien, vraiment rien, aucune douleur, aucune peine. Cet homme a partagé près de vingt ans de ma vie, mais c'est fini, bien fini : Gabriel n'est plus dans ma vie ! Pour ce qui est d'Ann-Lyz, elle n'a jamais été dans ma vie, si ce n'est dans la mesure où je lui ai permis d'entrer. Que Gabriel l'épouse ou pas, je m'en fiche.

— Alors ? Tu ne dis rien ?
— Que veux-tu que je te dise ? Tu es libre.
— Je sais, mais je voulais également te dire que Ann-Lyz et moi, nous projetons un grand voyage… au Brésil…
— Au Brésil ?

Je n'ose lui demander avec quel argent ? Peut-être que sa future femme est riche !

— Nous partirions peut-être six mois… peut-être un an…
— Un an ?
— Tu sais que j'en rêve depuis toujours.
— Et Alexandre ?
— Il aura dix-huit ans, il se débrouillera !

Je ne veux plus l'écouter davantage. Je le laisse à son rêve et retourne vers Mélanie. Il est grand temps de quitter la place.

Un poids énorme vient de retomber sur mes épaules. Le souvenir des crises d'Alexandre, son départ, sa décision d'aller vivre avec son père… J'ai des crampes dans le ventre comme au temps de mon hospitalisation.

Une espèce de bourdonnement de rage m'envahit. Alexandre aura dix-huit ans ! La belle affaire ! Et comment fera-t-il pour se débrouiller si personne ne l'aide ? Que fait-on d'un adolescent qui a peur de devenir un homme ? On lui donne sa majorité et on s'en lave les mains ! À dix-huit ans, plus question qu'il aille en institution ou dans un centre d'accueil, alors où ira-t-il ? Les portes se fermeront une à une, son dossier sera détruit et on le remettra, pieds et poings liés à son nouveau monde, le merveilleux monde des adultes ! Il me revient en mémoire une petite phrase lue au hasard dans une revue *pour adultes* : un monsieur regardant déambuler des putains offrant leurs services aux passants s'écriait : *Bienheureuse majorité à dix-huit ans qui nous permet enfin de goûter à de la morue fraîche !* De la *morue fraîche* ! Nos filles et nos fils sont devenus de la morue fraîche pour toute une bande d'exploiteurs : trafiquants de drogues, tenanciers de bar, propagateurs de pornographie.

Plusieurs jeunes vivent une crise et, au plus fort de cette crise, on leur déclare : *Vous êtes majeurs !* Et ils le croient. En devançant l'âge de la majorité de vingt et un à dix-huit ans, on a joué un bien vilain tour aux adolescents : on leur a volé trois ans !

Ah ! nos hommes politiques savaient ce qu'ils faisaient en laissant miroiter aux yeux des jeunes une utopique majorité, au nom d'une société soi-disant juste.

À peine ont-ils seize ou dix-sept ans qu'on leur tend déjà cet appât chatoyant : ils peuvent envoyer tout le monde chez le diable, ils seront *majeurs* à dix-huit ans ! Ils entrevoient dès lors cette prochaine majorité comme l'ultime délivrance, symbole de leur liberté et consécration de leur indépendance. Quand l'heure arrive, la peur les poigne : leur père peut les *sacrer dehors*, la société peut les appeler à témoigner, voire les enrôler : *Ils sont majeurs !* Il y a de quoi paniquer. On a fait d'eux des adultes avant l'heure en leur accordant en retour le droit d'être admis dans les bars et de regarder des films pornos. On leur donne également l'ordre d'être des femmes et des hommes autonomes, de se prendre en mains, sans pour autant leur en fournir les moyens. Peut-on considérer le BS comme une aide efficace, alors qu'on amène le jeune à vivre avec une béquille ? Y aurait-il moyen de trouver une forme d'aide qui permettrait au jeune garçon, à la jeune fille, de se prendre en charge tout en leur facilitant l'accès aux études ? Il suffit de penser qu'il y a des jeunes de dix-huit ans qui se sont mariés, ou qui ont fait des enfants, juste pour obtenir des bourses valables ! Nos gouvernements sont-ils donc aveugles ?

Je retourne voir Alexandre une dernière fois. Il me fait signe de la main pour m'assurer que tout va bien. Il a l'air heureux. Comment réagira-t-il à l'annonce du mariage de son père ?

Mélanie m'entraîne vers la sortie. Nous croisons à nouveau Gabriel. Il s'avance encore pour m'embrasser, mais je reste froide et lui présente ma joue. Ann-Lyz me tend la main puis retient son geste. Je m'approche et l'embrasse comme s'il s'agissait d'une lointaine connaissance.

— Félicitations !
— Pourquoi ?
— Gabriel vous expliquera !

Nous sortons. Mélanie s'accroche à mon bras et me serre très fort, en appuyant sa tête sur mon épaule.

— Tu es super, Élise !

Quand Mélanie m'appelle Élise, c'est qu'elle se fait complice. Au début, j'avais des réticences : *on n'a qu'une mère...* mais je me suis vite aperçue que plus elle m'appelait Élise, plus elle se rapprochait de moi. Je la sens maintenant capable de me considérer comme une personne et non plus comme un rôle. Élise peut très bien aimer Gilbert ; mais *maman*, qui pourrait-elle aimer d'autre que *papa* ? En brisant le chaînon papa-maman-enfant, Mélanie peut s'ouvrir à Élise et Gilbert ou à Gabriel et Ann-Lyz, sans se sentir tiraillée. Cette démarche lui permet de s'affirmer et de prendre sa place, en ayant avec chacun une relation privilégiée.

Je la regarde et presse sa main dans la mienne. Non, je ne suis pas *super* puisque je n'en suis encore qu'au début de mon cheminement. J'apprends à faire confiance à la vie et j'attends que *la jument parle* ; quand la jument parle, ce qui arrive ne pouvait s'insérer dans aucune prévision possible. Gabriel m'a annoncé son mariage et la nouvelle ne m'a pas chavirée. Ça m'a surpris, bien sûr, mais ne m'a pas brisée ; un peu comme si un ami ou un cousin m'avait annoncé la même chose.

Gilbert nous attendait en regardant la télévision. Son retentissant *Bonjour ! bonjour !* me fait chaud au cœur. Je l'embrasse en prenant sa tête entre mes mains :

— Si tu savais comme je t'aimais ce soir !

Je retire mon manteau mouillé et le suspends dans la salle de bains. Mélanie s'affaire dans la cuisine :

— Hé ! les amoureux, voulez-vous du café ?
— Volontiers, je suis transie !

Gilbert vient me rejoindre sur la balançoire.

— Et alors, cette exposition ?
— Plutôt intéressante. Alexandre avait fabriqué des masques très originaux. Je découvre qu'il a beaucoup de talent.
— Son père était là ?
— Oui, avec sa future femme !
— Sa future femme ?

—Oui, figure-toi que Gabriel m'a annoncé son mariage !

—Quand ça ?

—C'était flou.

—Mélanie le sait ?

Mélanie apporte le café puis s'assoit sur le siège en face de nous.

—Je sais quoi ?

—Je parlais à Gilbert du mariage de ton père !

—C'est sûr, je le sais, j'ai tout entendu ; mais il aurait pu m'avertir en premier !

—Ça aurait changé quoi ?

—Rien. Tu as raison. Mais j'ai cru entendre qu'il te parlait d'un voyage ?

—Oui, il parle de partir au Brésil… pour un an !

—Avec quel argent ?

—Je ne le sais pas.

Gilbert fronce les sourcils :

—Et Alexandre ?

—Son père s'en fout, il sera majeur.

—Majeur ou pas, il faudra bien qu'il continue ses études ; que comptes-tu faire ?

—Pour l'instant ? Rien !

—Mais…

—Chut !

Je lâche prise. Je décroche. De toute façon, je ne peux rien changer ce soir ; en temps et lieu, je verrai bien. Quoi qu'il arrive, j'essaierai d'y faire face avec sérénité.

∞

Lundi 18 décembre

Gilbert s'astreint tous les matins à des séances de physiothérapie visant à redonner de la souplesse à son genou. Il
doit encore se déplacer avec des béquilles mais parvient
maintenant à conduire sa voiture sans trop de difficultés.

Noël approche à grands pas, et comme ce soir les magasins
sont ouverts exceptionnellement jusqu'à vingt et une heures,
je compte en profiter pour terminer mes emplettes. Je sais par
expérience qu'on peut magasiner à loisir le lundi soir, car les
acheteurs se prévalent peu des avantages de ce prolongement
d'horaire.

Gilbert insiste pour m'accompagner. Il a envie de bouger,
de voir du monde. Nous descendons directement au centre-
ville où un stationnement intérieur nous permet d'accéder
facilement aux grands magasins. Un avantage précieux pour
celui qui se promène avec des béquilles. Comme Gilbert ne
peut se permettre de rester debout bien longtemps sans se
fatiguer, je monte emprunter un fauteuil roulant… et en avant
pour l'aventure !

C'est un de ces soirs où l'on trouve tout : un séchoir à
cheveux pour Mélanie, un long peignoir pour Annabelle, des
disques, du ruban, du papier… Je dépose les sacs au fur et à
mesure sur les genoux de Gilbert, jusqu'à ce que la pile atteigne
son menton. Je stationne alors le fauteuil près d'une colonne
et descends porter les paquets dans l'auto. J'en suis à mon
troisième aller-retour quand je constate que Gilbert n'est plus là
où il devait m'attendre. J'interroge les passants qui m'entourent :

— Pardon, monsieur, auriez-vous vu un monsieur en fauteuil roulant ?... Pardon, madame, il y avait un monsieur en fauteuil roulant, ici, tout à l'heure, vous ne l'auriez pas vu partir ?

On me regarde comme si j'étais la reine des idiotes. Non, personne n'a vu personne en fauteuil roulant ; quelle question ! A-t-on idée d'abandonner un *infirme* près d'une colonne ? Vraiment, il faut être d'une négligence !

Se faufilant entre les comptoirs avec une habileté consommée, Gilbert apparaît au bout de l'allée. Tout souriant, il conduit son fauteuil d'une seule main, et transporte plusieurs sacs sur ses genoux.

— D'où sors-tu ?
— J'avais une petite course à faire.
— Qu'est-ce qu'il y a dans ces paquets ?
— Des surprises !
— C'est mon cadeau ?
— Peut-être !

Je ne veux même pas essayer de deviner ; je déteste les surprises gâchées. J'avoue quand même que ça me chicote.

— Élise, je suis fatigué, et j'ai faim !
— Moi aussi.
— Alors, allons manger !

Gilbert reprend ses béquilles puis nous redescendons par l'ascenseur. J'ai les bras chargés de paquets intrigants. Quand je fais semblant de vouloir brasser les sacs, Gilbert rigole. C'est choquant !

Une fois installé dans l'auto, il se tourne vers moi :

— Quelle belle soirée ! Je suis heureux, Élise !

— Moi aussi, Gilbert, je suis heureuse !

Nous profitons du premier feu rouge pour nous embrasser. Que celui qui a inventé les feux de circulation soit à cet instant mille fois remercié ! Le feu vire au vert. Le conducteur qui nous suit klaxonne aussitôt pour nous rappeler à l'ordre ; s'il fallait qu'il rate sa lumière d'une fraction de seconde, quelle catastrophe ! Il démarre à toute vitesse et vient nous couper en nous lançant un regard courroucé. Vigneault chante à la radio : *Le temps qu'on a pris pour dire : je t'aime, est le seul qui reste au bout de nos jours…* Ce monsieur écoutait sans doute un autre poste…

∞

Samedi 23 décembre

Je rêve d'un beau Noël avec un vrai souper de grand-mère : du ragoût, des tourtières, et un gâteau en forme de bûche. Une odeur délicieuse embaume le Château ; comme dirait la *Charlotte* de la chanson : « *Ça sent bon le boudin grillé !* »

Tandis que les boulettes mijotent, j'astique la cuisine avant d'accrocher mes nouveaux rideaux de dentelle. J'ai gardé de mon enfance ce goût de tout fignoler à la dernière minute, afin que la maison reluise de mille feux.

Gilbert s'est installé au bout de la table pour emballer les cadeaux et Mélanie fait la navette entre la cuisine et le salon pour aller déposer les paquets au pied de l'arbre de Noël, que nous avons décoré tous les trois ensemble. Pour elle, Noël commence bien avant l'heure ; tout ce rituel, tous ces gestes, sont aussi importants, sinon plus, que la fête elle-même.

Le téléphone sonne :

—Mélanie, veux-tu répondre ?
—Maman, viens vite, c'est Lorraine, elle veut te parler !

Je m'essuie les mains sur mon tablier et prends l'appareil du bout des doigts.

—Allô ?
—Élise, papa est à l'hôpital, il fait une pneumonie !
—C'est grave ?
—Inquiétant ! Peux-tu venir ?
—J'arrive !

Gilbert et moi quittons le Château précipitamment, laissant à Mélanie le soin de ranger ce qui traîne.

La porte de la chambre est entrouverte. Étendu sur le lit, raide comme une barre, mon père dort la bouche grande ouverte. J'ai un mouvement de recul. On dirait un mort. Un frisson me parcourt le dos. J'ose à peine m'approcher du lit. Sentant notre présence, mon père ouvre lentement les yeux.

—Qui est là ?
—Papa, c'est moi, c'est Élise !

Il me prend la main. Il parle difficilement, à mots coupés, en faisant de terribles efforts.

—Quelle heure est-il ?
—Dix-huit heures !
—Et ta mère ?
—Elle est ici, dans le corridor, près de la porte ; veux-tu la voir ?
—Oui.

Je me retire pour laisser la chance à maman de s'approcher du lit. Je fais les cent pas devant la chambre, en attendant je ne sais quoi… peut-être un miracle ?

Je suis inquiète. Combien de temps papa tiendra-t-il le coup : un mois ? six mois ? un an ? Soudain, je sens en moi un grand vide, comme un deuil profond qui prendrait toute la place. Et si mon père allait mourir ?

Élise, chère Élise, tu ne vas pas te laisser envahir par une idée de fait ? Aurais-tu perdu confiance ?

Nous quittons l'hôpital complètement épuisés. Il est près de vingt-deux heures et nous n'avons rien mangé. Nous arrêtons à la rôtisserie chercher trois poitrines et des frites que nous rapportons au Château. Nous retrouvons Mélanie en pleine création : en notre absence, elle a décidé de fabriquer une crèche. La vue de ma fille entourée de tous ces personnages familiers qu'elle a fabriqués de ses mains me redonne le goût de vivre. Dans les moments difficiles, il faut toujours faire ce que l'on devait faire sans se laisser bousculer par les idées noires. Et dans deux jours ce sera Noël, quoi qu'il arrive.

Mélanie installe sa crèche J'allume l'arbre de Noël, puis nous dégustons notre poulet, assis tous les trois dans la balançoire, en écoutant de la musique de Noël.

∞

Noël ! Noël ! Noël !

Pour qui rêve d'un Noël blanc, il est tout blanc ! La neige a commencé à tomber vers quatre heures ce matin, lentement d'abord, puis de plus en plus fort. La rafale et la poudrerie aidant, on se retrouve maintenant face à un désert blanc. On nous prédisait une bordée, mais jamais une aussi grosse tempête. Même les charrues ont du mal à déblayer la route.

Je suis un peu inquiète. Je n'arrive à rejoindre aucun de nos enfants qui doivent tous se retrouver au Château pour le souper de Noël. Mélanie a réveillonné chez son père et doit revenir en autobus avec Alexandre. Je viens de téléphoner à Gabriel qui m'a appris qu'ils étaient déjà partis de chez lui depuis plus d'une heure. Figée, je guette devant la fenêtre, en espérant un signe de vie à l'horizon.

Soudain, de mon poste d'observation, j'aperçois trois silhouettes qui avancent péniblement vers chez nous : Annabelle, Marie-Claude et Ahmed nous arrivent en skis de fond, emmitouflés jusqu'aux yeux et les joues rouges comme des pommes d'amour ; sauf Ahmed qui, avec son teint de mélanine ne prendra jamais les couleurs de l'hiver. En voilà au moins trois de rescapés !

Alexandre téléphone :

— Ne t'inquiète pas maman, nous sommes rendus au métro et nous attendons le prochain autobus qui nous mènera au Château !

— Es-tu certain qu'il y a des autobus ?

— Il n'y en a pas beaucoup, mais il y en a ; on nous a dit que ça pourrait prendre une heure.

Me voilà rassurée, mes enfants sont à l'abri. Dire que pendant tout ce temps, le beau Bernard se fait bronzer en Floride !

Nous en sommes à notre deuxième apéritif quand Alexandre et Mélanie arrivent enfin ! Notre famille *élargie* maintenant réunie, nous pouvons commencer la fête. Je leur donne le choix :

—Cadeaux d'abord et souper ensuite, ou souper d'abord et…

Nos super affamés optent tous pour le souper d'abord ! Le *suspense* n'en sera que plus grand. Le repas se déroule dans la gaieté. Le ragoût est fumant, les tourtières dorées à point ; on se régale !

—Je pensais servir le café et le dessert dans la balançoire ; qu'en pensez-vous ?

Ils se comportent tous comme des enfants. Gilbert s'installe dans le fauteuil, ses béquilles à côté de lui, et commence à jouer son rôle de Père Noël. On n'entend que des *Oh !* des *Ah !* des : *C'est exactement ce que je désirais !* et des : *Comment avez-vous deviné ?* Gilbert a son sourire des beaux jours, je sais qu'il est heureux !

—Je vous ai préparé quelque chose de spécial !

Je vais vers la bibliothèque et décroche les cinq bas de Noël qui la décoraient. J'ai acheté des bas pour le ski que j'ai remplis de surprises, comme ma mère et ma grand-mère le faisaient avant moi.

Me servant du deuxième bas pour bourrer le bout du premier, j'y ai ensuite déposé toutes les denrées traditionnelles : une orange pour le soleil, une pomme pour la santé, une patate pour la nourriture et un oignon pour éloigner les larmes ; je me rappelle qu'on y ajoutait également un morceau de charbon pour symboliser la chaleur, mais le charbon, par les temps qui courent…

J'ai aussi acheté des surprises, des petits cadeaux *pas chers*, et puis des friandises : des noix, du chocolat, des bonbons ; sans oublier un billet de loto pour la chance. J'ai complété mes chefs-d'œuvre par un bâton fort, une canne en sucre, une crécelle, une flûte et un long sifflet en papier de soie. J'ai ensuite solidement suspendu tous les bas avec de tout petits clous plantés dans la première tablette de la bibliothèque ; faute de foyer, on se débrouille !

Jamais je n'aurais imaginé une réaction pareille pour de simples bas de Noël. Une si belle tradition ne devrait pas se perdre. Alexandre et Mélanie font une course à savoir lequel des deux finira le premier. Marie-Claude sort ses surprises une à une, avec la minutie d'une *désamorceuse* de bombe. Surpris, Ahmed ne sait pas trop comment s'y prendre pour vider ce serpent bosselé qui lui bouge entre les mains. Plus timide ou plus discrète, Annabelle s'est retirée pour vider son bas loin de la vue des curieux. Elle sort chaque objet lentement, avec l'émerveillement d'une petite fille, sans se soucier de ce qui se passe autour d'elle. Quand ils découvrent les billets de loto, il se passe une chose extraordinaire : aucun d'eux ne veut gratter son billet le premier. Ils se regardent tous du coin de l'œil ; qui prendra l'offensive ?

—Si je gagne, je sépare la cagnotte avec vous !

La proposition d'Alexandre brise la glace ; l'idée leur plaît : ils font un pacte. La séance de grattage peut commencer. Le plaisir ne dure que quelques secondes mais le spectacle en vaut la peine. Aucun d'eux n'a le billet gagnant, sauf Annabelle qui aura droit à un billet gratuit.

—Je vais aller le chercher cette semaine et, si je gagne, je partage avec vous, c'est promis !

On sonne à la porte. Belle surprise ! Après une courte visite à l'hôpital, toute ma famille vient terminer la soirée au Château. Les nouvelles de mon père sont encourageantes, et il serait le premier à nous vouloir heureux en ce soir de Noël.

Nous ramassons rapidement les vestiges du dépouillement, et nous voilà prêts pour la danse. Alexandre et Ahmed poussent les fauteuils pour faire de la place, tandis que Mélanie se charge de la musique. Qui aurait cru que cette journée se terminerait aussi joyeusement ?

Je m'approche de la fenêtre. La neige a cessé et le ciel est maintenant d'un bleu profond parsemé d'étoiles. Soudain, j'aperçois une longue traînée de lumière qui se dirige vers la Lune : c'est *Lui* ! Je me sens excitée comme une enfant qui s'aperçoit qu'*il* a bu le verre de lait et mangé les biscuits. *Merci Père Noël* ! Je sais que personne ne voudra me croire, mais je suis certaine d'avoir entendu un chaleureux *Ho ! Ho ! Ho !* qui venait de là-haut.

∞

Jeudi 28 décembre

J'ai passé plusieurs heures à la Clinique pour retourner les appels et classer la correspondance accumulée durant la convalescence du docteur Gauthier. J'ai hâte qu'il revienne au travail et que la vie reprenne son cours normal.

Quand je rentre au Château, Gilbert m'apprend que mon père a été transféré dans un centre de réadaptation.

— J'ai noté l'adresse près du téléphone.
— Merci ! C'est une bonne nouvelle !

— Ta mère aussi semblait soulagée.

— Pauvre maman, elle craignait que papa revienne à la maison sans transition.

— Je lui ai dit que nous irions le voir ce soir.

— Tu as bien fait.

Nous arrivons à Villa Medica un peu avant la fin des visites. Troisième étage, tout près de l'ascenseur : la chambre est dans la pénombre. Dans un lit aux draps bien tirés, mon père repose, le teint livide, la bouche ouverte… J'hésite un peu avant d'entrer.

— Gilbert, regarde comme il a maigri !

Papa se réveille au bout de quelques minutes. Il nous aperçoit et fait un effort pour soulever sa tête, malgré nos recommandations. Il se met alors à tousser en poussant de grands râles. Il a pris froid en sortant de l'hôpital. Il fait de la fièvre, son front est brûlant. Il bâille plusieurs fois pour reprendre son souffle. Sa tête retombe lourdement sur l'oreiller, puis il se rendort.

Gilbert me tend ses béquilles. Je l'aide à s'asseoir dans le fauteuil près du lit. Appuyée sur la table de chevet, je surveille avec inquiétude la respiration difficile de cet homme que j'aime, qui est mon père, mais que je connais mal. Gilbert et moi restons silencieux dans le noir. Papa est-il seulement conscient de notre présence ?

Je repense à nos dernières rencontres, et particulièrement à cette soirée où il racontait à Gilbert ses souvenirs de jeunesse et ses Noëls d'enfant ; jamais je ne l'avais entendu parler autant ! Il s'animait en se rappelant l'époque où il s'occupait activement de politique. Et devant Gilbert qui ne connaissait pas toutes ces anecdotes racontées mille fois, mon père ressassait ses souvenirs avec des yeux brillants. Rien de tel qu'un auditoire neuf pour apprécier de vieilles histoires.

Un préposé nous avise que les visites sont terminées. Je quitte la chambre à regret, et ne retrouve ma voix qu'une fois rendue dans l'ascenseur.

— Crois-tu qu'il sera de retour à la maison pour le Nouvel An ?
— Impossible, tu as vu comment il est.
— Maman lui a promis d'attendre son retour pour distribuer leurs cadeaux; comme je la connais, elle attendra jusqu'à Pâques s'il le faut !

∞

Dimanche 31 décembre

C'est la Saint-Sylvestre et le Château est en fête ! Renouant avec la tradition de terminer l'année entourée de ceux que j'aime, j'ai invité tous nos amis à célébrer avec nous les douze coups de minuit. Papa ne viendra pas, bien sûr; Monique et Jean, non plus, puisqu'ils sont à Québec. Et il manquera Philippe, qui ne m'a donné aucune nouvelle depuis si longtemps.

Barbara arrive la première.

— J'ai pensé que tu apprécierais un coup de main pour faire les sandwiches !

Une telle offre ne se refuse pas. Nous préparons un buffet gargantuesque ! Si la belle-mère de ma nièce arrive avec le fils de la belle-sœur de sa cousine, nous aurons de quoi les recevoir.

Chez nous, à la Saint-Sylvestre, la porte est toujours grande ouverte !

Ma mère, mes trois sœurs, mes deux beaux-frères et le petit Mathieu arrivent aussitôt après une courte visite à Villa Medica. Ils sont suivis de près par la mère et la sœur de Gilbert. Annabelle est accompagnée d'un copain, Marie-Claude et Ahmed s'amènent avec deux amis de New York de passage à Montréal. Pauline a préféré venir seule. Alexandre aussi. Quant à Jacqueline, elle a rencontré, par hasard, ce matin, un ancien camarade de théâtre, et s'est permis de l'inviter :

— Il était un peu timide, au départ, mais quand je lui ai raconté comment ça se passait chez toi, sa curiosité l'a emporté sur sa timidité.

Il ne manque que tante Madeleine et sa fille Huguette, mais elles ne devraient pas tarder.

Minuit mois dix, tout le monde est là ! Mélanie distribue des serpentins et des crécelles, tandis qu'Alexandre aide Gilbert à remplir les verres de Champagne. Nous chantons en chœur : *Faut-il nous quitter sans espoir… sans espoir de retour ?*

Minuit moins trois, la tension monte ! Minuit moins deux, les cœurs se serrent ! Minuit moins une, Mélanie éteint la lumière : le compte à rebours peut commencer : douze, onze, dix, neuf, huit, sept, six, cinq, quatre, trois, deux, un : BONNE ANNÉE !

Les crécelles grincent dans un tintamarre infernal, les serpentins lancés de toutes parts ondulent et s'entremêlent. Tout le monde s'embrasse en cognant son verre sur celui du voisin et la musique nous entraîne tous dans une danse joyeuse, une ronde folle.

Alexandre s'approche et me serre dans ses bras avec chaleur.

—Bonne Année, maman !
—Bonne année, mon grand !

Jacqueline me tend les bras et m'embrasse en pleurant dans mon cou.

—Je reçois tous mes enfants demain, dans mon nouvel appartement.
—Ce sera la première fois ?
—Les cinq ensemble, oui, et j'ai le trac !
—Tout va bien se passer, tu verras !
—Bonne Année, Élise !
—Bonne Année, Jacqueline !
—À toutes nos guerres !
—Rappelle-toi que nous n'en avons jamais perdu une.

Pauline nous rejoint et nous prend toutes les deux par le cou :

—Quel beau trio de braillardes nous faisons !

Je rejoins Gilbert sous le gui, près de la porte. Nous nous embrassons amoureusement…

—Et moi ?

Mélanie se jette dans nos bras. Un à un, tous nos enfants, tous nos parents, tous nos amis nous rejoignent, et nous voilà entourés, pris au piège au milieu d'un énorme tourbillon de câlins.

Élise, chère Élise, réjouis-toi, ce soir, chez toi, l'amour est roi !

1er janvier 1979

Quand le réveil sonne à midi, j'ai l'impression de n'avoir pas dormi. Impossible pourtant de flâner au lit car la journée s'annonce rude. Cet après-midi, nous irons tous voir mon père. J'avoue que cette visite me pèse. Je déteste le genre de réaction émotive qui s'empare de nous dans de telles circonstances. Le clan rassemblé autour du lit du patriarche pour demander la bénédiction paternelle : c'est pénible !

Nous trouvons papa assis dans son fauteuil. Il étrenne la robe de chambre que maman lui a offerte. Rasé de près, sentant bon la lotion à barbe, Maurice Desmarais reçoit sa famille. En nous apercevant regroupés autour de lui, il se met à pleurer doucement. S'ensuit un long, trop long silence. Personne ne sait quoi dire. Trouver des paroles réconfortantes ? Lesquelles ? Maurice Desmarais ne nous a jamais habitués à partager ses émotions. Quand on a eu le *complexe d'Atlas* toute sa vie, il doit être difficile d'accepter que le monde continue de tourner sans qu'on le porte sur ses épaules.

Je refuse de me laisser attrister par le souvenir de cette rencontre ; mon père lui-même ne l'accepterait pas. Quoi qu'il arrive, le repas du Jour de l'An doit être une fête, et il en sera ainsi.

Pendant notre absence, Annabelle a dressé la table et Marie-Claude s'est chargée d'arroser la dinde, pour qu'à notre retour le repas soit presque prêt. Pour que le festin soit complet, il ne manque plus que la purée de pommes de terre, les canneberges, et les petits pois…

—Maman, attends, on allait oublier la bougie !

Alexandre fouille dans l'armoire, trouve la bougie symbolique et la place bien en vue au milieu de la table. Mélanie l'allume et le souper peut commencer.

Aussitôt la conversation s'anime, un sujet en entraîne un autre, chaque blague attire une répartie, si bien que la soirée entière se passe autour de la table, sans qu'aucun de nous ne s'aperçoive que la bougie symbolique a complètement fondu. Quand Alexandre souffle la flamme, il ne reste plus qu'une masse de cire informe et molle, au fond de l'assiette en céramique qui tenait lieu de chandelier. Les enfants guettent ma réaction avec un air catastrophé. Mélanie en a les larmes aux yeux.

—Maman, ta belle bougie ! Qu'est-ce qu'on va faire ?
—Comme dirait mon amie Monique : *Puisqu'il n'y a rien à faire, alors ne faisons rien !*

Un court instant de nostalgie fait place à une grande délivrance. Notre bougie a connu ses heures de gloire mais la vénération des objets cultes est révolue. Il faut savoir tourner la page. Ce symbole éphémère ne pouvait pas se consumer éternellement. Les bougies fondent et le temps passe.

Élise, chère Élise, c'est nous qui passons dans le temps.

∞

Mardi 2 janvier

Mélanie a été invitée chez Johanne et Robert et ne reviendra que demain. Je rêve de passer toute la journée en robe de chambre, à flâner, lire, écouter de la musique en faisant des mots croisés, et partager ces moments d'intimité avec mon amoureux.

Réveillée de très bonne heure, je me suis glissée hors du lit pour accaparer la balançoire et terminer tranquillement le roman que Gilbert m'a offert à Noël.

— Élise, où es-tu ?
— Je suis ici, mon amour !

Enroulé dans son peignoir de velours gris, Gilbert vient vers moi en piétinant comme une poupée japonaise. Il peut quelquefois remiser ses béquilles mais sa démarche est encore incertaine ; parfois même, il boite un peu.

— Tu ne t'endormais plus ?
— Non, j'avais le goût de lire un peu.
— Alors, continue, moi je vais préparer un petit déjeuner spécial pour souligner notre tête-à-tête.
— Sais-tu que tu es gentil ?
— C'est ce que toutes les femmes me disent.

Il sourit et part en claudiquant vers la cuisine, exagérant sa démarche exprès pour m'amuser. Je termine le chapitre commencé, referme mon livre, et décide d'aller me prélasser dans un bain parfumé.

J'entends Gilbert fricoter en sifflotant dans la cuisine et je songe à quel point j'ai de la chance de partager ma vie avec un être qui me convienne aussi bien. Un homme qui respecte mes goûts et mes besoins et me laisse toujours libre de faire ce qui me plaît, au moment où ça me plaît : je veux lire, je lis, je veux téléphoner, je téléphone, je veux sortir, je sors. En contrepartie, je tiens également compte des goûts de Gilbert qui peut, lui aussi, à sa guise, lire, téléphoner ou sortir quand bon lui semble, sans que j'y prenne ombrage. Nous en sommes arrivés à vivre ensemble par goût, par choix, par similitude. Une merveilleuse complicité s'est installée entre nous; complicité que je ne retrouve chez personne d'autre. Nous avons également le même sens de l'humour, ce qui m'apparaît être la condition primordiale à une entente en profondeur; quand on peut rire ensemble, on peut vivre ensemble; autrement…

— Le déjeuner est servi, madame!
— Merci, monsieur!

Nous en sommes à notre deuxième café quand Barbara s'amène à l'improviste, les bras chargés d'un sac énorme :

— Tiens, c'est pour toi, j'ai cru que ces quelques produits de mon jardin t'aideraient à passer l'hiver!

Son sac contient des tomates, des carottes et des haricots en conserves, du ketchup aux courgettes et des pots de confitures maison. Ce cadeau lui ressemble, il parle de l'abondance du cœur.

— J'ai une grande nouvelle à vous annoncer!

Elle enlève son manteau et vient s'asseoir avec nous.

— J'ai été acceptée au cours de céramique de la poterie Bonsecours!
— Quelle bonne nouvelle!
— Bill m'a dit qu'il me construirait un atelier au-dessus du garage; j'aurais de la place pour travailler.
— De la place? Mais ta maison est immense!
— Ma pauvre Élise, avec un conjoint bricoleur, la maison n'est jamais assez grande!

— Au fait, il va bien, Bill ?

— Très bien. Il passe la semaine chez un copain pour l'aider à terminer son sous-sol… Et comme j'étais seule, j'ai pensé venir partager mes conserves avec vous.

— C'est très gentil, Barbara, merci beaucoup.

Je veux l'embrasser mais elle me repousse :

— Non, Élise, ne m'approche pas, je suis malade !
— Malade ?

Je l'embrasse sur le front.

— Dis donc, tu fais de la fièvre, toi !
— Peut-être. En fait je pensais que Gilbert pourrait peut-être me faire une ordonnance.

Gilbert la regarde en riant :

— Encore faudrait-il que je sache ce que tu as ?
— J'ai affreusement mal à la gorge.

Au premier coup d'œil le verdict tombe : amygdalite carabinée !

— Je veux bien te faire une ordonnance, mais à une condition : tu te reposes !

Que voilà de belles paroles en l'air ! Demander à Barbara de se reposer, autant demander à un oiseau d'arrêter de voler ; ça bouge, cette enfant-là ! Gilbert prend un air sévère.

— Je suis sérieux, Barbara, et pour être bien certain d'être écouté, je propose que tu dormes au Château ce soir.
— Je ne dis pas non, si ça ne vous ennuie pas, bien sûr.
— Mélanie est absente, profites-en.
— Merci Élise.

Toujours prêt à rendre service, Gilbert se rend immédiatement avec elle à la pharmacie.

Nous passons tout l'après-midi à placoter de mille choses, puis je cuisine un pâté avec les restes de la dinde et nous soupons tous les trois, intimement, amicalement, jusqu'à ce que le sommeil gagne notre invitée.

La chambre de Mélanie se transforme avec sa permission en chambre d'amie. Barbara a besoin d'être un peu dorlotée. Je lui prête un pyjama en finette et une robe de chambre pour bien la tenir au chaud.

Profitant du calme de la nuit, Gilbert et moi décidons de veiller encore. Il passe minuit quand la sonnerie du téléphone nous fait sursauter. Aussitôt, je pense à mon père et décroche nerveusement.

— Allô ?
— Mélanie, s'il vous plaît.
— Mélanie est absente; je peux lui faire un message ?
— Non, c'est correct, laissez faire !

La voix au bout du fil me paraît tremblotante, je sens le besoin d'insister :

— C'est toi Dodo ?
— Oui.
— Que se passe-t-il ?
— Non, non, ce n'est rien, laissez faire.
— Je suis certaine que tu n'appelles pas à cette heure-ci pour rien.

Elle lâche prise et se met à pleurer. Entre deux sanglots, elle me raconte péniblement le drame qu'elle vient de vivre.

Ce soir, son père est revenu à la maison complètement saoul, en criant et en sacrant comme d'habitude, mais cette fois-ci, sa colère était incontrôlable. Au plus fort de la crise, il s'est dirigé dans la cuisine, a sorti un long couteau, et menacé sa femme et sa fille de les *rentrer dans le mur*! Affolée, Dodo s'est sauvée, sans savoir où aller.

— Je pensais que Mélanie serait là !
— Et tu voulais coucher chez nous ?
— Si Mélanie avait été là, oui…
— Que Mélanie soit là ou pas, la porte du Château t'est toujours ouverte, tu le sais bien. Allez, prends un taxi…
— Je n'ai pas d'argent.
— Je m'en charge, mais appelle d'abord ta mère pour la rassurer.
— D'accord, madame, merci.

On ne laisse pas un chien dehors, encore moins une adolescente. Je suis certaine que Gilbert va comprendre.

— C'était Dodo.
— Encore un drame ?
— Eh oui, son père l'a menacée avec un couteau !
— Quelle merde !
— Elle était désespérée, tu aurais dû l'entendre ! J'ai pensé : Si c'était ma fille ? Et je lui ai dit de venir…
— Tu as bien fait !

Gilbert m'aide à retirer les coussins décorant notre bon vieux grabat, qui sert maintenant à dépanner tout le monde. Je sors des draps, une couverture chaude, et installe une chambre improvisée, entre la balançoire et l'arbre de Noël qui scintille encore joyeusement sans se douter que la fête est finie.

Assis côte à côte sur la balançoire, nous attendons Dodo comme deux parents inquiets du retard de leur fille.

—J'aurais dû aller la chercher !
—Ne te sens surtout pas coupable.

On sonne. J'ouvre. Le chauffeur intrigué réclame qu'on lui paie sa course. Gilbert s'en charge, tandis que Dodo se jette dans mes bras en pleurant. Elle est surexcitée, survoltée. Elle parle sans arrêt et fume comme une cheminée. Je ne suis pas là pour lui demander des comptes, mais pour offrir un gîte à quelqu'un qui a besoin qu'on l'héberge pour la nuit.

Chez nous, Dodo se sent aimée, protégée, en confiance. Je lui fais couler un bain et lui prête une robe de chambre ; encore une invitée et je n'en aurai plus. Dodo s'attarde dans la salle de bains durant une bonne demi-heure, puis en sort relaxée, enfin calmée.

—As-tu appelé ta mère ?
—Oui, oui, mon père dormait sur le plancher, et elle voulait que je revienne. Je lui ai dit que je dormirais chez vous. Elle a crié : *c'est ça, laisse-moi toute seule !* Puis elle a raccroché.
—Pauvre femme, j'espère qu'elle va réagir avant qu'il soit trop tard.

Assise sur le grabat, notre *réfugiée* s'empiffre maintenant de biscuits au chocolat, qu'elle trempe un à un dans sa tasse de lait chaud. Elle paraît détendue, Gilbert arrive même à la faire rire. Je ne suis plus inquiète, elle dormira.

—Et si nous allions nous coucher maintenant, madame ?

Gilbert me précède dans la chambre, tandis que je verrouille la porte d'entrée : désolé, nous jouons à Château fermé pour la nuit !

Allongée sur mon lit, je fixe le plafond dont je connais par cœur toutes les nervures. Où donc nous conduira toute cette violence ? Les journaux en sont remplis, la télévision s'en régale ; omniprésente, envahissante, elle s'infiltre chez nous à notre insu. Comment l'éviter ? Comment s'en défendre ? Où peuvent aller les jeunes lorsqu'ils se sentent traqués ? Les ressources possibles sont déjà insuffisantes durant les heures ouvrables ; mais le soir, mais la nuit ? Il est plutôt rare qu'un père fasse maison nette à quinze heures, ou qu'un adolescent parte en fugue à neuf heures du matin. Après dix-sept heures, tous les bureaux sont fermés et il devient quasi impossible de trouver un refuge pour un adolescent qui ne sait plus où aller. Quelle joie de connaître un ami qui nous ouvre sa porte ! J'en sais quelque chose, moi qu'on a tant aidée.

∞

Jeudi 4 janvier

Débarrassé de ses béquilles, le docteur Gilbert Gauthier est enfin de retour à la Clinique, heureux de retrouver son cabinet et ses patients. Spontanément nous reprenons nos rôles : ici, je suis Élise, la secrétaire du docteur Gauthier, sa *collaboratrice* comme il m'appelle, et Gilbert redevient mon patron.

À la pause-café nous abordons toutefois des questions plus personnelles. Après deux nuits passées au Château, Dodo a décidé de retourner chez ses parents. Tout semble rentré dans l'ordre, mais Gilbert reste inquiet.

—Sais-tu si elle a finalement réussi à parler à sa mère ?

—Mélanie m'a dit qu'elle avait tenté de l'appeler à plusieurs reprises, mais que chaque fois elle lui claquait la ligne au nez.

—Quelle femme bizarre !

—Elle est trop perturbée ; elle devrait aller chercher de l'aide.

—Crois-tu qu'elle le fera ?

—Elle n'est pas encore mûre !

J'espérais pourtant que cette fois-ci il se passerait quelque chose d'un peu plus décisif de la part de cette pauvre femme qui semble trop prise dans l'engrenage pour réagir. Pour l'instant, elle se contente de crier à tue-tête, puis d'abdiquer jusqu'à la prochaine crise. Aussitôt l'orage passé, les choses ne lui paraissent plus aussi terribles ; le grand couteau d'un soir n'est plus qu'un canif au réveil… et puis, il était ivre… et puis, il a pleuré… et puis, il a promis… et puis… et puis… et puis… Autant de bonnes raisons pour remettre à plus tard la décision qu'on a trop peur de prendre. On crie : *Je n'en peux plus !* mais on en peut encore, et encore, et encore, jusqu'au jour où, n'en pouvant vraiment plus, on ne crie plus : on agit… ou on en meurt !

∞

Jeudi 11 janvier

Dans une enveloppe de papier parchemin, adressée à Mélanie, un faire-part annonce le prochain mariage de Dame Ann-Lyz Murphy avec Monsieur Gabriel Lépine… Mélanie reste figée, sans oser me lire le reste.

—Et alors, c'est pour quand ?

—Le vendredi deux février…

Je retiens une grossièreté. Ce n'est pas le moment d'effaroucher Mélanie; ce n'est quand même pas sa faute si son père a choisi exactement la date de notre départ pour re-convoler en justes noces.

Élise, chère Élise, ne perds surtout pas ton calme.

Je me ressaisis en tentant de trouver rapidement une explication plausible à ce geste :

—Tu sais, ma chérie, on n'obtient pas toujours la date souhaitée; c'est peut-être un hasard.
—Tu crois ça ?
—J'ai dit *peut-être*.
—Moi je pense que…
—Au fond, une date ou une autre, Mélanie, on s'en fiche !
—Vas-tu me faire une robe ?

Sa question me prend au dépourvu. Que répondre à cette belle grande fille pour qui un mariage veut encore dire *une nouvelle robe* ? Il n'y a pas si longtemps, il aurait été impensable que je confectionne moi-même cette robe; la seule *idée de ce fait* aurait suffi à me mettre dans un état de colère indescriptible, dans une révolte incontrôlable. Or, aujourd'hui, devant *ce fait*, je ne vois vraiment pas ce qui pourrait m'empêcher de le faire. Qu'importe que la robe que je vais lui coudre soit portée pour une occasion ou pour une autre ? Que ma fille porte pour le mariage de papa, une robe confectionnée par maman; si la robe est belle, qu'est-ce que ça change ?

—As-tu une idée de ce que tu aimerais porter ?
—Non, faudrait d'abord aller choisir un patron.
—Nous pouvons y aller maintenant, si tu veux.

Nous partons seules, ma fille et moi. Assises sur des tabourets inconfortables, nous feuilletons tous les cahiers, de la première page à la dernière, à la recherche du super patron, qui me permettra de coudre la super création, qui rendra la fille du marié irrésistible. Mélanie hésite, sélectionne deux ou trois modèles, puis arrête finalement son choix sur une blouse romantique.

— J'aimerais cette blouse-là… mais en robe !
— C'est possible.
— Tu crois ?
— Bien sûr !
— Ça m'irait bien ?
— Aucun doute ! Tu es grande, tu peux facilement te permettre de porter des manches volumineuses…
— Maintenant, allons voir les tissus !

Après les avoir tous regardés, tripotés, soupesés, Mélanie opte pour un tissu souple et doux, d'un beige légèrement rosé, qui donnera à ce patron tout son chic. Occultant complètement le mariage, ma fille ne pensera plus désormais qu'à sa robe.

— Et maintenant, si nous allions manger !
— Du poulet ?
— Encore ?
— Avec un gâteau au chocolat… allez, Élise, dis oui !
— Bof ! si ça peut te rendre heureuse !

Assises l'une en face de l'autre, nous dégustons nos poitrines-frites ; d'abord en évitant de parler du re-mariage de Gabriel, puis, finalement, en abordant carrément le sujet. Je devine que Mélanie est contente de voir son père épouser Ann-Lyz. Pour elle, la part des choses est faite : Gabriel c'est Gabriel, et Gilbert c'est Gilbert. Chacun de ces deux hommes occupe une place bien spéciale dans sa vie, et l'affection qu'elle donne à l'un n'enlève rien à l'affection qu'elle donne à l'autre.

— Tu sais, Élise, je pense sérieusement que, finalement, le mariage de papa c'est une bonne affaire !

— Tu as raison, s'ils s'aiment et s'ils sont heureux, tant mieux !

Mélanie s'exprime comme une adulte, mais savoure son gâteau au chocolat comme une enfant, sans oublier la moindre miette. Je la sens maintenant rassurée, elle aime son père et aurait été peinée que j'aie des réticences face à ce mariage. Or, non seulement je n'en ai aucune, mais j'ai la sensation profonde qu'il finalise notre divorce. Le couple Élise et Gabriel n'existe plus. Désormais, c'est Élise pour Élise, avec ou sans personne.

∞

Vendredi 12 janvier

Gilbert est parti pour Québec ce matin, un aller-retour trop rapide pour que je l'accompagne. J'arrive à la Clinique un peu plus tard. La salle d'attente est déserte. Je ramasse machinalement un journal oublié sur une chaise, et m'enferme dans le bureau du patron pour lire en paix.

La nouvelle fait la manchette et pourtant, je n'y crois pas: *Le père Benoît*, mon ami le père Benoît, *a été poignardé sauvagement par un jeune garçon de dix-huit ans pour lui voler quelques dollars.* C'est aberrant ! C'est fou ! C'est dément ! Une immense douleur me vient du fond de l'âme; on ne fait pas de mal à un homme aussi bon ! Peut-être est-il en danger de mort ? Peut-être même est-il mort ? *Deux automobilistes l'ont trouvé sur la route, à deux pas du couvent, il baignait dans son sang.* J'ai mal au cœur, j'ai des frissons, je grelotte ; celui ou celle qui a oublié ce journal ne pouvait pas savoir que cette nouvelle me ferait aussi mal.

Je téléphone à son couvent. On me répond que le père Benoît repose actuellement dans un état grave à l'hôpital du Sacré-Cœur, mais les médecins affirment qu'il s'en sortira. Pour apaiser ma peine, je décide de lui écrire pour lui témoigner toute la sympathie que j'ai pour lui :

> *Mon cher Benoît,*
>
> *Juste un mot pour te dire que je pense à toi. Je viens d'apprendre par les journaux, la terrible nouvelle… etc., etc.*
> *Je sais que tu n'as pas de rancune, et que tu as sans doute déjà pardonné.*
> *Mille pensées affectueuses,*
>
> *Ton amie Élise*

Appuyée sur mes bras repliés, je pleure en silence quand la sonnerie du téléphone me surprend :

— Bureau du docteur Gauthier !
— Bonjour Comtesse !
— Philippe, mon bon Philippe, tu ne sais pas la nouvelle : le père Benoît…
— Je viens de l'apprendre.
— Moi aussi, et je suis complètement bouleversée…
— Je l'ai vu vendredi passé, j'étais de passage à son couvent.
— C'est affreux, je n'arrive pas à y croire.

Philippe, mon bon Philippe, encore une fois tu m'entendras pleurer. Tu es là, toujours là, quand ton amie Élise a du chagrin.

Et aujourd'hui j'ai de la peine, tellement de peine, tu ne peux pas te figurer.

Nous parlons très longtemps, sans que rien ni personne ne vienne nous déranger. Je retrouve mon ami du bout du fil, mon confident de service :

— Tu sais, Philippe, il y a trop longtemps que nous ne nous sommes vus.

— Je suis comme un oiseau, tantôt ici, tantôt là ! Je repars dans quelques jours pour Mont-Laurier…

— Es-tu libre lundi soir ?

— Lundi ? Oui !

— Parfait ! Je t'invite aux *lundis d'Élise.*

— Qu'est-ce que c'est, un spectacle ?

— Non, une simple rencontre. Il est normal qu'une Comtesse ait son jour, tu ne trouves pas ?

— Oui, mais pourquoi lundi ?

— Pourquoi pas ? Gilbert donne des cours à l'Université ce soir-là, et j'en profite pour meubler ma solitude en recevant mes amis.

— Élise, tu es la plus merveilleuse Comtesse que j'aie rencontrée !

— Tu en as rencontré plusieurs ?

— Tu es la seule, mais tu les vaux toutes !

— Flatteur !

— Si peu !

— Je t'attendrai au Château vers dix-huit heures. Tu viendras ?

— C'est promis !

Ce téléphone de Philippe me remet en piste. Je retrouve ma sérénité face à un événement que je ne peux changer.

Gilbert revient de Québec bientôt. Il n'aura pas été parti longtemps; pourtant, en quelques heures, le monde a chaviré.

∞

Lundi 15 janvier

Philippe arrive à l'heure ! Toujours élégant, il me tend une boîte de chocolats dans un geste *Belle Époque*.

—C'est pour moi, ou pour toi ?
—J'ose espérer, chère Comtesse, que dans un élan de générosité, vous penserez à m'en offrir.

Je connais Philippe, il n'y a pas plus grand amateur de chocolat, à part Gilbert ; bien chanceuse si je peux encore en goûter un.

Nous soupons assez tôt pour que mon amoureux puisse se joindre à nous avant d'aller donner son cours. Assise à côté de Philippe, Mélanie s'amuse de ses plaisanteries. Il la fait rire avec ses histoires et ses mimiques inimitables. Pour peu qu'on l'encourage, Philippe devient cabotin. Le voilà parti dans une éblouissante imitation d'un gars alcoolique montant un escalier le menant au bureau du gérant d'une compagnie de finance. À chaque marche, notre homme révise ses positions, invente de nouvelles menteries, tout en baissant graduellement le montant de sa demande. Quand il se retrouve finalement face à face avec le gérant, il lui lance d'un ton arrogant:

—OK, laissez faire, gardez-le, votre maudit argent !

Gilbert éclate de rire. Il ne connaissait pas à Philippe ce talent de comédien. Mélanie rigole aussi. Philippe les a bien eus. Tout le repas se déroule dans la joie. Au dessert, Gilbert doit nous quitter.

—J'aurai certainement moins de plaisir à l'Université !

Mélanie se retire dans sa chambre pour étudier. Je m'assois dans la balançoire avec Philippe. La conversation devient aussitôt plus sérieuse ; finis les calembours et finies les folies, du moins pour un temps. Nous retrouvons spontanément le ton de la confidence. Philippe me parle enfin de lui, de la soixantaine qui approche ; je le sens calme, heureux, profondément transformé.

—Ma Comtesse, il m'arrive une chose extraordinaire !
—Quoi donc ?
—Tu ne devineras jamais…
—Arrête de me faire languir !
—Figure-toi qu'on vient de me confier la tâche d'ouvrir une maison de retraite à Mont-Laurier, afin de venir en aide aux alcooliques qui ont du mal à s'en sortir.
—C'est merveilleux ! S'il est un seul homme au monde capable de relever un tel défi, c'est bien toi.

Cette mission de confiance lui redonne une raison de vivre. Philippe est de ceux qui aiment venir en aide aux autres et qui fait quelquefois des miracles.

—En somme, tu deviens une sorte de jument qui va parler quand ce sera le temps.
—Le mot jument m'agace un peu.
—Un étalon ce n'est pas pareil ; ce n'est pas de parler qui l'intéresse !
—Ça dépend avec qui !

Il me sourit, de son beau sourire un peu triste, et me regarde tendrement avec ses yeux de fond de ciel, si bleus, si transparents, que je crois deviner ce qu'il pense : *il suffirait de presque rien…* mais, trop de choses nous séparent : vingt ans ! Vingt années d'expériences, de souvenirs. Philippe pourrait être mon père ! J'éprouve pour ce grand enfant de près de soixante ans une amitié tellement profonde que je n'accepterais jamais qu'on vienne la briser. Je suis heureuse que Gilbert l'ait si bien compris.

— Bon, assez parlé de moi ! Et toi, Comtesse, qu'est-ce qui t'arrive ?
— Je suis toujours amoureuse !
— Ça se voit.
— Gilbert est un homme qui me convient parfaitement.
— Tu es heureuse ?
— Très heureuse !

Philippe se contente de sourire sans rien dire.

— Et si je mettais un peu de musique ?
— Bonne idée.
— Vivaldi, ça ira ?
— Tout à fait.
— Veux-tu encore un peu de café ?
— Une demi-tasse, merci. Oh ! parlant de café…

Et le voilà reparti dans une histoire de bonne femme qui, durant la guerre…

— Je ne sais pas si tu te souviens, en mil neuf cent quarante et un, quand les Allemands…

Décidément, cette maudite guerre nous séparera toujours ; en mil neuf cent quarante et un, je n'avais même pas conscience qu'il pût y avoir quelque guerre que ce soit sur notre planète, et je me fichais des Allemands... comme de l'an quarante !

Quand Gilbert revient, il nous surprend en grande conversation sur la relation qui existe entre les méfaits de l'alcool sur le comportement et l'absentéisme au travail; deux volets que nos gouvernements se gardent bien d'étudier de trop près.

Gilbert se joint à nous, le sujet l'intéresse. Il pose mille questions auxquelles Philippe s'empresse de répondre. Il connaît ce sujet à fond et donne tous les détails nécessaires à satisfaire la curiosité de Gilbert qui découvre un merveilleux filon de recherche :

— Je pensais proposer une étude sur la relation entre les stéréotypes imposés par la société et les problèmes d'alcool.

— C'est une excellente idée ! Et si jamais je peux t'être utile...

— Je te remercie, Philippe !

— Et maintenant, chère Comtesse, rends-moi mon manteau, je file !

— Donne-moi quand même des nouvelles de temps en temps.

— Je te le jure !

Il fait quelques pas, puis revient vers moi et m'embrasse affectueusement.

— Bonsoir, Comtesse, sois bonne !

— Je n'y manquerai pas !

Je referme tout doucement la porte derrière lui. Je sais que je ne le reverrai pas pour un bon bout de temps, mais qu'il réapparaîtra dans ma vie, un de ces jours, à l'improviste...

Gilbert me prend par la taille :

— On va se coucher ?
— Tout de suite !

Élise, chère Élise, tu as oublié de leur offrir des chocolats !

∞

Jeudi 18 janvier

Nous passons la fin de l'après-midi à Villa Médica. Papa va mieux, tellement mieux qu'il pourra retourner chez lui d'ici quelques jours. Je le trouve moins pâle, j'ai même l'impression qu'il a pris un peu de poids. Maman arrive à son tour. Elle parle de l'organisation de son réveillon, comme si nous étions encore à la mi-décembre. Nous fêterons ce Noël en retard dans une quinzaine de jours.

Nous quittons la chambre assez tôt pour aller faire du lèche-vitrines. Nous descendons la rue Saint-Denis lentement, en parlant de nous; seulement de nous, pas des enfants, pas de la Clinique, uniquement de notre plaisir de vivre ensemble.

Une neige légère tombe tout doucement, formant un tapis de minuscules étoiles qui scintillent sous nos pas. Nous sommes amoureux ! Et, comme tous les amoureux, nous sommes seuls au monde. La rue Saint-Denis s'anime, on voit partout des couples qui s'enlacent, s'embrassent; quelle bonne idée ! Gilbert me prend dans ses bras et nous nous embrassons amoureusement, comme à vingt ans. Je goûte la chaleur de ce baiser sous la neige qui mouille ma figure. Ce baiser pourrait devenir un souvenir précieux, si je l'enfermais dans un écrin pour le retrouver quand je serais vieille… mais, pour l'instant, j'en prendrais bien un autre.

Mardi 23 janvier

Alexandre a téléphoné et je l'ai invité à souper. Il arrive d'une séance d'écoute mais préfère ne pas en parler. Je respecte la consigne.

Aussitôt le repas terminé, Alexandre se lève, se verse un deuxième café, puis revient s'asseoir près de la table. Depuis plus d'une heure, nous sommes là, face à face, à nous dire des banalités, et pourtant, je sens bien que le volcan gronde. Comment trouver la bonne question, le mot juste ?

— As-tu passé une bonne journée ?

— Bof !

— Pas mieux que ça ?

— Je suis tanné… h'stie !

— Tanné de quoi ?

— De tout ! Je suis tanné de tout ! Je suis écœuré !

— Écœuré de quoi ?

— De tout ! Je suis écœuré de tout !… J'étouffe, h'stie !

— Tu étouffes ?

— Oui, j'étouffe ! J'étouffe à mes cours ! J'étouffe à la maison ! J'étouffe au Centre ! Je suis tanné ! Tanné ! Tanné ! Je suis écœuré ! J'en peux plus, h'stie !

Il se couche sur la table et se met à pleurer sans essuyer ses larmes. Je le sens à la fois abattu et surexcité ; se pourrait-il que les séances d'écoute ne produisent pas l'effet souhaité ?

— Alexandre, est-ce que je peux t'aider ?

Il ne répond pas. Il reste accoudé sur la table, la tête cachée dans ses mains. Je répète la question :

—Dis-moi, est-ce que je peux t'aider ?

—Laisse faire ! Je suis tanné que tu m'aides ! Je suis tannée de vivre à tes crochets !… Ça m'écœure, h'stie ! Ça m'écœure !

—Tu ne vis pas à mes crochets, je paye ta thérapie, c'est tout !

—Je me sens poigné, attaché, j'étouffe !… À mes cours, je me sens renfermé ! Chez mon père, je me sens renfermé puis j'étouffe !

—Et au Centre d'audio ?

—Au centre aussi, j'étouffe : je passe des heures enfermé dans une petite pièce, puis ça m'écœure, h'stie ! Je peux ni m'asseoir, ni m'allonger, je peux juste replier mes genoux comme ça…

Je constate que la position qu'il prend pour m'expliquer ce qu'il doit faire en thérapie est un rappel exact de la position fœtale. On l'oblige à replier ses genoux contre son corps, pareil à un fœtus.

—Vous me traitez comme un bébé, h'stie !

Il se met à taper du poing sur la table, non pas violemment, mais dans un geste d'impuissance, et répète d'une voix lasse :

—Je suis tanné… tanné… tanné…

Puis, tout à coup, il se lève brusquement et crie :

—Je suis tanné d'être un bébé, *hostie* !

Le mot est lâché ! Alexandre s'écroule sur la table et pleure maintenant à gros sanglots. Le fruit est mûr. Je me rappelle soudain le sourire du consultant quand il m'a dit : *ils demandent tous à naître*. Mon fils est enfin prêt à naître ! Dans quelques jours, il s'accouchera lui-même de mon ventre sonore ; coupant le cordon qui l'étouffe, il se libérera de moi et fera son entrée dans la vie. Son voyage intra-utérin est terminé, il est temps maintenant qu'il sorte de sa coquille et devienne autonome. L'amour qui nous unit prendra désormais des proportions à sa mesure. Il m'aimera librement et en dehors de moi. En surmontant sa peur de naître, Alexandre a vaincu l'angoisse fœtale qui l'empêchait de grandir. La route est libre, je me retire. Je serai là, quand il le voudra, pour lui dire que je l'aime, mais il devra s'envoler sans moi.

— As-tu un cachet, j'ai mal à la tête !
— Te rends-tu compte de ce qui t'arrive ?
— Oui, mais je ne pensais pas que ça se passerait de cette façon-là.
— En as-tu parlé avec ton consultant ?
— Je le vois demain.

Je lui tends un mouchoir en riant :

— Tiens, mon grand, mouche ton nez !

Il rit aussi, la tempête est passée.

∞

Jeudi 25 janvier

Je reçois une longue lettre de mon amie Pauline qui m'annonce qu'elle doit déménager à Chicago, où la compagnie pour laquelle son mari travaille vient d'être transférée. Même si elle craint de s'habituer difficilement à ce nouveau mode de vie, je ne doute pas une seconde qu'elle saura vite tirer parti de toutes ses ressources. Pauline est une battante, qui aime par-dessus tout le contact humain, la chaleur humaine ; elle y mettra du temps, mais finira par apprivoiser Chicago, j'en suis certaine.

Je téléphone la bonne nouvelle à Jacqueline, que je retrouve en pleine euphorie :

— Élise, j'ai changé d'avocat ! J'ai rencontré une avocate époustouflante qui n'a pas peur de poser des gestes. Elle m'a dit que certaines démarches pouvaient être entreprises pour faire pencher la balance en ma faveur, à l'audience de mon jugement définitif en divorce.

— C'est pour quand ?

— Fin mars, début avril. J'ai confiance ! Les préliminaires ont joué contre moi, mais, cette fois-ci, nous aurons un nouveau juge. Qui sait ? Peut-être ne sont-ils pas tous à ce point obnubilés par la profession ronflante du mâle qu'ils ont devant eux ? Peut-être s'en trouve-t-il quelques-uns d'assez *libérés* pour considérer comme une personne normale, une mère comédienne ?

Elle ne croit plus en la justice humaine mais, heureusement, elle croit encore qu'avec le temps c'est toujours la vie qui l'emporte. Cette nouvelle rencontre semble lui avoir redonné des ailes. Je l'ai tant vue pleurer, il est bon maintenant de l'entendre rire ! C'est une femme aimante, chaleureuse, merveilleuse, qui ne méritait certainement pas le coup de cochon que la justice lui a joué. Elle a mis du temps à accepter cette injustice flagrante dans ses tripes; mais maintenant que c'est fait, maintenant qu'elle est retombée sur ses pattes, plus rien ni personne ne pourra l'arrêter.

— Je vais redemander la garde de mes enfants, mais cette fois-ci je jouerai gagnante !

— J'aime te voir aussi optimiste. Qu'est-ce que tu fais ce soir ?

—Rien ! Je suis une mère de cinq enfants libre comme l'air ; c'est pas beau, ça ?

—Alors, amène-toi, je t'invite à souper au Château : il y aura du poulet, du vin et du gâteau au chocolat. À part le vin, devine qui a choisi le menu ?

—Mélanie.

—Évidemment. Nous souperons vers dix-neuf heures.

—Je serai là !

Je suis certaine que Gilbert sera ravi. Jacqueline est notre amie ; la mienne depuis longtemps, celle de Gilbert depuis un an à peine, mais qu'importe le temps ?

∞

Vendredi 26 janvier

Papa est finalement revenu à la maison. Nous arrêtons prendre de ses nouvelles et nous les retrouvons, lui et maman, en train de préparer les festivités de leur Noël en retard : l'arbre, les bougies, les guirlandes, tout a été mis en œuvre pour recréer l'ambiance. Dans quelques jours, nous jouerons tous dans la séance de Noël, et la date n'aura aucune importance.

Je surprends papa à camoufler des cadeaux dans le haut d'une armoire, avec la complicité de maman qui nous voit toutes encore comme des petites filles. Cette scène est particulièrement touchante. Je crois qu'ils ont eu peur de ne jamais le vivre, ce Noël-là.

Face à leur bonheur, je n'ai pas le courage de leur annoncer le prochain mariage de Gabriel. Je les connais, ils en éprouveraient un chagrin bien inutile. Je leur apprendrai la nouvelle après coup, dans quelques semaines.

Nous les laissons à leurs préparatifs et partons dans les magasins à la recherche du seul cadeau qui manque. Gilbert a emballé tous les paquets, sauf celui de papa. Peut-être par superstition, je préférais attendre qu'il ait quitté l'hôpital avant de l'acheter. Voulant éviter tout rappel de la maladie, je rejette d'emblée les idées de pyjama et les idées de robe de chambre… Des jeux! Je vais lui acheter des jeux, toutes sortes de jeux: scrabble, mille bornes, jeu de dames. Durant sa convalescence, il aura le temps d'en profiter. J'ajoute des mots croisés, quelques bons livres, et le compte y est… à lui de jouer!

Toute fière de ma trouvaille, je ressens la même excitation que j'éprouvais lorsque les enfants étaient petits et que, comme mon père tout à l'heure, je m'efforçais de trouver les meilleures cachettes pour dissimuler leurs cadeaux avant Noël; bien inutilement d'ailleurs, puisqu'ils m'ont avoué plus tard les avoir toujours découvertes.

Élise, chère Élise, avoue que l'émotion en valait la peine.

∽

Lundi 29 janvier

Ce soir, aux lundis d'Élise, je reçois Marie-Claude qui vient faire de la couture en prévision de son prochain départ. Les choses se sont précipitées et la belle enfant s'envolera bientôt vers la lointaine Afrique, pour une période indéterminée. *Qui prend mari, prend pays!* Ses études terminées, Ahmed doit retourner en Mauritanie pour partager avec les siens ses connaissances technologiques.

Marie-Claude s'embarque dans cette aventure avec confiance. Son mari devra passer au moins quelques années là-bas. Ils reviendront peut-être un jour, mais pour l'instant, ils n'y pensent même pas.

À peine arrivée, elle déballe une grosse poche de vêtements.

— Élise, crois-tu qu'on pourrait rapetisser cette jupe ?
— Aucun problème, il n'y a qu'à prendre une couture à l'arrière ; enfile-là, je vais l'ajuster sur toi.

Une fois épinglée, elle enlève la jupe puis enfile une autre robe :

— Peux-tu faire quelque chose avec ça ?
— Oh ! non, vraiment pas, enlève-la !

Je mets la touche finale à la robe de Mélanie, tandis que Marie-Claude se bat avec son aiguille. Je lui en offre une autre.

— Tiens, prends celle-ci, le chas est plus gros !

Tout en cousant, nous échangeons des confidences. J'apprends à mieux connaître cette jeune femme dynamique. Sa lucidité peu commune aux gens de son âge lui permet d'entrevoir l'avenir avec optimisme.

Cette rencontre nous rapproche. Marie-Claude me parle d'Ahmed, de ses aspirations, de sa vie avec lui, puis, finalement, elle me parle d'elle : c'est une fille saine, vraie, sans fard, sans artifices, qui respire la santé et le bonheur. Plus nous nous connaissons, plus notre amitié devient sincère. L'arrivée de Gilbert dans ma vie m'aura apporté de bien grandes joies ; la présence de Marie-Claude en est une. Et je bénis ces instants d'intimité qui me permettent de la mieux connaître avant son exil.

—Regarde, Élise, j'ai terminé.

—Parfait, c'est beau, je te félicite!

—Pourrais-tu prendre la mesure de l'ourlet?

—Monte sur la chaise!

Ce soir, nous profitons pleinement de ce tête-à-tête; peut-être le dernier, qui sait? Quand Marie-Claude ne sera plus là, je pourrai l'imaginer certains soirs dans la brousse, allongée sur une natte, et contemplant les myriades d'étoiles. Si, à ce moment-là, elle se rappelle cet unique lundi d'Élise, se souvient que je l'aime, et pense à la chance que nous avons eue de nous rencontrer, alors, enfin, nous nous serons apprivoisées.

∞

Mardi 30 janvier

En entrant au travail, je suis immédiatement convoquée au bureau du personnel. Cette entrevue inattendue me fait peur; s'ils allaient remettre mon poste en jeu? Le sourire du préposé aux ressources humaines me rassure. Loin de me mettre à la porte, on m'offre une promotion: désormais, si j'accepte, je travaillerai la majeure partie du temps pour le docteur Gilbert Gauthier, et quelques heures par semaine pour la réorganisation générale de la Clinique. Cette marque de confiance me touche et me valorise à mes propres yeux: moi, qui venais timidement solliciter un emploi temporaire; moi, que le docteur Gauthier engageait sous réserve pour trois mois; voilà qu'on me reconnaît certains talents, et surtout qu'on me fait confiance. Il est écrit sur mon dossier: *La direction de la Clinique reconnaît la capacité d'organisation de madame Élise Desmarais, et apprécie son sens des responsabilités*. Personne, à part moi, ne peut apprécier l'importance de cette remarque. À partir de maintenant, je sais que, quoi qu'il arrive, je suis capable de gagner ma vie en travaillant, et de me débrouiller avec ou sans Gilbert. Le docteur Gauthier, sans me connaître, m'a donné ma première chance, mais il fallait que j'accède à un échelon supérieur par mes propres moyens pour me sentir rassurée quant à mon avenir.

Je quitte donc cette rencontre avec un sentiment de sécurité. Élise Desmarais peut désormais gagner sa vie toute seule, comme une grande. La réussite ne me fait plus peur. Je sais maintenant que j'ai le dynamisme qu'il faut pour me tailler une place au soleil.

Je croise Gilbert en revenant dans la salle d'attente. Je me donne exprès un air autoritaire.

— Docteur Gauthier, puis-je vous voir un instant ?

Jouant le jeu, Gilbert me suit dans mon bureau.

— Fermez la porte et assoyez-vous !

Il obéit sans trop savoir où je veux en venir. Je le fais languir, puis redeviens moi-même :

— Tu le savais ?
— Pour ta promotion ? Oui, on m'avait consulté.
— Je suis contente.
— Moi aussi, même si ça changera un peu notre emploi du temps.
— Un peu, oui, mais je me sentirai moins liée à ton sort, et plus libre d'être ton amoureuse.
— Tu es vraiment un bel oiseau de liberté, Élise !
— Et je n'accepterai plus jamais de vivre en cage. L'aliénation par amour, c'est fini !

—Si tu savais comme je t'aime !

—Si tu savais comme je t'aime aussi !

Élise, chère Élise, savoure ce moment de plénitude.

∞

Mercredi 31 janvier

Il fait un temps superbe et Gilbert a eu l'excellente idée de ramener sa fille Annabelle au Château. Cette dernière ne nous fait pas souvent le plaisir de manger avec nous ; ses études en théâtre l'accaparent et ne lui laissent, pour ainsi dire, aucun loisir. Annabelle adore le théâtre, voilà au moins un point sur lequel il nous est facile de nous rejoindre, puisque je partage avec elle ce goût du jeu, du texte et de la mise en scène.

Elle dépose son sac à dos près de la porte et me regarde timidement, comme une enfant qui n'ose demander une permission :

—Élise, j'ai un service à…

—Quoi donc ?

—Je voudrais que tu m'aides à faire un travail.

—Quelle sorte de travail ?

—Il s'agit de structurer et d'établir un parallèle entre l'œuvre de Michel Tremblay et celle d'André Gide.

—Rien que ça ? Faut le faire ! Et il te faut ça pour quand ?

—Demain !

—Demain ? As-tu lu Gide ?

—Jamais ! Mais, je connais un peu Michel Tremblay.

—Un peu… je vois ! Bon, à nous deux nous allons peut-être y arriver.

Annabelle sort ses livres et les étale sur la table de la cuisine; ça me rappelle la petite école, quand je faisais mes devoirs après la classe, tandis que ma mère préparait le souper.

Aujourd'hui, c'est Mélanie qui se charge du repas:

— Maman, à quel degré faut-il mettre le four pour faire chauffer le pâté chinois?

— Trois cent cinquante!

— Je dois attendre que la lumière rouge s'éteigne?

— C'est ça!

La joue appuyée dans la paume de sa main, Annabelle se concentre sur son travail sans savoir par quel bout commencer. Je l'aide à trouver des liens, des points communs: deux hommes, deux écrivains, deux enfants élevés presque uniquement par des femmes… deux façons de traiter de l'homosexualité… de la misogynie… Le tableau s'éclaire.

Gilbert s'approche et lorgne par-dessus mon épaule; heureux de me voir partager un bout de vie avec sa fille. Je l'invite:

— Tu peux t'asseoir avec nous, si tu veux!

— Non, merci, je vais descendre faire la lessive.

— Tu es un amour!

— Je le sais!

Annabelle s'impatiente, elle a chaud. Ce travail demande plus de recherches qu'elle ne l'avait d'abord imaginé. Nous fouillons dans tous les textes à notre disposition, étudions les divers personnages et comparons leurs caractères. Annabelle devra apprendre à relativiser ce monde impressionnant: un examen, ça se prépare, on y travaille sérieusement; mais, le temps venu, il faut larguer les amarres et laisser le bateau prendre le large *à la grâce de Dieu!*

Je regarde cette superbe fille et l'imagine assez bien jouant *Ondine* de Giraudoux ou *Mademoiselle Julie*; elle en a le physique et le talent. On devient comédienne *par en dedans*, en vivant, et en se sentant vivre. Sarah Bernhardt n'aimait pas le théâtre, *elle était le théâtre*! Et ce rôle qu'elle jouait, elle l'avait assimilé au point qu'il devenait sa vie. Annabelle laisse tomber son stylo:

—Je n'y arriverai jamais!

—Annabelle, tu dois persévérer! Prends le temps de digérer ce que tu lis. Quand on demandait à Picasso quelle était la meilleure façon de peindre une pomme, il répondait: *Je mange d'abord la pomme, et peins ensuite le souvenir de la pomme*!

—Je ne suis pas Picasso!

—Non, mais la vie est une pomme qui ne demande qu'à être mangée; non pas dévorée, mais savourée! Si tu lis bien Gide, tu constateras qu'il nous apprend qu'en fin de compte, il ne nous reste que la saveur des choses, et que plus on est capable de se laisser imprégner par la saveur de la vie, plus on est capable de témoigner de la vie! On ne sait bien ce qu'est l'amour que lorsque l'on a aimé. Regarde ce qu'il écrit dans *Les Nourritures terrestres*: *Nathanaël, je t'apprendrai la ferveur*…

Gilbert remonte du lavoir les bras chargés; il range nos vêtements dans les tiroirs puis revient dans la cuisine:

—Alors, ça avance? En tout cas, ça sent bon!

Mélanie, flattée par cette remarque, s'empresse de lui montrer le pâté chinois parfaitement doré qu'elle vient de sortir du four. Gilbert la prend par les sentiments:

—Que dirais-tu d'un petit souper romantique dans le salon?

— Avec des bougies ?

— Bien sûr !

— Apporte les bougies, je dresse la table !

Nous vivons une vie toute simple, une vie tendre et bonne, un monde à découvrir…

∞

Vendredi 2 février 1979

Dans quelques heures, Gabriel va se marier. La robe de Mélanie suspendue derrière la porte de ma chambre me ramène à cette réalité. Aujourd'hui, je deviens officiellement : *Madame Ex !* Je n'en ressens aucune peine, aucun regret, pas une ombre de ressentiment.

Un rayon de soleil traverse faiblement le rideau de dentelle, projetant sur le mur un décor de rêve ; et pourtant, je ne rêve pas. Je suis là, dans mon lit, je vis, et c'est ma fête : quarante ans ! Quelle merveille ! Je connais un bonheur que je ne soupçonnais pas. Je suis toujours la même et pourtant différente ; rien, plus rien, de ce jour, ne sera comme avant. Je suis la chrysalide qui devient papillon et, toute surprise encore de ma métamorphose, je déplie doucement mon corps pour bien sentir la vie me couler dans les veines. Je porte en moi les mots, les couleurs, les musiques… je vibre, je regarde, je respire, *je suis !*

Le deux février, c'est ma fête, mais c'est aussi l'anniversaire de ma fuite et de ma libération. La terre s'est ouverte plusieurs fois sous mes pas ; j'ai pleuré, j'ai crié, j'ai hurlé, mais je m'en suis sortie vivante. En tremblant, j'ai vaincu dans mon corps et dans mon âme la souffrance et la peur qui me faisaient mourir, et j'en suis à présent au *Jour Un* de ma renaissance. Désormais, je peux faire de ma vie tout ce dont j'ai envie. Libre ! Je suis libre, sans chaînes et sans enfarges.

J'ai découvert en moi un *puits de plénitude.* Un être humain qui pense, qui vit, qui bouge. Unique ! Comme toute créature vivante, je suis unique, différente, et profondément merveilleuse.

Gilbert grogne un peu, ronronne, se retourne, et se colle contre mon corps. Je me recroqueville et profite d'un *petit deux minutes* blottie au creux de son épaule. Il m'embrasse près de l'oreille et murmure :

— Bon anniversaire, Élise, je t'aime !

Je me grise de la bonne odeur de son cou, de la douceur de sa peau sur la mienne. Je partage ma vie avec cet homme aimant, uniquement par amour, sans contrat, sans serment. Je vis ce jour avec lui par choix, par goût, et non par peur de la solitude ; car la solitude ne me fait plus peur, je l'ai apprivoisée, assumée, faite mienne, et maintenant je l'aime. Le changement s'est produit à l'intérieur de moi, *par en dedans,* comme au théâtre :

— L'Oiseau n'est plus blessé, j'ouvre à nouveau mes ailes, et m'étends jusqu'à l'aube en mille éternités. Je vis l'instant présent et sans fin le recrée…

Élise, chère Élise, la jument a parlé !

Épilogue

On ne peut entrevoir l'avenir qu'avec les yeux du présent. Le *2 février 1977*, j'avais la certitude de vivre la journée la plus noire de toute ma vie, sans me douter que j'écrivais la première page du roman *Un jour la jument va parler...* qui allait connaître un succès inespéré.

Un jour la jument va parler... Le titre m'a été inspiré par un récit entendu dans le troisième volet d'une série télévisée consacrée à Henri VIII, roi d'Angleterre. Quand son tristement célèbre mari s'ennuyait, Jeanne Seymour, sa troisième épouse, s'efforçait de le distraire en lui inventant des histoires, dont celle-ci que je me permets de vous raconter de mémoire :

À l'époque où les gens se faisaient justice eux-mêmes, un homme avait été condamné à mort par son riche créancier pour une dette qu'il n'arrivait pas à rembourser : « Si dans un an, jour pour jour, vous ne m'avez pas remis la totalité de l'argent qui m'est dû, vous serez pendu haut et court à la potence que vous voyez au bout de mon champ… »

Puis, se souvenant qu'il était de bon ton d'accorder au condamné un sursis pour permettre à Dieu d'exercer Sa Divine Clémence, le créancier avait ajouté, non sans un brin de dérision : « à moins que la jument ne parle ! »

« Pendez-moi tout de suite ! s'écria le condamné, car je ne pourrai supporter l'angoisse de vivre pendant un an dans l'attente inexorable de la potence ! » « Prends quand même le pari, lui conseilla son meilleur ami, d'ici un an, tu pourrais mourir de mort naturelle, ton créancier pourrait mourir de mort naturelle, tu pourrais faire de bonnes affaires, voire hériter… »

Au bout d'un an, comme rien de tout cela ne s'était produit, l'homme s'apprêtait à monter sur l'échafaud, la mort dans l'âme… quand la jument s'est mise à parler.

Après avoir entendu cette histoire, j'ai adopté l'expression « la jument va parler » chaque fois que je me retrouvais confrontée à un problème difficile à résoudre ; si bien que le titre *Un jour la jument va parler…* est allé de soi quand j'ai décidé de faire publier mon premier roman.

Dans *Un jour la jument va parler…* j'ai raconté deux ans de ma vie, en composant des personnages derrière lesquels se cachaient des êtres réels, vivants, qui pouvaient facilement se reconnaître. Certains d'entre eux portaient leur propre prénom, les autres s'appelaient tour à tour complicité, amitié, tendresse, amour… Les années se sont écoulées, mais dans mon cœur le souvenir de chacun est resté intact.

Ce matin, dans mon miroir, j'ai retrouvé, dans les yeux d'une femme vieillissante, l'étincelle qui allumait autrefois le regard d'Élise ; elle me ressemble trop pour que je la renie.

J'ai aimé Gabriel jusqu'à la déchirure. Philippe m'a consolée quand j'en avais besoin. Et l'amour de Gilbert a embrasé ma vie.

Bien sûr, ces trois hommes ne s'appellent pas Gabriel, Philippe ou Gilbert, mais le rôle que chacun d'eux a joué dans ma vie vous a été dévoilé sans tricher.

Follement éprise de Gabriel, j'ai cru durant longtemps que l'amour faisait mal. Je caressais la douleur de l'absence et sublimais les élans passionnés qui me déchiraient le cœur et l'âme : je souffrais, donc j'aimais.

Avec Philippe, j'ai connu l'amitié dans ce qu'elle a de plus profond, de plus sincère. Toujours bon prince, il m'appelait *Comtesse* et m'aimait en silence, en oubliant parfois qu'une guerre nous séparait.

Puis ce fut le tour de Gilbert, dont l'amour tendre et doux m'est arrivé comme un cadeau ; un amour différent, sans tempêtes tropicales, sans montagnes russes, sans orages, sans déchirements. Un homme qui m'aime autant que je l'aime, profondément, librement, fidèlement, sans retenue, sans méfiance, sans que je lui demande jamais s'il me trouve trop grosse, trop ridée, ou trop vieille.

Les personnages ne grossissent pas, ne se rident pas, ne vieillissent pas. Tapis dans l'ombre, entre les pages, ils s'animent et reprennent leur rôle aussitôt qu'on les y invite. Je vous les ai présentés comme je les ai connus, et vous laisse le soin d'imaginer la suite. Pour vous aider, j'ajouterai simplement que l'amour de Gilbert ne s'est jamais démenti, que mes amis, hommes ou femmes, me sont restés fidèles, et que Gabriel, enfin sobre, a probablement vécu heureux.

Dans la vraie vie, je fête ce soir la parution de mon huitième roman. Enfermée malgré moi dans ma chambre, j'attends que mon amoureux me fasse signe pour aller retrouver tous ceux que nous aimons : parents, amis, enfants, petits-enfants et arrières petites-filles qui attendent dans le salon. Les plus jeunes jacassent et trépignent d'impatience. J'entends leurs rires, leurs éclats de voix. Soudain, c'est le silence. On frappe deux coups à ma porte :

— Venez, venez, on vous attend, Madame !

Mon amoureux me tend la main, puis me prend dans ses bras et m'embrasse aussi tendrement qu'autrefois. Tant pis pour ceux qui nous attendent. Un dernier baiser furtif, un *je t'aime* balbutié à l'unisson, et nous quittons la chambre en nous tenant par la main.

La mise en scène vaut le coup d'œil : en plus des chandelles qui enjolivent un énorme gâteau, tous les invités tiennent deux longues bougies dans leurs mains. Un reposoir rien que pour moi ! Avec un peu d'orgueil, je me prendrais pour une sainte…

Impressionné par toutes ces flammes, un de mes petits-fils s'approche de moi :

— Dis, grand-maman, toi, tu es un petit peu vieille, hein ?

— Quand tu auras mon âge, tu verras que ce n'est pas si vieux que ça.

— Mais, quand tu seras vraiment, vraiment vieille, quand tu auras cent ans, par exemple, est-ce que je pourrai encore venir dans ton lit pour que tu me racontes des histoires ?

— Des histoires, dans mon lit, à cent ans ? Si ça te tente, mon amour, pourquoi pas ?

Assise dans ma balançoire rose, blottie contre mon amoureux, je regarde un à un tous nos enfants. Nommons-les une dernière fois : Alexandre, Mélanie, Bernard, Marie-Claude et Annabelle ; chacun d'eux a suivi sa route, en empruntant des sentiers parfois tortueux, parfois raboteux. Avec le temps, ils ont fini par devenir adultes, et je les sens, ce soir, apaisés et heureux. Quand on ne la bâillonne pas, la jument parle pour tout le monde :

Élise, chère Élise, l'heure est venue pour toi de refermer le livre...

Tout va changer ce soir, on prend un nouveau départ... la promesse de Fugain me séduit. La vie n'est que mouvement, que changement. Il est un temps pour vivre et un temps pour écrire, la survie d'un roman appartient aux lecteurs.

Bien affectueusement,

Marcelyne Claudais

marcelyneclaudais@hotmail.com